La voie des songes

DIANA GABALDON

Le chardon et le tartan - 9

La voie des songes

Traduit de Philippe Safavi

Cet ouvrage consitue la deuxième partie du livre publié en un seul volume aux Presses de la Cité sous le titre *Le temps des rêves*.

Titre original :
THE FIERY CROSS

TROISIÈME PARTIE

Alertes, résistance et fuite

35

Une pâleur d'un ton plus blanc

Dans un élan de générosité inattendue, Mme Sherston nous offrit l'hospitalité. Je m'installai donc dans sa grande maison avec Brianna, Jemmy et mes deux patients, Jamie partageant son temps entre Hillsborough et le camp de la milice, qui resterait en place au bord de l'Alamance jusqu'à ce que Tryon soit convaincu de l'écrasement définitif de la Régulation.

Avec mes forceps, je n'étais pas parvenue à extraire le projectile logé dans le poumon de Morton, néanmoins ce morceau de métal ne semblait pas le déranger outre mesure. La plaie avait commencé à cicatriser de manière satisfaisante. Impossible de savoir où se trouvait exactement la balle, mais, de toute évidence, elle n'avait perforé aucun des gros vaisseaux. Tant qu'elle ne se déplaçait pas, Morton pouvait fort bien vivre avec. Je connaissais bon nombre d'anciens combattants dans son cas, dont Archie Hayes.

Je n'étais pas très sûre de l'état de conservation de ma pénicilline, mais elle avait l'air d'être efficace. Malgré le pourtour de la plaie rouge et suintant, je ne notai aucune infection et très peu de fièvre. Outre le médicament, l'apparition d'Alicia Brown et de son ventre proéminent, quelques jours après la bataille, contribua considérablement à la convalescence de Morton. Une heure après son arrivée, il était redressé en position assise sur son lit, pâle mais jubilant, les cheveux hirsutes et une main posée avec adoration sur la masse remuante de son enfant à naître.

Pour Roger, c'était une autre paire de manches. Sa seule blessure grave était sa gorge écrasée. Les fractures de ses doigts, que j'avais éclissés, devraient guérir sans difficulté. Ses ecchymoses étaient passées relativement vite du rouge et du bleu vifs à un spectaculaire camaïeu de violet, de vert et de jaune. Avec ces couleurs, il avait l'air d'avoir été exhumé après une semaine passée dans une tombe. Ses signes vitaux étaient excellents, mais sa vitalité, nettement moins.

Il dormait beaucoup, ce qui aurait dû être bon signe. Toutefois, son sommeil était agité. Il avait quelque chose de troublant, comme si, après avoir avidement cherché l'inconscience, il s'y accrochait avec une obstination qui m'inquiétait plus que je n'osais l'admettre.

Brianna, qui n'avait rien à envier à personne en matière d'obstination, avait pour mission de le réveiller de force régulièrement, afin de le nourrir, de nettoyer sa canule et sa plaie. Au cours de ces opérations, il gardait le regard fixé au loin, vide, et réagissait à peine aux remarques de sa femme. Une fois les soins terminés, il fermait de nouveau les yeux, s'enfonçait dans son oreiller, ses mains bandées croisées sur sa poitrine comme un gisant. Seul le chuintement régulier de sa canule émettait un son.

Deux jours après la bataille d'Alamance, Jamie rentra chez les Sherston à Hillsborough juste avant le dîner, épuisé par sa longue chevauchée et couvert de poussière rouge.

Je sortis à sa rencontre dans la cour avec un bol d'eau. Il le vida d'un trait, poussa un soupir de satisfaction, puis essuya la transpiration de son visage sur la manche de sa veste.

— Aujourd'hui, j'ai eu une petite conversation avec le gouverneur, annonça-t-il. Il ne tenait pas vraiment à rediscuter des événements qui ont eu lieu juste après la bataille, mais je ne voulais pas le voir s'en tirer à si bon compte.

Je l'aidai à ôter sa veste poussiéreuse en marmonnant :

— J'imagine que tu ne lui as guère laissé le choix. William Tryon n'est pas Écossais, et encore moins un Fraser.

Il esquissa un sourire. « Têtu comme pierre » : ainsi m'avait-on décrit le clan Fraser des années plus tôt, et rien depuis ne m'avait donné à penser que leur réputation était surfaite.

Il haussa les épaules et s'étira langoureusement, faisant craquer ses vertèbres.

— Bon sang, ce que j'ai faim ! Il y a quelque chose à manger ?

Il se détendit et agita son long nez, humant l'air avec espoir. Bien que les arômes de miel qui flottaient dans l'air soient assez explicites, je précisai :

— Du jambon en croûte et une tarte de patates douces. Alors, qu'a dit le gouverneur après que tu l'as tyrannisé en bonne et due forme ?

À son air satisfait, je devinais que je n'étais pas trop loin de la vérité.

— Un certain nombre de choses. Tout d'abord, j'ai insisté afin qu'il m'explique les circonstances dans lesquelles Roger a été fait prisonnier, qui l'a livré et ce qui a été dit. J'ai bien l'intention d'élucider cette affaire.

Il dénoua son catogan et secoua vigoureusement la tête.

— Il s'est souvenu de quelque chose ?

— Oui. Roger lui a été amené par trois hommes. L'un d'eux portait un insigne de la compagnie Fraser. Il a donc pensé qu'il était avec moi, enfin, il le prétend.

Il avait ajouté cette dernière remarque avec une moue ironique. Il me semblait pourtant que la déduction de Tryon était logique, mais Jamie n'était pas d'humeur objective.

— L'homme en question devait porter l'insigne de Roger, déclarai-je. Les autres membres de ta compagnie sont tous rentrés avec toi, à l'exception des Brown. Or, ça ne pouvait pas être eux.

Les deux Brown avaient profité de la confusion de la bataille pour exercer leur vengeance sur Isaiah Morton et s'éclipser. Ils ne se seraient pas attardés pour monter un sale coup contre Roger, quand bien même ils auraient eu une raison de le faire.

Il hocha la tête.

— Oui, mais pourquoi ? Il a dit que Roger était déjà bâillonné et ligoté. J'en ai profité pour lui rappeler que cette façon de traiter un prisonnier de guerre était indigne.

— Qu'a-t-il répondu ?

Tryon était peut-être moins têtu que Jamie, il n'en était pas moins susceptible.

— Il a rétorqué qu'il ne s'agissait pas d'une guerre, mais d'une insurrection constituant une trahison, ce qui lui donnait le droit de prendre des mesures sommaires. Apparemment, Monsieur ne voit aucune objec-

10

tion à pendre un homme sans même l'autoriser à prononcer un mot pour sa défense...

Ses joues s'empourpraient dangereusement.

— Je te jure, Claire, que si Roger était mort au bout de cette corde, j'aurais étranglé Tryon à mains nues et l'aurais laissé pourrir sur place, bouffé par les corbeaux !

Je n'en doutais pas un instant. Je revoyais sa main se lever lentement vers le cou de Tryon juste au-dessus de son gorgerin. Le gouverneur n'était certainement pas conscient du danger qu'il avait couru cette nuit-là, après la bataille.

— Il n'est pas mort et ne mourra pas, lui rappelai-je sur le ton le plus ferme possible.

J'espérais avoir raison. Je posai une main sur son avant-bras. Je sentais ses muscles bouger sous la peau dans leur désir contenu de frapper quelqu'un. Il baissa les yeux vers moi, prit une grande inspiration puis une autre, tambourina sur sa cuisse de ses doigts raides, puis parvint enfin à maîtriser sa colère.

— Enfin... reprit-il. Il a dit que l'homme avait identifié Roger comme étant James MacQuiston, un des meneurs de la Régulation. Je me suis renseigné sur ce MacQuiston. Serais-tu surprise, *Sassenach*, d'apprendre que personne n'a jamais vu le visage de cet homme ?

Je l'aurais été et je le lui fis savoir. Il hocha la tête, le rouge quittant peu à peu ses joues.

— Moi aussi, mais c'est pourtant le cas. Tout le monde connaît ses idées, publiées dans les journaux, mais personne ne l'a jamais vu. Pas même le vieux Ninian, Hermon Husband, ni aucun autre des Régulateurs auxquels j'ai pu parler, même si la plupart gardent profil bas, naturellement. J'ai même retrouvé l'imprimeur d'un des discours de MacQuiston. Le manuscrit avait, paraît-il, été déposé sur le pas de sa porte un matin, avec un fromage et de l'argent pour payer l'impression.

J'ôtai ma main de son bras, estimant que le danger était passé, et méditai tout haut :

— Voilà qui est intéressant ! « James MacQuiston » serait donc un nom d'emprunt ?

— Très probablement.

Poursuivant dans la même ligne d'idées, j'eus une illumination soudaine.

— Et si l'homme qui avait dénoncé Roger au gouverneur n'était autre que MacQuiston lui-même ?

Jamie haussa des sourcils surpris, puis acquiesça.

— En effet, en faisant pendre Roger à sa place, il se mettait à l'abri. Étant mort, il ne risquait plus d'être arrêté. Oui, c'est une bonne idée…

Il ajouta judicieusement :

— … bien qu'un peu tordue.

— Rien qu'un peu.

Il paraissait en vouloir moins à MacQuiston, tordu et fictif, qu'au gouverneur, mais, d'un autre côté, les actes de Tryon ne faisaient aucun doute.

Tout en parlant, nous avions traversé la cour en direction du puits. Posé sur la margelle, un seau était à moitié rempli d'une eau rendue chaude et saumâtre après une journée passée au soleil. Jamie retroussa ses manches, mit ses mains en coupe et s'aspergea le visage. Puis il s'ébroua avec vigueur au-dessus des hortensias de Mme Sherston.

Je lui tendis la serviette en lin froissée et accrochée sous le chaperon du puits, en lui demandant :

— Le gouverneur se souvient-il à quoi ressemblaient les hommes qui lui ont amené Roger ?

Il s'essuya le visage, secouant la tête.

— Il ne se rappelle que de l'un d'eux. Celui qui portait l'insigne et qui a parlé le plus, un grand gaillard blond, très costaud. Il croit qu'il avait les yeux verts. Dans le feu de l'action, il n'a pas fait très attention à son allure. C'est tout ce dont il se souvient.

— Salope de Roosevelt de mes deux ! m'exclamai-je soudain. Grand, costaud, avec les yeux verts... Tu crois que ce pourrait être Stephen Bonnet ?

Il écarquilla les yeux et resta figé un moment au-dessus de la serviette. Puis il la reposa d'un air songeur.

— Seigneur ! souffla-t-il. Je n'y avais pas pensé.

À vrai dire, l'idée me surprenait aussi. Ce que je savais de Bonnet cadrait mal avec l'image d'un Régulateur. La majorité d'entre eux étaient des hommes pauvres et désespérés, comme Joe Hobson, Hugh Fowles et Abel MacLennan. Quelques-uns étaient des idéalistes scandalisés, style Husband et Hamilton. Stephen Bonnet avait peut-être traversé des périodes de pauvreté et de désespoir, mais j'étais relativement certaine que l'idée de protester en présentant ses revendications au gouverneur ne lui serait pas venue à l'esprit. Se dédommager en recourant à la force, oui. Tuer un shérif ou un magistrat pour venger quelque offense, sans doute. Mais... non, c'était ridicule. J'étais sûre d'une seule chose au sujet de Bonnet : il n'avait jamais payé d'impôts.

Entre-temps, Jamie en était arrivé à la même conclusion. Il essuya une dernière goutte qui lui pendait au bout du nez et déclara :

— Non. Il n'y a pas d'argent à gagner dans cette affaire. Tryon lui-même a dû demander des fonds au comte d'Hillsborough pour financer sa milice. Quant aux Régulateurs...

D'une main, il écarta l'idée que ces derniers aient les moyens de payer un individu pour quelque service que ce soit.

— Je ne sais pas tout sur Stephen Bonnet, mais, d'après ce que j'en ai vu, seul l'or ou la perspective de mettre la main dessus pourrait l'attirer sur un champ de bataille.

— Certes.

Un cliquetis de vaisselle et d'argenterie nous parvenait depuis les fenêtres ouvertes, accompagné des voix des esclaves. On mettait le couvert pour le dîner.

— Il est donc inconcevable que Stephen Bonnet et James MacQuiston soient une seule et même personne ?

Cette question le fit rire, et ses traits se détendirent pour la première fois.

— Non, *Sassenach*. Ça, je peux te l'assurer. Stephen Bonnet ne sait pas lire, ni même écrire son propre nom.

Je le regardai, médusée.

— Comment le sais-tu ?

— Samuel Cornell me l'a dit. Il ne l'a pas rencontré en personne, mais Walter Priestly est venu le trouver un jour pour lui emprunter de l'argent de toute urgence. Il a été surpris, car Priestly était riche. Mais il lui a expliqué qu'il attendait un chargement imminent payable rubis sur l'ongle exclusivement en pièces d'or, son transporteur refusant d'accepter les garanties en marchandise, l'argent de la Proclamation ou même les traites bancaires. Il ne faisait pas confiance aux mots écrits sur du papier ni à personne pour les lui lire. Il n'acceptait que de l'or.

— Oui, ça ressemble bien à Bonnet.

Je tenais sa veste pliée sur le bras. Je la secouai et époussetai ses pans, détournant la tête pour me protéger du nuage de poussière rouge que je soulevais.

— Ce que tu disais à propos de l'appât du gain… Tu penses que Bonnet aurait pu se trouver à Alamance par accident ? En route vers River Run, peut-être ?

Il réfléchit un instant, puis fit non de la tête, tout en déroulant ses manches.

—Ce n'était pas une grande guerre, *Sassenach*, pas le genre d'événement dans lequel on peut se faire entraîner par surprise. Les deux camps adverses se sont fait face deux jours durant, et leurs postes de garde étaient de vraies passoires. N'importe qui aurait pu quitter Alamance ou contourner les campements. En outre, Alamance n'est pas sur la route de River Run. Non, celui qui a tenté de tuer Roger était ici de son plein gré.

— Nous revoilà donc avec notre mystérieux James MacQuiston. Mais qui peut-il donc être ? Je ne vois pas qui parmi les Régulateurs pourrait en vouloir personnellement à Roger !

— Moi non plus, admit Jamie. Il ne nous reste plus qu'à attendre que ce garçon soit en mesure de nous le dire lui-même.

Après le dîner – au cours duquel il ne fut naturellement pas question de Stephen Bonnet ni de tout autre sujet contrariant –, je remontai voir Roger. Jamie m'accompagna et congédia discrètement l'esclave assise près de la fenêtre, en train de repriser. Quelqu'un devait rester en permanence au chevet du malade pour s'assurer que sa canule, son seul moyen de respirer, ne se bouchait pas ni ne se déplaçait. Avant que je l'enlève, il faudrait encore patienter plusieurs jours, le temps que les tissus broyés du larynx désenflent.

Jamie attendit que j'aie vérifié son pouls et sa respiration, puis, à mon signe de tête, il s'assit près du lit. Sans s'embarrasser de préliminaires, il demanda :

— Connais-tu le nom des hommes qui t'ont livré ?

Roger leva les yeux vers lui, fronçant les sourcils, puis hocha lentement la tête en levant un doigt.

— L'un d'eux, traduisit Jamie. Combien étaient-ils ?

Trois doigts. Cela correspondait au souvenir de Tryon.

— Étaient-ils des Régulateurs ?

Un hochement de tête.

Jamie me lança un regard, puis baissa de nouveau les yeux vers Roger.

— Ce n'était pas Stephen Bonnet ?

Roger se redressa brusquement en position assise, la bouche ouverte. Il saisit le tube dans sa gorge, essayant désespérément de parler et secouant violemment la tête.

Je lui agrippai l'épaule, tentant de protéger sa canule de l'autre main. La violence de son mouvement l'avait pratiquement arrachée hors de l'incision, et un filet de sang coulait dans son cou. La plaie s'était rouverte, mais Roger n'en était pas conscient. Ses yeux étaient rivés sur Jamie et ses lèvres remuaient frénétiquement, posant des questions silencieuses.

Jamie l'agrippa par l'autre épaule et m'aida à le forcer à se rallonger.

— Non, non, répondit-il. Si tu ne l'as pas vu, c'est qu'il n'y était pas. Tryon ayant décrit l'homme qui t'a trahi comme un grand blond aux yeux verts, on a pensé que, peut-être…

Les traits de Roger se détendirent. Il s'enfonça de nouveau dans son oreiller, sa bouche légèrement tordue. Jamie insista :

— Mais tu connais cet homme, n'est-ce pas ? Tu l'avais déjà rencontré ?

Roger détourna le regard, acquiesça, puis haussa les épaules. Il paraissait à la fois irrité et impuissant. J'entendais son souffle s'accélérer, sifflant dans le tube d'ambre. Je me raclai la gorge en insistant et en fronçant les sourcils vers Jamie. Roger n'était plus dans un état critique, mais il n'était pas guéri, loin de là.

Jamie ne me prêta pas la moindre attention. Avant de monter, il avait pris la boîte à dessin de Brianna. Il posa une feuille de papier dessus, la déposa sur les genoux de Roger, puis lui tendit un fusain.

— Tu veux bien essayer encore ?

Il avait tenté de communiquer par écrit avec Roger depuis qu'il avait repris connaissance, mais les mains trop enflées de son gendre n'avaient pu se refermer autour d'un crayon. Elles étaient encore boursouflées et violacées, mais l'application répétée de sangsues et les massages doux avaient amélioré leur état. Elles commençaient à ressembler vaguement à des membres humains.

Roger pinça les lèvres, mais il attrapa maladroitement le fusain. Son index et son majeur étaient cassés. Leurs éclisses dépassaient en formant un V, signe bien déplacé, compte tenu des circonstances.

L'air concentré, il plissa le front et griffonna lentement quelque chose. Jamie suivait attentivement, tenant le papier à plat des deux mains pour l'empêcher de glisser.

Le bâtonnet se brisa en deux, les fragments volant dans toute la pièce. J'allai les ramasser pendant que Jamie se penchait sur le gribouillis. On y lisait un « W », un « M », puis un espace et un « MAC » maladroit.

— William ? demanda Jamie.

Roger hocha la tête, en nage.

Je jetai un coup d'œil par-dessus l'épaule de Jamie.

— William Mac. Un Écossais, donc, ou du moins un homme portant un patronyme écossais ?

Cela ne réduisait pas beaucoup notre champ d'investigation : MacLeod, MacPherson, MacDonald, MacDonnel, Mac... Quiston ?

Roger leva une main et se frappa la poitrine. Il recommença en articulant un mot. Me souvenant de jeux télévisés basés sur des mimes, je pris cette fois Jamie de vitesse :

— MacKenzie ?

Il me gratifia d'un éclat d'yeux verts et d'un acquiescement.

— MacKenzie, William MacKenzie, répéta Jamie, méditatif.

Il sembla parcourir à toute allure son répertoire mental de noms et de visages sans trouver de correspondance.

J'observai le visage de Roger. Encore très tuméfié, il reprenait peu à peu une forme normale, en dépit de la marque blafarde sous son menton. Son expression était étrange. Je lisais dans ses yeux la douleur physique, l'impuissance, la frustration devant son incapacité à dire à Jamie ce qu'il voulait savoir, mais il y avait autre chose. De la colère, certes, mais également une sorte de perplexité.

Je me tournai vers Jamie qui pianotait sur la table en réfléchissant.

— Tu connais un William MacKenzie ?

— Oui, j'en connais même quatre ou cinq. Mais en Écosse. Aucun ici, et aucun qui...

Roger leva brusquement la main en entendant le mot « Écosse », et Jamie s'interrompit, le fixant comme un chien à l'arrêt.

— L'Écosse, dit-il. Il a quelque chose à voir avec l'Écosse ? C'est un nouvel immigrant ?

Roger secoua violemment la tête, puis grimaça de douleur. Il serra les paupières un moment puis les rouvrit et agita la main vers les morceaux de fusain que je tenais toujours.

Il s'y reprit plusieurs fois et, à la fin, retomba épuisé dans son oreiller, le col de sa chemise de nuit trempé de sueur et taché de sang. Le résultat de ses efforts était à moitié effacé et désordonné, mais le mot était clairement lisible : « Dougal ».

L'air intéressé de Jamie se changea aussitôt en méfiance.

Il connaissait plusieurs Dougal, quelques-uns d'entre eux habitant en Caroline du Nord.

— Dougal… répéta-t-il. Dougal Chisholm ? Dougal O'Neill ?

Roger nia, leva la main et la pointa avec insistance vers Jamie, tapant son torse du bout de ses éclisses. Comme celui-ci ne comprenait toujours pas, il chercha de nouveau le morceau de fusain, mais il avait roulé de la boîte à dessin et s'était brisé sur le sol. Grimaçant, il pressa le bout de son annulaire encore noir de charbon contre le papier. Puis s'aidant de tous ses doigts les uns après les autres, il réalisa un léger gribouillis spectral qui me glaça le sang.

« Geilie », écrivit-il.

Jamie regarda le mot un moment. Un léger frisson le parcourut et il se signa.

— *A Dhia*, dit-il doucement.

Il releva les yeux vers moi et nous échangeâmes un regard angoissé. Nous comprîmes en même temps. Roger se laissa alors retomber sur son oreiller, expirant bruyamment dans sa canule.

— Le fils que Geillis Duncan a eu de Dougal, dit Jamie, incrédule. Je crois bien qu'il s'appelait William. Tu es sûr, Roger ?

Roger hocha brièvement la tête, puis il leva un doigt éclissé et montra son propre œil, d'un vert clair et profond, couleur de mousse. Son teint était aussi blanc que le drap sur lequel il était couché et ses doigts noircis tremblaient. Ses lèvres aussi. Il mourait d'envie de parler, d'expliquer... mais, pour des renseignements plus détaillés, nous devrions tous attendre encore.

Sa main retomba et il ferma les yeux.

La révélation de l'identité de William Buccleigh MacKenzie n'altéra en rien l'envie pressante de Jamie de retrouver le tortionnaire de Roger, mais elle modifia son intention de l'assassiner sur-le-champ une fois qu'il aurait mis la main dessus. C'était déjà un progrès.

Brianna, arrachée à sa séance de peinture pour donner son avis, arriva dans ma chambre avec son tablier. Elle sentait fort la térébenthine et l'huile de lin, une traînée de jaune de Naples décorant le lobe d'une de ses oreilles.

Décontenancée par les questions abruptes de Jamie, elle répondit :

— Oui, j'ai déjà entendu parler de William Buccleigh MacKenzie. L'enfant des fées.

— Le quoi ? demanda Jamie, abasourdi.

Soudain, je m'en souvins moi aussi :

— Effectivement, je l'avais appelé ainsi en voyant l'arbre généalogique de Roger. J'ai compris alors qui était William Buccleigh. Dougal avait confié l'enfant à William et Sarah MacKenzie, tu te souviens ? Le couple lui a donné le prénom de leur fils mort deux mois plus tôt.

— Roger m'a raconté qu'il avait vu William MacKenzie et sa femme à bord du *Gloriana* pendant sa traversée entre l'Écosse et la Caroline du Nord, intervint Brianna. Mais il a su trop tard qui il était et n'a pas pu discuter avec lui. Cependant, même s'il est ici, pourquoi ce William en voudrait-il à Roger et pourquoi avoir cherché à se débarrasser de lui de cette manière ?

Elle frissonna en dépit de la chaleur qui régnait dans la chambre. En ce début d'été, même avec les fenêtres ouvertes, l'air était brûlant et lourd d'humidité.

— C'est le rejeton de la sorcière, répondit Jamie.

Il semblait croire que c'était là une explication suffisante, et je n'étais pas loin de lui donner raison.

— Moi aussi, on m'a prise pour une sorcière, observai-je d'un ton acerbe.

Il me regarda de biais et sourit. Puis, il s'éclaircit la gorge et essuya son front moite sur sa manche avant de conclure :

— Je suppose qu'il n'y a rien d'autre à faire qu'attendre. Cela dit, le fait d'avoir un nom va nous aider. Je demanderai à Duncan et à Farquard de se renseigner.

Il poussa un soupir d'exaspération, puis reprit :

— Mais qu'en faire une fois que je l'aurai retrouvé ? Fils de sorcière ou pas, il est de mon sang. Je ne peux pas le tuer. Pas après Dougal...

Il se rattrapa de justesse et toussota.

— Je veux dire... c'est le fils de Dougal, après tout. Mon cousin germain, en somme.

Je savais ce qu'il voulait vraiment dire. Quatre personnes étaient au courant de ce qui s'était réellement passé dans ce grenier de la vieille ferme, près de Culloden, le jour avant la fameuse bataille. L'une d'elles était morte, une autre avait disparu, certainement engloutie, elle aussi, dans les remous du Soulèvement. J'étais donc le seul témoin survivant à avoir assisté à la mort de Dougal et à connaître la main qui avait versé son sang. Quel que soit le crime de William Buccleigh MacKenzie, Jamie ne le tuerait pas, par égard pour la mémoire de son père.

Brianna le dévisageait d'un air choqué.

— Envisageais-tu de le tuer, sans même savoir qui c'était ?

Elle tordait un chiffon imbibé de peinture entre ses mains.

Jamie se tourna vers elle.

— Roger est ton homme, le fils de ma maison, dit-il très sérieusement. Bien sûr que je tiens à le venger !

Brianna m'observa un court instant, puis détourna les yeux. Elle paraissait songeuse, avec cet air d'avoir une petite idée derrière la tête qui ne me disait rien qui vaille.

— Parfait, déclara-t-elle calmement. Quand vous aurez retrouvé ce William Buccleigh MacKenzie, faites-le-moi savoir.

Elle plia son chiffon, le fourra dans sa poche, puis repartit au travail.

Brianna gratta une noisette de vert Véronèse sur le bord de sa palette, puis effleura de la pointe de son pinceau la grande tache de gris perle qu'elle avait préparée. Elle hésita un instant, faisant osciller les couleurs dans la lumière de la fenêtre pour les évaluer, puis rajouta un soupçon de cobalt. Un spectre de tons subtils allait du bleu gris au gris vert, des teintes si délicates qu'un œil non avisé les aurait à peine distinguées du blanc.

Avec un de ses gros pinceaux épais, elle étala les tons gris par petites touches superposées le long de la mâchoire du visage qu'elle était en train de peindre. Oui, c'était bien ça : un teint de porcelaine sous lequel pointait une ombre ferme, un mélange à la fois aérien et terreux.

Absorbée par sa vision dédoublée d'artiste, elle peignait, profondément concentrée, isolée du monde extérieur, comparant l'image qui prenait forme sur la toile avec celle gravée à jamais dans sa mémoire. Elle avait pourtant déjà vu la mort auparavant. Son père, Frank, avait été exposé dans un cercueil ouvert lors de sa veillée funèbre, et elle avait assisté aux obsèques de plusieurs vieux amis de la famille. Mais les couleurs des embaumeurs étaient très crues, presque grossières, comparées à celles d'un cadavre frais.

Elle saisit un pinceau fin et ajouta une pointe de vert anglais pur dans la courbe profonde d'une orbite. Du sang et des os… Toutefois, la mort n'altérait pas la forme du squelette ni les ombres qu'il projetait. Le sang colorait ces zones sombres. Dans la vie, il circulait sous la peau en créant des nuances bleues, rouges, roses, lavande. Dans la mort, il s'immobilisait, stagnait et fonçait… bleu argile, mauve, indigo, brun violacé… et ce ton nouveau de vert ténu et éphémère, à peine visible, que son esprit d'artiste qualifiait, avec une lucidité brutale, de « début de putréfaction ».

Des voix inconnues résonnèrent dans le couloir. Elle releva le nez de sa toile, sur ses gardes. Pénélope Sherston aimait bien montrer à ses visiteurs le tableau en cours. En temps normal, Brianna ne voyait pas d'inconvénient à ce qu'on la regarde travailler ni à expliquer son œuvre, mais le portrait qu'elle peignait était difficile à réaliser et elle devait faire vite. Elle ne pouvait utiliser des couleurs aussi subtiles que pendant une brève période avant le coucher du soleil, quand la lumière était claire mais diffuse.

Heureusement, les voix poursuivirent leur route vers le petit salon. Elle se détendit, reprenant son pinceau plus épais.

Sa vision émergea de nouveau dans sa tête : le cadavre déposé sous un arbre à Alamance, près de l'infirmerie de fortune de sa mère. Elle s'était attendue à être rebutée par les blessures et la mort, mais elle avait surtout été choquée par sa propre fascination. Elle en avait pourtant vu d'autres, mais assister sa mère lors de ses consultations habituelles était différent. Elle avait le temps de compatir à la douleur des patients, de remarquer toutes les petites indignités et les maux de la chair fragile. Sur un champ de bataille, tout allait très vite, il y avait trop à faire pour être délicat.

Pourtant, en dépit de l'urgence et de la précipitation, elle s'était arrêtée un instant à chacun de ses passages devant l'arbre. Elle s'était penchée pour soulever un coin de la couverture et regarder le visage du mort, horrifiée mais ne faisant rien pour y résister. Dans sa mémoire, elle avait enregistré les changements inexorables et stupéfiants des couleurs et des ombres, la raideur musculaire, le déplacement des formes, pendant que la peau s'affaissait et se raccrochait aux os, la mort et la décomposition entamant leur longue métamorphose magique.

Elle n'avait pas pensé à demander le nom du mort. Était-ce un manque de sensibilité de sa part ? Probablement. Le fait était que tous ses sentiments avaient été accaparés ailleurs et l'étaient encore. Elle ferma les yeux et récita une brève prière pour le repos de l'âme de son modèle inconnu.

Quand elle les rouvrit, elle constata que la lumière baissait. Elle gratta sa palette et commença à nettoyer ses pinceaux et ses mains, réintégrant lentement et à contrecœur le monde extérieur.

Jemmy avait probablement déjà dîné et pris son bain, mais il refusait de s'endormir sans tétée et sans être bercé. À cette seule pensée, ses seins la démangèrent. Ils étaient agréablement pleins, mais devenaient douloureusement gorgés depuis que le bébé avait commencé à manger de la nourriture solide et se jetait avec moins de voracité sur sa chair.

Elle allaiterait Jemmy, puis, après l'avoir couché, irait manger un morceau à la cuisine. Elle n'avait pas dîné avec les autres afin de profiter de la lumière, et son estomac grondait doucement en sentant les odeurs de nourriture qui s'attardaient dans la maison.

Ensuite... elle monterait voir Roger. À cette idée, elle serra les mâchoires. Elle s'efforça alors de détendre ses lèvres, expulsa l'air en faisant vibrer sa bouche et en émettant un bruit flatulent de bateau à moteur.

Malheureusement, Pénélope Sherston choisit ce moment pour passer la tête dans l'entrebâillement de la porte. Elle cligna des yeux, mais eut l'élégance de faire comme si de rien n'était.

— Ah ! vous voici, ma chère ! Venez donc nous rejoindre dans le petit salon un instant. M. et Mme Wilbur meurent d'envie de vous rencontrer.

Brianna tenta de retrouver l'air digne et indiqua son tablier plein de taches.

— Oh ! Euh... oui, bien sûr. Donnez-moi juste le temps de me changer...

Mme Sherston balaya sa gêne d'un geste, ravie d'exhiber son artiste maison en costume.

— Non, non, ne vous inquiétez pas pour ça. Ce soir, nous recevons dans la plus grande simplicité. Personne ne s'en formalisera.

Malgré elle, Brianna avança vers le petit salon.

— D'accord, mais... juste pour une minute. Je dois aller coucher Jemmy.

La petite bouche rose de Mme Sherston se fronça de surprise. Elle ne comprenait pas pourquoi ses esclaves ne pouvaient pas s'occuper du bébé, mais ayant déjà entendu les opinions de Brianna sur le sujet, elle eut la sagesse de ne rien dire.

Les parents de Brianna se trouvaient dans le petit salon avec les Wilbur, qui s'avérèrent un charmant couple âgé. Claire les appelait déjà par leur prénom, Darby et Joan. Ils la rassurèrent comme il se devait sur sa tenue, insistèrent poliment pour voir son tableau, exprimèrent leur profonde admiration pour la toile et son auteur (tout en écarquillant les yeux devant le sujet choisi), et se comportèrent avec une telle amabilité qu'elle finit par se détendre.

Elle s'apprêtait à prendre congé, quand M. Wilbur profita d'un temps mort dans la conversation pour se tourner vers elle avec un sourire bienveillant et déclarer :

— J'ai cru comprendre que des félicitations étaient de circonstance, madame MacKenzie.

— Ah oui ? Euh... merci.

Ne sachant pas de quoi on la félicitait, elle pivota vers sa mère en quête d'un indice. Celle-ci grimaça et se tourna vers Jamie, qui toussota, puis déclara sur un ton détaché :

— Le gouverneur Tryon a concédé à ton mari deux mille cinq cents hectares de terrain dans l'arrière-pays.

— Il a fait ça ? Mais... pourquoi ?

Il y eut un bref moment de gêne, tandis que les Wilbur et les Sherston échangeaient des regards indécis.

— À titre de dédommagement, déclara Claire d'une voix tendue.

Brianna comprit enfin. Si personne n'avait l'indélicatesse de parler ouvertement de la pendaison accidentelle de Roger, l'histoire était trop sensationnelle pour ne pas avoir fait le tour de la bonne société d'Hillsborough. Soudain, elle se rendit compte que l'hospitalité de Mme Sherston envers ses parents et Roger n'avait peut-être pas été motivée uniquement par sa bonté. Héberger le pendu concentrait toute l'attention de la ville sur la maison Sherston. C'était sans doute encore plus gratifiant que de faire réaliser un portrait peu conventionnel.

— J'espère que votre mari va mieux, ma chère, enchaîna avec tact Mme Wilbur pour combler le silence. Nous avons été navrés d'apprendre son accident.

Un accident. C'était encore la manière la plus prudente de décrire la situation.

Elle sourit aussi courtoisement que possible avant de se retourner vers son père :

— Roger est au courant pour la concession ?

— Non, nous avons pensé que tu tiendrais peut-être à le lui annoncer toi-même.

Sa première réaction fut de la gratitude. Elle aurait quelque chose à dire à Roger. Il était difficile de parler à quelqu'un qui ne pouvait vous répondre. Toute la journée, elle stockait des sujets de conversation, des pensées ou des événements qui se transformeraient ensuite en histoires à raconter. Toutefois, sa réserve d'anecdotes se tarissait rapidement, et assise près du lit de Roger, elle cherchait souvent, avec désespoir, des banalités à dire.

Sa seconde réaction fut un léger agacement. Pourquoi son père ne lui avait-il pas annoncé cette nouvelle en privé au lieu d'étaler leurs histoires de famille devant de parfaits inconnus ? Puis elle surprit l'échange discret de regards entre ses parents. Sa mère venait de poser silencieusement la même question, et il y avait répondu, en lançant un bref coup d'œil vers M. Wilbur, puis vers Mme Sherston.

« Il valait mieux dire la vérité devant des témoins dignes de foi que de laisser les commérages se propager de manière incontrôlée. »

Elle se fichait pas mal de sa propre réputation – celle-ci était déjà bien entachée –, mais elle s'était suffisamment familiarisée avec les réalités sociales de l'époque pour savoir tout le mal que le scandale pourrait causer à son père. Si le bruit courait que Roger était effectivement un des meneurs de la Régulation, les propres loyautés de Jamie seraient sans doute remises en cause.

En écoutant les conversations dans le salon des Sherston au cours des dernières semaines, elle avait commencé à comprendre que la colonie était comme une gigantesque toile d'araignée. De très gros arachnides tissaient d'innombrables fils de commerce, le long desquels un certain nombre d'araignées plus petites se frayaient tout doucement un chemin, toujours à l'écoute du vague bourdonnement de détresse émis par une mouche prise au piège, vérifiant sans cesse la solidité du réseau, la présence de soies brisées.

Les entités plus petites se faufilaient prudemment au périmètre de la toile, toujours attentives aux moindres mouvements des grosses – les araignées étant des cannibales, comme tous les ambitieux.

Son père occupait une position importante, mais pas assez stable pour résister au travail de sape des ragots et de la suspicion. Roger et elle en avaient déjà discuté auparavant, en privé, émettant des hypothèses. Les lignes de fractures étaient là, visibles aux yeux de ceux qui savaient ce que réservait l'avenir. On sentait déjà les tensions et les frictions qui s'approfondiraient soudain, formant un gouffre assez grand pour couper les liens entre les colonies et la mère patrie.

Si les pressions devenaient trop fortes, trop vite, si les liens entre Fraser's Ridge et le reste de la colonie s'étiraient trop... ils risquaient de lâcher. Les soies poisseuses se refermeraient en un épais cocon autour de sa famille, la laissant suspendue à un fil, seule, proie facile pour ceux qui voulaient lui sucer le sang.

« Ce que tu peux être morbide, ce soir ! » se dit-elle, s'amusant elle-même de son choix d'images. Ce devait être le fait de peindre la mort.

Ni les Wilbur ni les Sherston ne semblaient avoir remarqué son humeur. En revanche, sa mère lui lança un regard songeur, mais ne dit rien. Brianna échangea encore quelques amabilités, puis s'excusa.

Son moral ne s'améliora pas en constatant que Jemmy, lassé de l'attendre, s'était endormi, des traces de larmes encore fraîches sur ses joues. Elle s'agenouilla un moment près de son berceau, une main posée délicatement sur lui, espérant qu'il pourrait sentir sa présence et se réveiller. Son petit dos se soulevait et s'affaissait dans le rythme douillet d'une paix profonde, mais il ne bougea pas. La transpiration formait une pellicule luisante dans les plis de sa nuque.

La chaleur de la journée montait du sol, rendant les pièces du premier étage toujours étouffantes à la tombée de la nuit. Naturellement, on fermait les fenêtres pour éviter que les courants d'air néfastes ne pénètrent dans la chambre et ne dérangent le bébé. Mme Sherston n'avait pas d'enfant, mais elle savait quelles précautions prendre.

Dans les montagnes, Brianna n'aurait pas hésité à ouvrir grand les carreaux, mais dans une ville densément peuplée comme Hillsborough, remplie d'étrangers venus de la côte, d'abreuvoirs pour chevaux à l'eau stagnante, de puits froids et humides...

Soupesant, d'un côté, le danger relatif de piqûres de moustiques porteurs de paludisme et, de l'autre, celui de la suffocation, Brianna décida finalement d'ôter la mince couverture qui recouvrait son fils et de lui enlever sa robe. Il était maintenant confortablement étalé sur son drap, emmailloté d'un lange, sa peau douce, brillante et rose luisant dans la clarté de la chandelle.

En soupirant, elle moucha celle-ci et sortit, laissant la porte entrebâillée afin de l'entendre s'il se réveillait. Il faisait presque nuit. La lumière du rez-de-chaussée filtrait par la cage d'escalier, mais le fond du couloir était plongé dans l'obscurité. Les consoles dorées et les portraits d'ancêtres de M. Sherston formaient des formes spectrales dans le noir.

La chambre de Roger était éclairée. La porte était fermée, mais un faisceau doré s'étirait sur le parquet lustré de son seuil, mordant les franges bleues du tapis du couloir. Elle se dirigea vers la mince clarté, sa faim supplantée par le désir plus fort d'un contact physique. Ses seins avaient recommencé à lui faire mal.

Une esclave s'était assoupie dans un coin de la chambre, ses mains reposant mollement sur son ouvrage oublié sur ses genoux. Elle sursauta en entendant la porte s'ouvrir et, d'un air coupable, cligna des yeux vers Brianna.

Celle-ci se tourna aussitôt vers le lit où reposait Roger, mais tout semblait en ordre. Elle entendait le sifflement et le soupir de sa respiration. Elle fronça les sourcils en direction de la femme, puis lui fit signe qu'elle pouvait disposer. Ramassant maladroitement son bas inachevé, l'esclave sortit en évitant son regard.

Roger était couché sur le dos, un drap soigneusement tiré sur les angles saillants de son corps. « Qu'il est maigre, pensa Brianna. Comment a-t-il pu fondre autant, si vite ? » Il ne pouvait avaler que quelques cuillerées de soupe et du bouillon à la pénicilline de Claire, mais deux ou trois jours de ce régime ne suffisaient tout de même pas pour l'émacier à ce point ?

Puis en y réfléchissant, elle se dit que le stress de la campagne l'avait probablement déjà amaigri. Jamie et Claire étaient, eux aussi, plus minces que d'ordinaire. Les traits enflés avaient caché la proéminence de ses os, mais en retrouvant visage humain, ses pommettes saillaient en étirant sa peau, et la courbe gracieuse de sa mâchoire se détachait nettement au-dessus du bandage blanc entourant sa gorge lacérée.

Brianna prit conscience qu'elle l'observait en évaluant la couleur de ses ecchymoses. Le jaune verdâtre des marques qui s'estompaient peu à peu différait du gris-vert délicat de la mort récente. Il faisait aussi maladif, mais une couleur de vie teintait néanmoins sa peau. Elle inspira profondément, s'apercevant soudain que la fenêtre à guillotine de cette chambre était aussi fermée. La transpiration coulait et s'immisçait de manière désagréable dans le creux de ses reins, entre ses fesses.

Le grincement du châssis réveilla Roger. Il tourna la tête sur l'oreiller et esquissa un faible sourire en l'apercevant.

— Comment te sens-tu ?

Elle parlait à voix basse, comme dans une église, de peur de parler trop fort.

Il haussa une épaule, mais articula un « ça va » silencieux. Il paraissait flétri et moite, ses cheveux noirs adhérant à ses tempes.

— C'est fou ce qu'il fait chaud, non ?

Elle agita une main vers la vitre ouverte d'où entrait de l'air chaud mais mobile. Il hocha la tête, pointant son col d'un doigt bandé. Comprenant son signe, elle déboutonna entièrement sa chemise pour laisser la brise caresser son torse nu.

Il avait de petits mamelons, cernés d'aréoles rose foncé sous des poils noirs et frisés. Cette vision lui rappela ses propres seins gorgés de lait et elle fut traversée d'une envie folle de les presser contre sa bouche. En se souvenant du soir où il l'avait tétée sous les saules à River Run, elle fut parcourue d'un courant chaud qui se diffusa de sa poitrine jusque dans son bas-ventre. Le sang lui montant aux joues, elle se tourna et fit mine d'examiner ce qu'il y avait à manger sur la table de chevet.

Un bouillon de viande froid, épicé à la pénicilline, dans un bol fermé, et une cruche de thé au miel faisaient office de repas. Elle prit la cuillère et l'interrogea du regard. Il grimaça faiblement, mais acquiesça. Elle saisit le bol et s'assit sur le tabouret à côté de lui.

Comme lorsqu'elle donnait sa bouillie à Jemmy, elle déclara joyeusement :

— Ouvre la porte de l'écurie, voilà le cheval qui arriiiiiive !

Il leva au ciel des yeux exaspérés.

Ne se laissant pas démonter, elle poursuivit :

— Quand j'étais petite, mes parents me disaient : « Ouvre le garage pour ranger l'automobile » ou encore

« Ouvre les portes de l'écluse pour laisser entrer la péniche », mais je ne peux pas les utiliser avec Jemmy. Ta mère ne te faisait-elle pas la même chose avec les voitures et les avions ?

Il tordit les lèvres, mais finit par sourire malgré lui. Il répondit non de la tête et pointa un doigt vers le plafond. Levant les yeux, elle aperçut un point noir sur le plâtre. En regardant de plus près, elle constata qu'une abeille égarée avait dû entrer par la fenêtre pendant la journée et somnolait à présent dans la pénombre.

— Ah oui ? Soit, alors ouvre grand, voici venir la petite abeille, bzzz bzzz...

Elle lui versa la cuillerée dans la bouche. Elle ne put poursuivre le jeu trop longtemps, mais l'atmosphère s'était détendue. Elle lui parla de Jemmy, qui avait un nouveau mot favori – « Wagga » –, mais que personne encore n'avait réussi à comprendre.

— J'ai d'abord pensé que ça voulait dire « chat », mais il les appelle « maou-maou ».

Elle essuya une goutte de sueur sur son front du dos de la main, puis replongea la cuillère dans le bol.

— Mme Sherston dit qu'il devrait déjà marcher. Bien entendu, les enfants de sa sœur gambadaient tous avant un an. Maman, en revanche, m'assure que tout va bien. Selon elle, les enfants se mettent à marcher quand ils se sentent prêts. Cela peut arriver entre dix et dix-huit mois, mais la moyenne, c'est quinze.

Elle surveillait sa bouche pour guider l'ustensile, mais elle était consciente qu'il l'observait. Elle avait envie de le regarder dans les yeux, mais elle craignait de voir ce qui se cachait dans leur profondeur vert sombre. Serait-ce le Roger qu'elle connaissait ou l'inconnu silencieux, le pendu ?

— Oh, j'allais oublier !

Elle s'interrompit au milieu de sa description des Wilbur. Naturellement, ce n'était pas vrai, mais elle n'avait pas voulu lui asséner la nouvelle de but en blanc.

— Papa a parlé avec le gouverneur cet après-midi. Il – je veux dire le gouverneur – t'a offert une concession. Deux mille cinq cents hectares.

Tout en le disant, elle se rendit compte de l'absurdité de ce cadeau. Deux mille cinq cents hectares de terres sauvages contre une vie pratiquement détruite. « Laisse tomber le "pratiquement" », pensa-t-elle soudain en le regardant.

Il la dévisagea d'un air perplexe, puis secoua la tête et s'enfonça dans son oreiller en fermant les yeux. Il leva les mains puis les laissa retomber, comme si la nouvelle était tout simplement trop énorme pour y réfléchir. C'était peut-être vrai.

Elle resta là à l'observer, mais il ne rouvrit pas les yeux. De profondes rides creusaient son front entre ses sourcils.

Ressentant le besoin de le toucher pour briser la barrière du silence, du bout des doigts elle effleura l'ecchymose sur sa pommette. Elle distinguait ses contours flous, voyait presque la tache de sang coagulé sous la peau, là où les vaisseaux capillaires avaient éclaté. Elle commençait à jaunir. Sa mère lui avait expliqué que les leucocytes de l'organisme affluaient vers la lésion où ils désintégraient progressivement les cellules endommagées et recyclaient le sang répandu. Les couleurs changeantes reflétaient les différentes étapes de ce ménage cellulaire.

Il rouvrit les yeux en la fixant d'un regard neutre. Elle savait qu'elle avait l'air inquiète et s'efforça de sourire.

— Tu n'as pas l'air mort, dit-elle.

Cela brisa sa façade impassible. Une faible lueur d'humour traversa ses yeux.

— Roger…

Ne trouvant pas ses mots, elle se rapprocha impulsivement de lui. Il se rétracta instinctivement, se recroquevillant pour protéger le tube fragile dans sa gorge, mais elle posa ses bras autour de ses épaules, très délicatement, ayant un besoin désespéré de sentir la texture de sa peau.

— Je t'aime, murmura-t-elle.

Elle serra le muscle de son bras, l'enjoignant de la croire.

Elle l'embrassa. Ses lèvres étaient chaudes et sèches, familières et pourtant… un frisson brutal la parcourut. Pas un souffle ne caressait sa joue, elle avait l'impression d'avoir embrassé un masque. L'air, humidifié par les profondeurs secrètes de ses poumons, sifflait à travers le tube d'ambre qu'elle sentait contre son cou, comme l'émanation d'une grotte. La chair de poule envahit ses bras et elle s'écarta, espérant que son visage ne trahissait ni son choc ni sa répulsion.

Roger avait les yeux fermés, les paupières serrées fermement. Les muscles de sa mâchoire saillaient ; elle avait vu leur ombre se modifier.

D'une voix tremblante, elle parvint à dire :

— Re… pose-toi bien. Je… viendrai te voir demain matin.

Elle redescendit au rez-de-chaussée, remarquant à peine le chandelier du couloir allumé et l'esclave qui attendait en silence, dans l'ombre, de revenir monter la garde dans la chambre.

La faim était revenue, mais elle ne se mit pas immédiatement en quête de nourriture. Elle devait d'abord se débarrasser de tout ce lait inutilisé. Elle se dirigea vers la chambre de ses parents, sentant un léger courant d'air circuler dans l'obscurité étouffante. En dépit de la chaleur et de la moiteur, ses doigts étaient froids, comme si la térébenthine continuait à s'évaporer de sur sa peau.

La nuit dernière j'ai rêvé de mon amie Deborah. À la fac, elle se faisait un peu d'argent de poche en lisant les tarots à la résidence universitaire. Elle me proposait régulièrement une séance, mais j'ai toujours refusé.

À l'école primaire, sœur Marie Romaine nous avait expliqué que les catholiques n'avaient pas le droit de pratiquer la divination. Il nous était interdit de faire tourner les tables, de tirer les cartes ou de lire dans des boules de cristal, car ce n'étaient là que des opérations de séduction du D-I-A-B-L-E. Elle épelait toujours ce mot pour ne pas avoir à le prononcer.

J'ignore si le diable avait quelque chose à voir là-dedans, mais je n'ai jamais pu me résoudre à laisser Deborah lire mon avenir. Toutefois, elle l'a fait hier dans mon rêve.

J'avais l'habitude de la regarder interpréter les cartes des autres. Les tarots me fascinaient, peut-être justement parce qu'ils étaient interdits. Ils portaient des noms si fantastiques : les Arcanes majeurs, les Arcanes mineurs, la Maison dieu, l'Ermite, la Roue de la fortune, l'Impératrice... le Pendu.

Forcément, comment pouvais-je ne pas en rêver ? Ce n'était pas un rêve subtil, loin de là ! Il était là, au milieu des cartes que j'avais tirées et Deborah m'expliquait :

« Un homme est suspendu par un pied à un tronc coincé entre deux arbres. Ses bras, pliés dans son dos, forment avec sa tête un triangle inversé, tandis que ses jambes dessinent une croix. Dans une certaine mesure,

le Pendu est toujours relié à la terre par l'intermédiaire du tronc auquel son pied est attaché. »

Je regardai l'homme sur le dessin, accroché à jamais entre ciel et terre. Cette carte m'avait toujours paru bizarre. Le fait d'être dans cette position ne semblait pas préoccuper particulièrement le Pendu.

Deborah continuait d'étaler les cartes sur la table et de les retourner et, chaque fois, le Pendu réapparaissait.

« Le Pendu représente la nécessité du renoncement de soi et du sacrifice, dit-elle en tapotant la carte du bout du doigt. Cette carte a un sens profond mais en grande partie caché. C'est à toi de le découvrir. L'abandon de soi entraîne une transformation de la personnalité, mais l'ego en question doit d'abord accomplir sa propre régénération. »

Une transformation de la personnalité. C'est bien ce que je crains le plus. La personnalité de Roger me plaisait parfaitement telle qu'elle était !

Et puis... crotte ! J'ignore quelle est la part du D-I-A-B-L-E dans cette histoire, mais je suis sûre que tenter de se projeter trop loin dans l'avenir est une erreur. Surtout en ce moment.

36

Les sons du silence

Il manquait encore une dizaine de jours avant l'achèvement du portrait de Pénélope Sherston. D'ici là, Isaiah Morton et Roger seraient assez rétablis pour pouvoir être déplacés. Compte tenu de la naissance imminente du rejeton de Morton et du danger de mort qu'il courait s'il s'approchait de Granite Falls ou de Brownsville, Jamie s'était arrangé pour qu'Alicia et lui soient hébergés chez le maître brasseur des Sherston. Dès qu'il aurait retrouvé un peu de force, Isaiah travaillerait à la brasserie comme roulier.

— Ne me demande pas pourquoi, me confia Jamie en privé, mais j'ai fini par m'attacher à ce petit sot immoral. Je ne voudrais pas qu'il finisse assassiné de sang-froid.

Le moral d'Isaiah était remonté en flèche depuis l'arrivée d'Alicia. Au bout d'une semaine, il était capable de descendre à la cuisine, où il restait assis à regarder avec adoration sa belle travailler, puis, avant de remonter se coucher, d'offrir quelques commentaires sur l'avancée du portrait de Mme Sherston.

Se tenant sur le seuil de la pièce dans sa chemise de nuit, il s'exclama, admiratif :

— Qu'est-ce que c'est ressemblant ! Rien qu'en regardant le tableau, on pourrait deviner qui c'est !

Comme Mme Sherston avait choisi de se faire représenter en Salomé, je n'étais pas certaine que ce soit vraiment un compliment, mais le modèle rougit de plaisir et le remercia, émue par l'évidente sincérité de son ton.

Le fait était que Brianna avait fait du très beau travail, parvenant à montrer Mme Sherston de manière à la fois réaliste et flatteuse, sans une ironie trop flagrante, même si la tentation avait dû être grande. Le seul commentaire personnel qu'elle s'était autorisé se situait dans la tête coupée de saint Jean-Baptiste, dont les traits taciturnes ressemblaient à s'y méprendre à ceux du gouverneur Tryon. Toutefois, avec tout ce sang, je doutais que quelqu'un s'en aperçoive.

Nous étions prêts à rentrer chez nous, et la maisonnée vibrait, dans une atmosphère agitée et excitée, sauf Roger.

Sur le plan purement physique, celui-ci allait indiscutablement mieux. Il avait retrouvé une bonne mobilité de ses mains, à l'exception de ses deux doigts cassés, et la plupart des ecchymoses sur son visage et son corps avaient presque disparu. Surtout, sa gorge désenflée lui permettait de respirer de nouveau par le nez et la bouche. Je pus enlever sa canule et recoudre l'incision, une intervention douloureuse mais brève qu'il endura stoïquement, le corps raide et les yeux grands ouverts levés vers le plafond.

Sur le plan mental, sa convalescence me semblait nettement moins flagrante. Après avoir recousu sa gorge, je l'avais aidé à se redresser en position assise dans son lit, avais essuyé son visage et lui avais donné un peu d'eau avec du cognac en guise de fortifiant. Je l'avais observé avec attention tandis qu'il déglutissait, puis après avoir posé mes doigts sur son cou, je lui demandai de recommencer. Je fermai les yeux pour mieux percevoir les mouvements de son larynx et des anneaux cartilagineux de sa trachée, et évaluer au mieux l'étendue des dégâts.

Quand je les rouvris, ses pupilles me regardaient fixement, à quelques centimètres des miennes, froides et dures, chargées d'une question.

— Je ne sais pas, dis-je enfin dans un murmure.

Mes doigts reposaient toujours au même endroit. Je sentais le sang palpiter dans sa carotide, sa vie s'écoulant juste sous la peau. Mais la masse dure et angulaire du larynx, étrangement déformé, était inerte. Aucun battement, aucune vibration d'air n'était discernable dans les cordes vocales.

— Je ne sais pas, répétai-je en ôtant lentement ma main. Tu... tu veux qu'on fasse un essai maintenant ?

Il fit non de la tête et, se levant du lit, s'approcha de la fenêtre en me tournant le dos. En le voyant regarder dans la rue, les mains appuyées contre le chambranle, il me vint soudain un souvenir lointain et dérangeant.

C'était par une nuit de clair de lune, pas en plein jour comme à présent. Nous étions à Paris. Je m'étais réveillée et avais trouvé Jamie, se tenant nu devant la fenêtre, les cicatrices sur son dos projetant de pâles reflets argentés, son corps luisant d'une sueur froide. Roger transpirait lui aussi, mais à cause de la chaleur. Sa chemise adhérait à sa peau et les contours de son corps exprimaient le même sentiment : un homme rassemblant ses forces pour lutter contre la peur, un homme qui doit affronter seul ses démons.

J'entendis des voix dans la rue en contrebas. Jamie rentrait du camp et tenait Jemmy devant lui sur sa selle. Il avait pris l'habitude d'emmener le petit avec lui dans ses allées et venues quotidiennes, afin que Brianna puisse travailler sans être distraite. Du coup, Jemmy avait appris quatre nouveaux mots – dont deux jurons. La seule veste décente de Jamie était tachée de confiture et puait les langes sales. Toutefois, ils paraissaient tous ravis de cet arrangement.

La voix de Brianna, qui riait en allant récupérer son fils, résonna en bas. Roger se tenait immobile, comme sculpté dans du bois. Il ne pouvait les appeler, mais il aurait pu attirer leur attention en tapant contre les montants, en faisant un bruit quelconque, en agitant la main. Il ne bougea pas.

Au bout d'un moment, je me levai en silence et quittai la pièce, une boule dure dans la gorge.

Après que Brianna eut emmené Jemmy prendre son bain, Jamie me raconta que Tryon avait libéré la plupart des hommes capturés pendant la bataille. Il ôta sa veste et ouvrit le col de sa chemise, offrant son visage à la légère brise qui entrait dans la maison.

— J'ai également plaidé pour Hugh Fowles. Il m'a entendu et l'a fait relâcher.

— Il avait intérêt !

À ma voix étranglée, il me regarda surpris et émit un son grave du fond de sa gorge. Cela me fit penser à Roger, dont le larynx n'était plus capable de cette forme d'expression. Il dut lire le désarroi dans mes yeux, car il me prit doucement le bras. Il faisait trop chaud pour se serrer l'un contre l'autre, mais je pressai brièvement ma joue contre son épaule, cherchant un réconfort dans la solidité de son corps, sous sa chemise moite.

— J'ai recousu le cou de Roger, dis-je. Il peut respirer, mais je ne sais pas s'il sera capable de reparler.

« Quand à chanter… », ajouta une petite voix dans ma tête.

Jamie émit un autre bruit, cette fois agacé.

— J'ai parlé à Tryon au sujet de sa promesse à Roger. Il m'a donné le document attestant la régularité de la concession. Deux mille cinq cents hectares jouxtant les miens. Son dernier geste officiel en tant que gouverneur, ou presque.

— Que veux-tu dire ?

Il s'écarta, fébrile.

— Je t'ai dit qu'il avait libéré la plupart des prisonniers, n'est-ce pas ? Il en a gardé douze, des meneurs de la Régulation tous déclarés hors la loi. Ou du moins, c'est ce qu'il dit. Ils seront jugés pour rébellion le mois prochain.

L'ironie dans sa voix était aussi lourde que la poussière dans l'air.

— Et s'ils sont déclarés coupables ?

— Au moins, ils auront une occasion de se faire entendre devant un tribunal avant d'être pendus.

Il s'était arrêté devant le portrait en fronçant les sourcils, mais je n'étais pas vraiment sûre qu'il le voie.

— Je ne resterai pas pour le procès. J'ai dit à Tryon que nous devions rentrer nous occuper de nos champs et de nos fermes. Il a démobilisé les compagnies de miliciens pour cette raison.

Je sentis un poids en moins sur le cœur. Il ferait plus frais dans les montagnes, l'air serait plus pur, ce serait un meilleur endroit pour guérir.

— Quand partons-nous ?

— Demain.

Finalement, il avait bien remarqué le portrait. Devant la tête sur le plateau, il acquiesça d'un air approbateur.

— Il n'y aurait qu'une seule raison de rester ici plus longtemps, mais cela serait sans doute peine perdue.

— C'est-à-dire ?

Il se détourna de la toile.

— Le fils de Dougal. J'ai cherché William Buccleigh MacKenzie d'un bout à l'autre du comté au cours des dix derniers jours. J'ai trouvé des gens qui le connaissaient, mais personne ne l'a vu depuis Alamance. Certains pensent qu'il a quitté la colonie. Un bon nombre d'anciens Régulateurs ont pris la fuite. Husband est parti. On dit qu'il a emmené sa famille dans le Maryland. Mais pour ce qui est de William MacKenzie, il a disparu comme un serpent dans un trou à rat, entraînant les siens derrière lui.

La nuit dernière, j'ai rêvé que nous étions étendus sous un grand sorbier, Roger et moi. C'était une magnifique journée d'été et nous étions plongés dans une de ces conversations comme nous en avions toujours, au sujet des objets du futur qui nous manquaient. Sauf que les objets en question étaient étalés dans l'herbe entre nous.

J'ai déclaré que j'aurais vendu mon âme pour une barre de chocolat au lait et aux amandes, et elle est apparue. Je l'ai déballée et ai humé l'odeur du chocolat, puis j'ai retiré le papier d'argent et croqué dans la barre, mais entre-temps, la conversation avait dérivé sur le papier d'emballage.

Roger l'a ramassé et déclaré que ce qui lui manquait le plus, c'était le papier toilette et que celui d'ici était trop glissant pour se torcher avec. Je me suis mise à rire et j'ai répondu que le papier hygiénique n'avait rien de compliqué, les gens pouvaient fort bien fabriquer le leur s'ils le souhaitaient. Il y avait un rouleau par terre devant nous. Je le lui ai montré. Un gros bourdon s'est alors posé dessus, en a saisi un bout et s'est envolé en le déroulant. Il

43

a décrit des cercles au-dessus de nos têtes, l'entrelaçant dans les branches.

Roger a alors dit que c'était un sacrilège que de se torcher avec du papier, ce qui est vrai, ici. Quand maman rédige ses notes de médecine, elle écrit tout petit et quand papa écrit en Écosse, il utilise les deux côtés de la feuille, puis il la tourne sur le côté et continue dans les marges, si bien que ça ressemble à un treillis.

J'ai alors vu papa assis par terre, écrivant une lettre à tante Jenny sur le papier hygiénique qui devenait de plus en plus long, tandis que le bourdon s'élevait toujours plus haut dans les airs, l'emportant en Écosse.

C'est moi qui utilise le plus de papier. Tante Jocasta m'a donné plusieurs de ses anciens carnets d'esquisses et toute une liasse de papier pour aquarelle. Je me sens coupable chaque fois que je m'en sers, car je sais à quel point il est cher. D'un autre côté, j'ai vraiment besoin de dessiner. Un des avantages de réaliser ce portrait de Mme Sherston, c'est que, comme je gagne un peu d'argent, j'ai l'impression d'avoir acquis le droit de consommer un peu plus de papier.

Puis le rêve a changé et je me suis vue dessinant Jemmy avec un crayon jaune 2B. Sur la tranche était écrit « Ticonderoga » en lettres noires, comme sur ceux qu'on utilisait à l'école. Mais comme je dessinais sur du papier hygiénique et que la mine ne cessait de le déchirer, j'ai fini par être si frustrée que je l'ai froissé en boule dans ma main.

Puis c'est devenu un de ces rêves interminables et dérangeants où l'on erre pendant des heures à la recherche des toilettes sans jamais les trouver, pour se réveiller soudain avec le besoin pressant d'aller au petit coin.

Je n'arrive pas à décider si je préférerais avoir la barre de chocolat, le papier hygiénique ou le crayon. Je crois que j'opterais pour le crayon. Je pouvais sentir l'odeur du bois et de la mine fraîchement taillée, la sensation de le tenir entre mes doigts, entre mes dents. Quand j'étais petite, je mâchouillais tous mes crayons. Je me souviens encore de leur goût quand on mordait fort dedans et que de minuscules fragments de bois et de peinture s'en détachaient. Je les revois encore, mordus tout le long comme rongés par un blaireau.

J'y repensais justement cet après-midi. J'ai eu soudain un coup de cafard en me rendant compte que, pour aller à l'école, s'il y va un jour, Jemmy n'aura jamais un nouveau crayon jaune ni une boîte à goûter avec Batman dessus.

Les mains de Roger sont encore trop abîmées pour pouvoir tenir un crayon.

Maintenant, je sais que je ne veux ni un crayon ni du chocolat. Pas même du papier hygiénique. Je veux que Roger me parle de nouveau.

37

Dis mon nom

Le voyage du retour nous prit nettement moins de temps que le trajet jusqu'à Alamance, et ce, malgré la route qui ne cessait de grimper. Nous étions fin mai, et les blés verts étaient déjà hauts dans les champs autour d'Hillsborough, éparpillant leur pollen doré dans le vent. Dans nos montagnes, les céréales seraient moins avancées, mais la saison des naissances était déjà bien entamée, les veaux, les poulains et les agneaux ayant besoin d'être protégés des loups, des renards et des ours. La compagnie des miliciens s'étant dissoute sitôt tombé l'ordre du gouverneur, ses membres étaient repartis en hâte s'occuper de leurs champs et de leurs bêtes.

Par conséquent, notre convoi du retour était moins grand, ne comptant que deux carrioles. Quelques hommes vivant non loin de Fraser's Ridge avaient choisi de faire la route avec nous, tout comme les deux fils Findlay, dont la ferme familiale se trouvait sur notre chemin.

J'observai les deux adolescents, occupés à décharger un des chariots afin de monter le camp pour la nuit. Quoique très silencieux, c'étaient de très gentils garçons. Ils respectaient beaucoup Jamie (je crois qu'il leur faisait un peu peur), mais, au cours de la brève campagne, ils avaient surtout développé une étrange allégeance envers Roger. Cette fidélité perdurait même après le démantèlement de la milice.

Ils étaient venus le voir à Hillsborough, recroquevillant de gêne leurs orteils nus pour ne pas salir les tapis turcs de Pénélope Sherston. Le visage écarlate et pratiquement incapables de parler eux aussi, ils avaient tendu à Roger trois petites pommes vertes toutes tordues, probablement volées en chemin dans un verger.

Roger les avait remerciés d'un large sourire, en avait pris une et, héroïque, avait mordu dedans à pleines dents avant que j'aie pu l'en empêcher. N'ayant avalé que de la soupe depuis une semaine, il avait failli s'étouffer. Il était néanmoins parvenu à déglutir en s'étranglant à moitié, puis ils étaient restés là tous les trois à se regarder en souriant, émus jusqu'aux larmes.

Pendant le voyage, les Findlay ne quittèrent pratiquement pas Roger des yeux, toujours vigilants, bondissant l'aider dès qu'il avait du mal à accomplir une tâche avec ses mains blessées. Jamie m'avait parlé de leur oncle, Iain Mhor. De toute évidence, ils étaient habitués à anticiper les désirs non exprimés.

Jeune et robuste, Roger avait cicatrisé rapidement. Mais deux semaines, c'était peu pour que des os brisés se ressoudent. J'aurais préféré qu'il garde les mains bandées quelques jours de plus, mais ce handicap lui portait visiblement sur les nerfs. La veille, j'avais donc ôté ses éclisses à contrecœur en lui recommandant avec insistance de faire attention.

— N'y songe même pas ! lui lançai-je d'un ton de reproche.

Je venais de le surprendre au moment où il s'apprêtait à descendre de la carriole un des lourds sacs à dos remplis de provisions. Il me dévisagea en arquant un sourcil, puis il haussa les épaules avec un sourire et recula d'un pas, pendant que Hugh Findlay chargeait le sac sur son dos. Il m'indiqua alors le cercle de pierres que Iain Findlay était en train d'assembler pour le feu, puis me montra la forêt. Pouvait-il aller chercher du bois ?

— Certainement pas, répondis-je fermement.

Il mima quelqu'un en train de boire. Aller chercher de l'eau ?

— Non. Il suffirait qu'un seau t'échappe et…

Je regardai autour de nous, cherchant ce qu'il pourrait faire sans risquer de se blesser, mais monter un camp n'impliquait que des tâches lourdes. D'un autre côté, je savais à quel point il trouvait frustrant de rester planté là, les bras ballants. Il en avait assez d'être traité comme un infirme, et je sentais poindre chez lui un début de rébellion. Encore un « non » et il était capable d'essayer de soulever la carriole rien que pour me narguer.

— Il peut écrire, *Sassenach* ?

Jamie, qui venait de s'arrêter près de moi, avait remarqué mon dilemme.

— Écrire ? Écrire quoi ? demandai-je, surprise.

Il était déjà occupé à fouiller dans nos affaires et en sortit son écritoire de voyage dont il ne se séparait jamais.

— Des lettres d'amour ? suggéra-t-il avec un sourire. Ou des sonnets peut-être ?

Il lança le coffret à Roger qui le rattrapa au vol sans se soucier de mes protestations. Puis il lui déclara :

— Mais avant de composer un poème épique en l'honneur de William Tryon, tu m'obligerais en racontant comment notre parent mutuel en est arrivé à vouloir ta peau, hein ?

Roger resta immobile un moment, serrant contre lui l'étui en bois, puis il lança un sourire en coin à Jamie et hocha la tête doucement.

Il se mit à l'œuvre pendant que l'on montait le camp autour de lui, fit une pause pour dîner, puis continua. Cette tâche était laborieuse et très lente. Ses fractures étaient presque guéries, mais ses mains étaient encore raides, douloureuses et gauches. Il laissa tomber sa plume une bonne douzaine de fois. Rien qu'à le regarder, j'avais mal pour lui.

— Tu vas bientôt arrêter, oui ?

Occupée à récurer une casserole avec une poignée de joncs et du sable, je relevai le nez pour découvrir Brianna engagée dans un corps à corps sans merci avec son fils. Celui-ci ruait dans ses bras, lui donnant des coups de pied et de poing, faisant le genre de vacarme qui pousse même les parents les plus attentionnés à envisager l'infanticide. Je vis Roger se raidir en entendant le raffut, mais il poursuivit sa rédaction.

Brianna continuait à s'énerver.

— Mais enfin ! Qu'est-ce que tu veux ?

Elle s'agenouilla et parvint à maintenir Jemmy en position assise. Le but de l'opération était vraisemblablement de l'allonger sur le dos et de le changer pour la nuit.

Le lange, trempé, souillé et pendant mollement entre les cuisses du bébé, avait effectivement grand besoin d'attention. Jemmy, qui avait dormi dans la carriole presque tout l'après-midi, s'était réveillé abruti par le soleil, irritable, peu disposé à se laisser tripoter et encore moins changer et coucher.

— Peut-être qu'il n'est pas fatigué, suggérai-je. Il a déjà dîné, non ?

C'était une question purement rhétorique. Le visage de l'enfant était barbouillé de bouillie, et des morceaux de pain grillé parsemaient ses cheveux.

Brianna passa une main dans sa propre chevelure qui, bien que plus propre, était non moins ébouriffée. Jemmy n'était pas le seul MacKenzie à être de mauvais poil.

— S'il n'est pas fatigué, moi je le suis.

Elle avait de quoi. Pour épargner les chevaux sur les routes de plus en plus escarpées, nous avions marché toute la journée à côté de la carriole.

— Laisse-le-moi un moment pendant que tu vas faire un brin de toilette, proposai-je.

Héroïque, je réprimai un bâillement, puis saisis une grosse cuillère en bois que j'agitai sous le nez de Jemmy. Il se balançait d'avant en arrière à quatre pattes en émettant d'insupportables gémissements. En apercevant l'ustensile, il cessa de pleurnicher et se figea, suspicieux.

J'ajoutai un gobelet vide en étain à mon leurre et le déposai sur le sol près de lui. Le tour était joué : il roula sur le ventre avec un gloussement de plaisir, s'empara de la cuillère des deux mains et s'en servit comme d'un maillet pour tenter d'enfoncer le gobelet dans la terre.

Brianna me regarda avec gratitude, se releva et disparut entre les arbres en direction du ruisseau. Un bref débarbouillage à l'eau glacée au beau milieu d'un bois sombre n'était peut-être pas aussi réparateur qu'un bon bain moussant à la lueur de bougies, mais l'essentiel était de pouvoir s'évader un moment. Un peu de solitude faisait des merveilles pour une mère, je le savais par expérience. Si le chemin de sa sainteté ne passait pas forcément par la propreté, le fait d'avoir les pieds, les mains et le visage propres améliorait indubitablement la vision de l'univers, notamment après une journée de transpiration, de crasse et de langes souillés.

J'examinai mes propres mains d'un œil critique. Après avoir tiré les chevaux, préparé le feu, cuisiné et récuré, ma propre vision de l'univers aurait bien eu besoin d'être redorée.

Néanmoins, il n'y avait pas que l'eau dans la vie pour remonter le moral. Jamie passa un bras par-dessus mon épaule, s'assit à mes côtés après avoir déposé un bol dans ma main et leva le sien à ma santé en souriant.

— *Slàinte, mo nighean donn !*

— Mmm...

Je fermai les yeux, humant les effluves parfumés.

— On peut dire « *slàinte* » quand ce n'est pas du whisky ?

Il m'avait apporté du vin, et du bon, avec un beau bouquet rond, fleurant bon le soleil et la vigne.

— Pourquoi pas ? répondit Jamie. Après tout, ça ne veut dire que « bonne santé » !

— Certes, mais je pensais que, compte tenu de la qualité de certains whiskies, « bonne santé » était un vœu pratique... On souhaite à la personne avec qui l'on trinque de survivre à l'expérience de boire son verre.

Il se mit à rire.

— Je n'ai encore tué personne avec ma production, *Sassenach*.

— Je ne parlais pas de la tienne, dis-je entre deux gorgées. Mmm... que c'est bon ! Non, je songeais aux trois miliciens du régiment du colonel Ashe.

Une sentinelle avait retrouvé les hommes en question ivres morts après avoir sifflé une bouteille de soi-disant whisky qu'ils s'étaient procuré Dieu sait où.

La compagnie Ashe n'ayant pas de médecin et campant près de la nôtre, on m'avait réveillée au beau milieu de la nuit pour tenter de les ranimer. Les trois individus avaient survécu, mais l'un d'eux avait définitivement perdu toute vision dans un œil, et un autre avait manifestement subi des lésions cérébrales mineures (personnellement, j'avais quelques doutes quant à l'étendue de ses facultés intellectuelles avant l'accident).

Jamie haussa les épaules. L'ivresse était un fait de la vie, le mauvais whisky en était un autre.

Entre-temps, Jemmy s'était désintéressé de la cuillère et du gobelet et avançait à quatre pattes vers la cafetière posée entre les pierres chaudes du feu.

— *Thig a seo, a chuisle !* lui lança Jamie.

Il ne prêta pas attention à la mise en garde, mais Tom Findlay le rattrapa et l'éloigna du danger. Il le coinça contre sa hanche, les pieds du bébé battant l'air, et l'amena à son grand-père.

— Assis ! ordonna ce dernier.

Sans attendre une réponse, il posa l'enfant par terre et lui donna sa balle en chiffon. Jemmy la serra, regardant son grand-père puis le feu.

— Jette-la dans les flammes, *a chuisle*, et tu auras une fessée.

Jemmy fronça le front et avança une lèvre inférieure tremblante, nous menaçant d'une nouvelle explosion de pleurs stridents. Toutefois, il ne lança pas la balle dans le feu.

— *A chuisle ?* répétai-je en massacrant la prononciation. Je ne le connaissais pas, celui-là. Qu'est-ce que ça veut dire ?

Jamie se frotta l'arrête du nez d'un doigt.

— Ça veut dire « mon sang ».

— Je croyais qu'on disait *mo fuil* ?

— Oui, mais *mo fuil*, c'est le sang qui jaillit quand tu te blesses. *A chuisle*, c'est plutôt : « Ô toi, dans les veines de qui coule mon propre sang. » Nous le disons surtout aux tout-petits, quand ils sont apparentés, bien sûr.

— C'est charmant.

Je posai mon bol vide sur le sol et m'adossai à son épaule. Je me sentais fatiguée, mais la magie du vin m'avait agréablement sonnée.

— Appellerais-tu *chuisle* Germain ou Joan ? Où faut-il qu'ils soient littéralement de ton sang ?

— Personnellement, je serais plutôt enclin à traiter Germain de *petit emmerdeur*[1], mais Joan, oui certainement. Le sang du cœur compte autant que celui du corps.

Jemmy avait laissé tomber sa balle et contemplait avec enchantement les lucioles qui s'étaient mises à clignoter dans les hautes herbes à la tombée du soir. Maintenant que nous avions le ventre plein et que la perspective d'un sommeil bien mérité nous attendait, nous ressentions tous les effets apaisants de l'approche de la nuit.

Les hommes s'étaient allongés dans l'herbe au pied d'un grand sycomore, se passant la bouteille de vin en bavardant avec cette manière détachée et décousue de ceux qui se connaissent bien. Sur la piste, le seul espace dégagé, les deux Findlay jouaient à se lancer un objet qu'ils manquaient une fois sur deux dans la pénombre, en échangeant des insultes bon enfant.

Il y eut un bruissement de branches de l'autre côté du feu et Brianna réapparut, mouillée mais nettement

---

1. En français dans le texte. *(N.d.T.)*

plus enjouée. Elle s'arrêta près de Roger, une main sur son épaule, et regarda ce qu'il écrivait. Il releva les yeux vers elle, puis, avec un haussement d'épaules résigné, lui tendit les pages terminées de son récit. Elle s'agenouilla à ses côtés et se mit à lire, écartant les mèches qui lui retombaient devant le visage et fronçant les sourcils en tentant de déchiffrer les lettres à la lueur du feu.

Une luciole atterrit sur la chemise de Jamie, formant une tache lumineuse d'un vert frais dans les plis sombres du tissu. J'avançai un doigt vers elle, et elle s'envola, décrivant une spirale au-dessus des flammes comme une étincelle fugitive.

J'indiquai l'autre côté du feu avec un signe d'approbation.

— C'était une excellente idée de demander à Roger d'écrire. Je brûle de savoir ce qui lui est arrivé.

— Moi aussi, convint-il. Quoique, maintenant que ce William Buccleigh s'est volatilisé, ce qui lui est arrivé est moins important que ce qui l'attend.

Je n'eus pas besoin de lui demander ce qu'il voulait dire par là. Personne n'était mieux placé que lui pour savoir ce que signifiait reconstruire sa vie après avoir frôlé la mort de si près et la force intérieure que cela demandait. Je pris sa main droite et il se laissa faire. Dans l'obscurité, je caressai ses doigts handicapés, frôlant la crête de ses cicatrices.

Pour masquer la conversation sérieuse et silencieuse de nos mains, je lui demandai sur un ton badin :

— Alors, tu n'as plus envie de savoir si, oui ou non, ton cousin est un assassin sans scrupule ?

Il émit un grognement qui aurait pu être un rire. Ses doigts s'enroulèrent autour des miens et les serrèrent.

— C'est un MacKenzie, *Sassenach*. Un MacKenzie de Leoch.

— Mmmm.

Si les Fraser avaient la tête dure, Jamie lui-même m'avait décrit les MacKenzie de Leoch comme étant « aussi charmants que des pinsons des champs et plus rusés que des renards ». C'était certainement le cas de ses oncles, Colum et Dougal. Je n'avais entendu aucun témoignage confirmant que sa mère, Ellen, partageait ces traits de famille, mais, d'un autre côté, à sa mort, Jamie n'avait que huit ans. Sa tante Jocasta ? Elle n'était certes pas née de la dernière pluie, mais elle me semblait moins portée sur les intrigues et les complots que ses deux frères.

— Tu as quoi ? s'exclama soudain Brianna de l'autre côté du feu.

Les pages dans les mains, elle dévisageait Roger, l'air à la fois consterné et amusé. Je ne voyais pas le visage de celui-ci, car il était tourné vers elle, mais il leva néanmoins un doigt devant ses lèvres pour l'enjoindre de se taire. Puis il se pivota vers l'arbre sous lequel les hommes buvaient pour s'assurer qu'ils ne l'avaient pas entendue.

Je distinguai un instant son profil éclairé par la lueur du feu et vis son expression passer soudainement de la méfiance à l'horreur. Il se leva d'un bond, la bouche ouverte.

— Chtooooop ! rugit-il.

C'était un hurlement terrible, rauque, avec un son étranglé, comme un cri poussé avec un poing enfoncé dans la gorge. Tout le monde se figea, y compris Jemmy qui avait abandonné les lucioles et s'apprêtait vaillamment à saisir la cafetière. Il leva des yeux surpris vers son père, la main à quelques centimètres du métal brûlant. Puis ses traits se froissèrent et il s'effondra en larmes.

Roger le souleva de terre. L'enfant hurla de plus belle, se débattant pour échapper à cet inconnu terrifiant. Brianna le récupéra précipitamment, le serrant contre son sein et enfouissant son visage contre son épaule. Elle-même était livide.

Roger paraissait sous le choc lui aussi. Il posa une main sur sa gorge, tout doucement. La cicatrice laissée par la corde formait toujours un bourrelet de chair sombre sous sa mâchoire. Je l'apercevais même dans la faible lumière du feu, ainsi que la ligne plus petite et plus droite de mon incision.

Une fois passée la surprise provoquée par son cri, les hommes sortirent de sous leur arbre et les Findlay accoururent pour se rassembler autour de Roger, exprimant leur stupéfaction et le félicitant. Roger acquiesça, serrant des mains et se laissant taper dans le dos tout en ayant l'air de vouloir être ailleurs.

— Dites encore quelque chose, le supplia Hugh Findlay.

— Oui, vous pouvez y arriver, j'en suis sûr ! l'encouragea Iain. Dites... dites... « Les chaussettes de l'archiduchesse sont archisèches. »

Cette suggestion souleva un tollé de protestations bientôt remplacé par un concert d'autres propositions tout aussi farfelues. Roger semblait de plus en plus affolé, sa mâchoire contractée. Jamie et moi étions debout. Jamie s'apprêtait à intervenir quand Brianna réapparut, se faufilant entre les hommes, Jemmy calé contre sa hanche. Elle saisit le bras de Roger de sa main libre et lui sourit, ses lèvres tremblant légèrement.

— Tu peux dire mon nom ? demanda-t-elle.

Roger lui rendit son sourire. J'entendis le râle au fond de sa gorge quand il prit son inspiration.

Cette fois, il parla doucement, très doucement. Tout le monde retint son souffle, se penchant en avant pour l'entendre. C'était un murmure saccadé, laborieux et douloureux, la première syllabe poussée de toutes ses forces à travers ses cordes vocales abîmées, la dernière à peine audible, mais il parvint à dire :

— Brrrriiiiah… nah !

Elle éclata en sanglots.

38

L'argent de la suceuse de sang

Fraser's Ridge, juin 1771

Assise dans le fauteuil des invités dans le bureau de Jamie, je lui tenais compagnie en râpant des sanguinaires pendant qu'il se débattait avec sa comptabilité trimestrielle. Ces travaux étant longs et pénibles, nous pouvions ainsi partager la lumière d'une seule chandelle et nous soutenir mutuellement. Je trouvais toujours distrayantes les remarques qu'il adressait au papier au sujet de ses lectures.

— Fils de porc-épic gobeur d'œufs crus ! marmonnat-il. Regarde-moi ça, *Sassenach*, ce type n'est ni plus ni moins qu'un vulgaire escroc ! Deux shillings et trois pences pour deux pains de sucre et un kilo d'indigo.

Je fis claquer ma langue d'un air réprobateur, m'abstenant de lui faire remarquer que deux shillings me semblaient un prix bien modeste pour des articles produits dans les Antilles, transportés par bateau jusqu'à Charleston, puis acheminés en carriole, en pirogue, à dos de cheval et enfin à pied sur plusieurs centaines de kilomètres, avant d'être finalement livrés à notre porte par un colporteur. En outre, celui-ci ne serait pas payé avant sa prochaine visite dans trois ou quatre mois, et encore, ne le serait probablement pas en espèces, mais sous la forme de six pots de confiture de groseille ou d'un cuissot de chevreuil fumé.

Jamie continua de griffonner une colonne de chiffres et, arrivé en bas, griffa le papier d'un coup de plume, s'exclamant encore :

— Non mais, c'est incroyable ! Un fût de cognac à douze shillings, deux lés de mousseline à trois shillings dix chaque, articles de quincaillerie… je me demande ce que Roger peut bien fabriquer avec ça ? Il joue des airs folkloriques sur une binette ou quoi ? Articles de quincaillerie : dix shillings six !

— Je crois me souvenir qu'il s'agit d'un soc de charrue, dis-je sur un ton pacificateur. Il n'est pas pour nous. Roger l'a rapporté pour Geordie Chisholm.

Les socs de charrue étaient effectivement coûteux. Comme il fallait les importer d'Angleterre, rares étaient les petits fermiers des colonies qui en possédaient. La plupart se débrouillaient avec des plantoirs en bois et des bêches, préparant la terre à coup de hache ou parfois avec une binette en fonte.

Jamie relut ses comptes d'un air atterré, puis se passa une main dans les cheveux.

— Oui, sauf que Geordie n'a pas le premier sou pour se faire bénir du curé et n'en aura pas avant d'avoir vendu la récolte de l'an prochain. Donc, qui va régler les dix shillings et six pence ? Je te le donne en mille !

Sans attendre ma réaction, il se replongea dans ses calculs en marmonnant « Fils de tortue volante bouffeuse d'étrons », sans que je sache si ce qualificatif désignait Roger, Geordie ou le soc de charrue.

Je finis de râper une racine et la laissais tomber dans une jatte posée sur le bureau. La sanguinaire, de son nom scientifique *sanguinaria*, porte bien son nom. Son jus est rouge, âcre et poisseux. Le bol sur mes genoux était rempli d'épluchures visqueuses et, à voir mes mains, on aurait dit que je venais d'éviscérer toute une famille de petits rongeurs.

— J'ai six douzaines de bouteilles de liqueur de cerise prêtes, annonçai-je en saisissant une nouvelle racine.

Il pouvait difficilement l'ignorer, toute la maison avait empesté le sirop contre la toux pendant une semaine.

— Fergus pourrait aller les vendre à Salem, proposai-je.

Il hocha distraitement la tête.

— Oui, je compte dessus pour racheter du blé. Tu as autre chose à vendre à Salem ? Des chandelles ? Du miel ?

Je relevai les yeux, mais ne vis que les épis sur le sommet de son crâne. Les chandelles et le miel étaient un sujet épineux.

— Je peux te fournir une quarantaine de litres de miel, dis-je prudemment. Et peut-être dix... allez, disons douze douzaines de chandelles.

Il se gratta le nez du bout de sa plume, le tachant d'encre.

— Je croyais que tes ruches avaient bien donné cette année ?

C'était vrai. Ma première ruche s'était multipliée. J'en avais neuf à présent le long de mon jardin. J'en avais tiré près de deux cents litres de miel et assez de cire pour fabriquer plus de trois cents chandelles. Mais j'avais d'autres projets en tête.

— J'ai besoin d'une partie du miel pour mon infirmerie, expliquai-je. Il me sert d'onguent antibactérien pour étaler sur les plaies.

Il arqua un sourcil, sans lever la tête de ses gribouillis.

— J'aurais pensé que le miel attirait les mouches et les ours, observa-t-il. Il t'en faut combien ? Il n'y a quand même pas tant de blessés qui défilent dans ton infirmerie au point de nécessiter cent soixante litres de miel. À moins que tu ne leur fasses prendre des bains dedans ?

Je ris malgré moi.

— Non, une dizaine de litres me suffisent pour les plaies, disons une quinzaine pour préparer des fluides électrolytiques.

Il me regarda, surpris, puis se tourna vers la chandelle dont la flamme vacillait dans le courant d'air venant de la fenêtre.

— Électrique ? Brianna m'a expliqué que c'était lié à la lumière, ou à la foudre, non ?

— Non, électrolytique, rectifiai-je en articulant mieux. De l'eau sucrée. Quand une personne est en état de choc, est trop malade pour s'alimenter ou est grippée, le liquide électrolytique restitue au corps les ions essentiels, les sels, le sucre, etc., perdus par la diarrhée ou les saignements. Cela attire l'eau dans le sang et rétablit la tension artérielle. Tu m'as déjà vu en utiliser.

— Ah, c'est ainsi que ça fonctionne ?

La curiosité illumina son visage. Il s'apprêtait à me demander des explications plus détaillées, quand il aperçut la pile de reçus et de lettres qui attendaient sur son bureau. Il reprit sa plume avec un air résigné.

— C'est bon, soupira-t-il. Garde ton miel. Je peux vendre ton savon ?

J'acquiesçai, soulagée. Après de longs tâtonnements, j'étais enfin parvenue à produire un savon qui ne sentait pas le cochon mort, trempé dans la soude caustique, et qui ne dissolvait pas la couche superficielle de l'épiderme. Toutefois, sa fabrication nécessitait de l'huile de tournesol ou d'olive à la place du suif, toutes deux très chères.

J'envisageais de troquer avec des dames cherokees mon surplus de miel contre de l'huile de tournesol, avec laquelle je pourrais faire à la fois plus de savon et du shampooing. Ces derniers se vendraient à prix d'or n'importe où – Cross Creek, Wilmington, New Bern, voire Charleston, si nous nous aventurions jusque-là. Du moins, je l'espérais. Je n'étais pas certaine que Jamie soit prêt à se lancer dans cette aventure. Il faudrait des mois avant que mon entreprise donne des résultats, alors qu'il pouvait vendre le miel tout de suite et en tirer un profit immédiat. D'un autre côté, si je le persuadais que le savon rapporterait beaucoup plus que du miel non raffiné, j'aurais carte blanche.

Avant que j'aie pu lui parler de mon projet, nous entendîmes des pas dans le couloir, puis on gratta à la porte.

— Entrez ! lança Jamie en se redressant.

M. Wemyss passa la tête dans l'entrebâillement, puis hésita en apercevant mes mains sanglantes. Du bout de sa plume, Jamie lui fit aimablement signe d'avancer.

— Oui, Joseph ?

— Je pourrais vous dire un mot, monsieur ?

M. Wemyss était vêtu comme tous les jours, en chemise et culotte, mais il avait mouillé et lissé en arrière ses cheveux fins blond pâle, signe que sa démarche était quelque peu formelle.

Je repoussai mon fauteuil, rassemblant mes affaires pour lui laisser la place, mais il m'arrêta d'un geste précipité.

— Ne vous dérangez pas, madame ! En fait, si ça ne vous ennuie pas, j'aimerais autant que vous restiez. Il s'agit de Lizzie et l'avis d'une autre femme me serait précieux.

— Naturellement, répondis-je intriguée.

Jamie posa sa plume dans le pot devant lui et se pencha en avant, intéressé, en lui demandant de s'asseoir.

— Ah ! ah ! s'exclama-t-il. Aurais-tu trouvé un mari à notre petite Lizzie, Joseph ?

M. Wemyss hocha la tête, la lueur de la chandelle accentuant le caractère osseux de son visage. Il s'assit sur le tabouret l'air digne, dignité qui contrastait avec sa gaucherie habituelle.

— Je crois bien, monsieur Fraser. Robin McGillivray est venu me voir ce matin pour demander la main de ma petite Elizabeth au nom de son fils Manfred.

Je fus plutôt surprise. À ma connaissance, Manfred McGillivray n'avait pas vu Lizzie plus d'une demi-douzaine de fois et n'avait échangé avec elle que quelques brèves formules de courtoisie. Il n'était pas impossible qu'il ait été séduit. Lizzie était devenue une jolie jeune fille aux traits délicats et, bien qu'encore très timide, possédait de belles manières. Toutefois, cette base de demande en mariage me paraissait un peu légère.

À mesure que M. Wemyss nous exposait l'affaire, tout devint plus clair. Jamie avait promis à Lizzie de lui donner une dot, soit une parcelle de terre de premier choix. De son côté, M. Wemyss étant libéré de son contrat de servage, on lui avait octroyé une concession de vingt-cinq hectares, dont Lizzie hériterait un jour. Or, cette terre jouxtait le terrain des McGillivray et les deux réunis formeraient un domaine agricole très respectable. Apparemment, maintenant qu'elle avait marié ou fiancé convenablement ses trois filles, Ute McGillivray entreprenait la prochaine étape de son grand projet : le mariage de Manfred. Après avoir passé au crible toutes les jeunes filles disponibles dans un rayon de trente kilomètres autour de Fraser's Ridge, elle avait arrêté son choix sur Lizzie et envoyé Robin ouvrir les négociations.

— C'est vrai que les McGillivray sont une bonne famille, dit prudemment Jamie.

Il trempa un doigt dans mon bol de pelures de sanguinaires et tapota son buvard, formant des petits pois rouges.

— Ils ne possèdent pas beaucoup de terres, mais Robin se débrouille plutôt bien et, d'après ce que j'ai entendu dire, le petit Manfred est travailleur.

Robin était armurier et possédait une échoppe à Cross Creek. Après avoir fait son apprentissage chez un autre armurier d'Hillsborough, Manfred avait été, à son tour, reçu compagnon.

— Il l'emmènerait vivre à Hillsborough ? demandai-je.

Cette décision pouvait être un critère déterminant pour Joseph Wemyss. S'il était prêt à tous les sacrifices pour assurer l'avenir de sa fille adorée, la voir partir au loin lui briserait le cœur.

Il secoua la tête. Ses cheveux avaient séché et commençaient à retrouver leur allure échevelée habituelle.

— Robin dit que non. Selon lui, son fils projette de s'installer à Woolam's Creek, s'il parvient à y monter un petit atelier. Ils habiteraient à la ferme.

Il regarda Jamie de biais, puis détourna les yeux, sa peau pâle se mettant à rougir.

Jamie baissa la tête, et je le vis se mordre les lèvres. Voilà donc où il intervenait dans les tractations. Située au pied de Fraser's Ridge, Woolam's Creek était une petite communauté qui prenait de plus en plus d'ampleur. Si les Woolam, une famille de quakers, y possédaient le moulin et une partie des terres sur l'autre rive du torrent, Jamie était le propriétaire de tout ce qui se trouvait du côté de Fraser's Ridge.

Jusque-là, il avait fourni des parcelles, des outils et des matériaux à Ronnie Sinclair, Theo Frye et Bob O'Neill pour construire une tonnellerie, une forge – encore en construction – et un petit magasin, tous devant nous reverser un jour une part de leurs bénéfices. Pour le moment toutefois, aucun ne générait le moindre revenu.

Si Jamie et moi avions des projets d'avenir, Ute McGillivray aussi. Naturellement, elle savait qu'étant très attaché à Lizzie et à son père, Jamie ferait son possible pour les aider. C'était en effet de l'aide que Joseph Wemyss était en train de lui demander avec beaucoup de délicatesse. Accepterait-il d'inclure dans la dot des locaux à Woolam's Creek pour Manfred ?

Jamie me jeta un coup d'œil en coin. Je haussai discrètement les épaules, me demandant si, dans ses calculs, Ute McGillivray avait pris en compte la constitution délicate de Lizzie. Beaucoup de filles à marier étaient bien plus robustes qu'elle, et avec de bien meilleures perspectives de maternité. D'un autre côté, si Lizzie mourait en couches, les McGillivray conserveraient à la fois ses terres et la propriété de Woolam's Creek, et il ne serait pas difficile de trouver une seconde épouse à Manfred.

— Cela peut peut-être se faire, dit Jamie sans trop se mouiller.

Je le vis observer le registre ouvert avec ses colonnes déprimantes de chiffres, puis se tourner vers moi, l'air interrogateur. Le terrain n'était pas un problème, mais sans espèces et avec peu de crédits, les outils et le matériel en seraient un. Je pinçai les lèvres et soutins fermement son regard. Non, il ne mettrait pas les mains sur mon miel !

Il soupira et se cala contre son dossier, pianotant sur son buvard de ses doigts rouges.

— Je trouverai une solution, déclara-t-il. Qu'en dit la petite ? Veut-elle de Manfred ?

M. Wemyss parut dubitatif.

— Elle le dit. C'est un gentil garçon, même si sa mère… une brave femme assurément !… très brave même… mais un peu… comment dirais-je ?…

Il pivota vers moi, en plissant le front, et reprit :

— Pour tout vous dire, je suis pas sûr qu'Elizabeth sache ce qu'elle veut. Elle affirme que ce serait un bon mariage et que cela lui permettrait de rester près de moi, mais… je ne voudrais pas qu'elle se marie uniquement parce qu'elle croit que cela m'arrange.

Il lança un regard timide vers Jamie, puis vers moi, avant de conclure sur un ton précipité, comme s'il confessait un affreux secret :

— Sa mère et moi, nous nous aimions vraiment.

Il devint rouge vif et baissa la tête vers ses mains qu'il tordait sur ses genoux.

Je détournai moi aussi les yeux et fis tomber quelques brins de sanguinaires oubliés sur le bureau.

— Je vois, dis-je doucement. Aimeriez-vous que je lui parle ?

Il bondit presque de soulagement.

— Oh, je vous en serais tellement reconnaissant, madame !

Il serra fébrilement les mains de Jamie, m'adressa plusieurs courbettes de suite et finit par trouver la sortie, après moult hochements de tête et remerciements.

La porte se referma derrière lui et Jamie se massa les tempes.

— Dieu sait que ce n'est déjà pas facile de marier ses filles quand elles savent ce qu'elles veulent ! grogna-t-il en pensant manifestement à Brianna et à Marsali. Finalement, il vaut peut-être mieux qu'elles n'aient pas d'idées.

La chandelle unique vacillait, projetant des ombres dansantes dans la pièce. Je me levai et allai en chercher une autre sur l'étagère. À ma surprise, Jamie me suivit. Il passa devant un assortiment de mèches à demi brûlées et de bougies neuves, puis il sortit la grosse chandelle de douze heures cachée derrière elles.

Il la posa sur le bureau et l'alluma avec une des mèches. Elle avait déjà servi, mais ne s'était pas consumée beaucoup. Sur son signe de tête, j'allai discrètement fermer la porte, puis revins m'asseoir près de lui.

— Tu penses vraiment que le moment est venu ? demandai-je doucement.

Il ne répondit pas. Il se rassit sur sa chaise, les mains pliées sur les genoux, observant la flamme prendre et grandir.

Puis il poussa un soupir et orienta son registre vers moi. L'état de nos affaires s'étala, noir sur blanc, sous mes yeux effarés. Un désastre, du moins sur le plan de nos liquidités.

Dans les colonies, les échanges commerciaux reposaient peu sur l'argent liquide, et à partir d'Asheville en allant vers l'est, plus du tout. Dans les montagnes, les colons recouraient au troc et, sur ce plan-là, nous nous débrouillions plutôt bien. À échanger, nous avions du lait, du beurre et du fromage, des pommes de terre, du blé, du porc, du gibier, des légumes frais, des fruits secs, sans oublier un peu de vin tiré des raisins Scuppernong de l'année précédente. Nous avions du foin et du bois de construction – cela dit comme tout le monde – ainsi que mon miel et ma cire d'abeilles. Mais surtout, nous avions le whisky de Jamie.

Toutefois, il s'agissait là d'une ressource limitée. Nous avions planté huit hectares d'orge jeune. Sauf en cas de grêle, d'incendies de forêt et autres manifestations de la colère divine, ceux-ci se convertiraient en près de cent fûts de whisky. Même brut et non vieilli, on pourrait ensuite le vendre ou l'échanger contre beaucoup de choses. Cependant, l'orge était encore verte et dans les champs, et le whisky n'était qu'une perspective de profits.

En attendant, nous avions déjà consommé ou vendu tous nos stocks d'alcool. Certes, il restait les quatorze tonneaux enterrés sous la source de la distillerie, mais nous ne pouvions y toucher. À chaque distillation, Jamie mettait de côté deux tonneaux qu'il laissait religieusement vieillir. Le plus vieux de sa cachette avait deux ans. Il devrait y rester encore dix. Avec l'aide de la providence, il en sortirait un jour de l'or liquide, presque aussi précieux que sous sa forme solide.

Toutefois, vu nos exigences immédiates, nous ne pouvions attendre aussi longtemps. Outre l'éventualité d'aider Manfred McGillivray à monter une armurerie et de fournir une dot modeste à Lizzie, nous devions faire face aux frais habituels de la ferme, de l'entretien du bétail et du projet ambitieux de fournir un soc de charrue à chaque nouveau métayer, dont la plupart labouraient encore à la main.

Au-delà de nos propres coûts, nous avions une autre obligation très contraignante : cette garce d'emmerdeuse de Laoghaire MacKenzie Fraser !

Pas vraiment une ex-épouse, elle en était quand même presque une. Me croyant partie à jamais, voire morte, Jamie, aiguillonné par sa sœur Jenny, l'avait épousée.

Leur union s'était rapidement avérée une erreur et, lorsque j'étais réapparue, elle avait pu être officiellement annulée, au soulagement de tous… plus ou moins.

Généreux à l'excès, Jamie avait convenu de lui verser une rente annuelle conséquente, plus une dot à chacune de ses filles. Il payait celle de Marsali petit à petit, en terres et en whisky, et nous n'avions encore reçu aucune annonce d'un mariage prochain de Joan. Mais l'échéance du versement destiné à entretenir le train de vie de reine de Laoghaire en Écosse approchait… et nos moyens ne nous permettaient pas de l'honorer.

Jamie ruminait, les yeux mi-clos. Je n'osai pas lui suggérer de munir Laoghaire d'un *gaberlunzie*[1] et de l'envoyer mendier sur les routes de la paroisse. Quoi qu'il pense de cette mégère, il s'en sentait responsable, un point c'est tout.

Je supposais que lui verser son dû en tonneaux de poisson fumé et de savon à la soude était aussi hors de question. Il nous restait trois solutions : vendre le whisky caché, mais c'était une grosse perte pour le long terme ; emprunter de l'argent à Jocasta, ce qui était faisable mais très gênant ; ou vendre autre chose. Plusieurs chevaux, par exemple. Une famille entière de cochons. Ou un bijou.

La bougie se consumait rapidement et la cire autour de la mèche avait fondu. Sous la flaque claire, je pouvais les deviner : trois gemmes, formant des taches sombres dans le pâle gris or de la chandelle, leurs couleurs vives étouffées mais néanmoins visibles à travers la cire. Une émeraude, une topaze et un diamant noir.

---

1. Permis de mendier, valable dans une paroisse donnée, un jour par semaine. (*N.d.T.*)

Jamie les fixa sans les toucher, ses épais sourcils froncés dans un effort de concentration.

Vendre une pierre précieuse dans la colonie de la Caroline du Nord ne serait pas une mince affaire. Nous devrions probablement nous rendre à Charleston ou à Richmond. C'était toutefois possible et cela nous permettrait de nous acquitter de notre dette auprès de ce vampire écossais et de régler d'autres dépenses. Mais ces gemmes avaient une valeur autre que financière : elles servaient de sauf-conduit pour traverser les pierres. Elles protégeaient la vie des voyageurs dans le temps.

Nos rares informations concernant cette croisière périlleuse nous venaient principalement des écrits de Geillis Duncan ou de ce qu'elle m'avait raconté. Elle soutenait que les pierres précieuses ne se contentaient pas de protéger le voyage dans le chaos de cet espace indicible entre les couches du temps, mais elles accordaient la faculté de naviguer et de choisir l'époque à laquelle on souhaitait émerger.

Obéissant à une impulsion, je retournai vers l'étagère et, me dressant sur la pointe des pieds, j'en descendis un petit paquet enveloppé dans une peau de daim. Il était lourd dans ma main. Je l'ouvris avec précaution, déposant la pierre ovale sur le bureau, près de la bougie. C'était une grande opale, son cœur incandescent pris dans une matrice de roche terne et révélé par une incision qui en recouvrait la surface : une spirale, la représentation primitive du serpent qui se mord la queue.

La gemme avait appartenu à un autre voyageur – le mystérieux « Dent de loutre ». Un Indien avec un crâne présentant des plombages dentaires, un Indien qui semblait avoir un temps parlé anglais. Il avait appelé sa pierre son « billet de retour. Geillis Duncan n'avait donc pas été la seule à croire que les pierres avaient un pouvoir particulier dans cet endroit terrible... entre les temps.

— La sorcière a bien dit qu'il en fallait cinq, non ? demanda Jamie, songeur.

— C'est ce qu'elle pensait.

La soirée était chaude, mais le duvet sur mes avant-bras se hérissa au souvenir de Geillis, des pierres précieuses et de l'Indien que j'avais croisé sur le versant d'une montagne sombre, le visage peint du masque noir de la mort, peu avant de découvrir l'opale et le crâne qui était enfoui avec elle. Était-ce bien son crâne que nous avions enterré, plombages compris ?

— Les pierres devaient-elles être polies ou taillées ?

— Je ne sais pas. Je crois me souvenir que, selon elle, les taillées fonctionnaient mieux, mais j'ignore pourquoi, et si elle avait raison.

C'était bien là le hic : nous avions si peu de certitudes.

Il émit un petit *mmphm* et se frotta lentement le nez.

— Avec ces trois-là et le rubis de mon père, nous en avons quatre de taillées. Puis, il y a cette opale et la pierre de ton amulette qui sont brutes.

Les pierres taillées nous rapporteraient beaucoup plus que l'opale ou le saphir bruts de ma bourse de médecine. D'un autre côté, étions-nous prêts à nous séparer de gemmes qui, un jour peut-être, permettraient à Brianna ou à Roger de choisir entre la vie ou la mort ?

Répondant à ses pensées plutôt qu'à ses paroles, je lui dis doucement :

— C'est peu probable. Brianna restera ici, certainement jusqu'à ce que Jemmy soit grand, probablement pour toujours.

Après tout, comment pouvait-on abandonner son enfant, se privant de connaître un jour ses petits-enfants ?

Pourtant, je l'avais fait. Je frottai inconsciemment mon alliance en or.

Jamie releva la tête vers moi, un sourcil en accent circonflexe, la flamme de la bougie se reflétant dans ses yeux, bleus comme des saphirs taillés et polis.

— Oui, mais... et Roger ?

— Il ne partirait pas. Il ne quitterait pas Brianna et Jemmy.

J'avais parlé d'un ton ferme, mais le soupçon de doute dans ma voix ne lui échappa pas.

— Pas pour le moment, précisa-t-il.

Je pris une profonde inspiration et ne répondis rien. Je savais très bien ce qu'il voulait dire. Drapé dans son silence, Roger se refermait un peu plus de jour en jour.

Ses doigts étaient guéris. J'avais suggéré à Brianna qu'il reprenne son *bodhran*, il y trouverait peut-être un réconfort. Elle avait hoché la tête, dubitative. J'ignorais si elle lui en avait parlé ou non, mais l'instrument de musique était toujours accroché au mur dans leur cabane, aussi silencieux que son propriétaire.

Il continuait de sourire et de jouer avec Jemmy, et d'être attentionné avec Brianna, mais l'ombre au fond de son regard était toujours présente et, lorsqu'il n'était pas occupé à accomplir l'une de ses tâches attitrées, il disparaissait pendant des heures, parfois des journées entières, marchant dans la montagne, rentrant à la nuit tombée, épuisé, poussiéreux, silencieux.

— Il n'a plus dormi avec elle depuis que c'est arrivé, n'est-ce pas ? me demanda Jamie.

— Si, plusieurs fois, soupirai-je. Mais, à mon avis, pas récemment.

Brianna faisait de son mieux pour être présente à ses côtés et l'extirper de l'abîme de sa dépression croissante. Mais il était clair à mes yeux, ainsi qu'à ceux de

Jamie, qu'elle était en train de perdre la bataille, et qu'elle le savait. Elle aussi devenait de plus en plus taciturne, avec une ombre dans le regard.

— S'il retourne… là-bas, pourrait-on lui faire retrouver sa voix ? Dans votre temps ?

Je soupirai de nouveau et me rassis.

— Je n'en sais rien. Il serait aidé, peut-être avec une opération, certainement avec une rééducation orthophonique… mais personne ne peut dire ce qui fonctionnerait ou pas. Le pire, c'est qu'il pourrait fort bien retrouver sa voix ici, naturellement, si seulement il décidait de s'en occuper. Mais il ne le fera pas. Et, bien sûr, honnêtement, il faut admettre que, quoi qu'il fasse, la probabilité qu'il ne la retrouve jamais est bien réelle.

Jamie acquiesça en silence. Indépendamment des possibilités médicales, si son mariage avec Brianna échouait, plus rien ne retiendrait Roger ici. À lui alors de décider s'il voulait retourner dans le futur…

Jamie se redressa et souffla la bougie.

— Pas encore, dit-il d'une voix résolue dans l'obscurité. Il me reste encore quelques semaines avant d'être obligé d'envoyer de l'argent en Écosse. D'ici là, on trouvera bien une solution. En attendant, on garde les pierres.

La nuit dernière, j'ai rêvé que je faisais du pain. Du moins, j'essayais. J'étais en train de mélanger la pâte, quand je me suis rendu compte que je n'avais plus de farine. Puis, en versant la pâte dans des moules et en les mettant au four, je me suis aperçue qu'elle n'avait pas levé. J'ai dû tout recommencer. Je l'ai pétrie, pétrie et pétrie encore, puis je l'ai transportée partout dans un plat recouvert d'un chiffon, en cherchant un endroit chaud où la mettre. Je devais la garder à la chaleur pour que la levure ne meure pas. Je commençais à paniquer, parce que je ne trouvais aucun lieu convenable. Un vent glacé soufflait, et le plat était de plus en plus lourd et glissant. J'ai cru que j'allais le laisser tomber. Mes mains et mes pieds étaient gelés et engourdis.

Puis, je me suis réveillée frigorifiée. Roger s'était enroulé dans les couvertures, m'abandonnant sans rien. Un terrible courant d'air filtrait sous la porte. J'ai essayé de le pousser pour récupérer un coin de couette. Rien à faire. J'avais peur de réveiller Jemmy en faisant du bruit. Finalement, je me suis levée pour aller chercher ma cape et je me suis recouchée avec.

Roger s'est levé avant moi ce matin et est sorti. Je ne crois pas qu'il ait remarqué qu'il m'avait laissée sans protection dans le froid.

39

Un paquet de Londres

Le paquet arriva en août, grâce aux bons offices de Jethro Wainwright, l'un des rares colporteurs à avoir le sens des affaires assez poussé pour grimper les chemins escarpés et tortueux qui menaient à Fraser's Ridge. Le visage rouge et le souffle court, il finit de décharger le bât de son âne et me tendit le paquet avec un hochement de tête. Puis il accepta mon invitation et se dirigea d'un pas chancelant vers la cuisine, laissant sa monture paître dans la cour.

Ce paquet, une sorte de boîte soigneusement emballée dans une peau cirée, cousue et entourée d'une ficelle, était lourd. Je le secouai mais n'entendis qu'un bruit sourd, comme si son contenu était matelassé. Sur l'étiquette, on lisait simplement : *À l'attention de M. James Fraser, Fraser's Ridge, les Carolines*.

— À ton avis, qu'est-ce que ça peut être ? demandai-je à l'âne.

Question purement formelle, mais l'âne, étant une créature obligeante, releva le museau de son herbe et me répondit avec des hi-han sonores, des tiges de fétuque pendant au coin de sa gueule.

Le bruit déclencha un concert de braiments et de hennissements de salutations et de curiosité de la part de Clarence et des chevaux. En quelques secondes, Jamie et Roger sortirent de la grange, Brianna de la laiterie, et M. Bug se redressa de derrière un tas de fumier, comme un vautour interrompant la dégustation d'une carcasse.

— Merci, dis-je à l'âne.

Il coucha modestement ses oreilles et reprit son repas.

Brianna se hissa sur la pointe des pieds pour regarder par-dessus l'épaule de Jamie qui m'avait pris le paquet des mains.

— Qu'est-ce que c'est ? Ça ne vient pas de Lallybroch, par hasard ?

— Non, ce n'est ni l'écriture de Ian... ni celle de ma sœur.

Il avait marqué une brève hésitation, et je le vis jeter un deuxième coup d'œil sur le paquet pour vérifier. Il le renifla.

— Il a fait un sacré bout de chemin. Il porte encore l'odeur de goudron de la cale du navire.

— Il n'y avait aucun papier avec ? demandai-je.

Il retourna le paquet.

— Non. Il y avait un sceau, mais il a disparu.

Des fragments de cire grise étaient encore pris dans la ficelle, mais le cachet qui aurait pu nous renseigner sur l'expéditeur avait depuis longtemps succombé aux aléas du voyage et au barda de M. Wainwright.

Sceptique, M. Bug plissa les yeux en détaillant le paquet.

— En tout cas, ce n'est pas une tête de pioche.

Jamie soupesa la boîte.

— Non, ni un livre ni une rame de papier. Je ne me souviens pas d'avoir commandé autre chose. Ça ne pourrait pas être des graines, *Sassenach* ? M. Stanhope ne t'avait-il pas promis de t'envoyer des spécimens du jardin de son ami, M. Crossley ?

— Oh ! oui, c'est peut-être ça ! m'exclamai-je, soudain excitée.

M. Crossley possédait un vaste jardin ornemental où il cultivait de nombreuses espèces exotiques importées des quatre coins du monde. M. Stanhope devait lui demander s'il serait intéressé par un échange : des graines et des boutures d'herbes européennes et asiatiques très rares de sa collection contre des bulbes et des semences de ce que Stanhope décrivait comme ma « forteresse des montagnes ».

Roger et Brianna échangèrent un bref regard. Les graines leur paraissaient nettement moins intrigantes que des livres ou du papier. Toutefois, l'arrivée d'une lettre ou d'un paquet était un événement suffisamment rare pour que personne ne suggère de l'ouvrir avant d'avoir épuisé le plaisir de deviner son contenu.

Finalement, on ne le déballa qu'après le dîner, après que tout le monde l'eut soupesé, secoué, humé et eut donné son avis. Repoussant son assiette, Jamie alla le chercher solennellement, l'agita une dernière fois, puis me le tendit.

— Ce nœud mérite l'attention d'un chirurgien, *Sassenach*, annonça-t-il avec un sourire.

Le fait était. Celui qui l'avait noué n'était pas un marin et, faute de savoir-faire, avait déployé des trésors de minutie. Il me fallut plusieurs minutes pour en triturer les bouts, mais je finis par le défaire et roulai la ficelle en pelote pour la réutiliser plus tard.

Du bout de son couteau, Jamie fit ensuite sauter les coutures de la peau huilée et en extirpa un petit coffret en bois sous des ah ! de stupéfaction. En bois sombre poli, d'une facture sobre mais élégante, il était équipé d'un moraillon en laiton et d'une plaque en cuivre enchâssée dans le couvercle.

Brianna se pencha sur la table en étirant le cou et lut à voix haute :

— « Fabriqué dans les ateliers de messieurs Halliburton et Halliburton, 14 Portman Square, Londres ». Qui sont-ils donc ?

— Je n'en ai pas la moindre idée, répondit Jamie.

Il souleva le moraillon d'un doigt et ouvrit délicatement le couvercle. À l'intérieur se trouvait un sac en velours rouge sombre. Il le sortit, tira sur le lacet et extirpa lentement… une chose.

C'était un disque plat et doré, d'une dizaine de centimètres de diamètre. Son périmètre était légèrement surélevé, comme une assiette, et gravé de symboles. Au centre se dressait une sorte d'ouvrage ajouré en métal argenté composé d'un cadran ouvert, tel celui d'une montre, mais avec trois bras le reliant au pourtour extérieur du disque doré.

Le cercle argenté était lui aussi orné de dessins obscurs, à peine visibles tant ils étaient petits, et fixé à un support en forme de lyre, lui-même reposant sur une sorte de longue tige plate sinueuse dont un bord épousait l'intérieur du disque. Le tout était surmonté d'une barre dorée aux extrémités effilées et fixé par une aiguille – identique à celle d'une boussole, mais très épaisse – qui traversait le centre du disque et permettait à la barre de tourner sur elle-même. Au centre de la barre était gravé le nom « James Fraser ».

Naturellement, Mme Bug fut la première à se remettre de sa surprise.

— Par sainte Bride, qu'est-ce que c'est que cette chose-là ?

— Un astrolabe armillaire, répondit Jamie, comme si cette chose était la plus banale au monde.

— Oh ! mais bien sûr, sommes-nous bêtes ! murmurai-je.

Il retourna l'objet, révélant une surface plate gravée de plusieurs cercles concentriques, ces derniers étant subdivisés par de minuscules repères et symboles. Cette face possédait aussi une partie rotative mais rectangulaire, avec les extrémités recourbées, aplaties et incrustées de paires d'encoches formant des séries de viseurs.

Brianna avança un doigt et toucha avec révérence le métal brillant.

— C'est vraiment de l'or ? demanda-t-elle.

Avec délicatesse, Jamie déposa l'objet sur sa paume ouverte.

— Oui et, d'ailleurs, je me demande bien pourquoi.

— Pourquoi un astrolabe ou pourquoi de l'or ? demandai-je.

— Pourquoi de l'or. Je cherchais un astrolabe depuis longtemps, n'ayant rien trouvé d'Albany à Charleston. John Grey m'avait promis de m'en faire envoyer un de Londres, je suppose que c'est celui-ci. Mais, diable, pour quelle raison il…

Tout le monde avait encore les yeux rivés sur l'instrument. Jamie reprit soudain le coffret dans lequel il était arrivé. La lettre était au fond, cachetée d'un sceau bleu. Mais celui-ci n'était pas le cachet habituel de lord John, avec sa demi-lune souriante et ses étoiles, mais un blason inconnu qui montrait un poisson tenant une bague dans sa bouche.

Jamie l'examina en fronçant les sourcils, puis décacheta la lettre.

M. James Fraser
à Fraser's Ridge
Colonie royale de la Caroline du Nord

Cher monsieur,

J'ai l'honneur de vous faire parvenir le colis ci-joint avec les compliments de mon père, lord John Grey. Lors de mon départ pour Londres, il m'a demandé de vous trouver le meilleur instrument qui soit, ce que je me suis attelé à faire avec la plus grande diligence, connaissant la haute estime dans laquelle il vous tient. J'espère qu'il vous donnera entière satisfaction.

Votre dévoué serviteur,
William RANSOME, lord Ellesmere
Capitaine, 9ᵉ régiment

— William Ransome ?

Brianna, qui s'était levée pour regarder par-dessus l'épaule de Jamie, se tourna vers moi.

— Il dit que lord John est son père... mais le fils de lord John n'est-il pas un petit garçon ?

— Il a quinze ans.

Jamie avait une note étrange dans la voix. Roger, occupé à examiner l'astrolabe entre ses mains, redressa la tête, ses yeux verts soudain intenses. Son regard glissa vers moi, avec cette lueur dérangeante récente, comme s'il écoutait des paroles que personne d'autre n'entendait. Je me détournai de sa vue.

— ... pas Grey, était en train de dire Brianna.

— Non.

Jamie tenait toujours la lettre, l'air ailleurs. Il secoua brièvement la tête pour chasser une pensée puis reprit le fil de la conversation.

— Non, répéta-t-il plus fermement. William est le beau-fils de lord John. Son père était le comte d'Elles-mere. Le garçon est le neuvième tenant du titre. Le vrai patronyme des Ellesmere est Ransome.

Je gardai les yeux fixés sur la table et le coffret vide, craignant de les relever. Mon visage transparent ris-quait de trahir mes pensées... ou de révéler simplement que je cachais quelque chose.

Le père biologique de William Ransome n'était pas le huitième comte d'Ellesmere mais James Fraser. Je pou-vais sentir la tension dans sa jambe qui touchait la mienne sous la table, même s'il ne laissait percevoir qu'un léger agacement. Il replia la lettre et la remit dans le coffret.

— Apparemment, on lui a offert une charge d'officier. Il est donc parti à Londres et a acheté cet instrument à la demande de John. Sauf que, apparemment, dans le monde où évolue ce garçon « le meilleur » veut néces-sairement dire plaqué or.

Il étendit une main, et M. Wainwright, qui était en train d'admirer son reflet dans la surface polie, lui ren-dit l'astrolabe à contrecœur.

Jamie l'examina d'un œil critique, faisant pivoter la tige argentée du bout de l'index.

— Oui, dit-il enfin presque malgré lui, c'est vraiment du très beau travail !

M. Bug acquiesça tout en prenant un des friands tout chauds que sa femme faisait passer à la ronde.

— Joli. Arpentage ? demanda-t-il sur son ton télégra-phique habituel.

Brianna prit deux petites bouchées à la pomme de terre et s'assit à côté de Roger, en lui en tendant une, machinalement.

— Ça sert à arpenter ?

— Entre autres choses, répondit Jamie.

Il retourna l'instrument et poussa délicatement la barre plate, faisant pivoter les viseurs.

— Cette partie-là sert de théodolite. Tu sais de quoi il s'agit ?

Brianna hocha la tête, intéressée.

— Oui, je sais faire différents types d'arpentage, mais on utilisait généralement...

Je vis Roger avaler en grimaçant la croûte du friand qui, en s'émiettant, avait adhéré aux parois de sa gorge. Je levai la main vers la cruche d'eau, mais il croisa mon regard et me fit un signe presque imperceptible que ce n'était pas la peine. Il déglutit de nouveau, plus facilement cette fois, et toussa.

— Tu m'avais dit que tu savais arpenter, expliqua Jamie, ravi. Alors je voulais un astrolabe, même si j'avais quelque chose de moins clinquant en tête. De l'étain aurait été plus pratique. Cela dit, puisque c'est un cadeau...

— Laisse-moi voir.

Brianna lui prit l'objet, le scrutant d'un air absorbé, puis fit tourner le cadran intérieur.

— Tu sais te servir d'un astrolabe ? m'étonnai-je.

— Moi oui, dit Jamie avec une certaine fierté. J'ai appris en France.

Il se leva et indiqua la porte d'un signe de tête.

— Apporte-le dehors, je vais te montrer comment lire l'heure.

— ... OUI, JUSTE LÀ !

Penché par-dessus l'épaule de Brianna, Jamie lui indiqua un signe sur le cadran extérieur. Elle tourna le cadran intérieur pour le faire correspondre, leva les

yeux vers le ciel et poussa l'aiguille de quelques millimètres.

— Dix-sept heures trente ! s'exclama-t-elle, ravie.

— Dix-sept heures trente-cinq, corrigea Jamie avec
un grand sourire. Tu vois ça ?

Il me montra un des symboles sur le pourtour qui,
de loin, ne me paraissait pas plus gros qu'une crotte de
mouche.

— Dix-sept heures trente-cinq, répéta Mme Bug, im-
pressionnée. Tu te rends compte, Archie ! Je n'ai pas su
l'heure exacte depuis… depuis…

— Édimbourg, confirma son mari.

— Oui, c'est ça ! Ma cousine Jane avait une pendule
de cheminée ravissante qui carillonnait comme une
église. Les heures étaient écrites en chiffres de cuivre
et une paire de chérubins volaient au-dessus de…

Ne prêtant pas attention aux souvenirs extatiques de
Mme Bug et à l'instrument entre ses mains, Brianna déclara :

— Depuis que j'ai quitté la maison des Sherston, je
sais l'heure pour la première fois.

Elle se tourna vers Roger et sourit. Au bout d'un moment, il esquissa, en retour, un faible sourire. Cela faisait combien de temps pour lui ?

Tout le monde plissait des yeux vers le soleil, chassant les nuages de moucherons et se remémorant leur
dernière fois. Comme c'était étrange, pensai-je avec
amusement, cette préoccupation soudaine pour l'heure
précise. Pourtant, je la partageais aussi.

J'essayai de me souvenir de cet instant précis moi
aussi. Lors du mariage de Jocasta ? Non… sur le pré
au bord de l'Alamance, juste avant la bataille. Le colonel Ashe avait une montre de gousset et… Je m'interrompis. Non, c'était après la bataille. Cela devait

très probablement correspondre à l'ultime moment où Roger avait entendu l'heure, lui aussi, s'il avait été assez conscient pour entendre l'un des médecins militaires annoncer qu'il était seize heures, et déclarer qu'à son avis éclairé, Roger ne serait plus de ce monde avant dix-sept heures.

— Que peut-on faire d'autre avec, papa ?

Avec précaution, Brianna tendit l'astrolabe à Jamie qui se mit aussitôt à effacer les traces de doigts à l'aide d'un pan de sa chemise.

— Oh ! un tas de choses. Tu peux trouver ta position sur terre comme en mer, localiser une étoile particulière dans le ciel…

— Très utile, observai-je. Mais sans doute moins pratique qu'une horloge. Je suppose que lire l'heure n'était pas ton principal objectif ?

Il remit l'instrument dans son sac en velours tout en répondant :

— Non, je dois arpenter correctement les terres de nos concessions… et rapidement.

Brianna, qui s'apprêtait à rentrer, se retourna vers lui.

— Pourquoi rapidement ?

— Parce que le temps presse.

Il jeta un coup d'œil en arrière, mais les autres s'étaient éloignés. Il ne restait plus sous le porche que Brianna, Roger, lui et moi.

M. Wainwright, peu intéressé par les merveilles de la science, était dans la cour, en train de rentrer ses marchandises à l'intérieur de la maison, assisté de M. Bug et gêné par les commentaires incessants de sa femme. Dès le lendemain, tous les gens de Fraser's Ridge seraient au courant de sa présence et viendraient chez nous acheter, vendre et entendre les dernières nouvelles.

— Vous savez ce qui va se passer, reprit Jamie. La Couronne tombera peut-être, mais la terre, elle, restera. Or, si l'on veut conserver nos terres parmi tout le tumulte, nous devons les arpenter et les faire enregistrer convenablement. En période de troubles, les gens doivent parfois partir de chez eux ou voient leur propriété confisquée. Ensuite, c'est la croix et la bannière pour récupérer ses biens. Il vaut mieux avoir des documents en bonne et due forme pour garantir nos avoirs.

Le soleil couchant nimbait d'or et de feu la courbe de son crâne. Il indiqua d'un geste du menton la silhouette sombre des montagnes qui se détachaient sur un somptueux fond de nuages roses et dorés, mais, à son regard, je devinais qu'il désignait un lieu bien au-delà.

— Nous avons pu sauver Lallybroch grâce à un acte de saisine. Après Culloden, Simon le jeune, le fils du vieux renard, a pu récupérer la plupart de ses terres parce qu'il avait des papiers prouvant qu'elles lui appartenaient.

Il ouvrit le couvercle du coffret et rangea le sac en velours.

— Je veux des papiers en règle. Ensuite, que George ou un autre soit assis sur le trône, cette terre sera à nous. À vous. Et à vos enfants après.

Je posai ma main sur la sienne. Sa peau était chaude et les poils dorés de son bras brillaient dans les derniers feux du soleil. Je compris soudain pourquoi les hommes mesurent le temps. Ils veulent l'arrêter un instant, dans l'espoir vain de le retenir.

40

Je suis ce que je suis

Brianna était venue dans la grande maison emprunter un livre. Elle laissa Jemmy dans la cuisine avec Mme Bug et se rendit dans le bureau de son père. Il n'était pas là, mais la pièce conservait encore vaguement son odeur masculine, un mélange indéfinissable de cuir, de sciure de bois, de sueur, de whisky, de fumier... et d'encre.

En souriant, elle se passa un doigt sous le nez, les narines frémissantes. Roger aussi dégageait ces diverses odeurs, mais, en dessous, il avait la sienne. De quoi était-elle faite ? À l'époque où il avait possédé une guitare, ses mains sentaient un peu le vernis et le métal. Mais c'était très loin, et il y avait très longtemps.

Repoussant cette pensée, elle se tourna vers les volumes sur l'étagère. Lors de son dernier voyage à Wilmington, Fergus avait rapporté trois nouveaux livres : une série d'essais de Michel de Montaigne, mais ils étaient en français et donc, pour elle, incompréhensibles, un exemplaire en piteux état de *Moll Flanders* de Daniel Defoe et un ouvrage d'un certain B. Franklin, très mince et relié en carton : *L'art et la manière de garder sa vertu*.

Il n'y avait franchement pas de quoi hésiter. Elle sortit *Moll Flanders* de la rangée. Le livre avait connu des jours meilleurs, le dos était cassé et les pages libres. Elle espérait qu'elles y étaient toutes. Il n'y avait rien de pire que d'atteindre un moment fort de l'histoire pour découvrir que la fin manquait. Elle le consulta soigneusement, et malgré quelques pages froissées ou tachées, il avait l'air complet. L'ouvrage dégageait lui aussi une odeur spéciale, comme si on l'avait trempé dans du suif.

Un fracas soudain dans l'infirmerie de sa mère la fit sursauter. Elle chercha instinctivement Jemmy du regard avant de se souvenir qu'il n'était pas avec elle. Elle remit vite le livre à sa place et se rua dans le couloir, manquant de percuter sa mère qui arrivait en courant de la cuisine.

Elle la devança sur le seuil de son local.

— Jemmy !

La porte de la grande armoire était entrouverte et une forte odeur de miel flottait dans l'air. Les débris d'un pot de grès gisaient au sol dans une flaque dorée et poisseuse. Le bébé était assis au milieu, généreusement barbouillé, écarquillant ses yeux bleus, sa bouche formant un O de surprise coupable.

Le sang monta aux joues de Brianna. Marchant dans le mélange, elle saisit son fils par le bras et le mit debout.

— Jeremiah Alexander MacKenzie ! gronda-t-elle. Vilain garçon !

Elle vérifia rapidement qu'il n'était ni coupé ni blessé, puis lui donna une claque sur les fesses, assez fort pour sentir sa paume lui piquer.

Le hurlement qui s'ensuivit la fit aussitôt se sentir coupable, mais à la vue du carnage dans l'armoire, elle dut contenir son envie de le fesser encore.

— Jeremiah !

Des bouquets de romarin, d'achillée mille-feuille et de thym avaient été arrachés de la tringle où ils séchaient et mis en pièces. L'un des voiles de gaze qui tapissaient les étagères avait été déchiré et pendait. Des bouteilles et des flacons avaient été renversés, et certains ayant perdu leur bouchon de liège laissaient échapper des poudres et des liquides multicolores. Un sac de gros sel était ouvert, et des poignées de cristaux gisaient tout autour.

Mais, pire que tout, l'amulette de sa mère était tombée sur le sol, la bourse en cuir ouverte, plate et vide. Des plantes séchées, des petits os et d'autres débris jonchaient le sol.

— Maman, je suis vraiment désolée. Il a dû s'échapper. C'est ma faute, je n'aurais pas dû le laisser…

Elle devait presque crier ses excuses pour se faire entendre par-dessus les braillements de son fils.

Un peu étourdie par la stridence des cris, Claire balaya la pièce du regard, faisant un rapide inventaire. Puis elle se pencha et prit Jemmy dans ses bras.

— Chhhhhut.

Elle posa doucement une main sur sa bouche. N'obtenant aucun résultat, elle lui tapota les lèvres, produisant un « wa-wa-wa » qui fit aussitôt taire le bébé. Il enfonça un pouce dans sa bouche en reniflant bruyamment, puis appuya sa joue poisseuse contre l'épaule de sa grand-mère.

Celle-ci se tourna vers Brianna, l'air plus amusé qu'agacé.

— Que veux-tu, à cet âge ils touchent à tout. Ne t'inquiète pas, ma chérie, c'est juste un peu de désordre. Heureusement, il n'a pas pu atteindre les couteaux, et je range tous mes poisons en hauteur.

Brianna sentit les battements de son cœur ralentir. Sa main la cuisait encore.

— Mais ton amulette...

Elle vit une ombre traverser le regard de sa mère quand celle-ci aperçut l'objet profané.

Claire inspira profondément, tapota le dos de Jemmy et le reposa. Puis se mordant la lèvre inférieure, elle ramassa avec délicatesse la bourse ornée de plumes miteuses.

— Je suis désolée, répéta Brianna, impuissante.

Elle voyait sa mère faire un effort pour se ressaisir. Cependant, celle-ci fit un geste de la main signifiant le peu d'importance de tout cela et se pencha pour rassembler les débris, plaçant un à un les minuscules os dans sa paume. Ses cheveux dénoués cachaient son visage.

— Je me suis toujours demandé ce qu'il y avait là-dedans. À ton avis, ce sont des os de quoi ? De musaraigne ?

— Je ne sais pas.

Gardant un œil sur Jemmy, Brianna s'accroupit à côté de sa mère et l'aida à ramasser les objets.

— Je dirais plutôt le squelette d'une souris ou d'une chauve-souris.

Claire redressa des yeux surpris vers sa fille.

— Bravo ! Regarde.

Elle prit un petit morceau brun et parcheminé sur le sol et le lui montra. En y regardant de plus près, Brianna se rendit compte que la prétendue feuille morte racornie était un fragment d'aile de chauve-souris, le cuir fragile desséché devenu translucide. Un os courbe, fin comme une aiguille, la traversait, comme la nervure centrale d'une feuille.

— « Œil de triton, orteil de grenouille, poils de chauve-souris et langue de chien », cita Claire.

Elle étala les os sur le comptoir, les examinant avec fascination.

— Je me demande ce qu'elle a voulu dire avec ces objets.

— « Elle » ?

— Nayawenne, la femme qui m'a donné ce talisman.

Se baissant de nouveau, Claire balaya de la main les restes de feuilles – du moins Brianna espérait qu'il s'agissait bien de feuilles – et les huma. Il y avait tant d'odeurs dans l'infirmerie qu'elle ne distinguait que le parfum sirupeux du miel, mais le nez sensible de sa mère n'avait aucune difficulté à repérer des senteurs individuelles.

— Du cirier, du sapin baumier, du gingembre sauvage, de la traînasse, énuméra Claire en agitant le nez comme un limier. Un peu de sauge aussi.

— De la traînasse ? dit Brianna, amusée. Tu penses qu'il s'agit d'un commentaire sur ta personne ?

— Peuh ! Moque-toi donc ! C'est une plante de la famille des polygonacées, plutôt irritante et qui pousse au bord des ruisseaux. Elle provoque des ampoules, brûle les yeux et... fait d'autres choses, je suppose, quand on se traîne dedans.

Ayant oublié sa réprimande, Jemmy s'était emparé d'une pince chirurgicale et la tournait dans un sens puis dans l'autre, se demandant apparemment si elle était comestible. Brianna s'interrogea sur l'opportunité de la lui enlever, puis, dans la mesure où sa mère stérilisait tous ses instruments métalliques en les faisant bouillir, décida de la lui laisser un instant, puisqu'elle n'avait pas de bords tranchants.

Confiant son fils à Claire, elle retourna dans la cuisine chercher de l'eau chaude et de quoi nettoyer le miel. Mme Bug s'y trouvait, profondément endormie sur le bahut, les mains croisées sur son ventre rond, son fichu de guingois sur une oreille.

Revenant sur la pointe des pieds avec un seau et une poignée de chiffons, elle trouva la plupart des débris déjà balayés et sa mère à quatre pattes, qui regardait sous les meubles. Elle jeta un œil vers l'étagère basse de l'armoire, mais elle ne remarqua aucun élément manquant, hormis le pot de miel. Les autres bouteilles et flacons avaient été redressés, et tout semblait en ordre.

— Tu as perdu quelque chose ?

Claire se mit presque à plat ventre pour scruter le dessous de l'armoire.

— Oui, une pierre, de la taille d'une pièce de monnaie, gris bleu, transparente par endroits. C'est un saphir brut.

— Il était dans l'armoire ? Mme Bug l'a peut-être rangé ailleurs en faisant le ménage.

Claire se redressa sur ses talons.

— Non, elle ne touche jamais à rien là-dedans. En outre, il n'était pas sur les étagères mais là-dedans.

Du menton, elle indiqua la bourse de cuir vide posée sur le comptoir, près de son contenu d'os et de plantes.

Une fouille rapide puis une autre plus lente ne révélèrent aucune trace de la pierre.

Se passant une main dans les cheveux, Claire observa son petit-fils d'un air méditatif.

— Je n'aime pas suggérer ça, mais tu ne crois pas que…

— Oh non ! gémit Brianna.

Elle se pencha pour examiner l'enfant occupé à insérer la pince dans sa narine gauche.

— Il avait des petites miettes collées par le miel autour de la bouche, probablement du romarin ou du thym.

Offensé par cet examen rapproché, Jemmy tenta de la matraquer avec l'instrument, mais elle saisit son poignet d'une main, lui enlevant l'outil de l'autre.

— On ne tape pas sur maman, dit-elle machinalement. C'est mal. Jemmy, est-ce que tu as avalé le caillou de grand-mère ?

— Na, répondit-il par habitude en agrippant la pince. À moi !

Elle renifla son visage, l'obligeant à se pencher en arrière. L'odeur était floue mais ne ressemblait pas à du romarin.

— Viens le sentir, demanda-t-elle à sa mère. Je n'arrive pas à savoir.

Claire s'inclina à son tour, faisant glousser Jemmy qui crut à un nouveau jeu.

— Gingembre sauvage, trancha-t-elle sans hésiter.

Puis, se courbant encore un peu plus, elle saisit un chiffon humide et frotta ses joues couvertes de miel.

— Regarde !

Elle montra à Brianna deux ou trois minuscules ampoules près de la bouche, comme de la semence de perles.

— Jeremiah, dit-elle gravement en tentant de capter son attention. Dis la vérité à maman. As-tu mangé le caillou ?

Jemmy détourna les yeux et tenta de s'enfuir en se tortillant.

— Pas taper ! Mal !

— Je ne te donnerai pas la fessée, le rassura-t-elle en le retenant par un pied. Je veux juste savoir. As-tu avalé une pierre d'environ cette taille ?

Elle écarta le pouce et l'index, tandis qu'il frétillait de plus belle.

— Chaud, déclara-t-il.

Il appliquait, sans distinction, son nouveau mot préféré à tous les objets qui lui plaisaient.

Brianna ferma les yeux en poussant un soupir exaspéré, puis se tourna vers sa mère.

— J'en ai bien peur. Ça va lui faire mal ?

— Je ne pense pas.

Claire observa son petit-fils en se tapotant la lèvre d'un doigt songeur. Puis elle traversa la pièce, ouvrit l'un de ces hauts placards et en sortit une bouteille en verre fumé.

— De l'huile de ricin, annonça-t-elle en cherchant une cuillère dans ses tiroirs. Pas aussi délicieux que le miel, mais très efficace.

L'huile avait beau être un remède souverain pour ce genre de bobo, ses effets n'étaient pas immédiats. Tout en surveillant d'un œil Jemmy dûment gavé et jouant avec ses cubes, Brianna et Claire tuèrent le temps en rangeant l'infirmerie, puis elles s'attelèrent à la tâche tranquille mais lente de préparer des médicaments. Claire n'avait pas pu s'y consacrer depuis fort longtemps et il y avait un stock hallucinant de feuilles, de racines et de graines à broyer, à râper, à moudre, à bouillir dans l'eau, à macérer dans l'huile, à extraire avec de l'alcool, à passer à travers un filtre de gaze, à mélanger dans de la cire d'abeille fondue, de la graisse d'ours ou avec du talc, à rouler en comprimés, à être mis en bouteille ou en sachets pour être conservées.

La journée étant agréablement chaude, elles ouvrirent la fenêtre pour laisser entrer la brise, même si cela impliquait de chasser continuellement les mouches, d'écarter les moucherons et de repêcher quelques frelons un peu trop curieux dans une solution en ébullition.

— Attention, mon ange !

Brianna agita précipitamment une main pour éloigner une abeille posée sur un cube, avant que Jemmy n'ait eu le temps de l'attraper.

— Méchante bébête ! expliqua-t-elle. Bobo !

— Elles ont senti leur miel, dit Claire en en chassant une autre. Je ferais mieux de leur en rendre un peu.

Elle en dilua dans de l'eau et en déposa un bol sur le rebord de la fenêtre. Quelques instants plus tard, son pourtour était noir d'abeilles buvant goulûment.

Brianna les observa en essuyant la transpiration qui coulait entre ses seins.

— Plutôt têtues comme bestioles, non ?

— Il vaut mieux l'être quand on veut arriver quelque part, murmura Claire, distraite.

Elle fronçait les sourcils tout en surveillant une solution chauffée avec une lampe à alcool.

— Ça te paraît cuit ? demanda-t-elle à sa fille.

— Tu es mieux placée que moi pour le savoir.

Elle se pencha néanmoins au-dessus de la casserole et huma.

— Je crois, oui. Ça sent fort.

Claire trempa rapidement un doigt dans la mixture puis goûta.

— Mmm. Oui, ça devrait suffire.

Enlevant le récipient de la flamme, elle versa tout doucement son contenu verdâtre dans un filtre de gaze posé sur le goulot d'une grande bouteille. D'autres, identiques, étaient alignées sur le comptoir, le soleil illuminant leur liquide comme des joyaux rouges, verts et jaunes.

— Dis, maman, as-tu toujours su que tu voulais être médecin ? demanda Brianna.

Sa mère fit non de la tête tout en découpant une écorce de cornouiller en fines lamelles avec un couteau aiguisé.

— Enfant, ça ne m'aurait jamais traversé l'esprit. À cette époque, les filles ne rêvaient pas de faire de la médecine. Je supposais qu'une fois grande, je me marierais, j'aurais des enfants et je construirais un foyer… Tu ne trouves pas que Lizzie a mauvaise mine en ce moment ? Elle m'a semblé un peu jaunâtre hier soir, mais peut-être était-ce uniquement la lueur des chandelles.

— Je crois qu'elle va bien. Penses-tu qu'elle est amoureuse de Manfred ?

La veille, ils avaient célébré les fiançailles de Lizzie et Manfred, toute la famille McGillivray ayant débarqué pour un somptueux dîner. Mme Bug, très attachée à Lizzie, s'était surpassée. Pas étonnant qu'elle se soit endormie dans la cuisine.

— Non, répondit Claire, sincère. Mais tant qu'elle n'est pas amoureuse de quelqu'un d'autre, ce n'est sans doute pas trop grave. Manfred est un gentil garçon et il est plutôt mignon. En outre, Lizzie s'entend bien avec sa mère, ce qui est également un bon point, compte tenu des circonstances.

Elle sourit en songeant à la massive Ute McGillivray qui avait pris d'emblée Lizzie sous son aile protectrice, choisissant les meilleurs morceaux de pickles et les lui fourrant dans le gosier, comme un rouge-gorge donne la becquée à un oisillon chétif.

— Je la soupçonne d'aimer Mme McGillivray plus que Manfred, déclara Brianna. Elle était très jeune quand sa mère est morte. Elle est heureuse de renouer un lien maternel.

Elle regarda Claire du coin de l'œil. Elle se souvenait très bien de la sensation d'être soudain privée de sa mère et du pur bonheur des retrouvailles. Par réflexe, elle se tourna vers Jemmy, plongé dans une conversation animée quoique largement inintelligible avec le chat Adso.

Claire hocha la tête tout en frottant les lamelles de cornouiller entre ses mains avant de les placer dans un flacon rempli d'alcool.

— Oui, cela dit, je pense qu'il n'est pas plus mal qu'ils attendent un peu – je veux parler de Lizzie et de Manfred –, ils auront le temps de mieux se connaître.

Il avait été convenu que le mariage aurait lieu l'été prochain, une fois que Manfred aurait établi son atelier d'armurerie à Woolam's Creek.

— J'espère que ça marchera.

— Quoi donc ?

Claire boucha le flacon et le rangea sur une étagère de l'armoire.

— L'écorce de cornouiller. D'après le cahier du docteur Rawlings, on peut l'utiliser comme substitut à celle de quinquina, dont on extrait la quinine. C'est quand même plus facile à trouver et surtout beaucoup moins coûteux.

— Super, pourvu que ça marche.

Le paludisme de Lizzie s'était mis en sourdine depuis plusieurs mois, mais il y avait toujours un risque de récidive.

Le sujet de leur conversation précédente continuait de trotter dans la tête de Brianna. Tout en saisissant une nouvelle poignée de feuilles de sauge pour les moudre, elle reprit le fil de la discussion :

— Tu disais que, petite, être médecin ne t'intéressait pas. Mais, plus tard, je m'en souviens, tu étais vraiment déterminée à le devenir.

Elle avait quelques souvenirs épars mais précis de la formation médicale de sa mère. Elle sentait encore les odeurs d'hôpital dans ses cheveux et ses vêtements, le contact frais et doux des blouses vertes qu'elle portait parfois quand elle venait l'embrasser dans son lit en rentrant tard du travail.

Claire ne répondit pas tout de suite, se concentrant sur la barbe des épis de maïs séchés qu'elle nettoyait, jetant les parties pourries par la fenêtre. Puis, sans quitter son travail des yeux, elle expliqua :

— Au fond, les gens – et je ne parle pas seulement des femmes, loin de là – qui savent qui ils sont et ce qu'ils sont destinés à être trouvent toujours le moyen d'atteindre leur but. Ton père, je veux parler de Frank, était un brillant historien. Il aimait son métier et avait le don de la discipline et de la concentration, ce qui lui permettait de le faire bien. Mais il n'avait pas la vocation, il me l'a dit lui-même. Il aurait pu s'orienter vers d'autres disciplines sans aucun problème. Toutefois, pour certaines personnes, seule une voie compte vraiment et, dans ce cas… Je n'ai pas su tout de suite que la médecine m'était essentielle, mais quand je l'ai compris, mon chemin était tracé.

Elle haussa les épaules en s'essuyant les mains, puis elle recouvrit le panier d'un linge propre et l'entoura avec une ficelle.

Pensant à la cicatrice en zigzag sur la gorge de Roger, Brianna déclara :

— Oui, mais on ne peut pas toujours faire ce à quoi on était destiné, n'est-ce pas ?

— C'est vrai, la vie t'impose parfois d'autres routes, murmura sa mère.

Elle releva les yeux et, croisant le regard de Brianna, esquissa un sourire narquois.

— Pour l'homme ou la femme ordinaire, la vie telle qu'elle se présente à eux est la vie qu'ils mènent. Prends Marsali, par exemple. Je doute qu'il lui soit déjà venu à l'esprit de vivre autrement. Sa mère s'occupait de sa maison et élevait des enfants. Elle ne voit pas pourquoi ce serait autrement pour elle. Pourtant, elle a une grande passion : Fergus. Cela a suffi à la faire sortir de l'ornière qu'aurait été sa vie.

— Pour retomber dans une autre identique ?

Claire hocha la tête, saisissant un autre mortier sur le comptoir.

— Presque semblable. Sauf qu'elle vit en Amérique au lieu d'être en Écosse. Et qu'elle a Fergus.

— Comme tu as Jamie ?

Elle l'appelait rarement par son prénom. Surprise, Claire releva les yeux.

— Oui. Jamie fait partie de moi. Comme toi.

Elle effleura la joue de Brianna d'une main rapide et légère, puis pivota pour décrocher un bouquet séché de marjolaine suspendu à une poutre au-dessus de la cheminée.

— Mais ni lui ni toi n'êtes complètement moi, poursuivit-elle le dos tourné. Je suis… ce que je suis. Médecin, infirmière, guérisseuse, peu importe comment les gens choisissent de m'appeler. Je suis née pour ça. Je le serai jusqu'à ma mort. S'il m'arrivait de te perdre, ou de perdre Jamie, je ne serais plus une personne entière, mais il me resterait cette partie de moi.

Elle poursuivit d'une voix si basse que Brianna dut tendre l'oreille pour la suivre :

— Pendant une brève période… après que je suis revenue… tu n'étais pas encore née… c'était tout ce qui me restait… le fait de savoir ce à quoi j'étais destinée.

Claire émietta la plante aromatique dans le récipient et chercha le pilon autour d'elle. Dehors, un bruit de bottes retentit, suivi de la voix de Jamie faisant une remarque humoristique au sujet d'un poulet qui venait de lui couper la route.

Aimer Roger et Jemmy ne lui suffisait-il pas ? Cela aurait dû être apaisant. Pourtant, Brianna eut l'horrible impression que ce n'était pas le cas. Avant que cette pensée ne puisse se transformer en mots, elle demanda rapidement :

— Et papa ?

— Et papa quoi ?

— Fait-il partie de ceux qui ont toujours su à quoi ils étaient destinés ?

Les mains de Claire s'arrêtèrent un instant.

— Oh ! oui, il sait.

— Quoi ? Un laird, un chef ?

Sa mère hésita, réfléchissant.

— Non, répondit-elle enfin.

Elle prit le pilon et se mit à écraser la marjolaine. Son parfum s'éleva dans la pièce comme de l'encens.

— Un homme. Ce qui n'est pas rien.

41

Seule

Brianna referma le livre avec un mélange de soulagement et d'appréhension. L'idée de Jamie lui avait d'abord
paru bonne : enseigner l'alphabet aux petites filles de Fraser's Ridge. Cela remplissait la cabane de bruits joyeux
pendant quelques heures, et Jemmy adorait se faire dor-
loter par une demi-douzaine de mères miniatures.

Toutefois, la pédagogie n'étant pas un de ses dons na-
turels, elle était toujours soulagée quand la leçon touchait à sa fin. La crainte venait juste après. La plupart
des fillettes venaient toutes seules ou accompagnées
d'une grande sœur. Anne et Kate Henderson, qui vivaient à plus de trois kilomètres, étaient escortées par
leur grand frère Obadiah.

Elle ne se souvenait plus très bien quand ni comment
tout avait commencé. Peut-être dès le premier jour,
quand il l'avait fixée dans le blanc des yeux avec un
léger sourire et avait soutenu son regard une seconde
de trop, avant de tapoter le crâne de ses sœurs et de les
lui confier. Mais il n'y avait rien eu là qu'elle pût raisonnablement lui reprocher. Pas sur le coup, pas au
cours des jours qui avaient suivi. Pourtant...

Au fond d'elle-même, Obadiah Henderson lui flanquait la frousse. C'était un grand garçon d'une vingtaine d'années, très musclé et plutôt beau gosse, avec des cheveux châtains et des yeux bleus. Mais quelque chose clochait chez lui, une certaine brutalité dans les plis de ses lèvres, une lueur sauvage dans ses yeux profondément enfoncés dans leurs orbites. Sa façon de la dévisager était très dérangeante.

Elle détestait raccompagner les fillettes à la porte à la fin de la classe. Les gamines se dispersaient dans un brouhaha de robes et de gloussements… et Obadiah attendait dehors, adossé à un arbre, assis sur la margelle du puits. Une fois même, il s'était allongé sur le banc, sous son porche.

Cette incertitude constante, le fait de ne jamais savoir où il serait, mais uniquement qu'il serait là, quelque part, l'énervait tout autant que son demi-sourire au coin des lèvres et cet éclair rieur dans les yeux quand il prenait congé. Cela ressemblait presque à un clin d'œil, comme s'il connaissait un secret coquin à son sujet, mais qu'il gardait pour lui, du moins pour l'instant.

Elle se rendit compte, non sans une certaine ironie, que son malaise en présence d'Obadiah venait en partie de Roger. Elle avait pris l'habitude d'entendre ce qui n'était pas formulé à voix haute.

Obadiah ne parlait pas non plus. Il ne lui disait rien, ne faisait jamais un geste déplacé. Pouvait-elle lui demander de ne pas la regarder ? C'était ridicule. Tout comme il était absurde que son cœur s'arrête chaque fois qu'elle ouvrait la porte, et qu'une sueur froide l'envahisse dès qu'elle l'apercevait.

Rassemblant son courage, elle sortit sur le seuil de la cabane pour saluer ses élèves qui se dispersaient. Puis elle jeta un coup d'œil aux alentours. Il n'était pas là.

Ni près du puits, ni sous l'arbre, ni sur le banc… nulle part.

Ne semblant pas inquiètes, Anne et Kate avaient déjà traversé la moitié de la clairière en compagnie de Jane Cameron.

— Anne ! appela-t-elle. Où est ton frère ?

Anne se retourna, faisant voler ses couettes.

— Il est parti à Salem, madame. Aujourd'hui, on va manger chez Jane.

Les fillettes s'éloignèrent en gambadant comme trois ballons rebondissant sur l'herbe.

La tension quitta lentement sa nuque et ses épaules, et elle prit une longue inspiration. L'espace d'un instant, elle ressentit un vide, comme si elle se demandait quoi faire. Puis, elle se redressa et lissa son tablier froissé. Jemmy s'était endormi, bercé par le chant nasal des fillettes récitant leur alphabet. Elle pourrait profiter de sa sieste pour aller chercher de la crème à la laiterie. Roger adorait ses biscuits au babeurre. Elle lui en préparerait pour le dîner, avec un peu de jambon.

La laiterie était fraîche et sombre. Le bruit de l'eau qui courait dans la rigole en pierre creusée dans le sol était apaisant. Elle aimait venir dans cet endroit, attendre que ses yeux s'accoutument à la pénombre, puis admirer les algues vertes qui nageaient dans le courant. Jamie avait annoncé qu'une famille de chauve-souris s'était établie sous le toit. Levant les yeux, elle les aperçut, quatre petites masses suspendues dans le recoin le plus sombre, chacune ne faisant pas plus de cinq centimètres de long. On aurait dit des feuilles de vignes farcies. Ce rapprochement la fit d'abord sourire, puis lui serra le cœur.

La dernière fois qu'elle en avait mangées, elle était avec Roger dans un restaurant grec, à Boston. Ce n'était pas qu'elle aime particulièrement la cuisine grecque, mais elle aurait pu partager avec lui ce souvenir de leur ancienne vie. À présent, si elle lui parlait des chauves-souris, il se contenterait d'esquisser un de ses vagues sourires qui ne montaient jamais plus jusque dans ses yeux, et elle se retrouverait seule avec son image d'antan.

Elle sortit de la laiterie, marchant lentement, le seau de babeurre dans une main, une tranche de fromage dans l'autre. Ils déjeuneraient d'une omelette au fromage. Cela se préparait en un rien de temps, et Jemmy en raffolait. Il utilisait sa cuillère pour tuer sa proie, puis la dévorait en la saisissant des deux mains et en s'en mettant partout. Mais, au moins, il se nourrissait tout seul, ce qui était un progrès.

Elle souriait toute seule quand, relevant les yeux vers le sentier, elle aperçut Obadiah assis sur le banc.

— Qu'est-ce que vous faites là ? Les filles ont dit que vous étiez à Salem.

Son ton était tranchant, mais un peu plus aigu qu'elle ne l'avait voulu.

Il se leva et avança d'un pas, toujours ce même demi-sourire aux lèvres.

— J'y étais. Je suis revenu.

Elle résista à l'impulsion de reculer. Elle était chez elle. Ce n'était pas lui qui la ferait fuir de sa propre maison.

— Les petites sont parties, dit-elle le plus froidement possible. Elles sont chez les Cameron.

Le cœur battant à tout rompre, elle passa devant lui, voulant déposer le seau sur le porche.

Elle se pencha et il plaça une main dans le creux de ses reins. Elle se figea. Il n'ôta pas sa main. Il ne tenta pas de la caresser ni de presser sa chair, mais son seul poids contre sa colonne vertébrale était comme un ser-

pent mort. Elle tressaillit et fit volte-face, reculant précipitamment. Pour ce qui était de ne pas se laisser
impressionner, c'était plutôt raté.

— Je vous ai rapporté quelque chose de Salem.

Un sourire occupait toujours ses lèvres, mais il
n'avait aucun lien avec l'expression de son regard.

— Je n'en veux pas, répliqua-t-elle. Je veux dire...
merci, mais je ne peux pas l'accepter. Mon mari ne serait pas d'accord.

— Il n'aura pas besoin de le savoir.

Il fit un pas vers elle et elle recula encore. Le sourire
s'élargit.

— J'ai entendu dire que votre mari était rarement à
la maison ces temps-ci, dit-il doucement. Vous devez
vous sentir seule.

Il tendit une grande main vers son visage. Puis il y
eut un drôle de petit bruit sourd, une sorte de « tonk ! »,
et il écarquilla des yeux ahuris.

Elle le dévisagea un moment sans comprendre, puis
suivit son regard tandis qu'il baissait les yeux vers sa
main tendue. Elle aperçut le petit couteau planté dans
son avant-bras, une tache rouge s'élargissant sur la
manche de sa chemise.

— Va-t'en.

Jamie avait parlé d'une voix basse mais distincte. Il
émergea de l'ombre d'un arbre, fixant Henderson d'un
air fort peu amical. Il les rejoignit en trois enjambées
et arracha son couteau du bras du jeune homme d'un
geste sec. Celui-ci émit un petit bruit étranglé d'animal
blessé.

— Pars, dit encore Jamie. Ne remets jamais les pieds
ici.

Le sang coulait dans la main d'Obadiah, dégoulinant
au bout de ses doigts. Quelques gouttes tombèrent dans

le babeurre, formant des fleurs cramoisies sur l'onctueuse surface jaune. Hébétée, Brianna ne put s'empêcher de remarquer leur étrange beauté, comme des rubis incrustés dans de l'or.

Puis le jeune homme fila, sa main libre tenant son bras blessé, traînant les pieds, puis courant vers la piste. Il disparut entre les arbres, et un grand silence retomba sur la cour.

— Tu avais vraiment besoin de faire ça ? dit enfin Brianna.

Elle se sentait étourdie, comme si elle aussi avait reçu un coup. Les gouttes de sang se diffusaient, leurs bords se dissolvant dans la crème. Elle eut un haut-le-cœur.

Son père la soutint par un bras et l'attira sur le banc du porche.

— Pourquoi, tu aurais préféré que j'attende ?

— Non, mais tu… tu ne pouvais pas te contenter de lui dire quelque chose ?

Ses lèvres étaient engourdies et sa vision périphérique traversée de petites lumières clignotantes. Elle comprit vaguement qu'elle était sur le point de tourner de l'œil et se pencha en avant, enfouissant sa tête entre ses genoux, son visage caché dans son tablier.

— C'est ce que j'ai fait. Je lui ai dit de partir, se défendit-il.

Le porche grinça quand il s'assit à côté d'elle.

— Tu sais très bien ce que je veux dire, marmonnat-elle dans le tissu.

Elle se redressa lentement. L'épicéa rouge près de la grande maison oscilla doucement au loin puis se stabilisa.

— Qu'est-ce que tu cherchais à faire ? reprit-elle. À faire l'important ? Comment pouvais-tu être sûr de ton coup en lançant un couteau de si loin ? Même pas un couteau, un canif !

— C'est tout ce que j'avais dans ma poche. Et puis, je n'avais pas vraiment l'intention de l'atteindre, avoua Jamie. Je voulais le planter dans le mur de la cabane, puis, quand il se serait retourné pour voir d'où venait le bruit, je l'aurais frappé par-derrière. Sauf qu'il a bougé.

Elle ferma les yeux et inspira profondément par le nez, essayant de calmer les mouvements de pendule de son estomac.

— Tu te sens bien, *a muirninn* ?

Il posa une main dans son dos, légèrement plus haut que là où Obadiah avait placé la sienne. Cela lui fit du bien : elle était grande, chaude et réconfortante.

— Ça va, répondit-elle en rouvrant les yeux.

Comme il paraissait inquiet, elle s'efforça de lui sourire.

— Vraiment. Ça va.

Il se détendit un peu, mais continua à la dévisager.

— Ce n'était pas la première fois, n'est-ce pas ? Depuis combien de temps ce petit coq te tourne-t-il autour ?

Elle inspira de nouveau. Se sentant coupable, elle aurait voulu dédramatiser la situation. Après tout, n'aurait-elle pas pu trouver un moyen d'y mettre un terme ? Mais sous l'intensité de ce regard bleu, elle ne put mentir.

— Depuis le premier jour.

Il écarquilla les yeux.

— Si longtemps ? Pourquoi n'en as-tu rien dit à ton mari ?

Elle fut prise de court et se mit à bafouiller :

— Eh bien... c'est que... je n'ai pas pensé... je veux dire... ce n'était pas son problème.

Le sentant tiquer et ravaler sans doute une remarque mordante à propos de Roger, elle ajouta précipitamment :

— Il... il n'a rien fait... vraiment. Ce n'était que sa manière de me dévisager... et de sourire. Je ne pouvais pas me plaindre qu'il me regardait ! Je n'ai pas voulu paraître fragile ni incapable de me défendre.

Pourtant, elle avait été les deux, et le savait. Cette conscience brûlait sous sa peau comme des piqûres de fourmis.

— Je ne voulais pas... avoir à demander à Roger de me défendre.

Il ne paraissait pas saisir. Il secoua lentement la tête sans la quitter des yeux.

— À quoi crois-tu qu'un homme sert ? demanda-t-il enfin.

Il parlait sur un ton doux mais totalement perplexe.

— Tu penses que c'est un chien de compagnie ? Un oiseau en cage ?

— Tu ne comprends pas !

— Ah non ?

Il expira bruyamment, dans un rire sardonique.

— Je suis marié depuis près de trente ans et toi, moins de deux. À ton avis, qu'est-ce que je ne comprends pas, ma fille ?

— La situation entre maman et toi n'est pas du tout la même que celle entre Roger et moi !

— Non, c'est vrai. Ta mère respecte ma fierté et moi, la sienne. À moins que tu estimes qu'elle est lâche et ne sait pas se défendre toute seule ?

— Je... non.

Elle déglutit, se sentant dangereusement au bord des larmes, mais déterminée à ne pas se laisser aller.

— Mais, papa, ce n'est pas pareil. Nous sommes d'un autre lieu, d'une autre époque.

— Je sais bien, dit-il plus calmement. Mais je ne pense pas que les hommes et les femmes aient tant changé que ça.

— Peut-être pas. Mais Roger est différent. Depuis Alamance.

Il sembla sur le point de répondre, mais se contenta de pousser un soupir. Il se pencha en avant, observant la cour, et tambourina doucement du bout des doigts sur le banc, entre eux.

— Oui, c'est possible, dit-il enfin.

Elle entendit un bruit sourd dans la cabane derrière elle, puis un autre. Jemmy s'était réveillé et lançait ses jouets par-dessus le bord de son berceau. Dans quelques instants, il allait se mettre à hurler pour les avoir. Elle se leva brusquement et arrangea les plis de sa robe.

— Il faut que j'aille m'occuper de Jemmy.

Jamie se mit debout à son tour et, saisissant le seau, en balança l'épais contenu jaune dans la cour.

— Je vais t'en rechercher, annonça-t-il.

Avant qu'elle ait pu lui dire que ce n'était pas la peine, il était parti.

Jemmy se tenait sur ses pieds dans son berceau, agrippé à son rebord, impatient d'en sortir. Quand elle se pencha pour le prendre, il se jeta dans ses bras. Il commençait à être lourd, mais elle le serra fort contre elle, pressant sa joue contre sa tête moite. Son cœur battait fort, cognant contre les parois de sa poitrine.

« Vous devez vous sentir seule », avait-il dit. Il avait tellement raison.

42

Un baiser d'adieu

Repu, Jamie se cala en arrière contre son dossier en soupirant. Alors qu'il s'apprêtait à se lever, Mme Bug bondit de sa chaise et agita un index menaçant vers lui.

— Comment ? Vous n'allez pas vous défiler en me laissant avec mon pain d'épice et ma crème fouettée sur les bras !

— Vous allez me faire exploser, Mme Bug, mais, d'un autre côté, autant mourir en homme comblé ! Laissez-moi juste aller chercher quelque chose pendant que vous servez.

Avec une agilité surprenante pour un homme qui venait d'engloutir une bonne livre de saucisses aux épices accompagnées de pommes et de patates frites, il sortit de table et disparut dans le couloir en direction de son bureau.

Je pris une profonde inspiration, me félicitant d'avoir senti l'odeur du pain d'épice au gingembre en train de cuire dans l'après-midi et d'avoir enlevé mon corset avant le dîner.

Jamie revint juste au moment où le gâteau et la crème fouettée, battue en gros caillots blancs, faisaient leur apparition. En passant, il déposa près de Roger un cahier relié en tissu ainsi que le petit coffret en bois contenant l'astrolabe.

Puis il se rassit en déclarant d'un ton détaché :

— Il doit nous rester environ deux mois de beau temps.

Il plongea un doigt dans la crème dans son assiette, puis le suça, fermant les yeux avec délectation.

— Alors ?

La question était sortie dans un râle à peine audible, mais suffisamment distinct pour que même Jemmy cesse un instant de babiller et se tourne vers son père, la bouche ouverte. Ce devait être le premier mot de la journée prononcé par Roger.

Jamie avait rouvert les yeux et saisi sa cuillère, contemplant son assiette avec la détermination d'un homme qui se jette à la mer.

— Alors, Fergus descendra sur la côte juste avant les premières neiges. Ce serait bien qu'il puisse emporter les relevés d'arpentage pour les faire viser à New Bern, non ?

Il attaqua son pain d'épice sans relever les yeux.

Il y eut un silence, perturbé uniquement par le bruit de nos respirations et le cliquetis des cuillères contre les assiettes en bois. Puis Roger, le seul à ne pas avoir commencé son dessert, articula lentement :

— Je peux... faire... ça.

Peut-être était-ce uniquement dû à ses efforts pour expulser l'air à travers sa gorge meurtrie, mais l'accent mis sur le dernier mot fit tiquer Brianna. À peine, mais assez pour que je le remarque, tout comme Roger. Il lui lança un bref regard, puis plongea son nez dans son assiette et serra les mâchoires.

— Parfait, dit Jamie toujours aussi nonchalant. Je te montrerai comment faire et tu pourras te mettre en route d'ici une semaine.

La nuit dernière, j'ai rêvé que Roger s'en allait. Cela fait une semaine que je rêve de son départ, depuis que papa l'a suggéré. Enfin... « suggéré », tu parles ! Comme Moïse descendant du mont Sinaï avec les Dix Suggestions.

Dans mon rêve, Roger rangeait ses affaires dans un grand sac pendant que je lavais le sol. Il était toujours dans mes pattes et je n'arrêtais pas de repousser son sac pour atteindre un nouveau coin de plancher. Celui-ci était très sale, avec toutes sortes de taches et de flaques visqueuses. Il y avait aussi des petits os éparpillés un peu partout, comme si Adso était venu manger un rongeur dans la cabane. Les os se prenaient sans cesse dans ma serpillière.

Je ne veux pas qu'il s'en aille, mais j'ai hâte qu'il soit parti. J'entends toutes ces choses qu'il ne dit pas, elles résonnent dans ma tête. Je me dis que lorsqu'il ne sera plus là, tout sera plus calme.

Elle se réveilla en sursaut. L'aube pointait tout juste et elle était seule. Des oiseaux chantaient dans la forêt. L'un d'eux faisait ses vocalises tout près de la cabane, des notes claires et mélodieuses. Une grive, peut-être ?

Elle savait qu'il était parti, mais redressa néanmoins la tête pour le vérifier. Le sac à dos près de la porte avait disparu, tout comme le balluchon de vivres et la bouteille de cidre qu'elle lui avait préparés la veille. Le *bodhran* était toujours accroché à sa place sur le mur, semblant flotter dans la lumière pâle.

Elle avait tenté de le convaincre d'en rejouer, pensant qu'à défaut de sa voix il aurait toujours sa musique. Il avait résisté, jusqu'à ce qu'elle se rende compte qu'en insistant, elle ne faisait qu'attiser sa colère. Elle n'en avait plus parlé. Il ferait les choses à sa manière, ou pas du tout.

Elle jeta un œil vers le berceau, mais tout paraissait calme, Jemmy était encore profondément endormi. Elle se renfonça dans son oreiller et posa les mains sur ses seins. Ils étaient nus, lisses et gonflés comme des gourdes. Elle pinça délicatement un mamelon et de minuscules perles de lait en jaillirent. L'une d'elles s'écoula sur le côté en formant une rigole.

La nuit dernière, avant de s'endormir, ils avaient fait l'amour. D'abord, elle n'avait pas cru qu'il en aurait envie, mais, quand elle s'était approchée en l'enlaçant, il l'avait serrée fort contre lui et l'avait embrassée lentement, très longuement, avant de la porter jusque dans leur lit.

Elle avait été si anxieuse de le satisfaire, de lui témoigner tout son amour avec sa bouche, ses mains et son corps, de lui donner une partie d'elle-même à emporter, qu'elle s'était totalement oubliée, au point que son propre orgasme l'avait prise par surprise. Elle glissa une main entre ses cuisses, se remémorant la sensation d'être soudain soulevée par une vague immense, portée inexorablement vers le rivage. Elle espérait que Roger s'en était rendu compte. Il n'avait rien dit, ni même ouvert les yeux.

Avant de partir, il avait déposé un baiser d'adieu sur sa bouche, dans le noir, sans dire un mot. Ou du moins… elle le croyait. Elle posa ses doigts sur ses lèvres, doutant soudain, mais sa peau douce et tendre ne lui révéla rien.

L'avait-il vraiment embrassée ? Ou l'avait-elle seulement rêvé ?

43

Tueur d'ours

Août 1771

Les chevaux hennissant dans le paddock nous annon-cèrent de la visite. Intriguée, j'abandonnai ma dernière expérience et m'approchai de la fenêtre. Il n'y avait ni homme ni monture dans la cour, mais les bêtes conti-nuaient de piaffer et de trépigner, comme si elles sen-taient une présence inconnue. Le ou les visiteurs devaient être à pied et avoir fait le tour par la cuisine, la plupart des gens considérant généralement cela comme plus poli.

Cette supposition fut immédiatement confirmée par un cri strident, à l'autre bout de la maison. Je passai la tête dans le couloir juste à temps pour apercevoir Mme Bug jaillir tel un boulet de canon, hurlant de pa-nique.

Elle ne me vit même pas et fila droit par la porte d'en-trée, qu'elle laissa grande ouverte, traversa la cour et disparut au loin dans les bois sans cesser de hurler. Du coup, je réagis à peine quand, tournant la tête de l'autre côté, j'aperçus un Indien sur le seuil de la cuisine, l'air ahuri.

Nous nous observâmes un moment avec méfiance. En me voyant peu disposée à pousser des cris ou à courir, il se détendit. Il ne semblait pas armé, ne portait pas de peintures de guerre ni aucun signe d'hostilité, si bien que je me détendis moi aussi.

Devinant qu'il était cherokee, j'essayai prudemment :

— *Osiyo !*

Il portait trois chemises en calicot l'une sur l'autre, des culottes en grosse toile et cette drôle de casquette tombante, un peu comme un turban à moitié déroulé, que les hommes mettaient souvent pour les occasions formelles, plus de longues boucles d'oreilles en argent et une belle broche en forme de soleil levant.

Mon salut le ravit. Il m'adressa un grand sourire et me répondit quelque chose d'incompréhensible. Désolée, je haussai les épaules et souris en retour, puis nous restâmes là un moment à dodeliner de la tête et à sourire bêtement. Soudain inspiré, mon visiteur glissa une main sous le col de sa première chemise (un ravissant imprimé de losanges jaunes sur fond bleu) et en extirpa un lacet de cuir auquel étaient suspendues les griffes noires et recourbées d'un ou de plusieurs ours.

Il les agita vers moi en haussant les sourcils, jetant des coups d'œil à droite et à gauche, comme s'il cherchait quelqu'un sous la table ou sur mon armoire. Je compris aussitôt :

— Ah, vous voulez voir mon mari ?

Je mimai quelqu'un pointant un fusil.

— Le tueur d'ours ?

Ma perspicacité fut récompensée par l'éclat d'une dentition parfaite.

— Il devrait être là d'ici quelques minutes.

J'agitai une main vers la fenêtre, lui indiquant le sentier sur lequel avait détalé Mme Bug, indubitablement partie informer Sa Seigneurie qu'une armée de Peaux-Rouges assoiffés de mort et de destruction avait envahi la maison et profané son parquet briqué. Puis je lui montrai la porte de la cuisine.

— Venez boire quelque chose.

Il me suivit sans protester. Nous étions tranquillement assis à table, buvant du thé et échangeant d'autres sourires et hochements de tête, quand Jamie entra accompagné, outre de Mme Bug accrochée à ses basques et lançant des regards suspicieux vers notre visiteur, de Peter Bewlie.

Notre invité fut rapidement identifié comme étant Tsatsa'wi, le frère de l'épouse indienne de Peter. Il habitait dans un village situé à une cinquantaine de kilomètres, de l'autre côté de la ligne du Traité. Venu rendre visite à sa sœur, il résidait donc chez les Bewlie pour quelque temps. Peter expliqua :

— Hier, après le dîner, nous fumions une petite pipe quand Tsatsa'wi a raconté à ma femme ce qui était arrivé dans son village. Comme il ne parle pas l'anglais et que je ne connais que peu de mots de leur langue – rien que le nom de certaines choses et des formules de politesse –, elle m'a traduit qu'ils étaient harcelés par un ours violent depuis des mois.

Jamie indiqua le collier de griffes de l'Indien.

— Pourtant, il n'a pas l'air du genre à être intimidé par ces créatures, non ?

Il sourit à Tsatsa'wi, qui, apparemment, comprit le sens du compliment. Les deux hommes se saluèrent par-dessus leur tasse de thé.

Peter lécha quelques gouttes à la commissure de ses lèvres, puis fit claquer sa langue d'un air d'approbation.

— Oui, c'est un sacré chasseur, notre Tsatsa'wi ! En temps normal, lui et ses cousins auraient sans doute abattu la bête en un tour de main. Mais il semblerait que cet ours ne soit pas tout à fait comme les autres. Je lui ai donc proposé de venir te voir, *Mac Dubh*, en pensant que, si tu avais le temps, tu pourrais les débarrasser de cette créature.

Peter se tourna vers son beau-frère et indiqua fièrement Jamie d'un geste du menton, l'air de dire « tu vois, je te l'avais dit : il peut le faire ».

Je réprimai un sourire. Jamie croisa mon regard, toussota modestement, puis reposa sa tasse.

— Je ne peux pas venir pour l'instant, mais, une fois le foin rentré... pourquoi pas ? Qu'a-t-il de si particulier, cet ours ?

— C'est un spectre, répondit Peter sur un ton enjoué.

Je manquai de m'étrangler avec mon thé. Jamie ne parut pas surpris outre mesure, mais se gratta le menton, songeur.

— Mmphm. Qu'a-t-il donc fait ?

L'ours avait fait son entrée en scène environ un an plus tôt, bien que personne ne l'ait réellement vu avant un bon laps de temps. On avait retrouvé les traces habituelles de déprédation – la disparition de poissons mis à sécher au soleil, de guirlandes d'épis de maïs suspendues sous les toits des maisons, de viande dans les fumoirs –, mais les villageois avaient d'abord pensé qu'il était un peu plus malin que la moyenne, l'ours moyen se fichant pas mal d'être surpris en flagrant délit ou pas.

— Il ne venait que la nuit, expliqua Peter, et ne faisait pratiquement pas de bruit, si bien que les gens sortaient de chez eux le matin et découvraient leur garde-manger pillé.

Ayant un peu plus tôt aperçu Mme Bug filer comme si elle avait le diable à ses trousses, Brianna était venue voir de quoi il retournait. Elle fredonna doucement un vieil air dont les paroles lui revenaient en mémoire au fur et à mesure : « Oh ! il dormira jusqu'à midi, mais avant la tombée de la nuit… il aura farfouillé dans tous les paniers de pique-nique du parc de saint Dominique. » Je pressai ma serviette contre mes lèvres pour cacher mon envie de rire.

— Ils ont tout de suite compris que c'était un ours, à cause des empreintes, poursuivit Peter.

Tsatsa'wi reconnut ce mot. Il posa ses deux mains à plat sur la table, pouce contre pouce, nous montrant la largeur de l'empreinte, puis toucha la griffe la plus longue de son collier, hochant la tête d'un air entendu.

Habitués aux ours, les villageois avaient pris les précautions d'usage, déplaçant les victuailles dans des lieux plus protégés et laissant leurs chiens dehors à la tombée de la nuit. Résultat, bon nombre de ces derniers avaient disparu à leur tour, toujours sans un bruit.

Mais les chiens avaient fini par devenir plus prudents, ou l'ours plus gourmand. La première victime humaine, un homme, avait été tuée en forêt. Puis – il y avait de cela six mois –, un enfant avait été emporté. Brianna cessa aussitôt de chantonner.

Un bébé avait été arraché à son berceau au bord d'une rivière, pendant que sa mère lavait son linge au coucher du soleil. Il n'y avait eu aucun bruit et pas un indice, hormis une grande empreinte griffue dans la boue.

Depuis, quatre autres villageois étaient morts, dont deux enfants qui cueillaient des fraises sauvages une fin d'après-midi. On avait retrouvé un corps, la nuque brisée, mais intact. L'autre avait disparu ; seules des traces sur le sol indiquaient qu'il avait été traîné dans les bois. Une femme au travail avait été tuée dans son champ de maïs, là encore au coucher du soleil, et partiellement dévorée sur place. La dernière victime, un homme, était partie traquer l'ours en question.

— Tout ce qu'ils ont retrouvé de lui, c'est son arc et quelques lambeaux de vêtements ensanglantés, dit Peter.

J'entendis un bruit sourd derrière moi. Mme Bug venait de s'effondrer sur le banc.

— Donc, ils ont déjà essayé de le chasser ? demandai-je.

Peter se tourna vers moi et hocha gravement la tête.

— Oh oui ! madame Claire. Comme ça, ils ont su ce que c'était vraiment.

Un petit groupe de chasseurs armés d'arcs, de lances et des deux mousquets du village s'était mis en route. Ils avaient décrit des cercles concentriques autour de leur petite communauté, persuadés que, s'y trouvant bien, l'ours resterait dans les parages. Ils avaient marché pendant quatre jours, tombant parfois sur de vieilles pistes, mais ils ne découvrirent aucune trace de l'ours lui-même.

— Tsatsa'wi était avec eux, expliqua Peter. Une nuit, lui et un de ses amis montaient la garde pendant que les autres dormaient. La lune venait de se lever. Il est allé chercher de l'eau. Quand il est revenu près du feu, il a juste eu le temps d'apercevoir son copain entraîné, mort, la tête broyée dans la gueule de la créature !

Tsatsa'wi suivait avec attention le récit. Arrivé à ce stade, il acquiesça vigoureusement et fit un geste qui devait correspondre au signe de croix chez les Cherokees, un geste bref et formel pour repousser le mal. Il se mit ensuite à parler, ses mains s'agitant dans les airs pour nous mimer la scène.

Naturellement, il avait crié, réveillant ses autres compagnons, et s'était rué vers l'ours, espérant lui faire peur pour qu'il lâche son ami, même s'il était évident que celui-ci était déjà mort. Il inclina sa tête en angle droit pour indiquer son cou brisé, laissant sa langue pendre à l'extérieur de sa bouche, une grimace qui, dans d'autres circonstances, aurait été comique.

Les chasseurs avaient emmené deux chiens qui s'étaient, eux aussi, précipités vers l'ours en aboyant. La bête avait effectivement abandonné sa proie, mais, au lieu de s'enfuir, avait chargé Tsatsa'wi. Il avait bondi de côté, et l'ours s'était arrêté, juste le temps d'attraper un des chiens avant de disparaître dans l'obscurité de la forêt, poursuivi par l'autre chien, une pluie de flèches et quelques balles de mousquet, dont aucune n'avait atteint sa cible.

Ils avaient pourchassé l'ours dans la forêt à l'aide de torches, sans parvenir à le retrouver. Le second chien était réapparu, la queue entre les jambes – Brianna se retint de justesse de pouffer de rire quand Tsatsa'wi mima son air penaud. Les chasseurs étaient revenus près de leur feu, choqués et perplexes, où ils avaient veillé le reste de la nuit avant de rentrer au village, le lendemain matin. Voilà pourquoi – Tsatsa'wi fit un geste gracieux vers Jamie – il sollicitait à présent l'aide de Tueur d'ours.

Brianna se pencha en avant, la curiosité l'emportant sur l'effroi initial suscité par le récit.

— Mais qu'est-ce qui leur fait penser qu'il s'agit d'un fantôme ?

Un sourcil arqué, Peter se tourna vers elle.

— La bête est plus grande qu'un ours ordinaire et toute blanche. Tsatsa'wi dit que, lorsqu'elle s'est retournée vers lui, ses yeux étaient rouge incandescent.

Pour eux, il ne pouvait s'agir que d'un spectre, aussi ils n'ont pas été trop surpris qu'aucune de leurs flèches ne l'atteigne.

Tsatsa'wi reprit la parole, désigna Jamie en tapotant son collier de griffes, puis, à ma stupéfaction, fit volte-face et pointa un doigt vers moi.

— Moi ? Mais qu'ai-je à voir là-dedans ?

En entendant mon ton surpris, le Cherokee prit ma main et la caressa, non pas d'une manière affectueuse, mais plutôt pour indiquer ma peau. Amusé, Jamie émit un petit bruit.

— Il te trouve très blanche, *Sassenach*. Il pense peut-être que l'ours te prendra pour un esprit sœur.

Il me sourit, mais Tsatsa'wi avait visiblement saisi le sens de sa remarque et hocha vigoureusement la tête. Puis, il lâcha ma main et croassa brièvement... l'appel du corbeau.

— Ah ! fis-je, mal à l'aise.

De toute évidence, la tribu de Tsatsa'wi n'avait pas uniquement entendu parler de Tueur d'ours, mais également de Corbeau blanc, même si je ne connaissais pas le mot en cherokee. Tout animal blanc était considéré comme porteur d'un message particulier, généralement pas très bon. J'ignorais s'il voulait dire par là que je pourrais exercer quelque influence sur l'ours fantôme ou simplement servir d'appât, mais j'étais indubitablement incluse dans l'invitation.

C'est ainsi qu'une semaine plus tard, le foin rentré et huit quartiers de gros gibier suspendus dans le fumoir, nous nous mîmes en route vers la ligne du Traité, parés pour un exorcisme.

Outre Jamie et moi, notre expédition était constituée de Brianna et de Jemmy, des jumeaux Beardsley et de Peter Bewlie, ce dernier nous servant de guide. Sa femme nous avait devancés avec Tsatsa'wi. Au début, Brianna n'avait pas voulu venir. Pas qu'elle n'aimait pas la chasse, mais elle craignait plutôt d'emmener Jemmy dans la nature sauvage. Jamie avait néanmoins insisté, affirmant que son adresse au tir nous serait indispensable. Comme elle ne voulait toujours pas sevrer son fils, elle avait été obligée de l'amener. Perché sur la selle devant sa mère, il était aux anges. Quand il ne commentait pas tout ce qu'il voyait dans son babil habituel, il suçait son pouce d'un air émerveillé.

Quant aux Beardsley, c'était surtout Josiah qui intéressait Jamie.

— Ce garçon a déjà tué au moins deux ours, m'avait-il expliqué. J'ai vu leurs peaux au *gathering*. Si son frère veut l'accompagner, je n'y vois pas d'inconvénient.

— Moi non plus, mais pourquoi tiens-tu tant à la présence de Brianna ? Josiah et toi pouvez sûrement vous dépatouiller avec cet ours, non ?

Astiquant le canon de son fusil avec un chiffon huilé, il avait répondu :

— Oui, mais si deux chasseurs valent mieux qu'un, trois valent encore plus, non ? Surtout un bon fusil comme notre fille.

— Certes, dis-je, sceptique. Mais encore ?

Il releva les yeux vers moi avec un petit sourire narquois.

— Quoi, tu ne crois tout de même pas que j'ai une arrière-pensée, *Sassenach* ?

— Non, je ne le crois pas, j'en suis sûre.

Il se mit à rire tout en poursuivant son nettoyage. Au bout de quelques minutes, il reprit :

— En fait, j'ai pensé que ce serait une bonne chose pour la petite d'avoir quelques amis parmi les Cherokees. Au cas où elle aurait besoin d'un endroit où aller... un jour.

Il ne me dupa pas avec son air détaché.

— Un jour. Tu veux dire quand viendra la guerre d'Indépendance ?

— Oui. Ou... quand nous serons morts.

Pointant dans le vide, il mit en joue, fermant un œil pour vérifier le viseur. Malgré la chaleur de cette belle journée d'été, je sentis un courant glacé me parcourir le dos. La plupart du temps, je parvenais à oublier cette coupure de journal, celle qui rapportait la mort de Jamie Fraser et de son épouse dans un incendie à Fraser's Ridge. Certains jours, elle revenait me trotter dans la tête ; toutefois, je réussissais à l'enfermer dans un tiroir mental, refusant de m'appesantir sur le sujet. Cependant, il m'arrivait de me réveiller en sursaut en pleine nuit, tremblante et terrifiée, de hautes flammes léchant les recoins de mon esprit.

— L'article disait « ne laissent pas d'enfants en vie », dis-je, déterminée à surmonter ma peur. Tu penses que ça veut dire que Brianna et Roger seront partis... ailleurs, avant ? Chez les Cherokees, peut-être, ou à travers les pierres ?

— C'est possible.

Son visage était neutre, ses yeux rivés sur son travail. Ni lui ni moi n'étions prêts à admettre l'autre possibilité.

Bien qu'étant venue à contrecœur, Brianna semblait apprécier le voyage. Sans Roger et libérée des corvées ménagères, elle était beaucoup plus détendue, riait et plaisantait avec les Beardsley et taquinait Jamie. Le soir, près du feu, elle allaitait Jemmy, avant de se coucher en chien de fusil autour de lui et de s'endormir paisiblement.

Les Beardsley semblaient prendre du bon temps eux aussi. L'ablation des végétations et des amygdales infectées de Keziah n'avait pas guéri sa surdité, mais l'avait nettement diminuée. Désormais, il pouvait entendre quand on lui parlait assez fort, en articulant bien et en le regardant en face. En revanche, il semblait comprendre sans problème tout ce que son frère lui disait, même en chuchotant. En le voyant écarquiller les yeux pendant que nous chevauchions dans l'épaisse forêt bourdonnante d'insectes, traversions des torrents ou suivions de vagues pistes à travers les broussailles, je me rendis compte qu'il n'était jamais allé nulle part de sa vie. Il n'avait connu que la ferme de Beardsley et Fraser's Ridge.

Je me demandais ce qu'il penserait de nos hôtes, et eux de lui. Peter avait raconté à Jamie que les Cherokees considéraient les jumeaux comme bénis des Dieux et portant chance. Tsatsa'wi avait exulté en apprenant qu'ils seraient du voyage.

Josiah semblait aussi s'amuser, même si, comme j'avais déjà pu le constater, il n'était guère démonstratif. Toutefois, à mesure que nous approchions du village, je crus déceler chez lui une certaine nervosité.

Jamie non plus n'était pas à son aise, mais, dans son cas, je pensais savoir pourquoi. Il n'avait rien contre le fait d'aller prêter main-forte à des chasseurs et se réjouissait plutôt de cette occasion de rendre visite aux Cherokees. Mais être précédé d'une réputation de grand tueur d'ours l'intimidait plutôt.

Cette supposition se confirma après trois jours de voyage, lorsque nous montâmes le camp pour la nuit. Nous n'étions plus qu'à une quinzaine de kilomètres du village, que nous atteindrions probablement le lendemain avant midi.

Pendant notre route, je l'avais vu prendre mentalement une décision. Une fois réunis pour dîner autour d'un grand feu, il se leva brusquement et s'approcha de Peter Bewlie, assis en train de regarder les flammes d'un air songeur.

— Peter, je dois te dire quelque chose au sujet de cet ours fantôme que nous sommes censés retrouver.

Extirpé de sa contemplation, ce dernier releva les yeux vers lui avec un sourire, se poussant pour le laisser s'asseoir à côté de lui.

— Oui, qu'est-ce qu'il y a donc, *Mac Dubh* ?

— Eh bien… c'est que je ne sais pas grand-chose sur les ours. Il n'y en a plus en Écosse depuis bien longtemps.

Peter le regarda, surpris.

— Mais on raconte que tu as tué un grand ours armé de ton seul coutelas !

Jamie se frotta le nez, un peu agacé.

— Oui, euh… c'est vrai. Sauf que je n'ai pas eu à le traquer. Il est venu me chercher, je n'avais pas vraiment le choix. Je ne suis pas sûr de pouvoir leur être très utile pour retrouver la trace de cet animal fantôme. Cet ours doit être particulièrement intelligent, non ? Pour entrer et sortir du village depuis des mois sans que personne ne l'ait jamais aperçu…

— Plus intelligent que l'ours moyen, répéta Brianna avec une moue ironique.

Jamie lui lança un regard torve, puis il pivota brusquement vers moi, me faisant m'étrangler avec ma gorgée de bière.

— Quoi ? demanda-t-il sèchement.

— Rien ! Je n'ai rien dit !

124

Dégoûté, il nous tourna le dos et aperçut soudain Josiah qui, s'il ne pouffait pas de rire, se retenait visiblement.

— Quoi ? aboya-t-il encore.

Il indiqua Brianna et moi d'un signe du pouce.

— Elles, elles ont l'esprit dérangé, c'est clair, mais tu ne vas pas t'y mettre aussi, non ?

Le sourire de Josiah s'effaça aussitôt et il fit de son mieux pour afficher un air grave, même si le tremblement de ses lèvres et la rougeur de ses joues étaient visibles à la lueur du feu. Comme Jamie le fixait en plissant des yeux, le garçon laissa échapper un gloussement étranglé et se plaqua une main contre la bouche.

— On peut savoir ce que tu as ? demanda poliment Jamie.

Devinant qu'il se passait quelque chose, Keziah se rapprocha de son frère, redressant les épaules pour le soutenir moralement. Josiah eut un bref mouvement vers lui, mais soutint le regard de Jamie. Le visage encore rouge, il semblait avoir repris le contrôle.

— Je suppose que je ferais mieux de tout vous dire, monsieur.

— Je suppose, en effet.

Résigné, Josiah poussa un soupir.

— Ce n'était pas toujours un ours. Parfois, c'était moi.

Jamie le dévisagea un moment sans comprendre, puis un léger sourire apparut au coin de ses lèvres.

— Ah bon ?

— Mais pas toujours, précisa le garçon.

Lorsque ses errances l'avaient mené près d'un des villages indiens – « uniquement si j'avais très faim, monsieur », ajouta-t-il précipitamment –, il avait rôdé dans les parages, se glissant entre les huttes à la nuit tombée et dérobant tout ce qui était facilement accessible. Il restait dans le coin plusieurs jours, se servant dans les garde-manger des villageois jusqu'à ce qu'il ait recouvré ses forces et rempli sa besace, puis il repartait chasser. Il rentrait ensuite avec ses peaux dans la grotte où il avait élu domicile.

Pendant le récit de son frère, l'expression de Keziah n'avait pas changé. Je n'étais pas certaine qu'il avait tout entendu, mais il n'avait pas l'air surpris. Sa main resta posée un instant sur le bras de son jumeau, puis le lâcha pour saisir un morceau de viande.

L'hilarité de Brianna s'était calmée. Elle avait écouté les aveux de Josiah, le front plissé.

— Oui, mais tu n'as pas volé le bébé dans son berceau ni dévoré à moitié cette pauvre femme... n'est-ce pas ?

Josiah cligna des yeux, plus déconcerté que choqué par la question.

— Non, pourquoi ? Vous ne croyez tout de même pas que je les aurais mangés ? C'est vrai, parfois j'ai eu faim au point d'y penser et peut-être que... si j'étais tombé sur quelqu'un déjà mort, ma foi, je ne dis pas... à condition qu'il soit encore relativement frais, bien sûr... Mais de là à tuer quelqu'un exprès !

Brianna s'éclaircit la gorge, d'une manière rappelant étrangement son père.

— Non, je n'ai jamais pensé que tu les avais dévorés, mais je me disais que, si quelqu'un les avait tués, pour une raison quelconque, l'ours aurait pu passer par là et se nourrir des cadavres.

Peter hocha la tête, paraissant intéressé, mais peu surpris par cette suite d'aveux.

— Oui, un ours pourrait faire ça. Ce n'est pas un mangeur difficile et il ne crache pas sur une charogne.

L'attention de Jamie était toujours concentrée sur Josiah.

— Oui, j'ai bien entendu, mais Tsatsa'wi a dit qu'il avait vu l'ours emporter son ami. Il tue donc les hommes, non ?

— Oui, en tout cas, il en a tué un, convint le garçon.

Le ton étrange dans sa voix n'échappa pas à Jamie. Il le fixa avec encore plus d'intensité, tandis que le garçon remuait silencieusement les lèvres, hésitant à en dire plus. Il jeta un coup d'œil vers son frère, qui l'encouragea d'un sourire. Au passage, je remarquai que Keziah avait une fossette sur la joue gauche, et Josiah, sur la droite.

Ce dernier soupira et se tourna de nouveau vers Jamie.

— Je ne voulais pas en parler, mais, vu que vous avez toujours joué franc-jeu avec nous, il ne me paraît pas correct de vous laisser courir après cet ours sans savoir ce qui se cache d'autre derrière.

Mes poils se hérissèrent sur ma nuque et je résistai à l'impulsion de me retourner pour scruter les ténèbres derrière moi. Je n'avais plus du tout envie de rire.

Jamie abaissa le morceau de pain dans lequel il s'apprêtait à mordre.

— Qu'y a-t-il d'autre ?

— Eh bien… faut dire que je ne l'ai vraiment vu qu'une seule fois, et par une nuit sans lune. Mais j'avais passé toute la nuit à chasser dans la forêt, et mes yeux étaient accoutumés à l'obscurité. Vous savez comment c'est, n'est-ce pas ?

Jamie hocha la tête.

— Oui, je sais. Où était-ce ?

Près du village vers lequel nous nous dirigions. Josiah connaissait bien l'endroit. Cette nuit-là, son objectif avait été une maison en lisière des autres habitations. Des guirlandes de maïs étaient suspendues à sécher sous les avant-toits, et il espérait bien repartir avec quelques-unes d'entre elles, à condition de ne pas attirer l'attention des chiens.

— Réveillez-en un, et vous vous retrouvez avec toute une meute hurlante à vos trousses ! expliqua-t-il en secouant la tête. Comme il ne restait plus que quelques heures avant l'aube, je me suis approché très lentement, caché entre les arbres, pour voir si un de ces gredins n'était pas couché au pied de la maison qui m'intéressait.

Soudain, il avait vu une silhouette quitter la maison. Les chiens ne semblant pas la remarquer, il en avait déduit que l'homme en question sortait de chez lui. Il s'était arrêté pour remplir sa gourde au puits, puis après avoir mis son arc et son carquois en bandoulière, il s'était dirigé droit vers le bois où Josiah était tapi.

— Je ne pensais pas qu'il en avait après moi, mais j'ai rapidement grimpé à un arbre sans faire de bruit.

L'homme était sans doute un chasseur qui partait de bonne heure vers un cours d'eau lointain où les ratons laveurs et les cerfs s'abreuvaient au petit matin. Ne voyant aucune raison d'être discret si près de son village, il avait marché tranquillement, sans chercher à se cacher.

Il passa juste sous l'arbre où Josiah, perché, retenait son souffle, puis avait poursuivi sa route, disparaissant dans la dense végétation. L'enfant commençait à descendre de son perchoir lorsqu'il avait entendu une exclamation de surprise, suivie d'un bruit de lutte s'achevant dans un « clonk ! » sourd et sinistre.

— Comme quand on fait éclater un potiron bien mûr en laissant tomber une lourde pierre dessus, précisa-t-il. En entendant ce bruit dans le noir, mon trou du cul s'est resserré comme les cordons d'une bourse !

Toutefois, l'angoisse n'empêchant pas la curiosité, il s'était faufilé dans la forêt dans cette direction. Il entendit encore un craquement de branches et, avançant prudemment la tête derrière un écran de cèdres, il distingua une forme humaine étendue sur le sol. Une autre, penchée dessus, essayait apparemment de lui arracher ses vêtements.

— Le chasseur était mort, dit Josiah avec calme. Je sentais l'odeur du sang et de la merde. Le petit homme avait dû lui fracasser le crâne avec une roche ou un gourdin.

— « …Petit homme » ? demanda Peter. Qu'est-ce que tu veux dire ? Tu le distinguais clairement ?

Josiah secoua la tête.

— Non, comme il faisait encore nuit noire, je ne voyais que son ombre qui se déplaçait dans l'obscurité. Mais il était plus petit que moi, plus ou moins comme ça.

Il tendit une main à environ un mètre quarante du sol.

Subitement, le meurtrier avait été interrompu dans son dépouillement du cadavre. Fasciné, Josiah n'avait rien remarqué jusqu'à ce que retentissent un nouveau craquement de branches et le grognement d'un ours en quête de nourriture.

— Vous pouvez me croire, en l'entendant, le petit homme a détalé. Il est passé à côté de moi, c'est le seul moment où je l'ai vu de près.

Il marqua une pause pour boire une gorgée de bière.

— Alors ? m'impatientai-je. Ne fais pas durer le suspense. À quoi ressemblait-il ?

L'air songeur, il essuya une ligne de mousse retenue dans sa moustache miteuse.

— Pour ne rien vous cacher, madame, j'aurais mis ma main à couper que c'était le diable, s'il avait été plus grand.

Naturellement, cette déclaration provoqua quelque confusion. Après quelques éclaircissements, il s'avéra qu'il voulait dire tout simplement que le « petit homme » était un Noir.

— C'est en allant à votre *gathering* que je me suis rendu compte qu'il existait des gens normaux tout noirs, expliqua-t-il. Je n'en avais jamais vus avant, et personne ne m'avait prévenu non plus.

Keziah confirma sobrement d'un hochement de tête.

— Le diable dans le livre, annonça-t-il de son étrange voix bourrue habituelle.

Le « livre » en question était une vieille Bible qu'Aaron Beardsley avait troquée quelque part sans jamais trouver à qui la revendre. Aucun des deux garçons n'avait jamais appris à lire, mais les images, notamment celles représentant le diable en créature noire et voûtée vaquant à ses tâches maléfiques de tentation et de séduction, les avaient fascinés.

— Il n'avait pas de queue fourchue, avoua Josiah, mais il est passé si vite que j'aurais pu né pas la voir dans l'obscurité.

Ne tenant pas à attirer l'attention de l'individu en question, il était resté immobile et avait donc entendu, impuissant, le festin de l'ours.

— C'est comme a dit M. Peter. Les ours ne sont pas difficiles. Je ne pouvais pas voir celui-ci, je ne sais donc pas s'il était blanc ou pas, mais il a bel et bien mangé l'Indien. Je l'entendais fouiller dans son corps à coups de griffes et se goinfrer.

Apparemment, ce souvenir ne le troublait pas, mais je vis Brianna pincer les lèvres.

Jamie et Peter échangèrent un regard, puis Jamie se gratta le front en réfléchissant.

— Entre Josiah volant de la nourriture et un petit diable noir qui assassine les gens, il semblerait que tous les méfaits survenus dans le village de ton beau-frère ne soient pas imputables à l'ours fantôme. Qu'en penses-tu, Peter ? Un ours tombant par hasard sur un cadavre pourrait-il développer un goût pour la chair humaine, au point de s'attaquer ensuite aux hommes pour les manger ?

Concentré, Peter hocha lentement la tête.

— Ce n'est pas impossible, *Mac Dubh*. Si un tueur erre dans les bois, qui peut dire combien de gens l'ours a vraiment tués et combien de morts lui ont été attribués à tort ?

— Mais qui peut bien être ce petit diable noir ? demanda Brianna.

Les hommes se regardèrent, puis haussèrent les épaules.

— Peut-être un esclave en fuite ? suggérai-je. Je ne vois pas pourquoi un esclave affranchi, sain d'esprit, errerait seul dans la nature.

— Il n'est peut-être pas sain d'esprit, déclara Brianna. Esclave ou homme libre. Surtout s'il assassine des gens pour rien.

Mal à l'aise, elle jeta un coup d'œil à la ronde vers la forêt et posa une main sur Jemmy, enroulé dans une couverture à ses côtés et profondément endormi.

Les hommes cherchèrent automatiquement leurs armes du regard. Quant à moi, je glissai une main sous mon tablier pour toucher le couteau que je portais à la ceinture pour déterrer des racines et couper des tiges.

Brusquement, les bois me parurent sinistres et oppressants. Il était si facile d'imaginer une paire d'yeux nous observant dans l'obscurité, d'interpréter le bruissement constant des branchages comme des pas furtifs ou le frottement d'une fourrure.

Jamie se racla la gorge.

— Ta femme n'aurait pas fait allusion à des démons noirs, par hasard, Peter ?

— Non, pas à ma connaissance, *Mac Dubh*, répondit celui-ci avec une lueur amusée dans le regard. La seule chose qui s'en rapproche et dont je me souvienne, c'est l'Homme noir de l'Ouest.

— Qui c'est celui-là ? demanda Josiah, intrigué.

Peter se gratta la barbe.

— En fait, personne en particulier. Les chamans désignent ainsi les esprits qui habitent à chaque point cardinal. Chacun a sa couleur. Les sorciers les invoquent dans leurs prières, selon ce qu'ils souhaitent attirer sur le village ou sur un de ses membres. L'Homme rouge de l'Est, par exemple, apporte le triomphe et la réussite. Celui du Nord est bleu, couleur de la défaite et des problèmes. On l'appelle donc pour donner du fil à retordre à ses ennemis. Au Sud habite l'Homme blanc, symbole de paix et de bonheur. On chante pour lui quand une femme attend un enfant, ce genre de choses...

Jamie était à la fois captivé et perplexe.

— Ça ressemble beaucoup à nos quatre *airts*, tu ne trouves pas ?

Peter hocha la tête.

— C'est vrai. C'est étrange non ? Comment les Cherokees peuvent-ils cultiver les mêmes croyances que nous autres, Highlanders ?

D'un geste vague, Jamie indiqua la forêt sombre autour de nous.

— Peut-être pas si bizarre que ça, après tout. Ils vivent comme nous, non ? Ce sont des chasseurs et des montagnards. Pourquoi ne verraient-ils pas ce que nous voyons ?

Peter hocha lentement la tête, mais toute cette philosophie commençait à impatienter Josiah.

— Alors, cet Homme noir de l'Ouest, qu'est-ce qu'il fait ? demanda-t-il.

Peter et Jamie se tournèrent vers lui. Les deux hommes ne se ressemblaient en rien. Peter était un petit barbu trapu, Jamie grand et élégant, même dans ses vêtements de chasse. Pourtant, quelque chose de semblable dans leur regard me donna la chair de poule, je n'osais pas imaginer ce « qu'ils voyaient ».

— L'Ouest, c'est la terre des morts, dit Jamie doucement.

Peter confirma d'un hochement de tête.

— L'Homme noir de l'Ouest, c'est la mort en personne. Enfin, d'après ce que disent les Cherokees.

Josiah marmonna qu'il ne croyait pas trop à ce genre d'histoires. Brianna, elle, déclara fermement :

— Vous ne me ferez pas avaler que l'esprit de l'Ouest se balade en forêt en tapant sur la tête des gens. Josiah a vu un homme en chair et en os. Et noir de surcroît. J'en déduis que c'était soit un ancien esclave affranchi, soit un esclave en fuite. Personnellement, je vote pour l'esclave en fuite.

Je n'étais pas certaine du caractère démocratique du processus, mais j'étais plutôt de son avis.

— Ce n'est pas tout, poursuivit-elle. Et s'il était aussi responsable des cadavres à moitié mangés ? Certains esclaves africains ne viennent-ils pas de tribus anthropophages ?

Peter Bewlie roula des yeux effarés, tout comme les Beardsley. Keziah lança un regard inquiet par-dessus son épaule, puis se serra plus près de son frère.

Jamie, lui, parut trouver l'idée amusante.

— C'est vrai qu'il doit y avoir quelques cannibales, çà et là, en Afrique, mais je n'ai encore jamais entendu dire qu'il y en avait parmi les esclaves. Je doute qu'ils soient très recherchés pour assurer le service dans les maisons. On aurait trop peur de se retrouver avec une fourchette plantée dans une fesse.

Cette remarque fit rire tout le monde et soulagea un peu la tension. Puis nous commençâmes tous à nous étirer et à nous préparer pour la nuit.

Nous attachâmes un soin particulier à remballer toutes nos provisions dans les sacoches, et Jamie les suspendit haut dans un arbre, à une bonne distance du campement. Même si l'ours fantôme s'était révélé moins puissant que nous ne l'avions supposé, nous étions tacitement d'accord pour ne prendre aucun risque inutile.

La plupart du temps, j'oubliais que nous vivions en pleine nature sauvage, mais, de temps à autre, un élément tangible venait me le rappeler : des visites nocturnes de renards, d'opossums et de ratons laveurs, le feulement occasionnel mais déroutant d'un couguar, qui ressemblait horriblement aux cris d'une femme ou aux pleurs d'un bébé. À présent, l'endroit où nous nous trouvions était calme et silencieux. Mais il était absolument impossible de se tenir au cœur de ces montagnes, la nuit, entourés de ténèbres absolues, écoutant les murmures secrets des grands arbres au-dessus de nos têtes, et de prétendre être ailleurs qu'entre les griffes d'une forêt primitive. Il ne faisait aucun doute que, si tel était son souhait, la nature pouvait nous engloutir d'une seule bouchée, ne laissant aucune trace de notre existence.

En dépit de son esprit logique, Brianna n'était pas immunisée contre les chuchotements de la forêt, surtout avec un petit enfant dans les bras. Elle n'aida pas à préparer le camp pour la nuit, mais, tout en restant près de Jemmy, chargea son fusil.

Après un bref coup d'œil vers sa fille, Jamie décréta qu'il prendrait le premier quart avec elle. Josiah et moi assurerions le suivant, puis ce serait au tour de Peter et de Keziah. Jusque-là, nous n'avions pas monté la garde pendant la nuit, mais personne ne s'en était plaint.

Il n'existe pas meilleur somnifère qu'une longue journée en selle. Je m'allongeai près de Jamie avec l'immense gratitude de retrouver une position horizontale, orientation qui compense le plus dur des lits. Jamie posa doucement une main sur ma tête. Je me tournai et embrassai sa paume, me sentant protégée.

Peter et les frères Beardsley s'endormirent en quelques secondes, je pouvais les entendre ronfler de l'autre côté du feu. J'étais moi-même à moitié endormie, bercée par la conversation tranquille et à demi chuchotée entre Jamie et Brianna, quand je perçus un changement dans le ton de leurs voix.

— Tu t'inquiètes pour ton homme, *a nighean* ?

Elle laissa échapper un soupir.

— Je suis inquiète depuis qu'ils ont essayé de le pendre. Mais, plus ça va, plus j'ai carrément peur pour lui.

Jamie répondit d'une voix qui se voulait apaisante :

— Il n'est pas plus en danger ce soir qu'il ne l'était hier soir, ni aucun autre soir depuis qu'il s'est mis en route.

— C'est vrai. Mais ce n'est pas parce que j'ignorais tout de l'existence d'ours fantômes et de meurtriers noirs qu'ils ne rôdaient pas dans la nuit.

— C'est exactement ce que j'ai voulu dire. Ta peur ne le protège pas davantage.

— Certes, mais crois-tu vraiment que ça va m'empêcher de m'inquiéter ?

Il émit un petit rire cynique.

— Non, effectivement.

Il y eut un bref silence, puis elle reprit :

— C'est que... je n'arrête pas de me demander... Qu'est-ce que je ferais s'il lui arrivait quelque chose... s'il ne revenait pas ? Pendant la journée, ça va. Mais la nuit, je ne peux penser à rien d'autre.

Je le vis renverser la tête en arrière, fixant le tapis d'étoiles.

— Que veux-tu... soupira-t-il. Combien y a-t-il de nuits dans vingt ans, *a nighean* ? Combien d'heures ? Je les ai toutes passées à me demander si ma femme était encore en vie et, si oui, ce qu'elle était en train de faire. Elle et mon enfant.

Sa main me caressa doucement, lissant mes cheveux. Brianna ne répondit pas, mais fit un bruit indistinct avec le fond de sa gorge.

— Dieu sert à ça, poursuivit-il. S'inquiéter ne mène à rien... mais la prière est utile, parfois.

— Oui, dit-elle, peu convaincue. Mais si...

— Si elle n'était pas revenue, l'interrompit-il, si tu n'avais pas fait le voyage, si je n'avais jamais su, ou si j'avais su de source sûre que vous étiez toutes les deux mortes...

Il tourna la tête pour la regarder, et son corps se déplaça lorsqu'il souleva sa main de sur ma tête pour la toucher.

— ... alors, j'aurais quand même survécu, *a nighean*, et continué de vivre ma vie. Ce que tu feras toi aussi.

44

Le ciel s'obscurcit

Roger se fraya un chemin dans un épais taillis de gommiers doux et de chênes des marais. Il était en nage. Il y avait de l'eau tout près, il pouvait la sentir. Dans l'air flottait le parfum sucré et résineux d'une plante qui poussait au bord des ruisseaux. Il ne se souvenait ni de son nom ni de quoi elle avait l'air, mais il reconnaissait son odeur.

La lanière de son sac s'étant prise dans une branche, il tira dessus d'un coup sec, libérant une nuée de petites feuilles jaunes qui virevoltèrent comme des papillons. Les nuits se faisaient fraîches, mais les journées étaient encore chaudes, et il avait fini sa gourde dans la matinée. Il avait hâte d'atteindre le ruisseau, mais pas seulement parce qu'il avait soif.

Plus que d'eau pour se désaltérer, il avait besoin d'un peu d'espace pour respirer. Dans la cuvette où il marchait, les groupes de cornouillers et de lauriers sauvages étaient si denses qu'il apercevait à peine le ciel. Là où le soleil parvenait à filtrer, l'herbe lui arrivait jusqu'à mi-cuisse et les feuilles piquantes des myrtes épineux lui griffaient les joues.

Il avait emmené Clarence, la mule étant mieux adaptée qu'un cheval à la marche dans les sous-bois chaotiques, mais, même pour elle, certains endroits étaient trop accidentés. Il l'avait donc laissée entravée plus haut, avec sa paillasse roulée et ses sacoches, pendant qu'il progressait à coups de machette vers le prochain point où effectuer son relevé.

Un canard branchu jaillit d'un buisson à ses pieds, manquant de lui provoquer une crise cardiaque avec son battement d'ailes. Il s'immobilisa un instant, le temps de récupérer, et une horde de perruches vivement colorées descendit entre les branches en gazouillant, amicales et curieuses. Puis, une présence invisible les alarma, et elles s'élevèrent en un seul mouvement dans un vacarme tonitruant.

Il faisait lourd. Il ôta sa veste et la noua autour de sa taille, puis il s'essuya le visage sur sa manche de chemise et reprit sa lente progression, l'astrolabe se balançant lourdement à une lanière autour de son cou. Du haut de la montagne, en contemplant les creux remplis de brume et les crêtes boisées, il avait ressenti un certain plaisir en pensant que tout cela lui appartenait. Ici, alors qu'il se débattait avec les lianes, les vulpins jaunes et les fourrés de roseaux plus hauts que lui, toute idée de propriété paraissait dérisoire. Comment pouvait-on se croire maître d'un merdier pareil ?

Il avait surtout envie d'en finir avec cette jungle et de remonter sur un terrain surélevé. Même écrasé sous les arbres gigantesques de la forêt vierge, on arrivait encore à respirer. Les branches de tulipiers et de châtaigniers géants s'étiraient comme un toit qui masquait la lumière, si bien que seules de petites plantes poussaient dans le sous-bois : des tapis de délicates fleurs sauvages, de sabots-de-Vénus et de trilles blancs. Les arbres faisaient pleuvoir une telle profusion de feuilles mortes que ses semelles s'enfonçaient de plusieurs centimètres dans un tapis moelleux.

Il semblait inconcevable qu'un lieu comme celui-ci puisse être maîtrisé par l'homme, et pourtant c'était possible. Il le savait, il l'avait vu ! Il avait un jour conduit une voiture sur une autoroute asphaltée traversant le cœur d'une région identique à celle-ci. Il savait que la nature pouvait être domptée. D'un autre côté, tout en luttant contre les troncs de sumacs et d'airelles rouges, il était aussi conscient que ce lieu pouvait l'engloutir à jamais en un clin d'œil.

Mais, dans l'échelle disproportionnée de la végétation, régnait autour de lui quelque chose de réconfortant. Parmi les arbres géants et la faune grouillante, il se sentait apaisé. Il n'était plus harcelé par tous ces mots coincés dans sa gorge, par l'inquiétude inexprimée dans les yeux de Brianna, par le jugement dans ceux de son père, un jugement suspendu, telle une épée de Damoclès au-dessus de sa tête. Par les regards de pitié et de curiosité, par l'effort constant et lent de son élocution, par le souvenir du chant.

Tout cela lui manquait, surtout Brianna et Jemmy. Il faisait rarement des rêves cohérents, contrairement à Brianna (qu'écrivait-elle à présent dans son cahier ?), mais il s'était réveillé ce matin avec la sensation claire de Jemmy, rampant sur lui comme il aimait le faire, le tripotant par-ci par-là, inquisiteur, tapotant doucement son visage, explorant un œil, une oreille, son nez, sa bouche, comme s'il cherchait les mots disparus.

Les premiers jours de son expédition, il n'avait pas parlé, soulagé de ne pas y être contraint. À présent, il s'y était remis, n'aimant pas la tonalité rauque et hachée des sons qu'il émettait, mais moins gêné, car personne d'autre ne pouvait les entendre.

Percevant le gargouillis de l'eau sur des pierres, il écarta un écran de jeunes saules et découvrit le ruisseau à ses pieds, le soleil étincelant à sa surface. Il s'agenouilla, but, s'aspergea le visage, puis choisit plusieurs endroits sur la berge pour prendre ses visées. De son sac, il sortit son cahier, de l'encre, une plume, et extirpa l'astrolabe de sous sa chemise.

Une fois de plus, un petit air lui trottait dans la tête. Des mélodies se glissaient toujours à l'improviste, résonnant dans son oreille interne comme des sirènes sur des écueils, prêtes à le mettre en pièces.

Mais pas cette fois-ci... Il sourit, poussa la barre de l'astrolabe et mit en visée un arbre sur la rive d'en face. C'était une comptine, l'une des chansonnettes que Brianna fredonnait à Jemmy. Un de ces horribles refrains qui s'immiscent dans votre tête et n'en sortent plus jamais. Tout en prenant ses repères et en inscrivant ses relevés, il chantonnait dans sa barbe sans prêter attention aux distorsions craquelées des sons.

— Un élé... phant... qui... se balan... çait...

Deux mille cinq cents hectares. Qu'allait-il pouvoir en faire ? Qu'allait-il faire, point ?

— Sur une... toile... d'arrrrrai... gnée... OHÉ OHÉ !

Je découvris rapidement pourquoi mon nom avait fait tilt dans l'esprit de Tsatsa'wi. Son village s'appelait Kalanun'yi ou Raventown, « la ville aux corbeaux ». Je ne vis aucun de ces oiseaux en arrivant, mais j'en entendis un qui nous lança un salut rauque depuis un arbre.

Le village jouissait d'un site charmant, dans une étroite vallée verdoyante, au pied d'une montagne peu élevée. Il était bordé de modestes parcelles cultivées et de vergers. Une petite rivière le traversait, formant plusieurs cascades et disparaissant au loin dans ce qui ressemblait à une immense roselière, les tiges géantes et les feuilles projetant des reflets dorés dans le soleil de ce début d'après-midi.

Les habitants nous accueillirent cordialement, nous nourrissant somptueusement et nous divertissant pendant une nuit et un jour. Dès le deuxième après-midi, ils nous invitèrent à participer à ce que j'interprétai comme une requête à la divinité cherokee de la chasse, afin de lui demander son accord et sa protection pour l'expédition contre l'ours fantôme qui devait se mettre en marche le lendemain.

Avant de rencontrer Jackson Jolly, je n'aurais jamais imaginé qu'il pouvait y avoir autant de variétés de talents chez les chamans qu'il y en avait dans le clergé chrétien. Jusque-là, j'avais connu plusieurs spécimens de chaque espèce, mais, gênée par les mystères du langage, je ne m'étais pas rendu compte qu'une vocation de chaman allait forcément de pair avec le charisme, le pouvoir spirituel ou un don pour la prédication.

En observant la somnolence qui se propageait parmi les personnes entassées dans la maison du beau-père de Peter Bewlie, il m'apparut très vite que, en dehors de son charme et de ses liens personnels avec le monde des esprits, Jackson Jolly était singulièrement dépourvu de toute prédisposition pour le prêche.

J'avais déjà remarqué un certain air résigné sur le visage de quelques membres de la congrégation, lorsque le chaman, drapé dans une couverture de flanelle rouge, avait pris place devant l'âtre avec un masque sculpté en forme de tête d'oiseau. Quand il commença à parler, une sorte de bourdonnement sonore, la femme à mes côtés se mit à se balancer d'un pied sur l'autre en soupirant.

Le soupir était contagieux, mais pas aussi embarrassant que les bâillements. Au bout de quelques minutes, la moitié de l'assistance avait la bouche grande ouverte, les yeux larmoyants comme des fontaines. J'avais moi-même des crampes dans les mâchoires à force de me retenir et Jamie clignait des yeux comme une chouette.

Jolly était assurément un chaman sincère, mais aussi un raseur patenté. Le seul à être fasciné par son discours était Jemmy qui, perché dans les bras de Brianna, le fixait avec des yeux ronds.

L'invocation pour la chasse à l'ours était plutôt monotone, intégrant des répétitions à n'en plus finir de « *Hé ! Hayuya'haniwa, hayuya'haniwa, hayuya'haniwa…* » suivies de variations subtiles sur le même thème, chaque vers s'achevant sur un surprenant « Ohé ! », comme si nous nous apprêtions à saborder un galion espagnol, armés d'une bouteille de rhum.

Au cours de ce chant, la congrégation se réveilla un peu. Il me vint alors à l'esprit que le problème ne venait peut-être pas du chaman. L'ours fantôme hantait le village depuis des mois. Ils avaient dû se farcir cette cérémonie de nombreuses fois, sans succès. Non, Jackson Jolly n'était pas un mauvais prêcheur, simplement sa congrégation avait perdu la foi.

À la fin de sa prière, Jolly piétina vigoureusement les braises de l'âtre pour ponctuer ses paroles. Il sortit ensuite un bouquet de sauge de son sac, le tendit au-dessus du feu, puis arpenta la pièce en agitant la fumée sur la tête des fidèles. La foule s'écarta poliment, tandis qu'il s'avançait vers Jamie et les jumeaux Beardsley puis décrivait plusieurs cercles autour d'eux, tout en psalmodiant et en les parfumant de fumée aromatique.

Jemmy trouvait la scène hilarante. Sa mère aussi. Elle se tenait à côté de moi, réprimant un fou rire. Jamie se dressait, raide et digne, pendant que Jolly, tout petit, sautillait autour de lui comme un crapaud, soulevant les pans de sa veste pour parfumer son arrière-train. Je n'osais pas regarder Brianna.

Cette phase de la cérémonie achevée, le chaman reprit sa place près du feu et se remit à chanter. Ma voisine ferma les yeux et grimaça légèrement.

Je commençais à avoir mal au dos, quand, enfin, Jolly acheva son rituel par un cri. Il se retira ensuite dans un coin, enleva son masque et s'essuya le visage, trempé par son dur labeur et l'air plutôt satisfait de lui-même. Le chef du village s'avança alors pour parler à son tour, et l'assemblée s'anima.

Je m'étirai le plus discrètement possible, me demandant ce qu'il y aurait pour le dîner. Distraite par ces pensées pratiques, je ne remarquai pas tout de suite un changement d'atmosphère. Soudain, la femme à mes côtés se redressa et lança quelques mots d'une voix forte. Elle inclina la tête, en tendant l'oreille.

Le chef cessa aussitôt de parler, et tous les gens autour de moi se mirent à regarder vers le plafond. Les corps se raidirent et les yeux s'écarquillèrent. Je l'entendis aussi, et un brusque frisson hérissa tous les poils de mes bras. Un vrombissement d'ailes remplissait l'air.

— Qu'est-ce que c'est que ça ? demanda Brianna en levant les yeux à son tour. La descente du Saint-Esprit ?

Je n'en savais rien, mais le bruit s'intensifiait rapidement, rappelant un roulement de tonnerre sans fin. L'air était rempli de vibrations.

— *Tsikwa* ! hurla un homme dans l'assemblée.

Aussitôt, la foule se rua vers la porte.

Me précipitant à l'extérieur, je crus tout d'abord qu'un orage s'approchait. Le ciel était sombre et électrique, et le paysage baignait dans une étrange lueur. Pourtant, l'air n'était pas humide. Une odeur bizarre me remplissait les narines, mais ce n'était pas celle de la pluie.

— Des oiseaux ! Mon Dieu, ce sont des oiseaux !

J'entendis à peine la voix de Brianna derrière moi, perdue dans le chœur d'exclamations. Tout le monde était dans la rue, le nez en l'air. Plusieurs enfants, effrayés par le bruit et les ténèbres, se mirent à pleurer.

C'était angoissant. Je n'avais jamais rien vu de pareil, les Cherokees non plus, à en juger par leur réaction. Le sol semblait trembler. L'air résonnait de battements d'ailes, comme un tambour martelé par des mains frénétiques. Je sentais leurs pulsations sur ma peau. Mon fichu me tirait sur le cou, cherchant à s'envoler.

La paralysie de la foule ne dura pas longtemps. Il y eut quelques cris, puis, tout à coup, tout le monde se mit à courir dans tous les sens, filant dans les maisons et en ressortant avec des arcs. En quelques secondes, une grêle de flèches fusa vers le nuage d'oiseaux, et des corps inertes s'effondrèrent au sol, transpercés.

Il n'y avait pas que les cadavres qui pleuvaient. Une fiente grasse s'écrasa sur mon épaule. Partout, dans la rue, des précipitations délétères de particules blanchâtres soulevaient des bouffées de poussière. Des plumes de duvet voletaient dans les airs comme des graines de pissenlit et, ici et là, des pennes plus longues tombaient en vrille comme des lances miniatures, rebondissant sur les courants d'air. Je reculai promptement, m'abritant sous un avant-toit avec Brianna et Jemmy.

Depuis notre refuge, nous observâmes avec horreur et fascination les villageois se bousculer, les archers décocher le plus vite possible, les flèches se suivre à toute allure. Jamie, Peter Bewlie et Josiah avaient couru chercher leurs fusils et se tenaient dans la foule, tirant à vue d'œil, ne cherchant même pas à viser. Il y en avait tant qu'ils ne pouvaient rater leur coup. Des enfants couverts de fientes couraient dans la foule, esquivant les oiseaux qui tombaient, ramassant les corps et les entassant sur les seuils des maisons.

Cela dura près d'une demi-heure. Nous restâmes accroupies à l'abri, assourdies par le raffut et hypnotisées par le défilé incessant dans le ciel. Après un premier mouvement de frayeur, Jemmy cessa de pleurer, mais il resta blotti dans les bras de sa mère, à moitié caché sous les pans de son châle.

Dans ce torrent céleste, il était impossible d'identifier un seul oiseau. Ce n'était qu'un flot de plumes qui remplissait totalement le ciel. Sous le tonnerre d'ailes, j'entendais les volatiles s'interpeller, un susurrement constant, tel un vent violent traversant une forêt.

Enfin, la grande nuée passa, les traînards formant une frange déchiquetée, pendant que le gros des troupes franchissait la montagne et disparaissait.

Tout le village poussa un soupir collectif. Les gens se frottèrent les oreilles, comme pour se débarrasser de l'écho du vacarme. Jackson Jolly se tenait au milieu de la foule, radieux, généreusement plâtré de fientes et de plumes, les yeux pétillants. Il écarta les bras et prononça quelques mots. Autour de lui, les gens lui répondirent dans un murmure.

L'air très impressionné, la sœur de Tsatsa'wi traduisit ces paroles en indiquant Jamie et les frères Beardsley :

146

— Nous sommes bénis. L'Ancêtre blanc nous a envoyé un grand signe. Ils trouveront l'ours maléfique, c'est sûr.

Je hochai la tête, encore un peu sonnée. À mes côtés, Brianna se pencha et ramassa un oiseau mort, le tenant par la fine flèche qui le traversait de part en part. Il était dodu et très beau, avec une tête délicate bleu perle, un poitrail chamois et des ailes brun-roux. Sa tête pendait mollement, ses yeux protégés par de fines paupières ridées bleu-gris.

— C'en est un, non ? demanda-t-elle doucement.

— Je crois bien, répondis-je d'une voix calme.

Je touchai le plumage doux du bout d'un doigt. Pour ce qui était des signes et des présages, j'ignorais si celui-ci était de bon ou de mauvais augure. Je n'avais encore jamais vu de pigeon voyageur, mais j'étais pratiquement certaine d'en tenir un entre mes mains.

Les chasseurs partirent le lendemain avant l'aube. Brianna se sépara de son fils la mort dans l'âme, mais elle sauta en selle avec une légèreté laissant présager qu'une fois la traque commencée, elle ne se languirait pas trop de lui. Quant à Jemmy, il était trop occupé à fouiller dans les paniers sous le lit surélevé pour s'apercevoir du départ de sa mère.

Les femmes passèrent la journée à plumer, à rôtir, à fumer et à conserver les pigeons dans la cendre de bois. L'air était rempli de duvet et de l'odeur de foies grillés, une délicatesse dont tout le village se gorgeait. Pour ma part, j'aidais à la cuisine tout en entretenant d'intéressantes conversations et en m'adonnant à un troc très rentable. De temps en temps, je m'arrêtais pour regarder vers la montagne et réciter une brève prière pour le salut des chasseurs... et celui de Roger.

Outre une petite centaine de litres de miel, j'avais apporté des herbes et des graines européennes achetées à Wilmington. Le commerce allait bon train et, avant la soirée, j'avais troqué ces dernières contre des stocks de gingembre sauvage, d'herbe de Saint-Christophe et, une vraie rareté, un *chaga*. Cet énorme champignon verruqueux qui poussait sur les vieux bouleaux était réputé – m'informa-t-on – pour soigner le cancer et les ulcères. Un produit précieux pour un médecin.

Quant au miel, je l'avais échangé contre la même quantité d'huile de tournesol. On me l'apporta dans de grosses outres que j'entassai comme des boulets de canon sous les avant-toits de la maison où nous logions. Chaque fois que je sortais, je m'arrêtais pour les contempler, satisfaite, imaginant déjà la transformation de l'huile en savon doux et parfumé. Finies les mains empestant la graisse de porc rance ! Avec un peu de chance, je pourrais vendre toute ma production à un prix assez élevé pour payer le prochain versement de la rente de cette garce de Laoghaire. Saleté de vampire !

Je passai le lendemain dans les vergers avec mon hôtesse Sungi, une autre des sœurs de Tsatsa'wi, une grande femme dans la trentaine, au visage doux. Elle parlait quelques mots d'anglais, moins que certaines de ses amies, mais c'était toujours mieux que moi. Je ne savais rien dire d'autre en cherokee que « bonjour », « bien » et « encore ».

En dépit des efforts linguistiques des Indiennes, j'eus quelques difficultés à comprendre le sens du prénom « Sungi » qui, selon la personne qui tentait de me l'expliquer, semblait signifier « oignon », « menthe » ou encore « vison ». Finalement, après de nombreux débats contradictoires, il s'avéra que le mot ne représentait rien de tout cela, mais une sorte d'odeur forte.

Les pommiers du verger étaient jeunes, encore minces, mais chargés de petites pommes jaune-vert d'agréable texture craquante et au goût acide, excellent antidote au gras des foies de pigeon. L'année ayant été sèche, il y avait moins de fruits que l'an passé, avait observé Sungi en fronçant les sourcils. Les blés avaient également moins donné.

Sungi confia Jemmy à ses deux filles, leur enjoignant d'être prudentes en pointant un doigt vers la forêt. Calant son panier contre sa hanche, elle se tourna vers moi :

— Bien Tueur d'ours venu. Ours ici pas vrai ours. Lui pas parler à nous.

— Ah ! Oh ! fis-je en essayant de prendre un air intelligent.

L'une de ses compagnes m'aida quelque peu en m'expliquant qu'un animal raisonnable aurait écouté les invocations du chaman, celui-ci s'étant adressé à l'esprit ours, afin que ses congénères et les chasseurs puissent trouver un terrain d'entente. Compte tenu de la couleur de cette créature et de son comportement malveillant et obtus, il était évident qu'il ne s'agissait pas d'un véritable ursidé, mais d'un esprit malin ayant décidé de se manifester sous la forme d'un ours.

— Ah ! fis-je encore plus habilement. Jackson a fait allusion à l'Ancêtre blanc. C'est le même que l'esprit ours ?

Je me souvenais des explications de Peter ; selon lui, le blanc était une couleur positive.

Une autre femme – qui s'était présentée sous le nom anglais Anna au lieu de m'expliquer le sens de son prénom cherokee – éclata de rire, choquée.

— Non, non ! L'Ancêtre blanc, ça être le feu.

Les autres dames s'en mêlèrent alors. Je finis par comprendre que le feu, très puissant et traité avec beaucoup d'égards, était une entité bienveillante. D'où l'atrocité de la conduite de l'ours. Généralement, les animaux étaient considérés avec respect, comme des messagers de l'au-delà (à ce stade, plusieurs femmes me lancèrent des regards en coin), mais cet ours-là se comportait d'une manière qui leur échappait complètement.

Sachant que la créature en question avait reçu un sérieux coup de pouce de la part de Josiah Beardsley et du « petit diable noir », je comprenais parfaitement. Loin de vouloir incriminer Josiah, je leur déclarai avoir entendu des histoires – sans révéler mes sources – au sujet d'un homme noir qui commettait des méfaits dans la forêt. En avaient-elles entendu parler ?

« Oh ! oui ! » m'assurèrent-elles, mais je ne devais pas m'en inquiéter. Un petit groupe d'hommes noirs vivait « là-bas » (elles indiquèrent l'autre côté du village, la roselière invisible et les basses terres au-delà du cours d'eau). Ces individus étaient peut-être des démons, puisqu'ils étaient venus de l'Ouest, mais ce n'était pas certain. Plusieurs chasseurs du village les avaient suivis pendant des jours, épiant leurs moindres faits et gestes. Ils étaient revenus en rapportant que ces individus vivaient misérablement, vêtus de hardes, et ne possédaient même pas de vraies maisons. Aucun démon digne de ce nom ne vivrait ainsi.

Trop peu nombreux et trop pauvres, ils ne méritaient pas une attaque. Les chasseurs avaient en outre déclaré qu'il n'y avait que trois femmes avec eux, toutes très laides. Ils pouvaient quand même être des démons, on ne savait jamais, mais les villageois avaient décidé de ne pas s'occuper d'eux pour le moment. « Les hommes noirs ne s'approchent jamais du village, ajouta une femme en fronçant le nez, les chiens les sentiraient. » À ce stade, la conversation s'étiola, et nous nous éparpillâmes dans le verger, cueillant les fruits mûrs dans les arbres, pendant que les fillettes ramassaient ceux tombés par terre.

Lorsque nous rentrâmes vers le milieu de l'après-midi, épuisées, grillées par le soleil et sentant la pomme, les chasseurs étaient de retour.

— Quatre opossums, dix-huit lièvres et neuf écureuils, annonça Jamie en s'épongeant le front. Nous avons vu beaucoup d'oiseaux aussi, mais, vu tous les pigeons morts, nous ne les avons même pas tirés, sauf un beau faucon. George Gist voulait les plumes.

Échevelé, avec un coup de soleil rouge vif sur le nez, il était d'excellente humeur.

— ... quant à Brianna – elle a été fantastique ! –, elle a tué un beau wapiti, juste de l'autre côté de la rivière. Elle l'avait atteint au poitrail, mais elle l'a achevé elle-même. Crois-moi, c'est pas évident d'égorger un animal de cette taille qui se débat !

— Ah, euh... c'est bien, dis-je d'une voix faible.

J'imaginai ma fille esquivant les coups de sabots et de bois mortels. Voyant mon air, Jamie précisa :

— Ne t'inquiète pas, *Sassenach*. Je lui ai appris comment s'y prendre. Elle est arrivée par-derrière.

— Ah ! tu me rassures ! rétorquai-je acerbe. J'imagine que les autres chasseurs ont été impressionnés.

— Et comment ! reprit-il joyeusement. Savais-tu que les femmes cherokees sont autorisées à faire la guerre et à chasser ? Ça n'arrive pas souvent, mais, de temps à autre, l'une d'elles montre des dispositions et se distingue. Ils les appellent des « femmes de guerre ». D'ailleurs, elles commandent souvent les hommes.

— Très intéressant.

J'essayai de chasser la vision de Brianna invitée à prendre la tête d'une attaque cherokee et préférai changer de sujet.

— Pendant que vous étiez occupés à échanger ces passionnants détails anthropologiques, vous n'auriez pas aperçu un ours, par hasard ?

— On a trouvé des traces. Josiah a l'œil, il a repéré non seulement des déjections, mais aussi l'arbre contre lequel il vient se gratter. Les poils étaient pris dans l'écorce. Selon lui, tous les ours ont deux ou trois arbres préférés et y reviennent toujours. Donc, quand on veut tuer un ours particulier, il suffit de se tapir près de son grattoir et de l'attendre.

— Je suppose que cette stratégie n'a pas fonctionné cette fois-ci ?

— Elle aurait sans doute marché, mais c'était inutile. Il ne s'agissait pas de notre ours. Les poils étaient bruns, pas blancs.

Toutefois, l'expédition n'avait pas été un échec. Les chasseurs avaient décrit un grand demi-cercle autour du village, s'enfonçant profondément dans les bois, puis descendant jusqu'à la rivière. Là, dans le sol spongieux du pré inondable, ils avaient trouvé des empreintes.

— Selon Josiah, elles sont différentes de celle de l'ours dont on a vu les poils, et d'après Tsatsa'wi, ce sont les mêmes que celles de l'ours blanc qui a mangé son ami.

La conclusion logique – tous les experts en ours présents étaient d'accord – était que l'ours fantôme avait probablement établi sa tanière dans la roselière. En plein cœur de l'été, elle était fraîche et sombre, grouillante d'oiseaux et de petit gibier. Même les cerfs aimaient s'y cacher quand il faisait trop chaud.

— Mais, on ne peut pas s'aventurer dans un endroit pareil avec des chevaux, expliqua Jamie.

Il secoua la tête, se passant les doigts dans les cheveux pour faire tomber des feuilles.

— À pied, on ne pourra pas aller bien loin non plus, vu la densité des roseaux. De toute façon, nous ne comptons pas y entrer.

Le plan était de mettre le feu à la roselière et de faire sortir l'ours à découvert dans les terres basses, de l'autre côté, où il serait facile à abattre. Cette pratique de chasse était courante, notamment en automne quand les roseaux secs s'embrasaient facilement. Toutefois, l'incendie ne ferait pas sortir l'ours seulement, mais tous les animaux qui vivaient là. Pour cette raison, ils avaient invité les chasseurs d'un autre village situé à une trentaine de kilomètres à se joindre à ceux de Ravenstown. Avec un peu de chance, il y aurait assez de gibier pour nourrir les deux villages pendant l'hiver, et l'ours fantôme ne s'échapperait pas.

— Très efficace, dis-je, amusée. J'espère seulement qu'ils n'enfumeront pas les esclaves.

— Quoi ?

— Les diables noirs.

Je lui racontai ce que j'avais appris au sujet du campement et des esclaves fugitifs – si campement et esclaves il y avait.

Il s'assit devant moi afin que je lui tresse les cheveux :

— Je me doute bien qu'il ne s'agit pas des démons, dit-il sur un ton caustique. Cela dit, selon moi, ils ne courent pas de danger. Ils doivent vivre à l'extrémité de la roselière, sur l'autre berge de la rivière. De toute manière, je ferai passer le mot. Nous avons le temps, les chasseurs de Kanu'gala'yi ne seront pas là avant trois ou quatre jours.

Je terminai sa natte en nouant fermement son lacet et déclarai :

— Tant mieux ! Tu auras juste assez de temps pour finir les foies de pigeon.

Les jours suivants se déroulèrent agréablement, même s'il flottait dans l'air une certaine excitation qui culmina avec l'arrivée des chasseurs de Kanu'gala'yi, ou Briertown, « la ville des églantiers ». Je me demandais si on les avait invités en raison de leur expertise en terrain épineux, mais j'évitais de poser la question. Véritable éponge linguistique, Jamie connaissait déjà des termes pratiques tels que pou, mais je ne voulais pas abuser de ses facilités en le faisant traduire des jeux de mots.

Jemmy semblait avoir hérité du don de son grand-père pour les langues. Une semaine après notre arrivée, son vocabulaire avait déjà doublé, la moitié des mots étant désormais en anglais et l'autre, en cherokee, si bien qu'à part sa mère, personne ne le comprenait. Mon propre lexique s'était enrichi des mots pour « eau », « feu », « manger » et « à l'aide ». Pour le reste, je m'en remettais à la patience des Cherokees anglophones.

Après les cérémonies d'usage et un grand festin de bienvenue, la grande expédition de chasse se mit en route à l'aube, équipée de torches en sapin, d'arcs, de mousquets et de carabines. Une fois terminé le petit déjeuner copieux à base de semoule de maïs mélangée à des foies de pigeon broyés avec des pommes frites – les restes des agapes –, ceux qui ne participaient pas à la chasse rentrèrent dans les maisons pour passer le temps à faire de la vannerie, de la couture et converser.

C'était une journée chaude, moite et lourde. Pas un souffle d'air ne circulait dans les champs, où les tiges sèches de maïs et de tournesols moissonnés étaient entassées comme des cure-dents oubliés. Pas l'ombre d'une brise pour soulever la poussière de la rue du village. On ne pouvait choisir un meilleur moment pour mettre le feu. Pour ma part, j'étais bien contente de pouvoir rester au frais dans la cabane de Sungi.

Au cours de nos bavardages, j'essayai d'en apprendre un peu plus sur l'amulette de Nayawenne. Elle était certes une sorcière tuscarora, ses croyances n'étaient peut-être pas les mêmes, mais la chauve-souris m'intriguait.

— Il existe une histoire au sujet des chauves-souris… commença Sungi.

À ces mots, je me retins de sourire. Sur bien des points, les Cherokees ressemblaient aux Écossais des Highlands, notamment quant à leur goût pour « les histoires ». Depuis mon arrivée au village, j'en avais déjà entendu bon nombre.

Anna traduisait pendant que Sungi racontait :

— Un jour, les animaux et les oiseaux décidèrent de jouer au ballon. En ces temps, les chauves-souris marchaient sur quatre pattes. Quand elles voulurent jouer, les autres mammifères refusèrent, disant qu'elles étaient trop petites et allaient se faire écraser. Ce refus les rendit très mécontentes.

Sungi fronça son joli visage lisse, mimant une chauve-souris fâchée.

— Elles allèrent trouver les oiseaux et proposèrent de jouer dans leur camp. Ceux-ci les accueillirent, puis ils prirent des feuilles et des petits bâtons et leur confectionnèrent des ailes. Les oiseaux remportèrent le match, et les chauves-souris apprécièrent tellement leurs ailes que...

Brusquement, Sungi s'interrompit. Elle étira le cou et huma l'air. Autour de nous, toutes les femmes s'étaient tues. Sungi se leva et se dirigea vers la porte, puis appuya les mains contre le chambranle pour se pencher dehors.

Cela faisait déjà une bonne heure qu'une odeur de fumée flottait dans l'air, mais elle venait nettement de s'accentuer. Sungi sortit. Je me levai et la suivis comme les autres femmes, soudainement mal à l'aise.

Le ciel commençait à se charger de nuages de pluie, mais le rideau de fumée était plus noir encore, formant des volutes s'enroulant sur elles-mêmes au-dessus des arbres, au loin. Le vent s'était levé, devançant l'orage, et des tourbillons de feuilles mortes couraient entre nos jambes.

La plupart des langues disposent d'expressions monosyllabiques adaptées à des situations d'effroi soudain, et le cherokee ne faisait pas exception. Sungi prononça un mot incompréhensible pour moi, mais malgré tout très clair. L'une des femmes les plus jeunes se suça un doigt puis le tendit en l'air. Son geste était superflu. Le vent fouettait mon visage, soulevant mes cheveux et me glaçant la nuque. Il soufflait droit sur nous.

Anna prit une longue inspiration, redressant les épaules pour affronter la situation. Puis, tout à coup, toutes les femmes se mirent en mouvement. Elles couraient vers leurs maisons, appelant leurs enfants, s'arrêtant au passage pour ramasser de la viande mise à sécher, pour décrocher sous un toit une natte d'oignons ou une guirlande de courges et les mettre dans leurs jupes.

Je ne savais pas trop où était Jemmy. L'une des grandes filles l'avait emmené pour jouer, mais, dans la mêlée, je ne me souvenais plus de laquelle. Je retroussai mes jupes et courus le long de la rue, passant la tête à l'intérieur de chaque maison pour voir s'il y était. Une nette sensation d'urgence flottait dans l'air mais pas de panique. Le craquement de feuilles sèches paraissait constant, comme un léger bruissement qui me suivait partout.

Je le trouvai dans la cinquième maison, profondément endormi avec d'autres enfants de tous âges, blottis les uns contre les autres comme une portée de chiots dans les plis d'un plaid en buffle. Sans ses cheveux blonds qui se détachaient comme un phare, je ne l'aurais jamais aperçu dans la pénombre. Je le réveillai tout doucement et l'extirpai de la meute. Hagard, il regarda autour de lui en clignant des yeux.

— Tu viens avec grand-mère, mon chéri. Nous partons ailleurs.

— À dada ? demanda-t-il, soudain alerte.

— Excellente idée, répondis-je en le calant contre ma hanche. Allons chercher un dada, d'accord ?

L'odeur de fumée était encore plus puissante dans la rue. Jemmy se mit à tousser. Je sentais un goût âcre et amer au fond de ma gorge à chaque inspiration. L'évacuation allait bon train. Les villageois, principalement des femmes, entraient et sortaient rapidement des maisons, poussant des enfants devant eux, portant des balluchons faits à la hâte. Cependant, chacun restait concentré sur ce qu'il faisait sans perdre son sang-froid. Un village en bois situé au cœur d'une forêt était forcément exposé aux risques d'incendie. Les habitants le savaient, et ils étaient préparés.

Cela me rassura un peu, mais pas pour longtemps, car le bruissement de feuilles sèches était en fait le crépitement des flammes qui approchaient.

Les chasseurs avaient pris la plupart des chevaux. Lorsque j'atteignis l'enclos en ronces, il n'en restait que trois. Un des doyens du village était assis sur l'un d'eux, tenant Judas et l'autre monture par la bride, prêt à les emmener à l'abri. Judas était sellé, équipé de ses sacoches et d'un licol en corde. En m'apercevant, le vieil homme me sourit et fit un signe de tête vers le cheval.

— Merci ! lui lançai-je.

Il se pencha et cueillit Jemmy, pendant que je grimpais en selle et m'emparais du licol. Puis, il me rendit l'enfant avec maintes précautions.

Les chevaux énervés piaffaient et piétinaient. Ils savaient comme nous ce qu'était un feu de forêt et l'appréciaient encore moins. Je serrai fermement Jemmy contre moi et fis de mon mieux pour exercer mon autorité sur notre monture.

— Allez, hue !

Judas ne demandait que ça. Il partit en flèche vers la porte ouverte de l'enclos, comme si c'était la ligne d'arrivée d'une course, ma jupe s'accrochant au passage dans les ronces. Je parvins à le retenir assez longtemps afin que le vieillard et ses deux chevaux nous rattrapent. Il cria quelques mots, puis pointa un doigt vers la montagne, dans le sens opposé au feu. Le vent balayait sa barbe blanche sur son visage. Il l'écarta mais ne se donna pas la peine de répéter, se contentant de diriger sa monture dans la direction indiquée.

Je fis tourner Judas mais le retins, hésitant à suivre mon guide. Me retournant vers le village, je vis la procession des fuyards, qui suivaient tous la même route que le vieillard. Personne ne courait, mais tous marchaient d'un pas leste.

Brianna viendrait à la recherche de Jemmy, dès qu'elle se rendrait compte que le village était menacé. Je savais qu'elle me faisait confiance, mais, dans de telles circonstances, une mère ferait tout pour récupérer son petit. Nous ne courions pas un danger immédiat, si bien que je décidai d'attendre encore, en dépit de l'agitation croissante de l'enfant.

Le vent agitait la cime des arbres et soulevait des nuées de feuilles vertes, jaunes et rouges qui nous bombardaient, se plaquant contre ma jupe et formant sur la robe de Judas un patchwork automnal. Le ciel était devenu noir violacé, et les premiers coups de tonnerre roulèrent sous le sifflement du vent et du feu. Même à travers la fumée, on sentait l'arrivée de la pluie, ce qui me redonna espoir. Nous avions besoin d'un bon déluge, et le plus tôt serait le mieux.

Excité par l'électricité dans l'air, Jemmy battait des mains sur le pommeau de la selle, hurlant vers les cieux un chant de guerre personnel qui ressemblait à « Ogui-ogui-ogui ! ».

Judas, en revanche, n'appréciait pas du tout ce temps. J'avais de plus en plus de mal à le maîtriser. Il ne cessait de tirer sur sa bride et exécutait une sorte de pas en crabe qui nous faisait décrire sur place des cercles erratiques. La corde me mordait les mains, et les talons de Jemmy me tatouaient les cuisses.

Je venais de décider de capituler et de laisser notre monture se joindre à l'exode, quand l'animal tourna brusquement la tête et la redressa, hennissant en direction du village.

De fait, des cavaliers approchaient. Je vis plusieurs chevaux émerger au trot de la forêt, de l'autre côté du village. Ravi de voir des congénères, Judas se montra soudain disposé à reprendre la direction du village, même si c'était aussi celle du feu.

Je rejoignis Brianna et Jamie au milieu des maisons. Ils avançaient dans la rue, en jetant des coups d'œil anxieux autour d'eux. Jemmy poussa un cri perçant de joie en apercevant sa mère et s'élança dans ses bras, manquant de peu de rater son coup et de se retrouver piétiné par les sabots.

— Vous avez trouvé l'ours ? criai-je à Jamie.

— Non ! hurla-t-il par-dessus le vent. Viens, *Sassenach*, ne restons pas ici !

Brianna était déjà partie, mettant le cap sur la forêt où disparaissaient les derniers villageois. Soulagée de ne plus être responsable de Jemmy, je venais de penser à autre chose.

— Attends une minute ! criai-je.

Je sautai à terre, lançant la bride de Judas à Jamie.

Il se pencha en avant pour l'attraper au vol et me hurla quelque chose que je n'entendis pas.

Nous nous trouvions devant la maison de Sungi, et j'avais vu mon tas de gourdes d'huile de tournesol. Je regardai vers la roselière. Le feu se rapprochait indubitablement, je crus même distinguer des flammes entre les tiges qui oscillaient. Toutefois, j'étais presque certaine que nos montures couraient plus vite. Devant moi gisaient les bénéfices d'un an de récolte de miel. Je n'allais tout de même pas laisser un incendie me les avaler.

N'écoutant pas les cris furieux de Jamie, je me précipitai dans la maison et fouillai désespérément parmi les paniers éparpillés, espérant que Sungi ne les avait pas prises... non, elles étaient toujours là. Je saisis une poignée de lanières en cuir et ressortis au pas de course.

M'agenouillant dans un nuage de poussière et de fumée, je nouai deux gourdes ensemble et revins en chancelant vers nos chevaux. Comprenant ce que j'étais en train de faire, Jamie prit toutes les rênes dans une main et se pencha pour saisir mon fardeau, balançant les récipients en travers de l'encolure de Gideon.

— Viens ! cria-t-il.

— Encore un !

Sans attendre sa réponse, je repartis vers la maison. Du coin des yeux, je le voyais se débattre avec les chevaux qui s'ébrouaient et ruaient, pressés de déguerpir. Il me hurlait des mots peu flatteurs en gaélique, mais je sentais une certaine résignation dans sa voix. Je ne pus m'empêcher de sourire, malgré l'angoisse qui m'étreignait le cœur et rendait mes doigts maladroits avec les lanières glissantes.

Judas hennissait et roulait des yeux affolés, montrant les dents, mais Jamie le maintint fermement, le temps pour moi de lancer une seconde paire de gourdes en travers de sa selle et de grimper dessus.

Dès que la poigne de fer de Jamie se relâcha, Judas partit en trombe. Je tenais la bride, mais, comprenant vite qu'elle ne me servirait à rien, je m'accrochai de mon mieux au pommeau, les gourdes rebondissant contre mes jambes. Il galopa ventre à terre vers la sécurité des hauteurs.

L'orage s'était lui aussi rapproché. Le vent avait faibli, mais un éclair claqua au-dessus de nous, faisant bondir Judas qui redoubla de vitesse. Il détestait le tonnerre. Me souvenant de sa réaction lors de la dernière tempête, je me couchai sur lui, m'accrochant comme une moule à la coque d'un navire, déterminée à ne pas me faire éjecter ni piétiner dans la course folle.

Nous nous engouffrâmes dans les bois, et les branches nues me fouettèrent de toutes parts. Je m'aplatis contre son encolure, fermant les yeux pour éviter une énucléation. Judas avait été obligé de ralentir mais était toujours paniqué. Je sentais les mouvements de sa croupe tentant de me soulever et j'entendais son souffle sifflant dans ses naseaux.

Puis un nouveau coup de tonnerre retentit. Il perdit pied sur les feuilles glissantes, dérapa en biais et percuta un groupe de jeunes arbres. Heureusement, leurs troncs souples nous évitèrent le pire et il se redressa rapidement. Ouvrant prudemment un œil, je constatai qu'il avait trouvé une piste. Je la devinais, zigzaguant dans la végétation dense.

Les arbres se refermèrent derrière nous. Je ne distinguais plus rien qu'un oppressant enchevêtrement de troncs et de branches enlacés par les vestiges jaunes de chèvrefeuille sauvage et des lianes écarlates. L'épais sous-bois ralentit encore un peu la course du cheval et je pus enfin prendre une grande inspiration et me demander où était Jamie.

Le tonnerre retentit encore, suivi, juste après, d'un hennissement haut perché, non loin derrière moi. Si Judas détestait les orages, Gideon, lui, détestait suivre un autre cheval. Il devait nous talonner, cherchant à nous dépasser.

Une grosse goutte s'écrasa dans mon cou, et j'entendis le crépitement de la pluie sur les feuilles. Une forte odeur de terre mouillée me remplit les narines, et la forêt tout entière sembla soupirer, s'ouvrant à cette averse.

J'étais moi aussi soulagée.

Judas avança encore de quelques pas, puis s'arrêta pile, haletant et soufflant. Avant qu'un autre coup de tonnerre ne le fasse repartir, je glissai à terre, saisis son licol et l'attachai à un petit arbre, non sans mal, compte tenu de mes mains glissantes et tremblantes.

Il était temps. Le tonnerre gronda, claquant si fort que je le sentis sur ma peau. Judas hurla et rua, tirant comme un fou sur sa corde. Je m'écartai précipitamment pour ne pas être fauchée au passage et Jamie me rattrapa par-derrière. Il commença à parler, mais un nouveau grondement noya ses paroles.

Je fis volte-face et m'accrochai à lui, tremblante, encore sous l'effet du choc. La pluie tombait dru, rafraîchissant mon visage. Jamie déposa un baiser sur mon front, puis s'écarta et m'entraîna sous une grande pruche dont les aiguilles touffues nous protégeaient, formant une grotte odorante et presque sèche.

Une fois calmée, j'examinai l'endroit et me rendis compte que nous n'étions pas les premiers à nous être réfugiés ici. Je montrai du doigt un point dans l'ombre.

— Regarde !

Quelqu'un avait mangé, déposant une pile nette de petits os. Les animaux ne mangeaient pas aussi proprement et ne rassemblaient pas les feuilles mortes pour s'en faire des oreillers douillets.

Un nouveau coup de tonnerre fit grimacer Jamie, puis il hocha la tête.

— C'est la cachette d'un tueur d'hommes. Je ne pensais pas qu'elle était encore utilisée.

— La cachette d'un quoi ?

— Un tueur d'hommes, répéta-t-il.

Un éclair illumina le ciel derrière lui, créant un arrière-plan aveuglant qui imprima sa silhouette en contre-jour sur ma rétine.

— On donne ce nom aux guetteurs, des guerriers qui montent la garde en dehors du village pour empêcher tout intrus de s'en approcher sans que les autres ne soient prévenus. Tu vois ?

— Pour le moment, je ne vois plus rien du tout.

J'avançai une main à tâtons, rencontrai sa manche, puis me blottis contre lui. Je fermai les yeux dans l'espoir de retrouver la vue, mais, même à travers mes paupières closes, je ne voyais que la lumière blafarde de la foudre.

L'orage semblait s'éloigner lentement ou, du moins, le tonnerre était moins fréquent. Clignant des yeux, je découvris que je voyais de nouveau. Jamie s'écarta, me faisant signe d'avancer. Nous nous trouvions sur une sorte de corniche, la paroi de la montagne se dressant abruptement derrière nous. Invisible de plus bas grâce à une rangée de conifères, il y avait une petite clairière étroite, apparemment façonnée par l'homme. C'était en effet le seul espace ouvert dans ces montagnes. Regardant à travers les branches, j'eus une vue à couper le souffle sur la vallée où nichait Ravenstown.

La pluie tombait moins fort. De notre point de vue, haut perché, je constatai que les nuages n'appartenaient pas tous à un seul orage mais à plusieurs. Des grappes noires formaient, ici et là, des voiles de velours gris, et des zébrures silencieuses traversaient brusquement le ciel au-dessus des sommets lointains, le tonnerre grondant sourdement dans leur sillage.

De la fumée flottait encore au-dessus de la roselière, formant une couronne gris pâle, presque blanche sous le ciel noir. Même à notre altitude, l'odeur de brûlé mêlée à celle de la pluie piquait le nez. On apercevait parfois la lueur des flammes, mais l'incendie était en grande partie éteint. La prochaine averse se chargerait de l'étouffer une fois pour toutes. Je distinguais aussi des gens qui rentraient au village, de petits groupes qui sortaient de la forêt, portant des balluchons et traînant des enfants.

Je cherchai des cavaliers, mais je n'en vis aucun, encore moins de cheveux roux. Brianna et Jemmy étaient sûrement sains et saufs, non ? Je frissonnai. Avec le temps changeant des montagnes, la température était passée de pesante à frisquette en moins d'une heure.

— Tu vas bien, *Sassenach* ?

La main chaude de Jamie se posa sur ma nuque, ses doigts caressant les muscles tendus de mes épaules. Je pris une grande inspiration et tentai de me décontracter.

— Oui. Penses-tu que l'on peut redescendre sans danger ?

Je me souvenais que la piste était étroite et escarpée. À présent, elle serait aussi boueuse et rendue glissante par les feuilles mortes trempées.

— Non, répondit-il. Mais je crois...

Soudain, il s'interrompit, fronçant les sourcils, les yeux vers le ciel. Puis, il regarda derrière nous. Je distinguai à peine la silhouette des chevaux, blottis l'un contre l'autre sous l'arbre auquel j'avais attaché Judas.

— J'allais dire qu'il ne me semblait pas particulièrement sûr de rester ici non plus, acheva-t-il enfin.

Crépitant comme des gouttes d'eau, ses doigts pianotaient doucement sur mon épaule, tandis qu'il réfléchissait.

— Cet orage se déplace trop vite, reprit-il. Les éclairs se rapprochent sur la montagne et le tonnerre...

Avec un à-propos théâtral, une violente détonation ébranla la vallée. L'un des deux chevaux poussa un hennissement aigu de protestation, puis j'entendis les craquements des branches pendant qu'il tirait sur son licol. Jamie lui jeta un regard noir.

— Ta monture a une profonde aversion pour le tonnerre, *Sassenach*.

— Oui, je m'en étais déjà aperçu, merci !

Je me serrai contre lui pour avoir plus chaud. Le vent se leva de nouveau, tandis que le second orage déferlait sur nous.

— Il risque fort de se briser le cou et le tien par la même occasion, si on a la malchance de se trouver sur la piste au moment où...

Je n'entendis pas la fin de sa phrase sous le vacarme, mais la devinai sans peine.

— Nous allons attendre, conclut-il sur un ton encourageant.

Il m'attira devant lui et m'enlaça, posant son menton sur le sommet de mon crâne. Nous nous tînmes ainsi à l'abri sous la pruche, attendant que les éléments se déchaînent.

Loin en contrebas, la roselière bouillonnait et grésillait, sa fumée prenant de la hauteur et se laissant entraîner par le vent. Loin du village, cette fois en direction de la rivière. Je me demandai soudain où était Roger. Avait-il pu trouver un abri ?

— Je me demande aussi où est passé ce fameux ours... dis-je à voix haute, n'exprimant que la moitié de ma pensée.

Un rire secoua la poitrine de Jamie, mais le grondement du tonnerre recouvrit sa réponse.

45

Les diables noirs

Roger se réveilla avec une odeur de brûlé dans la gorge. Il toussa, puis se rendormit, des images fragmentées d'âtre noir de suie et de saucisses trop cuites se dissolvant dans un brouillard. Après avoir passé la matinée à s'ouvrir un chemin dans un mur impénétrable de broussailles, de ronces et de roseaux, épuisé, il avait avalé un repas frugal avant de s'allonger au bord de la rivière pour une heure de sieste, à l'ombre d'un saule noir.

Bercé par le bruit de l'eau, il aurait sombré de nouveau dans un sommeil profond, si un cri lointain ne l'avait fait se redresser brusquement. Il l'entendit encore, distant mais puissant. La mule !

Il était déjà debout, courant vers le bruit, quand il se souvint de son sac en cuir où se trouvaient son encre, ses plumes et le précieux cahier de relevés. Il revint le chercher, puis pataugea dans l'eau peu profonde en direction des braiments hystériques de Clarence, l'astrolabe accroché à son cou lui martelant la poitrine. Il le glissa sous sa chemise pour éviter qu'il ne se prenne dans une branche, puis chercha désespérément par où il était venu.

De la fumée, il sentait de la fumée. Il toussa, manquant de s'étrangler. Chaque toux provoquait une douleur vive et menaçait de déchirer les tissus cicatriciels de sa gorge.

— J'arrive ! marmonna-t-il à l'intention de Clarence.

Même s'il avait pu hurler, sa voix ne portait pas comme celle de la mule. Il l'avait laissée entravée à la lisière de la roselière. Ce ne pouvait être très loin. Le ciel était sombre. Abruti par sa sieste et son réveil brutal, il n'avait plus aucun sens de l'orientation. Clarence était son seul repère.

Que se passait-il donc ? L'odeur de fumée ne cessait d'empirer. À mesure que son esprit s'éclaircissait, il prenait conscience que quelque chose n'allait pas du tout. Habituellement somnolents à cette heure de la journée, les oiseaux énervés volaient au-dessus de sa tête, en poussant des cris puissants et hachés. Les roseaux étaient agités par le vent qui faisait bruisser leurs feuilles desséchées. Il sentit un souffle chaud sur son visage. Ce n'était pas la moiteur étouffante habituelle de la roselière, mais un air sec, brûlant, qui, paradoxalement, lui donna froid dans le dos. Bon sang, le feu !

Il expira lentement, s'efforçant de rester calme. Les tiges sèches des joncs s'entrechoquaient, chassant des familles entières de moineaux et de perruches qui, paniqués, voletaient autour de lui comme des poignées de confettis. Pénétrant dans sa poitrine, la fumée comprimait ses poumons et l'empêchait d'inspirer à fond.

— Clarence ! tenta-t-il d'appeler le plus fort possible.

C'était inutile. Il s'entendait à peine dans le bruissement des roseaux. La mule s'était tue. Cette entêtée n'était tout de même pas déjà réduite en cendres ? Non, elle avait dû briser ses entraves en chiffons et galoper en lieu sûr.

Quelque chose frôla sa jambe, et il baissa les yeux juste à temps pour apercevoir la queue glabre et écailleuse d'un opossum détalant sous des cornouillers. Après tout, il devait savoir ce qu'il faisait. Roger plongea derrière lui.

Il entendit un grognement non loin, puis un petit cochon surgit d'un bosquet de houx et fila sous son nez vers la gauche. Les cochons, les opossums... laquelle de ces deux espèces avait le meilleur sens de l'orientation ? Il hésita un moment, puis opta pour le cochon. Il était suffisamment gros pour lui dégager un passage.

De fait, un chemin semblait tracé, des espaces de terre nue apparaissant entre des touffes d'herbe. Des orchidées sauvages s'y balançaient, colorées comme de minuscules bijoux. Il s'émerveilla devant leur délicatesse, tout en se demandant comment, dans de telles circonstances, il pouvait remarquer ce genre de choses.

La fumée était de plus en plus épaisse. Il dut s'arrêter pour tousser, se tenant la gorge comme pour protéger ses muqueuses. Les yeux larmoyants, il se redressa et découvrit que son sentier avait disparu. La panique lui tordit les entrailles quand il aperçut une fine volute de fumée sortir entre les tiges.

Il serra les poings jusqu'à enfoncer ses ongles dans ses paumes, la douleur l'aidant à se concentrer. Il tourna lentement sur lui-même, fermant les yeux, écoutant, orientant son visage d'un côté puis de l'autre, guettant un courant d'air frais, une sensation de chaleur, n'importe quel indice lui indiquant par où aller pour échapper aux flammes.

Rien. Ou plutôt, tout. Désormais, la fumée était partout, formant un nuage épais qui rampait sur le sol, sortait des taillis, asphyxiante. À présent, il pouvait entendre le feu lui-même, comme un gloussement, un rire s'échappant d'une gorge meurtrie.

Des saules ! Son esprit se raccrocha à cette image. Il en apercevait au loin, à peine visibles au-dessus des roseaux oscillants. Ces arbres poussaient au bord de l'eau. Il devait retourner au bord de la rivière.

Un petit serpent rouge et noir glissa sur son pied quand il atteignit la berge, mais il le remarqua à peine. Il n'avait pas le temps pour d'autres peurs que celle du feu. Il pataugea jusqu'au centre du cours d'eau peu profond et se mit à genoux pour approcher son visage le plus près possible de la surface.

Ici, l'air était plus frais. Il en inspira de grandes goulées, la toux secouant son corps de terribles spasmes. Dans quel sens aller à présent ? Par où ? Par où ? La rivière serpentait à travers des hectares de roseaux et de broussailles. Un côté le mènerait vers les basses terres, loin de l'incendie ou, au moins, sur un terrain dégagé où il pourrait voir dans quelle direction fuir. L'autre le conduirait peut-être droit dans la gueule du feu. Au-dessus de sa tête, des nuages noirs roulaient dans le ciel. Il n'avait aucun moyen de savoir.

Il pressa les bras le long de son corps, essayant d'étouffer sa toux, et sentit la masse de son sac à dos. Mince, les relevés ! Il pouvait admettre la possibilité de sa propre mort, mais pas la perte de ces données pour la cueillette desquelles il s'était démené au fil des jours. Il revint en chancelant vers la berge et creusa frénétiquement la boue à mains nues, arrachant des poignées de longues herbes tenaces, déracinant des prêles qui se désagrégeaient entre ses doigts. Son souffle ne sortait plus que par saccades, comme des sanglots qui déchiraient ses bronches. Autour de lui, l'air brûlait. Il enfonça le sac dans le trou qu'il venait de creuser, puis rabattit la terre dessus, écartant les bras et poussant la boue vers lui, sa fraîcheur sur sa peau le réconfortant.

Il s'arrêta, hors d'haleine. Il aurait dû être en nage, mais sa transpiration séchait avant d'atteindre la surface de sa peau. Le feu était proche. Des pierres ! Il lui fallait des pierres pour marquer l'endroit, elles ne brûleraient pas. Il pataugea dans la rivière, chercha à tâtons sous l'eau, trouva un galet couvert d'algues visqueuses et le lança sur la berge. Puis un autre, une poignée de cailloux, une pierre plus grosse et plate… cela devait suffire, le feu approchait.

Il empila les pierres en forme de cairn bâclé, puis, recommandant son âme à Dieu, retourna dans le lit de la rivière et fuit, trébuchant, glissant, toussant, crachant, les cailloux roulant sous ses pieds. Il courut aussi longtemps que ses jambes tremblantes purent le porter, avant que la fumée ne s'enroule autour de son cou, remplisse sa tête et sa poitrine, presse l'air et la vie hors de ses poumons, ne le laissant qu'avec des ténèbres derrière les yeux, illuminées par la lueur vacillante des flammes.

Il luttait. Il se débattait contre le nœud autour de son cou, contre les liens qui retenaient ses poignets, mais, surtout, contre le néant noir qui écrasait sa poitrine et obstruait sa gorge, cherchant désespérément une dernière bouffée de cet air précieux. Il se cabra, poussant avec toutes les parcelles de son corps, puis roula sur le sol, ses bras libérés.

Sa main heurta quelque chose de mou qui poussa un cri de surprise.

Puis, il sentit des mains sur ses épaules, ses jambes. Il était assis, sa cage thoracique se soulevant laborieusement pour respirer. Sa vue était brouillée. Quelque chose percuta le bas de son dos. Il s'étrangla, toussa, inspira assez d'air pour creuser au plus profond de ses bronches carbonisées, raclant au passage une énorme glaire noirâtre qui remonta jusque sur sa langue, chaude et visqueuse comme une huître pourrie.

Il cracha, eut un haut-le-cœur quand la bile passa à travers le conduit étranglé de sa gorge, puis cracha encore, inspira et se redressa, haletant.

Absorbé par le miracle de l'air et de la respiration, il remarqua à peine son environnement. Des voix résonnaient autour de lui, et il distinguait vaguement des visages dans l'obscurité. L'odeur de brûlé était suffocante. Plus rien n'avait d'importance, hormis l'oxygène qui se diffusait dans ses poumons, regonflant peu à peu ses cellules racornies comme des raisins secs se gorgeant d'eau.

De l'eau toucha sa bouche, et il releva la tête en clignant des yeux larmoyants. Ses globes oculaires piquaient. La lumière et l'ombre se fondaient l'une dans l'autre. Il battit plus fort des paupières, les larmes apaisant ses cornées à vif, rafraîchissant ses joues. Quelqu'un pressa un bol contre ses lèvres. Une femme, le visage couvert de suie. Non, pas de suie. Il cligna encore des yeux, les plissa, cligna de nouveau. Elle avait la peau noire. Une esclave ?

Il avala une brève gorgée d'eau, craignant d'interrompre sa respiration ne serait-ce qu'un instant, même en dépit du plaisir immense de la fraîcheur dans sa gorge ravagée. C'était bon, si bon ! En se levant et en se refermant autour du bol, ses mains le surprirent. Il s'était attendu à la douleur de ses doigts brisés et engourdis... mais ils étaient indemnes et souples. Il porta machinalement une main à sa gorge, pensant y trouver sa canule chuintante... il tapota, incrédule, la chair solide. Il inspira, et l'air entra par son nez et s'engouffra dans sa trachée. Le monde remua autour de lui, se remettant en place.

Il était assis dans une sorte de hutte délabrée. Plusieurs personnes l'entouraient, d'autres encore l'observaient depuis la porte. La plupart étaient noires, toutes portaient des haillons, et aucune ne paraissait même vaguement amicale.

La femme qui lui avait donné à boire semblait apeurée. Il tenta de lui sourire et se remit à tousser. Elle le regarda par-dessous le fichu déchiré noué autour de son front, et il constata qu'elle avait les yeux rouge vif et les paupières enflées. Il devait avoir la même tête. L'air était encore chargé de fumée. Au loin, les roseaux craquaient et éclataient sous la chaleur. Quelque part, un oiseau poussa un cri d'alarme puis se tut abruptement.

Près de la porte, des hommes discutaient à voix basse, lui lançant des regards mauvais, un masque de peur et de méfiance recouvrant leurs traits. Dehors, il s'était mis à pleuvoir. Il ne pouvait sentir la pluie, mais un air frais balaya son visage et le clapotis des gouttes résonna sur le toit et les arbres alentour.

Après avoir vidé le fond du bol, il voulut le rendre à la femme, mais elle recula, comme s'il était contaminé. Il le posa sur le sol et s'essuya les yeux du dos de la main. Les poils de ses bras étaient grillés et le frottement les fit tomber en poussière.

Il tendit l'oreille pour essayer d'entendre ce qu'ils disaient, mais ne distingua qu'un charabia. Ce n'était ni de l'anglais, ni du français, ni du gaélique. Il avait déjà entendu des esclaves fraîchement débarqués à Charleston et destinés au marché de Wilmington parler entre eux, dans ce mystérieux murmure rauque. Ce devait être une langue d'Afrique australe.

Pourtant, il ne se trouvait pas sur une plantation. Si loin des montagnes, il n'y en avait aucune. Les rares domaines agricoles de cette région isolée étaient trop pauvres pour s'offrir des esclaves, surtout un tel nombre. Certains Indiens possédaient des terres, mais pas des Noirs.

Une seule explication était possible, et leur comportement semblait la confirmer : ses sauveurs – ses ravisseurs ? – étaient des fugitifs, vivant ici dans la clandestinité.

Leur liberté, et sans doute leur vie, dépendait de cette clandestinité. Il représentait donc une menace vivante. Son sang se glaça quand il comprit à quel point sa situation était précaire. L'avaient-ils vraiment sauvé du feu ? À en juger par la mine des hommes, ils devaient à présent s'en mordre les doigts.

L'un d'eux s'écarta du groupe, s'approcha de lui et s'accroupit, poussant la femme sur le côté. Il l'examina de haut en bas, puis de bas en haut en plissant des yeux, et demanda :

— Toi qui ?

Roger devina que son interrogateur pugnace ne lui demandait pas vraiment son nom, mais plutôt la raison de sa présence dans le coin. Il passa rapidement en revue plusieurs réponses possibles. Laquelle le garderait en vie ?

Chasseur ? S'ils le croyaient anglais et seul, ils le tueraient certainement. Pouvait-il se faire passer pour un Français ? Cela leur paraîtrait-il moins dangereux ? Pas si sûr.

Il ouvrit la bouche, s'apprêtant à dire *Je suis français... je suis un voyageur*[1], quand une douleur vive au niveau du sternum lui coupa le souffle.

---

1. En français dans le texte. *(N.d.T.)*

Le métal chauffé de l'astrolabe l'avait brûlé, provoquant des ampoules. En éclatant, celles-ci avaient libéré un liquide poisseux qui avait collé l'instrument contre sa peau. Celui-ci venait de se détacher, arrachant un lambeau de peau et laissant une zone de chair à vif au centre de sa poitrine.

Il glissa deux doigts sous son col et tira délicatement sur le lacet de cuir.

— Ar…pen…teur, croassa-t-il.

— *Hau !*

Son interlocuteur fixa le disque doré en écarquillant les yeux. Les hommes près de la porte se bousculèrent pour voir l'objet de plus près.

L'un d'eux tendit la main et tira sur l'astrolabe, faisant passer la lanière par-dessus sa tête. Roger n'essaya pas de le retenir. Il profita de ce qu'ils étaient tous absorbés par la contemplation de l'objet rutilant pour ramasser lentement ses pieds sous lui. Il devait lutter contre l'envie de fermer les yeux. Même la faible lueur du jour qui filtrait par la porte lui paraissait trop violente.

En le regardant, un des hommes déclara quelque chose sur un ton sec. Deux autres vinrent aussitôt se placer entre lui et la porte, le fixant de leurs yeux injectés de sang, tels des serpents à lunettes. Celui qui tenait l'astrolabe cria quelque chose, un nom apparemment. Il y eut un mouvement près de la porte, et quelqu'un se fraya un passage dans l'attroupement.

La femme qui s'approcha ne ressemblait pas aux autres. Bien que vêtue d'une chemise en lambeaux, un tissu noué autour de la tête, elle avait les bras et les jambes hâlés et couverts de taches de rousseur. C'était une Blanche. Elle tourna autour de Roger sans le quitter des yeux, puis baissa la tête vers l'astrolabe que l'on venait de déposer dans sa main.

Un grand homme borgne s'avança et posa un doigt sur l'instrument, en prononçant des mots qui semblaient une question. Elle secoua lentement la tête, caressant les symboles sur le pourtour du disque avec fascination. Puis elle le retourna.

Roger vit ses épaules se raidir lorsqu'elle lut l'inscription. Une étincelle d'espoir illumina son cœur. Elle connaissait ce nom.

Il avait misé sur le fait qu'étant un arpenteur, ces hommes comprendraient que des gens attendaient le résultat de son travail, des gens qui s'inquiéteraient de ne pas le voir revenir et qui partiraient à sa recherche. Mais si cette femme connaissait « James Fraser »...

Soudain, elle releva les yeux, son regard était dur, très différent. Elle s'approcha doucement mais sans peur apparente.

— Vous n'êtes pas Zames Frazer.

Il sursauta au son de sa voix, claire mais zozotante. Il cligna des yeux, puis se leva lentement, mettant sa main en visière pour mieux la distinguer dans le contre-jour de la porte.

Elle aurait pu avoir n'importe quel âge, entre vingt et même soixante ans, même si ses tempes châtain clair n'étaient pas encore striées de gris. Son visage était plus marqué par la vie à la dure et la faim que par le temps. Il lui sourit, et elle lui répondit par réflexe, esquissant une grimace hésitante qui dévoila plusieurs incisives cassées. Il distingua alors une cicatrice traversant un des sourcils. Elle était beaucoup plus mince que dans la description de Claire, mais cela n'avait rien d'étonnant.

— Je ne… suis pas… James Fraser, articula-t-il péniblement.

Il s'interrompit pour cracher encore un peu de glaire
noire, puis reprit :

— Mais, vous… êtes… Fanny Beardsley… n'est-ce
pas ?

Il n'en était pas sûr, en dépit des dents, toutefois la
stupeur sur le visage de la femme confirma ses doutes.
Le borgne connaissait lui aussi ce nom. Vite, il avança
d'un pas et la saisit par l'épaule. Les autres se rappro-
chèrent, l'air menaçant. Avant qu'ils n'aient le temps de
mettre la main sur lui, il expliqua le plus rapidement
possible :

— James Fraser… est le… père de ma femme. Vous
voulez… savoir… à propos de… l'enfant ?

L'air suspicieux disparut de son visage. Elle ne bougea pas, mais son regard se chargea d'une telle voracité
qu'il dut se retenir pour ne pas reculer.

— Fanny ?

Le grand borgne avait toujours une main sur son
épaule. Il l'attira à lui, son œil unique allant et venant
avec suspicion entre Roger et la femme. Elle lui dit un
mot, presque dans un souffle, et posa sa main sur la
sienne. Ses traits se métamorphosèrent aussitôt, son expression s'effaçant comme sur une ardoise. Elle se mit
à lui parler à voix basse sur un ton précipité.

Bien que chargée, l'atmosphère dans la hutte avait
changé. À la menace se mêlait à présent une certaine
confusion. Le tonnerre gronda au loin, mais personne
ne s'en préoccupa. Les hommes échangeaient des mes-
ses basses et lançaient des regards agacés au couple.
Un éclair illumina le ciel, nimbant de ténèbres ceux qui
se tenaient non loin de dehors.

Roger resta immobile, rassemblant ses forces. Ses jambes étaient comme du caoutchouc, et si respirer de nouveau était un vrai plaisir, chaque inspiration brûlait encore ses poumons. S'il devait se mettre à courir, il n'irait pas bien loin.

Les délibérations cessèrent brusquement. Le grand borgne se tourna vers la porte avec un geste abrupt et se mit à parler. Sa déclaration souleva des grognements de surprise et de réprobation. Les hommes sortirent néanmoins en grommelant. L'un d'eux, un petit aux cheveux tressés, se tourna vers Roger, retroussa ses babines et passa la tranche de la main devant son cou en sifflant. Malgré la peur, Roger remarqua ses dents limées en forme de pointe.

La porte à peine refermée, la femme le tira par la manche.

— Dites-moi.

— Pas... si vite.

Il toussa et s'essuya la bouche.

— Sortez-moi... de là... puis... je vous... dirai... tout ce que je sais.

— Dites-moi !

Elle enfonça ses doigts dans la chair de son bras. Il fit non de la tête. L'autre homme repoussa la femme sur le côté et agrippa Roger par sa chemise, le serrant de si près que, sous l'odeur de brûlé, celui-ci sentit une puanteur de dents pourries.

— Toi parler ou je te tuer !

Roger parvint à glisser un bras entre eux et à le repousser.

— Non... Vous me sortez... d'ici. Puis je parlerai.

L'homme hésita, se baissa et une lame apparut, décrivant un arc de cercle incertain. Il se tourna vers la femme.

— Tu sûre il sait ?

Elle n'avait pas quitté des yeux le visage de Roger. Elle hocha la tête avec lenteur.

— Il zait.

— C'était… une fille. Ça vous le… saviez déjà.

— Elle est en vie ?

— Sortez-moi… de là.

Elle n'était pas grande ni massive, mais l'intensité de son désir de savoir remplissait la hutte. Elle tremblait sur place, serrant les poings contre ses hanches. Elle fixa Roger encore pendant une bonne minute, puis pivota sur ses talons et parla violemment à son compagnon, dans son étrange langue africaine.

Il tentait vainement de discuter, mais elle déversait sur lui un flot de paroles, comme une pompe à incendie. Il leva les bras dans un geste de reddition frustrée, puis lui arracha son fichu. Il défit le nœud de ses longs doigts rapides et, sans cesser de marmonner, le tordit en bandeau.

La dernière chose que Roger vit avant que l'homme ne lui noue le tissu devant les yeux fut Fanny Beardsley, les cheveux coiffés en fines tresses grasses qui lui retombaient sur les épaules, ses yeux le fixant toujours, ardents comme des braises. Si elle l'avait pu, elle l'aurait mordu. Il en était sûr.

Leur sortie de la hutte ne se déroula pas sans peine. Un chœur de voix en colère les accompagna un bout du chemin, des mains tirant sur les vêtements et les membres de Roger. Toutefois, le borgne avait toujours son couteau. Roger entendit une interjection, un bruit de pas précipités autour de lui, puis un cri perçant. Les voix se turent enfin, et on cessa de le bousculer.

Pour se guider, il marchait une main posée sur l'épaule de Fanny Beardsley. Leur camp devait être très petit, car il sentit très vite des arbres autour de lui. Des feuilles frôlèrent son visage. L'air chaud et enfumé accentuait l'odeur de résine. Il pleuvait encore. Le sol était glissant et jonché de branches cassées.

L'homme et la femme échangèrent quelques mots puis se turent. Les vêtements mouillés de Roger pendaient lourdement sur son corps, les coutures de ses culottes irritant sa peau à chaque pas. Le bandeau était trop serré pour distinguer quoi que ce soit, mais la lumière qui s'immisçait sous son bord lui permettait de deviner le passage du temps. Il évaluait qu'ils avaient quitté la hutte vers le milieu de l'après-midi. Lorsqu'ils s'arrêtèrent enfin, la lumière avait pratiquement disparu.

Cela ne l'empêcha pas d'être aveuglé quand ils lui ôtèrent le bandeau. Le soir tombait. Ils se tenaient dans une cuvette, déjà envahie par la pénombre. Levant les yeux, il vit les traînées orange et cramoisies au-dessus des montagnes, le fin voile de fumée illuminé par-dessous, comme si toute la planète elle-même était en feu. Les nuages s'étaient dispersés. Une bande de ciel dégagé commençait à se parsemer d'étoiles.

Fanny Beardsley lui faisait face, paraissant plus petite sous l'immense châtaignier, mais l'expression de son visage aussi intense que dans la hutte.

Il avait eu tout le temps d'y réfléchir. Devait-il lui dire où se trouvait l'enfant ou prétendre ne pas le savoir ? S'il le lui disait, tenterait-elle de récupérer sa fille ? Le cas échéant, quelles en seraient les conséquences pour l'enfant, les esclaves fugitifs… même pour Jamie et Claire ?

Ni l'un ni l'autre n'avaient jamais raconté ce qui leur était arrivé dans la ferme des Beardsley, hormis le fait qu'ils avaient trouvé son propriétaire mort d'une apoplexie. Toutefois, Roger les connaissait assez pour pouvoir interpréter le visage troublé de Claire et celui, impassible, de Jamie. Il ignorait le fond de l'histoire, mais Fanny Beardsley le savait. Les Fraser préféraient peut-être que cela ne se sache pas. Si Mme Beardsley réapparaissait à Brownsville pour réclamer son bébé, on poserait certainement des questions... Il valait peut-être mieux pour tout le monde qu'elles restent sans réponse.

Toutefois, devant le feu de son regard, il ne put que lui dire la vérité.

— Votre fille... va bien, commença-t-il.

Elle émit un petit son étranglé. Lorsqu'il eut fini de parler, des larmes coulaient le long des joues de Fanny, traçant des rigoles dans la suie et la poussière. Ses yeux étaient toujours grands ouverts, comme si le moindre clignement risquait de lui faire manquer une parole vitale.

Le borgne se tenait en retrait, sur ses gardes. Il concentrait surtout son attention sur la femme, lançant de temps à autre un regard vers Roger, les yeux aussi brillants que ceux de sa compagne.

— Elle avoir l'argent ? demanda-t-il.

Sa peau était couleur de miel sombre. Il aurait été beau sans l'accident qui lui avait coûté un œil, avec, pour résultat, une poche de chair rouge sous une paupière flétrie et tombante.

— Oui, elle a... hérité... de toute... la propriété d'Aaron... Beardsley. M. Fraser... a fait le nécessaire.

Jamie et lui s'étaient rendus au tribunal pour témoigner de l'identité du bébé. Richard Brown et sa femme avaient été nommés tuteurs de l'enfant... et de ses biens. Mus par Dieu seul sait quelle inspiration ou outrage, ils l'avaient baptisée Alicia.

— Ça ne fait rien qu'elle noire ?

Il vit l'œil de l'esclave se poser sur Fanny Beardsley puis se détourner. Elle dut sentir une note d'incertitude dans sa voix, car elle fit volte-face, comme une vipère prête à mordre.

— Z'est la tienne ! Elle ne peut pas être la zienne, z'est impozible !

— Oui, que tu dire. Ils donner l'argent à petite noire ?

Elle frappa du pied par terre, puis le gifla. Il se redressa et tourna le visage, mais ne tenta pas d'échapper à sa fureur.

— Tu crois que ze l'aurais laissée z'il y avait eu la moindre chanze qu'elle zoit blanze ?

Elle lui martela le torse de coups de poing, hurlant :

— Z'est ta faute si z'ai dû la laizer ! Ta faute ! Toi et ta maudite peau noire ! Maudite ! Maudite !

Roger finit par lui attraper les bras et la retenir, la laissant s'époumoner jusqu'à ce qu'elle s'effondre en larmes.

L'esclave, qui l'avait observée avec un mélange de honte et de colère, leva à peine les mains vers elle. Il ne lui en fallut pas plus. Elle se libéra de Roger et se jeta dans les bras de son amant, sanglotant contre son torse. Il l'enlaça avec maladresse et la serra contre lui, se balançant doucement d'avant en arrière sur ses pieds nus. Il ne paraissait plus en colère, simplement penaud.

Roger se racla la gorge, grimaçant de douleur. L'esclave releva les yeux vers lui et hocha la tête.

— Toi partir, dit-il doucement.

Au moment où Roger tournait les talons, il le rappela :

— Attends ! Vrai ? Petite vraiment bonne maison ?

Roger acquiesça, pris d'une lassitude innommable. L'adrénaline ou l'instinct de survie qui l'avaient gardé debout jusqu'à présent semblaient épuisés. Le ciel flamboyant était réduit en cendres, et toutes les couleurs autour d'eux étaient en train de disparaître, avalées par l'obscurité.

— Elle… va bien… Ils prendront… bien soin… d'elle.

Il chercha désespérément des paroles réconfortantes à leur dire.

— Elle… est jolie, murmura-t-il enfin. C'est une jolie… petite fille.

Les traits de l'homme oscillèrent entre la gêne, le désarroi et le plaisir.

— Oh, ça être sa maman, pour sûr !

Il tapota doucement le dos de Fanny Beardsley. Elle avait cessé de sangloter mais gardait le visage enfoui contre sa poitrine, immobile et silencieuse. Il faisait presque nuit. Dans la pénombre, sa peau était aussi sombre que celle du borgne.

Celui-ci ne portait qu'une chemise en lambeaux trempée, si bien que sa peau apparaissait, ici et là, à travers les trous du tissu. Il portait une corde nouée autour de la taille, à laquelle était accroché un sac en toile grège. Il le dénoua d'une main et en extirpa l'astrolabe qu'il tendit à Roger.

— Vous ne… voulez pas… le garder ?

Il avait l'impression d'être dans un nuage. Tout lui paraissait lointain et brumeux. Les sons lui parvenaient comme à travers un filtre de coton.

L'ancien esclave secoua la tête.

— Non, pourquoi faire ? Et puis… peut-être personne te chercher, mais le maître de ça… peut-être vouloir le retrouver.

Roger prit l'instrument et passa la lanière autour de son cou. Il s'y reprit à deux fois, tant ses bras étaient lourds, comme du plomb.

— Personne... ne viendra.

Il tourna les talons et s'éloigna, sans savoir où il était ni où il allait. Après quelques pas, il se retourna, mais la nuit les avait déjà engloutis.

46

Calcinée jusqu'aux os

Les chevaux s'étaient un peu calmés, mais ils étaient encore nerveux, grattant le sol et tirant sur leurs rênes, tandis que le tonnerre grondait au loin. Jamie soupira, embrassa le sommet de ma tête, puis écarta les branches de conifère pour rejoindre la clairière. Je l'entendis grommeler en s'adressant à Gideon :

— Si tu ne te plais pas ici, fallait pas venir !

En l'apercevant, l'étalon piaffa de plaisir. Je m'apprêtais à le rejoindre pour l'aider à rassurer les bêtes, quand un mouvement en contrebas attira mon attention.

Me retenant à une branche de la pruche, je me penchai en avant, mais ne vis rien. Pourtant, il m'avait semblé reconnaître un cheval, qui n'arrivait pas du même endroit que les réfugiés. Je longeai la rangée des sapins, regardant à travers les branches, et rejoignis l'autre bout de la corniche. À mes pieds s'étalait la vallée.

Ce n'était pas vraiment un cheval… mais plutôt une…

— Clarence !

— Qui ?

La voix de Jamie me parvint, étouffée par le bruit du vent dans les arbres.

— Clarence ! La mule de Roger !

Sans attendre sa réponse, je m'agrippai à une branche lourde et m'avançai en équilibre précaire au bord du vide. Plus bas, les arbres étaient en rangs serrés, leur cime arrivant presque à la hauteur de mes pieds.

C'était Clarence, j'en étais sûre. Je n'étais pas experte dans l'art de reconnaître un quadrupède à sa démarche, mais, dans sa jeunesse, la mule avait été atteinte de gale ou d'une autre maladie de peau. Pendant la guérison, des poils blancs avaient recouvert les parties atteintes, l'affublant d'une croupe étrangement bigarrée.

Elle galopait maladroitement dans le chaume, les oreilles pointées en avant, ravie de retrouver de la compagnie. Elle était sellée et sans cavalier, ce qui m'arracha un très gros mot.

— Elle a brisé ses entraves et s'est enfuie.

Jamie était apparu derrière moi et examinait, lui aussi, la silhouette en contrebas. Il pointa le doigt :

— Tu vois ?

Dans mon angoisse, je n'avais pas remarqué le bout de chiffon attaché à une de ses pattes avant.

J'essuyai mes paumes moites sur ma jupe, incapable de détourner le regard.

— Je suppose que ça vaut mieux. Je veux dire... si elle était entravée, Roger n'était pas dessus, donc il n'a pas été éjecté, il n'est ni assommé ni blessé.

— En effet.

Jamie était inquiet mais pas trop alarmé.

— Il va avoir un sacré chemin à faire à pied !

Toutefois, je vis ses yeux parcourir l'étroite vallée, à présent remplie de fumée. Il secoua la tête et marmonna dans sa barbe, sans doute le petit frère de mon gros mot.

M'adressant un sourire amer, il déclara :

186

— Je me demande ce que ressent le Seigneur quand il voit de haut toutes les bêtises commises par les hommes sans pouvoir rien y faire.

Avant que j'aie pu lui répondre, un éclair fendit le ciel et le tonnerre retentit presque aussitôt, si fort que je sursautai et manquai de glisser. Jamie me rattrapa par le bras et me plaqua contre la paroi de la corniche. Les chevaux paniquaient de nouveau. Il partait les rejoindre, lorsqu'il s'arrêta net, me tenant toujours le bras.

— Quoi ? demandai-je.

Je suivis son regard, mais je ne vis que le mur rocheux, à trois mètres de là, parsemé de petites plantes vivaces.

Il me lâcha et, sans répondre, s'approcha de la paroi. À mon tour, je perçus le vieux tronc calciné. Il tendit très délicatement la main et cueillit quelque chose pris dans l'écorce. En m'approchant de lui, je vis dans sa paume une touffe de longs poils drus. Des poils blancs.

La pluie se remit à tomber, reprenant tranquillement sa mission qui consistait, visiblement, à tout imbiber. Deux gémissements perçants s'élevèrent, les chevaux n'appréciant guère d'être abandonnés.

J'observai le tronc d'arbre. Partout, des poils blancs étaient coincés dans les crevasses. J'entendais encore Josiah dire : « Les ours aiment se gratter. Ils ont deux ou trois arbres préférés et y reviennent toujours. » Je déglutis avec difficulté.

Jamie annonça très calmement :

— Il n'y a peut-être pas que l'orage qui énerve les chevaux.

Ce qui ne me rassura pas vraiment. La foudre tomba sur des arbres, plus bas, suivie par un violent coup de tonnerre. Un autre éclair enchaîna presque tout de suite, puis un autre. On se serait cru en guerre, lors d'un raid aérien. Les chevaux frisaient l'hystérie, et je n'en étais pas loin non plus.

En quittant le village, j'avais enfilé ma cape, mais la capuche et mes cheveux étaient totalement trempés, me collant au crâne, les gouttes crépitant sur ma tête comme une cascade de clous. Jamie, aussi mouillé que moi, me sourit à travers le rideau de pluie.

Il me fit signe de ne pas bouger, mais je le suivis. Les chevaux étaient fous furieux, roulant des yeux déments. Judas avait à moitié réussi à déraciner le petit arbre auquel il était attaché. Les oreilles aplaties, Gideon avait la lippe tremblante, montrant ses grandes dents jaunes, prêt à mordre.

En le voyant, Jamie se raidit. Il jeta un coup d'œil vers l'arbre grattoir, invisible de là où nous nous tenions. Un éclair illumina le paysage et le tonnerre se répercuta à travers la roche. Les chevaux hurlèrent et ruèrent. Jamie hocha la tête, puis, sa décision étant prise, il saisit fermement les rênes de Judas pour le stabiliser. Apparemment, nous descendions de la montagne, pente glissante ou pas.

Je grimpai en selle en balançant mes jupes trempées, agrippai les rênes et tentai de hurler des paroles rassurantes à Judas qui dansait sur place, pressé de partir. Étant dangereusement près du précipice, je me penchai en avant, m'efforçant de lui faire raser la paroi rocheuse.

Soudain, une extraordinaire sensation envahit tout mon corps. On aurait dit que je venais d'être piquée, des orteils à la racine des cheveux, par des milliers de fourmis. Mes mains étaient luminescentes, nimbées d'une aura bleutée. Les poils de mes avant-bras étaient dressés, chaque bras irradiant une lueur bleue. Ma ca-

188

puche étant tombée en arrière, mes cheveux se dressèrent, comme tirés délicatement par une main géante.

L'air sentit alors le souffre et, autour de moi, les arbres, les rochers et la terre furent inondés d'une lumière bleue. De minuscules serpents d'électricité blanche et brillante se dressaient sur le sol à quelques mètres de nous.

Je me retournai pour appeler Jamie et le vis sur Gideon, la bouche grande ouverte pour crier, ses paroles se perdant dans la réverbération de l'air autour de nous.

La crinière de Gideon se dressa comme par magie. La chevelure de Jamie flottait au-dessus de sa tête, traversée d'étincelles. Le cavalier et sa monture semblaient fluorescents, chaque muscle de leur visage et de leur corps se détachant distinctement. Une bouffée d'air inonda ma figure, et Jamie bondit de sa selle en se jetant sur moi, nous précipitant dans le vide.

La foudre frappa avant que nous ayons touché terre. Je revins à moi les narines pleines d'odeurs de chair grillée et d'ozone. J'avais l'impression d'avoir été retournée comme un gant, tous mes organes exposés.

Il pleuvait toujours. Je restai immobile un instant, laissant la pluie couler sur mon visage et dans mes cheveux, pendant que les neurones de mon système nerveux rétablissaient lentement leurs connexions. Un de mes doigts bougea, de son propre chef. J'essayai de le remuer intentionnellement et y parvins. Puis, je tentai de fléchir les autres. L'expérience fut moins probante. Je dus attendre quelques minutes avant que les circuits soient rétablis et que je puisse me redresser en position assise.

Jamie était allongé près de moi, étalé sur le dos dans un groupe de sumacs, telle une poupée de chiffon. Je rampai jusqu'à lui et constatai qu'il avait les yeux ouverts. Il m'adressa un clin d'œil, et un muscle de sa joue tressaillit dans un semblant de sourire.

Je ne voyais de sang nulle part, et ses membres, bien que pointant dans toutes les directions, semblaient indemnes. Il s'ébroua avec vigueur, enlevant l'eau de son visage. Je posai une main sur son ventre pour sentir son pouls abdominal. Il battait très lentement mais régulièrement sous mes doigts.

J'ignorais depuis combien de temps nous étions inconscients, mais l'orage s'était éloigné. Des éclairs zébraient encore le ciel, faisant brièvement ressortir le relief des pics, dans le lointain.

— Le tonnerre est bon, citai-je dans une sorte de stupeur. Il prévient et impressionne. C'est la foudre qui assassine.

— En tout cas, elle m'a eue, dit Jamie. Ça va, *Sassenach* ?

— À merveille, répondis-je en me sentant agréablement détachée. Et toi ?

Il me regarda bizarrement, puis sembla conclure que je n'avais rien. Il s'agrippa à un tronc de sumac et se releva avec difficulté.

— Je ne sens pas encore mes orteils, déclara-t-il, mais le reste est entier. En revanche, pour ce qui est des chevaux...

Il leva les yeux, et je vis sa pomme d'Adam tressaillir.

Les chevaux ne faisaient plus de bruit.

Nous étions environ six mètres sous la corniche, parmi les pins et les sapins baumiers. Je pouvais bouger mais ne trouvais pas la force de volonté de le faire. Je restai assise, inventoriant les dégâts, pendant que Jamie se secouait, puis grimpait vers le point de vue du tueur d'hommes.

Tout semblait trop calme, au point que je me demandai si la détonation ne m'avait pas rendue sourde. Mes pieds étaient glacés. Baissant les yeux, je vis que mon soulier gauche avait été arraché par la foudre ou par la chute. Il n'était nulle part aux alentours. Mon bas s'était aussi envolé. Une tache sombre de veines éclatées couvrait ma cheville, juste sous l'os, souvenir de ma seconde grossesse. Je la fixai comme si elle détenait la clé des secrets de l'univers.

Les chevaux étaient probablement morts, je le sentais. Pourquoi pas nous ? J'inspirai une bouffée d'air, l'odeur de la chair brûlée faisant naître un frisson au plus profond de moi. Était-ce parce que nous devions mourir dans quatre ans ? Quand notre tour viendrait, finirions-nous en carcasses carbonisées et puantes dans les décombres fumantes de notre maison ?

« Calcinée jusqu'aux os », chuchota la voix dans ma mémoire. Des larmes coulèrent sur mes joues, se mêlant à la pluie. Elles étaient destinées à nos chevaux, à ma mère, mais pas à moi. Pas encore.

Les veines bleues sous ma peau me parurent plus prononcées qu'auparavant. Sur le dos de mes mains, elles formaient une carte routière... dans la chair tendre derrière mes genoux, elles dessinaient des toiles d'araignées et des rosaces. Le long de mon tibia, une grosse veine serpentait, enflée et distendue. Je pressai l'index dessus. Molle, elle disparut, pour réapparaître dès que j'ôtai mon doigt.

Le fonctionnement interne de mon corps devenait plus visible, la peau tendue s'affinait, me laissant vulnérable. Tout ce qui avait été autrefois douillettement abrité dans mon enveloppe de chair se trouvait exposé, offert aux éléments. Les os et le sang tentaient d'affleurer... Une écorchure suintait sur le dessus de mon pied.

Jamie revint, dégoulinant et hors d'haleine. Lui, il avait perdu ses deux souliers. Il s'assit à mes côtés en annonçant :

— Judas est mort.

Il prit ma main glacée dans la sienne, tout aussi glacée, et la serra.

— Le pauvre… c'était comme s'il avait su, non ? sanglotai-je. Il a toujours eu peur du tonnerre et des éclairs. Toujours.

Jamie passa un bras autour de mes épaules et pressa ma tête contre son torse, tout en murmurant des paroles de réconfort.

Je tentai de me ressaisir en essuyant mes larmes sur un pan de ma cape trempée et demandai :

— Gideon aussi ?

Avec un sourire incrédule, Jamie secoua la tête.

— Il s'en est sorti. Il est brûlé à l'épaule et à la patte avant droite, et sa crinière a entièrement grillé.

Il ramassa un pan de sa propre cape déchirée en lambeaux et tenta à son tour de m'essuyer le visage, sans meilleur résultat.

— Ça va peut-être le rendre plus docile, dit-il en s'efforçant de plaisanter.

J'étais trop épuisée et ébranlée pour rire, mais je parvins à esquisser un sourire qui me réconforta moi-même.

— Je suppose. Tu crois que tu pourras le faire descendre ? J'ai des onguents avec moi. Ils apaisent les brûlures.

— Je crois.

Il me tendit la main et m'aida à me relever. En me tournant pour épousseter ma jupe, j'aperçus quelque chose.

— Jamie… regarde ! dis-je dans un filet de voix.

À quelques mètres de nous se dressait un grand sapin baumier, sa cime coupée net et la plupart des branches calcinées. Coincée entre l'une d'elles et le moignon du tronc, une énorme masse ronde pendait. Elle était à moitié noire, les tissus carbonisés, mais la fourrure restante était hérissée en pointes trempées, d'un blanc crémeux comme des fleurs de trille.

Jamie regarda bouche bée le cadavre de l'ours. Puis, se tournant vers moi, son regard s'éleva par-dessus mon épaule, vers les montagnes éloignées où les derniers éclairs tombaient en silence.

— On dit que les grandes tempêtes annoncent la mort d'un roi, dit-il doucement.

Il toucha mon visage, très délicatement.

— Attends ici, je vais chercher le cheval, *Sassenach*. On rentre à la maison.

47

Le feu de l'âtre

Fraser's Ridge, octobre 1771

La saison changeait, d'heure en heure. Brianna s'était endormie dans la douce fraîcheur d'une soirée de l'été indien et s'était réveillée, piquée par la morsure d'un froid automnal, les pieds frigorifiés sous sa couverture. Hagarde, elle comprit qu'elle ne pourrait se rendormir sans se couvrir davantage.

Se traînant hors du lit, elle se dirigea vers le berceau de Jemmy, à pas feutrés, sur le plancher glacé. Il était douillettement enfoncé dans son matelas de plumes, la couverture remontée jusque sous les oreilles. Elle posa doucement une main dans son dos, attendant sa respiration. Une fois, deux fois, trois fois.

Puis ayant trouvé un nouvel édredon, elle l'étala sur le lit. En attrapant la tasse sur la table de chevet pour soulager sa gorge sèche, elle constata, agacée, qu'elle était vide. Elle envisagea bien de se remettre au lit et de se rendormir, mais elle mourait de soif.

Sur le perron, il y avait toujours un seau d'eau du puits. Sans cesser de bâiller, elle souleva le loquet et l'abaissa doucement, même s'il n'y avait pas grand risque de réveiller Jemmy. Il dormait habituellement comme une souche.

Elle ouvrit néanmoins la porte avec discrétion et sortit, frissonnant quand l'air froid de la nuit plaqua sa chemise de nuit contre ses chevilles. Elle se pencha et chercha à tâtons dans l'obscurité. Pas de seau. Où diable...

Du coin de l'œil, elle perçut un mouvement et se tourna brusquement. L'espace d'un instant, elle crut qu'Obadiah Henderson était assis sur le banc près de la porte. Son cœur se serra comme un poing en voyant l'ombre se lever. Puis elle comprit et se jeta dans les bras de Roger avant que son cerveau n'ait fini d'enregistrer sa présence.

Se serrant contre lui, incapable de parler, elle eut le temps de remarquer certains détails : la crête de sa clavicule contre son visage, l'odeur de ses vêtements sales qui ne sentaient même plus la transpiration mais la forêt qu'il avait traversée, la terre sur laquelle il avait dormi et surtout la fumée âcre qu'il avait respirée, la puissance de son bras autour d'elle et la piqûre de sa barbe contre sa joue, le vieux cuir craquelé de ses souliers sous ses orteils nus et la forme des os de ses pieds dans les chaussures. Enfin, elle déclara entre deux sanglots :

— C'est toi ! Tu es rentré !

— Oui, je suis rentré, chuchota-t-il dans son oreille. Tu vas bien ? Jemmy va bien ?

Elle desserra son étreinte, et il lui sourit. C'était si étrange de voir son sourire à travers son épaisse barbe noire, de reconnaître la courbe de ses lèvres au clair de lune.

— Tout le monde va bien. Mais toi, tu n'as rien ?

Elle renifla, le contemplant avec des yeux débordant de larmes, puis demanda brusquement :

— Mais que fais-tu dehors, nom d'un chien ? Pourquoi tu n'as pas frappé ?

— Non, je n'ai rien, et je n'ai pas voulu te faire peur. Je pensais dormir ici et toquer à la porte demain matin. Pourquoi tu pleures ?

Brianna se rendit compte qu'il ne chuchotait pas par souci de ne pas faire de bruit, mais parce que sa voix était faible et enrouée. Pourtant, il avait parlé clairement, sans forcer les mots, sans hésitation douloureuse.

Elle essuya rapidement ses yeux du dos de sa main.

— Tu parles ! Je veux dire... tu parles mieux.

Avant son départ, elle n'aurait pas osé toucher sa gorge, mais son instinct lui dit de profiter de ce moment d'intimité dû à la surprise des retrouvailles. La gêne reviendrait peut-être, faisant encore d'eux des inconnus, mais, pour le moment, là dans le noir, elle pouvait tout dire, tout faire. Elle posa les doigts sur sa cicatrice en zigzag, puis caressa l'incision qui lui avait sauvé la vie, une ligne blanche et nette sous la barbe.

— Ça te fait encore mal quand tu parles ?

Ses yeux sombres et doux étaient rivés sur les siens.

— Oui, dit-il dans un râle. Mais je parle. Et je parlerai... Brianna.

Elle s'écarta, le tenant toujours par le bras, incapable de le lâcher.

— Rentrons, dit-elle. Il fait froid dehors.

J'avais plusieurs objections à la préparation d'un feu de cheminée, que ce soit des échardes sous les ongles, des ampoules ou des brûlures, sans parler du danger qu'il représentait. D'un autre côté, ses attraits étaient indéniables : il tenait chaud et il nimbait nos ébats amoureux d'une lumière dorée d'une telle beauté qu'elle permettait d'oublier toute gêne devant la nudité de son propre corps.

Nos silhouettes enchevêtrées se projetaient sur le mur, ici, une jambe, là, la courbe d'un dos ou d'une hanche. Jamie dressa la tête, dessinant une grande créature couronnée d'une crinière qui me surplombait, les reins cambrés.

Mes doigts coururent sur sa peau luisante et ses muscles frémissants, glissèrent à travers la toison de sa poitrine et s'enfouirent dans sa chevelure chaude, attirant sa tête dans le creux sombre entre mes seins.

Je gardais les yeux mi-clos, serrant les cuisses, refusant de libérer son corps, d'abandonner l'illusion de ne faire plus qu'un, mais était-ce bien une illusion ? Combien de fois pourrais-je encore le garder ainsi ancré en moi, dans la lumière magique d'un feu ?

Je m'accrochai à lui de toutes mes forces, ainsi qu'aux derniers soubresauts de ma propre chair. Mais la jouissance saisie au vol est toujours éphémère et, quelques instants plus tard, j'étais de nouveau moi, unique. Sur ma cheville, la tache sombre se détachait nettement, même dans la lumière tamisée.

Je relâchai ses épaules et effleurai avec tendresse les boucles de ses poils. Il baissa la tête et déposa un baiser sur chacun de mes mamelons avant de se glisser sur le côté.

— Et on dit que les poules n'ont pas de dents ! soupira-t-il.

Il massait une trace de morsure sur son épaule. Je me mis à rire, puis me redressai sur un coude, regardant autour de nous.

— Que se passe-t-il, ma petite poule ? susurra-t-il.

— Rien, je vérifie simplement que nos vêtements sont à l'abri du feu.

Entre une chose et l'autre, je n'avais pas regardé où il avait jeté les siens. Je me détendis : ils étaient à une distance raisonnable des flammes. Ma jupe gisait en tas sur le lit. Mon corselet et ma chemise avaient atterri dans deux coins opposés de la chambre. Quant à la bande de tissu qui me servait de soutien-gorge, elle était invisible.

La lumière dansait sur les murs blanchis à la chaux et le lit était rempli d'ombres.

— Tu es belle, me murmura-t-il.

— Si tu le dis…

— Tu ne me crois pas ? T'ai-je déjà menti ?

— Ce n'est pas ça. Je voulais dire que, à partir du moment où tu le dis, ça devient vrai. C'est ton regard qui me rend belle.

Il soupira et s'installa plus confortablement. Une bûche craqua dans l'âtre, projetant une gerbe d'étincelles dorées, puis elle s'affaissa en grésillant quand la chaleur atteignit une veine humide en profondeur. Je contemplai le bois jeune virer au noir, puis au rouge, se consumant dans une chaleur blanche.

— Tu le penses aussi de moi, *Sassenach* ? demanda-t-il soudain.

Son ton embarrassé me fit tourner la tête vers lui, surprise.

— Penser quoi ? Que tu es beau ?

Mes lèvres dessinèrent un sourire involontaire, qu'il me retourna.

— Eh bien… non, mais… Tu es encore capable de me regarder ?

Je touchai la fine cicatrice en travers de ses côtes, laissée par une épée il y avait bien longtemps, puis la cicatrice plus longue et plus épaisse qu'une baïonnette avait creusée le long d'une de ses cuisses. Le bras qui me tenait, bronzé et dur, était couvert de poils blanc doré, décolorés par de longues journées de travail au soleil. Près de ma main, sa verge redevenue molle et tendre reposait dans son nid de poils auburn.

— Tu es beau à mes yeux, Jamie, dis-je doucement. Si beau que tu me brises le cœur.

Sa main remontait le long de mes vertèbres, une à une.

— Néanmoins, je suis vieux, dit-il en souriant. Ou je devrais l'être. J'ai des cheveux blancs, une barbe grise.

— Argentée, rectifiai-je.

Je caressai le chaume doux et bariolé de son menton, ajoutant :

— ... partiellement.

— Grise, insista-t-il fermement. Et miteuse. Pourtant...

Son regard s'adoucit en sondant le mien.

— ... je brûle toujours autant quand je suis près de toi, et je continuerai à brûler, je crois, jusqu'à ce que nous soyons tous les deux réduits en cendres.

— C'est de la poésie ? demandai-je prudemment. Ou tu parles littéralement ?

— Ah... euh... non, je ne voulais pas dire que...

Il resserra sa main sur mon bras et posa sa tête contre la mienne.

— Je ne parlais pas de ça, *Sassenach*. Si ça devait...

— Ça n'arrivera pas.

Son rire souleva mes cheveux.

— Tu sembles bien sûre de toi.

— On peut changer le futur. Je le fais sans arrêt.

— Ah oui ?

Je m'écartai légèrement pour mieux voir ses yeux.

— C'est vrai. Regarde Mairi MacNeill. Si je n'avais pas été là, la semaine dernière, elle serait morte, et ses jumeaux avec. Mais j'y étais, et ils ont tous survécu.

Je glissai une main sous ma nuque et contemplai les poutres du plafond, en méditant :

— Je me demande… Il y en a beaucoup pour lesquels je ne peux rien, mais il m'arrive d'en sauver quelques-uns. Si une personne survit grâce à moi, puis a des enfants, que ses enfants ont des enfants, et ainsi de suite… le temps d'arriver à mon époque, ça a fait, disons, une trentaine ou une quarantaine d'individus dans le monde qui n'auraient pas dû y être, non ? Tous ont une vie, font des choses… tu ne crois pas que ça revient à changer le futur ?

Pour la première fois, je me demandai quelle avait été ma contribution personnelle à l'explosion démographique du XXe siècle.

Il saisit ma main libre et caressa ma paume de son index.

— Oui, mais tu changes « leur » futur, *Sassenach*. Comment peux-tu savoir que ce n'était pas prévu ? Tous les médecins ont sauvé d'innombrables vies au fil des ans, non ?

Il tint fermement mon poignet, puis étira un à un mes doigts en les faisant craquer.

— Oui, naturellement, et pas que les médecins, d'ailleurs.

Je me redressai, soudain revigorée par la portée de mon idée.

— Mais… c'est pareil. Tu ne comprends donc pas ? Toi aussi, tu as sauvé des vies. Fergus, Ian. Aujourd'hui, ils errent de par le monde, procréant et faisant toutes sortes de choses qui, à leur tour, auront une incidence sur l'existence d'autres gens. Tu as changé leur futur.

— Ah... eh bien... oui, peut-être, mais je ne pouvais pas agir autrement, n'est-ce pas ?

Cette simple déclaration m'arrêta dans mon élan, et nous restâmes silencieux un moment, observant les reflets danser sur le mur. Enfin, il s'agita à mes côtés, reprenant :

— Je ne dis pas ça pour me plaindre, mais, de temps en temps, mes os me font mal.

Il ne me regardait pas mais contemplait sa main infirme, l'orientant dans la lumière. L'ombre de ses doigts tordus formait une araignée sur le mur.

De temps en temps. Je le savais. Je connaissais les limites du corps... et ses miracles. Je l'avais vu s'asseoir à la fin d'une rude journée de travail, la fatigue se lisant dans chaque ligne de son corps. Je l'avais vu se mouvoir lentement, tenant tête, les matins glacés, aux protestations de sa chair et de ses os. J'étais prête à parier qu'il n'avait pas connu un jour sans douleur depuis Culloden, les dégâts physiques de la guerre aggravés par l'humidité et la vie à la dure. J'étais aussi prête à parier qu'il n'en avait jamais dit un mot à personne, jusqu'à ce jour.

— Je sais, dis-je doucement.

Je touchai sa main, la cicatrice en vrille qui courait le long de sa jambe, le petit creux dans la chair de son bras traversée par une balle.

— Mais pas avec toi, dit-il.

Il couvrit ma main posée sur son bras.

— Sais-tu que le seul moment où je n'ai pas mal, c'est au lit avec toi, *Sassenach* ? Quand je te prends, quand je suis couché dans tes bras... Mes plaies sont guéries, mes cicatrices, oubliées.

Je poussai un soupir et calai ma tête dans le creux de son épaule. Ma cuisse était pressée contre la sienne, ma chair molle épousant les contours durs de ses muscles.

— Les miennes aussi.

Il resta longtemps silencieux, caressant mes cheveux ébouriffés par nos ébats. Il lissa une boucle l'une après l'autre entre ses doigts, déclarant d'une voix endormie :

— Tes cheveux sont comme des nuages de tempête, *Sassenach*. À la fois sombres et clairs. Il n'y en a pas deux de la même couleur.

Il avait raison. La mèche qu'il tenait dans sa main contenait des cheveux d'un blanc pur, d'autres étaient argentés et blonds, certains foncés, presque sable, et plusieurs encore avaient conservé le châtain clair de ma jeunesse.

Ses doigts creusèrent sous la masse de ma chevelure, et il prit ma tête dans sa paume, comme un calice.

— J'ai vu ma mère dans son cercueil, dit-il.

Son pouce toucha mon oreille, descendit la courbe de l'hélix et du lobule, me faisant frissonner.

— Les femmes l'avaient tressée, trouvant que c'était plus convenable, mais mon père n'a rien voulu savoir. Je l'ai entendu. Il n'a pas crié, il est resté très calme. Il a expliqué qu'il voulait emporter d'elle l'image de celle qu'il avait connue. Elles lui ont répondu qu'il ne savait plus ce qu'il disait, qu'il était fou de chagrin. Il ne s'est pas donné la peine d'en rajouter et est allé lui-même vers le cercueil. Il a dénoué sa natte et a étalé sa chevelure sur l'oreiller. Elles n'ont pas osé l'en empêcher.

Il marqua une pause, son pouce s'immobilisant.

— J'étais là, sage dans mon coin. Quand ils sont tous sortis pour accueillir le prêtre, je me suis approché. Je n'avais encore jamais vu un cadavre.

Je laissai mes doigts s'enrouler autour de son avant-bras. Un matin, ma mère avait déposé un baiser sur mon front, avait remis la pince qui ne cessait de tomber de mes cheveux bouclés, puis m'avait dit au revoir. Je ne l'avais plus jamais revue. Elle avait eu un cercueil fermé.

— Tu l'as reconnue ?

Il regardait le feu, les paupières lourdes.

— Non. Enfin… pas tout à fait. Le visage lui ressemblait, sans plus. On aurait dit que quelqu'un avait sculpté son portrait dans un bloc de bouleau. Mais ses cheveux… eux, étaient encore en vie. Ça, c'était toujours elle.

Je l'entendis déglutir, puis s'éclaircir la gorge.

— Ils lui descendaient jusque sous sa poitrine, si bien qu'ils cachaient le bébé couché contre elle. J'ai pensé qu'il n'aimerait pas ça, qu'il étoufferait. Alors, j'ai écarté les mèches pour qu'il respire. Je pouvais le voir, mon petit frère, blotti dans ses bras, sa tête sur son sein, confortablement niché sous le rideau de ses cheveux. Puis, je me suis dit que j'avais tort, qu'il serait sans doute plus heureux ainsi protégé, alors j'ai remis sa chevelure en place, la lissant sur lui.

Il prit une profonde inspiration, et je sentis sa poitrine se soulever.

— Elle n'avait pas un cheveu blanc, *Sassenach*. Pas un seul.

Ellen Fraser était morte en couches à l'âge de trente-huit ans. La mienne était morte à trente-deux. Je portais en moi toute la richesse de ces longues années qu'elles n'avaient pas vécues. Et plus encore.

— Voir les années s'inscrire sur ton corps et ton visage me procure une joie immense, *Sassenach*. Parce qu'elles signifient que tu vis.

Il leva la main et laissa doucement mes cheveux caresser mon visage, effleurer mes lèvres, flotter mollement sur mon cou et mes épaules, atterrissant comme des plumes sur la pointe de mes seins.

— *Mo nighean donn*, chuchota-t-il. *Mo chridhe*. Ma brune, mon cœur. Viens à moi, couvre-moi, abrite-moi, *a bhean*, guéris-moi. Brûle avec moi comme je brûle pour toi.

Je me couchai sur lui, le couvris, ma peau contre ses os, et toujours – toujours ! – ce noyau lumineux et ardent, ce muscle palpitant qui nous unissait. Mes cheveux retombèrent sur nous et, dans cette grotte brûlante et sombre, je chuchotai à mon tour :

— Jusqu'à ce que nous soyons réduits en cendres.

48

Le trou au fond de l'océan

Fraser's Ridge, octobre 1771

Roger fut aussitôt réveillé, sans passer par le palier de somnolence habituel, si bien que son corps était toujours inerte mais son esprit alerte, à l'affût du signe qui l'avait incité à remonter des ténèbres. Il n'avait pas de souvenir conscient du cri de Jemmy, mais il résonnait encore dans son oreille interne, avec cette combinaison d'espoir et de résignation, triste sort du parent qui émerge de la nuit le plus vite.

Le sommeil le tirait par les pieds, cherchant à l'entraîner de nouveau vers les profondeurs de l'oubli, comme s'il avait un boulet de dix kilos attaché à la cheville. Un faible bruissement maintint provisoirement sa tête hors de l'eau.

Il concentra toutes ses pensées vers le berceau, envoyant un message mental : « Rendors-toi. Chuuut. Tout doux. Tout doux... Rendooooors-toooooooi. » Cette hypnose télépathique fonctionnait rarement, mais elle retardait de quelques précieuses secondes la nécessité d'agir. En outre, il arrivait que le miracle se produise et que son fils se rendorme, se détendant dans la moiteur trempée d'un lange mouillé et de ses rêves sucrés.

Roger retint son souffle, se raccrochant au bord d'une falaise qui s'effritait peu à peu, goûtant ces derniers instants bénis d'immobilité. Puis, le bruit se répéta et il bondit aussitôt.

— Brianna ? Brianna, qu'est-ce qui se passe ?

Elle se tenait près du berceau, formant une ombre spectrale dans le noir. Il la toucha, la saisit par les épaules. Elle serrait l'enfant dans ses bras, grelottante de froid et de peur.

D'instinct, il l'attira à lui, captant aussitôt son angoisse. Son sang se glaça et il s'efforça de ne pas regarder le berceau vide, la pressant plus fort contre lui.

— Qu'est-ce qu'il y a ? chuchota-t-il. C'est Jemmy ? Qu'est-il arrivé ?

Elle fut parcourue d'un frisson, qui traversa le fin tissu de sa chemise de nuit. Roger eut la chair de poule.

— Ce n'est rien, il va bien, répondit-elle.

Se retrouvant inconfortablement coincé entre ses deux parents, Jemmy se réveilla en émettant un cri de surprise indignée et commença à battre des mains et des pieds, comme un fouet mécanique.

Ses vigoureux moulinets rassurèrent aussitôt Roger et étouffèrent les visions d'horreur qui l'avaient assailli en apercevant Brianna. Non sans mal, il prit l'enfant des bras de sa mère et le cala contre sa propre épaule. Il lui tapota doucement le dos pour le rassurer – autant que pour se rassurer lui-même – en sifflant lentement entre ses dents. Jemmy, qui trouvait toujours ce bruit apaisant, bâilla, se ramollit et se mit à ronronner contre son oreille, avec l'intonation montante et descendante d'une sirène de pompiers dans le lointain :

— PaapaaPaapaaPaapaa…

Brianna se tenait toujours devant le berceau, ses bras vides à présent croisés sur sa poitrine. Roger tendit sa main libre et caressa son épaule avant de l'attirer vers lui.

— Chuuut. Tout va bien, maintenant, tout va bien.

Elle glissa les bras autour de sa taille. Il sentait ses joues mouillées à travers sa chemise. Son autre épaule était déjà humide de la chaleur du bébé.

— Viens te recoucher, lui chuchota-t-il. Glisse-toi sous la couverture, il fait… froid.

Ce n'était pas tout à fait vrai. Il faisait chaud dans la cabane. Elle obéit néanmoins. Elle reprit son enfant et le mit à son sein. Ne refusant jamais une bonne occasion de se goinfrer, Jemmy accepta son offre avec enthousiasme, se recroquevillant en apostrophe de satisfaction contre le ventre de sa mère, tandis qu'elle s'allongeait sur le côté.

Roger fit de même, imitant la position de son fils, fléchissant les genoux derrière ceux de Brianna, formant une virgule protectrice. Ainsi ponctuée, elle se détendit progressivement, mais pas tout à fait.

— Ça va mieux ? demanda-t-il au bout d'un moment.

Elle avait la peau encore moite. Tremblante, elle respira profondément.

— Oui. Ce n'était qu'un cauchemar. Excuse-moi de t'avoir réveillé.

— Ce n'est pas grave.

Il caressait la courbe de sa hanche, encore et encore, comme pour apaiser un cheval.

— Tu veux me raconter ?

Il voulait sincèrement savoir, mais les bruits rythmiques de succion de Jemmy étaient soporifiques, et le sommeil commençait à descendre sur eux tandis qu'ils se réchauffaient, se fondant l'un dans l'autre, telle de la cire.

— Il faisait froid, dit-elle à voix basse. Je crois que la couverture était tombée, mais, dans mon rêve, la fenêtre était ouverte.

— Ici ? Une de ces fenêtres ?

Il leva un doigt montrant le mur d'en face. La peau huilée qui recouvrait l'ouverture était légèrement plus claire et se détachait dans l'obscurité.

— Non, chez nous à Boston, dans la maison où j'ai grandi. J'étais dans mon lit, mais le froid m'a réveillée. Je me suis levée pour voir d'où venait le courant d'air.

Il y avait des baies vitrées dans le bureau de son père. Le vent glacé s'engouffrait par là, gonflant les longs rideaux blancs. Le berceau se trouvait près du vieux secrétaire, et le bout d'une mince couverture blanche se balançait dans la brise.

— Il n'était plus là ! Jemmy n'était plus là ! Il avait disparu. J'ai tout de suite compris que quelque chose était entré par la fenêtre et l'avait emporté.

Sa voix s'était stabilisée, mais tremblait encore au souvenir de ce moment de terreur. Elle se pressa contre lui, cherchant inconsciemment sa présence pour se rassurer.

— J'en avais peur, sans savoir ce que c'était. Mais peu importait, il fallait que je retrouve Jemmy.

Elle tenait une main fermée sous son menton. Il la prit dans la sienne et la serra.

— J'ai écarté les rideaux et je me suis précipitée dehors. Mais il n'y avait rien. Que de l'eau.

— De l'eau ?

Elle se remit à grelotter. Il caressa du pouce son poing fermé, essayant de la calmer.

— L'océan. De l'eau à perte de vue, les vagues lapant le bord de la terrasse. Il faisait sombre et je savais qu'il n'y avait pas de fond. Jemmy était là-dedans. Il s'était noyé et j'étais arrivée trop tard...

Elle s'étrangla, puis retrouva sa voix.

— J'ai quand même plongé. Il le fallait. L'eau était noire et des choses grouillaient dedans. Je ne pouvais pas les voir, mais je les sentais me frôler. De grosses choses. Je continuais à chercher et chercher, mais je ne voyais toujours rien, puis l'eau s'est subitement éclaircie... et je l'ai vu.

— Jemmy ?

— Non, Bonnet. Stephen Bonnet.

Roger s'efforça de ne pas réagir, de ne pas se raidir. Elle faisait souvent de drôles de rêves. Il imaginait toujours que ceux qu'elle refusait de lui raconter étaient ceux où figurait Bonnet.

— Il tenait Jemmy et riait. J'ai voulu le prendre, mais Bonnet l'a écarté hors de ma portée. Il l'a refait plusieurs fois. J'ai essayé de le frapper, mais il a attrapé ma main sans cesser de rire. Puis, il a levé les yeux, et son air a changé.

Elle prit une grande inspiration et saisit les doigts de Roger.

— Je n'avais jamais vu une telle expression, Roger, jamais. Il pouvait voir quelque chose derrière moi, quelque chose qui avançait et qui le terrifiait. Il me tenait, m'empêchant de me retourner. Je ne pouvais pas m'échapper ni abandonner Jemmy. La chose approchait et... je me suis réveillée.

Elle laissa échapper un rire nerveux.

— La grand-mère de ma copine Gayle disait toujours que, dans un rêve, lorsqu'on tombait d'une falaise, on mourrait si on ne se réveillait pas avant de toucher terre.

On mourrait réellement. Est-ce que c'est pareil quand on est sur le point d'être dévoré par un monstre ?

— Non. En outre, dans ce genre de rêve, on se réveille toujours.

— Jusque-là, ça a toujours été mon cas.

Elle ne paraissait pas convaincue. Toutefois, d'avoir raconté son cauchemar avait calmé sa peur. Son corps abandonna ses dernières résistances, et elle se détendit contre lui en soupirant.

— Tu te réveilleras toujours. Ne te fais plus de souci, Jemmy est en sécurité. Je suis là, je veillerai sur vous deux.

Il passa un bras par-dessus sa hanche et posa la main sur le derrière rebondi du bébé qui, repu, avait sombré dans une paisible torpeur contagieuse. Brianna plaça sa main par-dessus.

— Le secrétaire de papa était jonché de livres. Il avait travaillé. Il y avait des ouvrages ouverts et des papiers éparpillés un peu partout. Sur son bureau, j'ai vu une feuille avec quelque chose d'écrit dessus. J'avais envie de la lire pour savoir ce qu'il préparait, mais je ne pouvais pas m'arrêter.

— Mm… mmm.

Elle frissonna légèrement, faisant bruisser les enveloppes de maïs de leur matelas et provoquant un mini-séisme dans leur chaud univers. Elle se tendit, luttant contre le sommeil, puis relâcha ses muscles quand il mit la main sur son sein.

Roger resta éveillé, observant le carré de la fenêtre s'éclaircir lentement, tenant sa famille en sécurité dans ses bras.

De là où ils se tenaient, la maison était encore visible. Le ciel était chargé et, en dépit de la fraîcheur du petit matin, il faisait déjà lourd. Le jour s'était levé il y avait à peine une heure, mais déjà une fine couche de transpiration recouvrait la peau de Roger. Son cuir chevelu le picotait, des perles de sueur se formant sous sa tresse à la base de sa nuque.

Résigné, il étira le cou, et la première goutte glissa entre ses omoplates. Au moins, la chaleur soulageait les courbatures. Ce matin, ses bras et ses épaules avaient été si raides que Brianna avait dû l'aider à enfiler ses vêtements, lui passant sa chemise par-dessus la tête et boutonnant sa braguette de ses doigts agiles.

Il sourit intérieurement, songeant à ce que ces doigts avaient fait d'autre. Cela lui fit oublier un instant ses douleurs et chassa de son esprit le souvenir dérangeant des rêves de sa femme. Il s'étira en grognant, sentit les muscles tirer sur ses articulations endolories. Le lin propre de sa chemise collait déjà à son torse.

Jamie le précédait sur la piste. Une tache humide grandissait à vue d'œil dans son dos, là où passait la bandoulière de sa gamelle. Roger puisa une maigre consolation dans le fait que son beau-père se déplaçait, lui aussi, avec nettement moins de grâce féline que d'habitude. Il savait que le grand Écossais n'était qu'un être humain, mais d'en avoir la preuve de temps en temps était rassurant.

— Vous pensez que cette température va durer ?

Il avait surtout parlé pour la forme. Jamie n'était pas du genre bavard, mais, ce matin, il paraissait particulièrement peu loquace. Il avait à peine murmuré un « bonjour » quand Roger l'avait salué un peu plus tôt. Peut-être était-ce dû à la grisaille ambiante, avec sa menace – ou sa promesse – de pluie.

Le plafond nuageux était bas et terne, comme l'intérieur d'un bol en étain. Un après-midi à la maison, la pluie battant contre les peaux tendues devant les fenêtres, Jemmy dormant paisiblement roulé en boule tel un loir, pendant que sa mère laissait tomber sa chemise sur le sol et venait s'allonger sur le lit dans la lumière douce et grise... Il y avait des moyens de suer plus agréables que d'autres.

Jamie s'arrêta et leva le nez vers le ciel. Il ouvrit sa main droite, la referma, puis la rouvrit lentement. Ses doigts raides rendaient difficiles certaines tâches délicates, comme écrire, mais ils présentaient un avantage inattendu : leurs articulations enflées annonçaient la pluie avec plus de précision qu'un baromètre.

Il les agita, puis adressa un léger sourire à Roger.

— Rien qu'un petit picotement, déclara-t-il. Il ne pleuvra pas avant ce soir. Allons-y.

Roger se retourna. La grande maison et la cabane n'étaient plus visibles. Tout en regardant le dos de Jamie qui s'éloignait déjà, il s'interrogeait. Le nouveau champ était presque à un kilomètre, ce qui donnait amplement le temps de faire la causette. Toutefois, le moment était peut-être mal choisi. Ils devaient discuter de ce sujet, face à face, en prenant tout leur temps. Plus tard, quand ils feraient une pause pour déjeuner.

Les bois étaient silencieux, l'air lourd et immobile. Même les oiseaux se taisaient. Seul le toc, toc, toc occasionnel d'un pivert rompait le calme. Ils avançaient lentement sur le tapis d'humus, discrets comme des Indiens. Quand ils sortirent du dense taillis de chênes nains, débouchant sur le champ récemment débroussaillé, ils effrayèrent un groupe de corbeaux qui s'envolèrent dans une cacophonie de croassements, tels des démons échappés de l'enfer.

212

— Seigneur ! souffla Jamie en se signant machinalement.

Roger sentit sa gorge et son ventre se nouer. Les oiseaux avaient ripaillé sur une masse gisant dans le trou laissé par un arbre déraciné. De là où il se trouvait, il ne voyait qu'une courbe pâle qui ressemblait à l'arrondi d'une épaule nue.

C'était effectivement une épaule nue... mais celle d'un cochon sauvage. Jamie s'accroupit près de la dépouille, examinant les plaies vives dans l'épaisse peau blême. Avec une grimace de dégoût, il toucha une entaille profonde dans le flanc. Roger pouvait voir le mouvement des mouches à l'intérieur des cavités rouge sombre.

Il s'accroupit à côté de son beau-père.

— Un ours ? demanda-t-il.

— Non, un félin.

Jamie écarta les poils épars derrière une oreille et lui montra les petits trous bleus dans les plis de graisse.

— Il lui a brisé la nuque d'un seul coup de dents. Regarde, tu vois les traces de griffes ?

Roger les voyait en effet, mais il n'avait pas assez d'expérience pour distinguer un coup de patte d'ours de celui d'un couguar. Il les observa de plus près, tâchant de mémoriser le motif.

Jamie se releva et s'essuya le visage sur une manche.

— Un ours aurait emporté le corps ou, du moins, une grosse partie. Cette bête est à peine entamée. Les félins, eux, abandonnent souvent leur proie et reviennent en manger un peu chaque jour.

Roger déglutit, imaginant aisément une paire d'yeux jaunes en train de les épier depuis le taillis derrière eux, scrutant froidement l'endroit où son crâne était fixé à sa colonne vertébrale.

— Vous pensez qu'il est toujours dans les parages ?

Il jeta un coup d'œil autour d'eux, s'efforçant de paraître détaché. La forêt n'avait pas changé, mais, à présent, son silence paraissait anormal et menaçant.

Jamie chassa quelques mouches d'un geste de la main.

— Oui, sans doute. Ce cochon a été tué récemment. Il n'y a pas encore d'asticots.

Il indiqua les plaies béantes dans le flanc de la bête, puis se pencha et saisit deux pattes raides.

— Aide-moi. On va le suspendre. Ce serait dommage de ne pas profiter de toute cette viande.

Ils traînèrent la carcasse jusqu'au pied d'un arbre aux branches basses et robustes. Jamie sortit son mouchoir crasseux de sa manche et le noua sur son crâne pour empêcher la transpiration de lui piquer les yeux. Roger sortit le sien, soigneusement lavé et repassé, et fit de même. Soucieux de ne pas salir leur chemise propre, ils les ôtèrent et les suspendirent à un aulne.

Les jours précédents, lorsqu'ils étaient venus arracher les souches, ils avaient laissé de la corde dans le champ. Jamie s'en servit pour nouer solidement les quatre pattes du cochon, puis lança le bout par-dessus une branche. Cette truie adulte devait bien peser dans les cent kilos. Jamie enfonça ses talons dans le sol et s'arc-bouta, tirant de tout son poids sur le cordage, en grognant.

Roger retint sa respiration tout en aidant à soulever la dépouille rigide, mais Jamie avait vu juste. Elle était fraîche et dégageait l'habituelle odeur de chair de cochon, légèrement affadie par la mort, ainsi que celle plus âcre du sang.

Des poils drus lui grattèrent la peau du ventre quand il enlaça le corps, et il serra les dents pour cacher sa répugnance. Peu de chose était plus mort qu'un gros cochon mort. Puis Jamie lui cria que ça allait. Il lâcha sa prise, et la truie se balança doucement, comme un pendule de chair.

Roger était trempé, avec une grosse tache de sang brun sur la poitrine et le ventre. Il frotta ses abdominaux avec l'intérieur de son avant-bras, mélangeant le sang et la sueur. Il jeta de nouveau un coup d'œil nerveux à la ronde. Rien ne bougeait entre les arbres.

— Les femmes vont être contentes ! déclara-t-il.

Jamie se mit à rire et sortit son coutelas de sa ceinture.

— Ça m'étonnerait ! Elles vont devoir passer une bonne partie de la nuit à la dépecer et à la saler.

Il suivit le regard de Roger en direction de la forêt et reprit :

— Même s'il est dans les parages, il ne nous embêtera pas. Les couguars ne s'attaquent pas à de grosses proies, à moins d'être affamés.

Il fit un signe de tête vers le flanc déchiré de la truie.

— Les quelques kilos de lard qu'il a déjà avalés devraient lui avoir calé l'estomac pour un petit moment. Dans le cas contraire...

Du menton, il indiqua son fusil adossé au tronc d'un noyer blanc voisin.

Il stabilisa le cochon pour permettre à Jamie de lui ouvrir le ventre, puis enveloppa la masse puante de ses viscères dans la nappe prévue pour leur déjeuner. Puis, pendant que Jamie préparait patiemment un feu de bois vert qui éloignerait les mouches de la carcasse, il traversa le champ pour se rendre au ruisseau qui s'enfonçait dans les bois.

Couvert de sang, de déchets et de transpiration, il s'agenouilla et s'aspergea le visage, les bras et le torse, s'efforçant de chasser cette sensation d'être épié. En

Écosse, il lui était souvent arrivé, au détour d'une promenade dans la lande déserte, de se retrouver nez à nez avec un cerf adulte, émergeant comme par enchantement de la bruyère. En dépit des paroles rassurantes de Jamie, il savait fort bien qu'un élément d'un paysage tranquille pouvait soudain se détacher et s'animer dans un tonnerre de sabots ou un éclair de crocs.

Il se rinça la bouche, cracha, puis but de longues gorgées en déglutissant prudemment en raison de sa gorge rétrécie. Il revoyait la raideur du cadavre froid de la truie, la terre collée dans ses narines, les orbites creuses d'où les corbeaux avaient arraché les yeux. La chair de poule couvrit ses épaules, glacées autant par ses pensées que par l'eau vive du ruisseau.

Il n'y avait pas une grande différence entre un cochon et un homme. Au bout du compte, les deux finissaient en poussière. Un coup de dents, il n'en fallait pas plus. Il s'étira lentement, savourant la disparition de ses douleurs musculaires.

Un croassement vindicatif retentit dans un châtaignier au-dessus de lui. Les corbeaux, qui formaient des taches noires dans le feuillage jaune, protestaient violemment contre le vol de leur banquet.

Pris d'une répulsion soudaine, il ramassa une pierre sur la berge et la projeta de toutes ses forces dans l'arbre. Les oiseaux s'envolèrent dans une explosion de cris rauques et, satisfait, il reprit la direction du champ.

En le voyant revenir, Jamie le dévisagea un instant mais ne dit rien. Un peu plus loin, la dépouille du cochon pendait au-dessus du feu, ses contours dissimulés dans la colonne de fumée.

Ils avaient déjà scié les barrières dans de jeunes pins déracinés sur place. Les troncs étaient empilés à la lisière du pré. Toutefois, la clôture aurait des piliers en pierres sèches. Celles tout en bois suffisaient, à la rigueur, pour délimiter un terrain et empêcher les cerfs de venir brouter les cultures, mais elles ne résistaient pas aux assauts de cochons sauvages pesant entre cent cinquante et deux cents kilos.

Dans un mois, ils rassembleraient tous les porcs qu'ils avaient laissés en liberté dans la nature, s'engraissant grâce à l'épaisse couche de fruits et de glands qui tapissait la forêt. Des prédateurs en auraient dévoré certains, d'autres se seraient perdus, mais une bonne cinquantaine seraient équarris ou vendus.

Ils travaillaient bien ensemble, chacun sachant anticiper les gestes de l'autre. Lorsqu'une main était nécessaire, elle était déjà prête. Toutefois, pour l'instant, c'était la partie la moins intéressante de leur journée, leur tâche ne présentant aucun intérêt susceptible de rompre la monotonie du labeur et ne nécessitant aucune compétence. Il fallait chercher des pierres, par centaines, les extirper du terreau, les traîner à travers le champ, les entasser, puis les trier pour leur trouver leur juste place.

Il leur arrivait souvent de discuter tout en travaillant, mais pas ce matin. Chacun était absorbé par ses propres pensées, allant et venant les bras chargés. Seuls les cris lointains des corbeaux dépités et le bruit des pierres qu'ils jetaient sur le tas de plus en plus haut brisaient le silence.

Il devait le faire. Il n'avait pas le choix. Il le savait depuis longtemps, mais maintenant que cette perspective lointaine commençait à prendre forme... Roger examina discrètement son beau-père. Accepterait-il ?

De loin, les cicatrices sur son dos étaient à peine visibles, cachées sous un voile brillant de sueur. Rien de tel que le dur travail physique quotidien pour garder la ligne et entretenir sa musculature. En voyant Fraser de loin, ou de suffisamment près pour distinguer le profond sillon des muscles de son dos, son ventre plat, les lignes allongées de ses bras et de ses cuisses... on ne pouvait imaginer qu'il s'agissait d'un homme d'âge mûr.

Jamie lui avait montré ses cicatrices dès le premier jour où ils étaient partis travailler ensemble, après son expédition d'arpentage. Debout dans l'annexe à moitié construite de la laiterie, il avait ôté sa chemise et lui avait tourné le dos en déclarant nonchalamment :

— Jette un bon coup d'œil.

Ses anciennes marques étaient bien cicatrisées, formant pour la plupart de fins croissants et des lignes blafardes avec, par endroits, un réseau argenté ou un nœud brillant, là où le coup de fouet avait arraché un lambeau de peau trop large pour permettre à la plaie de se ressouder proprement. Il restait des fragments de peau intacte, lisse et claire entre les zébrures, mais peu.

Roger s'était demandé ce qu'il était censé dire : « Je suis désolé », « Merci de l'honneur que vous me faites » ?

Finalement, il s'était tu. Jamie s'était retourné, lui avait tendu une hache comme si de rien n'était, puis ils s'étaient mis au travail, torses nus. Toutefois, il avait remarqué que son beau-père n'ôtait jamais sa chemise en présence d'autres hommes.

D'accord. De tous les hommes, Jamie était le mieux placé pour comprendre le besoin, la nécessité... le fardeau que les rêves de Brianna faisaient peser sur lui, comme une pierre dans son ventre. Il l'aiderait certainement. Mais consentirait-il à le laisser aller jusqu'au bout tout seul ? Après tout, Jamie avait lui aussi son mot à dire dans cette affaire.

Les corbeaux les interpellaient toujours, mais de plus loin, poussant des croassements faibles et désespérés, tels des appels d'âmes perdues. Peut-être était-il fou de vouloir agir seul. Il fit tomber une brassée de pierres sur la pile. De petits cailloux rebondirent et roulèrent au sol.

« Le rejeton du prédicateur » : ainsi l'appelaient ses camarades à l'école. Il était vraiment cela, dans toutes les ambiguïtés du terme, de sa première impulsion à vouloir prouver par la force qu'il était un homme, à sa prise de conscience que tout recours à la violence était un signe de faiblesse morale. Mais, c'était dans un autre pays, un autre temps…

Il se pencha pour faire levier et déterrer une pierre prise dans la mousse et la terre. Rendu orphelin par la guerre, élevé par un homme de paix… comment pouvait-il se résoudre à commettre un meurtre ? Il transporta la pierre à travers le champ, finissant par la faire rouler.

— Tu n'as jamais rien tué d'autre que des poissons, marmonna-t-il dans sa barbe. Qu'est-ce qui te fait croire…

Il savait pertinemment ce qui le faisait croire.

Vers le milieu de la matinée, ils avaient entassé assez de pierres pour construire le premier pilier. Ils se mirent au travail, traînant, soulevant, empilant, insérant, lâchant de temps à autre un juron étouffé quand ils s'écrasaient un doigt ou un orteil.

Jamie hissa une grosse roche, puis se redressa, les mains sur les hanches, et reprit son souffle.

Roger s'arrêta, lui aussi. Autant se lancer maintenant, il ne trouverait pas meilleur moment.

— J'ai un service à vous demander, demanda-t-il de but en blanc.

Jamie se tourna vers lui, haletant, et attendit.

— Apprenez-moi à me battre.

Jamie s'essuya le visage, puis esquissa un demi-sourire.

— Tu sais très bien te battre. Tu veux dire que tu aimerais apprendre à manier une épée sans te la planter dans le pied ?

Roger poussa de sa botte un caillou qui était tombé de la pile.

— Oui, ce serait déjà un bon début.

Jamie resta un moment sans bouger, le contemplant avec attention. C'était un examen parfaitement froid et neutre, comme s'il inspectait un bouvillon qu'il envisageait d'acheter. Roger sentit la transpiration lui couler dans le dos. Une fois de plus, il eut l'impression d'être comparé – à son désavantage – à Ian Murray, le neveu absent.

— Tu es un peu âgé pour ça, déclara enfin Jamie. La plupart des guerriers commencent leur entraînement très jeunes. On m'a offert ma première épée à l'âge de cinq ans.

À cinq ans, Roger avait eu un train électrique. Avec une locomotive rouge qui sifflait quand on tirait sur une cordelette. Il soutint le regard de son beau-père avec un sourire aimable.

— Vieux, peut-être, mais je ne suis pas encore mort.

— Ça pourrait arriver. Il n'y a rien de pire qu'un apprentissage bâclé. Un idiot avec une épée rangée dans son fourreau est moins dangereux qu'un idiot qui croit savoir s'en servir.

— Merci. Vous me prenez pour un idiot ?

Jamie se mit à rire.

— Non, mais es-tu prêt à faire le nécessaire pour apprendre sans que cela te monte à la tête ?

— Oui. M'apprendrez-vous ?

Jamie l'examina encore de la tête aux pieds en plissant des yeux.

— Tu as l'avantage de la taille et une bonne longueur de bras. Oui, je crois que tu pourrais apprendre.

Il tourna les talons et s'éloigna vers un second tas de pierres. Roger le suivit, se sentant étrangement flatté, comme s'il venait de réussir un test rapide mais déterminant.

En réalité, son examen n'avait pas encore commencé. Ils avaient érigé la moitié du second pilier quand Jamie reprit la parole :

— Pourquoi ? demanda-t-il.

Il avait les yeux baissés vers une énorme pierre de la taille d'un petit tonneau de whisky. Il tentait lentement de la hisser, mais elle était trop lourde. Roger se pencha pour l'aider. Les mousses vertes sur sa surface étaient rugueuses contre ses paumes et formaient des croûtes desséchées.

— J'ai une famille à protéger.

Jamie hocha la tête une fois, deux fois et, à la troisième, ils soulevèrent ensemble la roche, grognant à l'unisson. Le monstre tomba en place avec un bruit sourd qui ébranla le sol sous leurs pieds.

— À protéger contre quoi ?

Jamie fit un signe de tête en direction de la truie suspendue, ajoutant :

— Personnellement, je ne m'attaquerais pas à un couguar avec une épée.

Roger fléchit les genoux et enserra une nouvelle pierre de ses bras.

— Ah oui ? Pourtant, j'ai entendu dire que vous aviez tué deux ours armé uniquement de votre coutelas.

Jamie fit une moue ironique.

— Dans le premier cas, c'était tout ce que j'avais sous la main pour me défendre. Dans le second, s'il a été tué par une épée, ce devait être celle de saint Michel, pas la mienne.

— Mais si vous aviez su que vous… euh… risquiez de croiser un ours, vous vous seriez mieux armé, non ?

— Si j'avais su que j'allais croiser un ours, j'aurais pris un autre chemin, rétorqua Jamie.

Roger rit et cala une nouvelle pierre contre les autres. Il restait un interstice dans la structure qui risquait de la faire s'affaisser. Jamie s'accroupit devant la pile et trouva un petit morceau de granit dont un bord était effilé. Il entrait parfaitement dans le trou. Les deux hommes se sourirent.

— Vous pensez donc qu'il y a toujours un autre chemin ? demanda Roger.

— Si tu veux parler de la guerre, oui. On ne le trouve pas toujours, mais il existe.

Roger n'avait pas pensé à la guerre qui approchait, mais il doutait que son beau-père ait voulu y faire allusion.

— Quant aux ours… reprit Jamie. Il y a une grande différence entre en croiser un par hasard et le traquer.

Le soleil ne se montrait toujours pas, mais il n'était pas indispensable. Midi s'annonça par des grondements d'estomac, une douleur dans les mains et une lassitude soudaine dans les reins et les jambes, aussi ponctuelle que le carillon d'une pendule de salon. La dernière grosse pierre fut mise en place, et Jamie se redressa avec un soupir.

D'un accord tacite, ils s'assirent avec leur gamelle et leur balluchon de provisions, jetant leur chemise sur leurs épaules nues pour éviter le coup de froid à mesure que leur transpiration séchait.

Jamie mâcha avec application, puis fit descendre une grosse bouchée avec une gorgée de bière. Il fit la grimace, pinça les lèvres pour cracher, puis se ravisa et avala.

— Pouah ! Lizzie est encore passée par la malterie.

Il croqua dans un biscuit pour faire passer le goût.

Roger sourit devant sa mine écœurée.

— Qu'est-ce qu'elle a mis dedans cette fois-ci ?

Lizzie s'était mis en tête d'expérimenter des bières aromatisées... sans grand succès pour le moment.

Jamie huma le goulot de sa bouteille en grès.

— Mmm... de l'anis ?

Il passa la bouteille à Roger qui renifla à son tour, les vapeurs d'alcool lui chatouillant les narines.

— Oui, de l'anis et du gingembre.

Il but une petite gorgée, fit la même moue que Jamie, puis retourna la bouteille au-dessus d'un mûrier sauvage qui ne lui avait pourtant rien fait.

— Je sais que ce n'est pas bien de gâcher, mais...

— Ce n'est pas gâcher que d'éviter d'être empoisonné.

Jamie se leva, lui prit la bouteille vide des mains, puis s'éloigna en direction du ruisseau. Quand il revint quelques instants plus tard, il la lui rendit remplie d'eau fraîche et se rassit en déclarant :

— J'ai eu des nouvelles de Stephen Bonnet.

Il avait parlé sur un ton si détaché que Roger ne réagit pas tout de suite.

— Ah bon ? dit-il enfin.

Les pickles suintaient dans sa main. Il essuya d'un doigt une coulée de vinaigre sur son poignet puis le suça, mais il arrêta de mordre dans son sandwich, ayant brusquement perdu l'appétit.

— Je ne sais pas où il est pour l'instant, mais je sais où il sera en avril prochain ou, plutôt, où on peut faire en sorte qu'il se trouve et le tuer. C'est dans six mois. Tu crois que tu seras prêt d'ici là ?

Il regardait Roger, aussi calme que s'il venait de lui proposer un rendez-vous avec son banquier.

Roger était prêt à croire à l'enfer... et aux démons. Il n'avait pas rêvé la nuit dernière, mais le visage de Bonnet flottait toujours dans les marges de son esprit, invisible mais omniprésent. Aurait-il assez de temps pour l'invoquer et pour le faire pénétrer dans son champ de vision ? Ne fallait-il pas appeler un démon pour qu'il se matérialise afin de pouvoir ensuite l'exorciser ?

Avant cela, il y avait des préparatifs. Il fléchit de nouveau les épaules et les bras, cette fois avec résolution. Ses courbatures avaient pratiquement disparu.

— Oui, répondit-il. Ça devrait suffire.

49

En garde[1] !

L'espace d'un instant, il crut ne jamais arriver à soulever le loquet. Ses bras étaient lourds comme du plomb, et les muscles de ses avant-bras tremblaient d'épuisement. Il dut s'y reprendre à deux fois et, même ainsi, il ne parvint qu'à coincer le petit cordon de la serrure entre deux doigts. Son pouce refusait de se refermer.

L'ayant entendu tripoter le verrou, Brianna ouvrit la porte brusquement. Il eut à peine le temps d'apercevoir une masse échevelée, un sourire radieux et une traînée de suie sur une joue qu'elle était déjà dans ses bras, sa bouche contre la sienne. Il était à la maison.

— Tu es rentré ! s'exclama-t-elle en le libérant.

— Oui.

Et tellement heureux de l'être ! La cabane sentait la cuisine et la lessive. De vagues effluves de genièvre flottaient au-dessus de la fumée des chandelles en roseau et de l'odeur plus musquée des corps humains. Il lui sourit, soudain un peu moins fatigué.

---

1. En français dans le texte. *(N.d.T.)*

— Papaa, papaa !

Jemmy sautillait d'excitation, prenant appui sur un tabouret bas.

Roger lui caressa la tête.

— Salut, toi ! Qui c'est qui est un gentil garçon ?

— Moi ! Moi !

Jemmy lui dévoila ses gencives roses où pointaient de petites dents blanches. Brianna lui adressa le même sourire, avec nettement plus de dents mais autant de joie.

— J'ai une surprise pour toi, regarde !

Elle s'approcha de la table et mit un genou à terre, à un mètre de son fils. Puis, elle tendit les bras, ses mains à quelques centimètres de celles de Jemmy.

— Viens voir maman, mon chéri. Viens me voir, viens !

Jemmy oscilla dangereusement, lâcha une première main qu'il tendit vers sa mère, lâcha l'autre main, avança d'un pas titubant, puis de deux et tomba dans les bras de Brianna en poussant des cris extatiques. Elle le serra contre elle, riant aux éclats, puis se tourna vers Roger.

— Va voir papa. Allez, va.

Jemmy fronça son visage d'un air concentré, comme un parachutiste débutant à la porte de l'avion se préparant pour son premier saut. Il se balança d'un côté et de l'autre. Roger s'accroupit et tendit les bras, sa fatigue provisoirement oubliée.

— Allez, mon grand, lance-toi ! Tu peux le faire !

Jemmy s'accrocha encore un peu à la main de sa mère, se penchant en avant, puis s'élança en titubant comme un ivrogne, effectuant trois pas rapides avant de plonger la tête la première dans les bras de son père,

226

qui le serra contre lui. L'enfant se tortillait en gloussant de triomphe.

— Bravo, mon garçon ! Tu vas pouvoir mettre ton petit nez partout désormais !

Résignée, Brianna leva les yeux au ciel.

— Comme si ce n'était pas déjà le cas !

En guise d'illustration, Jemmy s'échappa des bras de son père, se mit à quatre pattes et partit en flèche vers son panier de jouets.

S'asseyant devant la table, Roger demanda :

— Qu'est-ce que vous avez fait d'autre aujourd'hui ?

Elle écarquilla les yeux.

— « Quoi d'autre » ? Parce qu'apprendre à marcher ne te suffit pas ?

— Si, si, bien sûr, c'est merveilleux ! l'assura-t-il précipitamment. C'était juste comme ça, pour savoir.

Elle se détendit.

— Voyons voir… Nous avons récuré le plancher – la différence ne saute vraiment pas aux yeux…

Elle lança un regard écœuré vers les lattes de bois brut sous leurs pieds.

— … Puis nous avons préparé de la pâte à pain et avons attendu qu'elle lève, ce qu'elle n'a jamais voulu faire et ce qui explique que tu auras du pain plat pour le dîner.

Remarquant la lueur agacée dans ses yeux, il se hâta de déclarer :

— Ça tombe bien, j'adore le pain plat.

Elle arqua un sourcil narquois.

— Ben voyons. Tu me diras, c'est plus facile à beurrer.

Il se mit à rire. Ici, dans la chaleur, ses mains commençaient à l'élancer, mais il se sentait bien. Épuisé au point de rester avachi sur un tabouret, mais bien. Et affamé. Son ventre gronda d'impatience.

— Du pain plat et du beurre, c'est un bon début. Quoi d'autre ? Il y a quelque chose qui sent rudement bon !

Il jeta un coup d'œil plein d'espoir vers la marmite qui bouillonnait sur le feu et huma l'air, tentant de deviner :

— Du ragoût ?

— Non, de la lessive. La troisième tournée de la journée. Il ne rentre pas grand-chose dans cette foutue marmite. Je ne pouvais pas faire bouillir le linge dans le chaudron de la grande maison, laver le plancher ici et filer la laine en même temps. Quand je fais la lessive dans la cour, je dois rester dans les parages pour surveiller le feu et remuer le bouillon, si bien que je ne peux rien faire d'autre. Très inefficace !

— C'est ennuyeux, en effet.

Roger décida de ne pas trop s'attarder sur la logistique de la lessive afin d'en venir à des questions plus pressantes. Il leva le menton vers l'âtre.

— Pourtant, je sens une odeur de viande. Tu es sûre qu'une souris n'est pas tombée dans ta marmite ?

En entendant son père, Jemmy lâcha sa balle en chiffon et rampa avec enthousiasme vers la cheminée.

— Soulis ! La soulis !

Brianna le rattrapa par le col de sa robe et fusilla Roger du regard.

— Mais non, mon chéri, il n'y a pas de souris. Papa dit encore n'importe quoi.

Elle souleva le garçon qui se débattit et le déposa dans sa chaise haute.

— Ça suffit. Sois sage, maintenant.

Jemmy se cabra, grognant et protestant, puis il se calma, glissa en bas de sa chaise et disparut dans les plis de la jupe de sa mère. Brianna le récupéra non sans mal, partagée entre le rire et l'exaspération, et le remit debout.

— Très bien, ne mange pas. Qu'est-ce que tu veux que ça me fasse ?

Elle fouilla dans son panier de jouets et en sortit une vieille poupée en feuilles de maïs.

— Tiens, tu veux ta poupée ? Regarde comme elle est jolie !

Jemmy la serra contre sa poitrine, s'assit et engagea avec elle une conversation passionnée, la secouant de temps à autre pour souligner ses propos.

— Manger ! ordonna-t-il sévèrement en lui tapant le ventre.

Puis, il posa le jouet et, s'emparant du panier, le retourna sur lui.

— Sage ! déclara-t-il.

Brianna se frotta le visage et poussa un soupir. L'air las, elle se tourna vers Roger.

— Tu voulais savoir à quoi je passe mes journées ?

Puis elle l'observa plus attentivement.

— Et vous, monsieur MacKenzie, qu'avez-vous donc fait ? On dirait que tu reviens du front !

Elle toucha son visage du bout des doigts. Il avait une bosse sur le front. Il sentait sa peau se tendre à cet endroit. Le contact de la main de Brianna déclencha une douleur vive.

— C'est presque ça. Ton père m'a appris les rudiments du maniement de l'épée.

Stupéfaite, elle haussa les sourcils et il émit un rire gêné.

— Avec des épées en bois, naturellement, précisa-t-il.

Ils en avaient déjà brisé trois, bien que leurs armes improvisées soient taillées dans un bois robuste.

— Il t'a frappé à la tête ?

— Euh... Pas tout à fait.

Avec, en tête, ses vagues souvenirs de films de cape et d'épée et de tournois d'escrime universitaires, il ne s'était pas attendu à autant de force brutale dans un combat face à face. Au premier coup de Jamie, son épée lui avait volé des mains, au second, elle s'était fendue en deux, projetant un éclat de bois qui avait sifflé à quelques millimètres de son oreille.

— Qu'entends-tu par « pas tout à fait » ?

— Il m'apprenait une prise qu'il appelle « corps à corps », et qui revient, en gros, à coincer le bras de son adversaire sous le sien, puis à lui envoyer simultanément un genou dans les couilles et un coup de tête avant qu'il ne se dégage.

Choquée, Brianna émit un petit rire.

— Tu veux dire qu'il t'a...

— Non, mais il s'en est fallu de peu. J'ai un bleu de la taille d'une noix de coco sur la cuisse.

Brianna fronça des sourcils inquiets.

— Tu es blessé ailleurs ?

Il lui sourit, gardant ses mains sur ses genoux.

— Non. Je suis juste fatigué, courbaturé et affamé.

Elle retrouva son sourire, malgré un air soucieux. Elle saisit un plat en bois sur la desserte et s'accroupit devant le feu. S'armant du tison, elle extirpa de la cendre des petits paquets noircis.

— Nous avons des cailles, déclara-t-elle sur un ton satisfait. Papa les a apportées ce matin. Il a dit de ne pas les plumer, mais de les envelopper de boue et de les faire cuire telles quelles sous la braise.

Elle indiqua la marmite du bout de son tison.

— Jemmy m'a aidée à les rouler dans la boue. Voilà la raison de la troisième lessive. Aïe !

Elle suça son doigt brûlé, puis reprit son plat et le déposa sur la table.

— Attends un peu qu'elles refroidissent, conseilla-t-elle. Je vais te chercher ces pickles que tu aimes tant.

Les cailles ressemblaient à de vieux morceaux de charbon. Toutefois, un fumet alléchant se dégageait des fentes de leur coque en terre. Roger dut réprimer son envie d'en prendre une sur-le-champ, au risque de se blesser. Il se tourna plutôt vers l'autre plat qui était recouvert d'un linge. Il en souleva un coin et découvrit le fameux pain plat. Il parvint à en détacher un morceau du bout de ses doigts gourds et le fourra dans sa bouche.

Jemmy avait abandonné sa balle en chiffon sous le lit et était venu surveiller son père. Il se leva en s'agrippant au pied de table, repéra le pain et tendit la main, réclamant voracement son dû. Roger en déchira un bout et le lui tendit, manquant de le faire tomber par terre. Ses mains étaient dans un piteux état. Les articulations de sa main droite étaient écorchées, enflées et noires d'ecchymoses. La moitié de l'ongle du pouce avait été arrachée et du sang suintait du fragment restant.

Serrant son pain, Jemmy contemplait, fasciné, la blessure de son père, puis releva vers lui des yeux interrogateurs.

— Papa bobo ?

— Non, papa va bien, l'assura-t-il, juste un peu fatigué.

Jemmy fixa de nouveau le pouce blessé, puis il leva lentement la main et se mit à sucer bruyamment le sien.

Cela paraissait une bonne idée. Après un bref regard vers le dos de Brianna, il glissa son propre pouce douloureux dans sa bouche. Épais et dur, il ne semblait pas lui appartenir et avait un goût métallique de sang et de crasse froide. Puis, tout à coup, il trouva sa place, le palais et la langue se refermant sur le doigt blessé.

Jemmy lui donna un coup de tête dans la cuisse, sa manière à lui de demander à monter. De sa main libre, il saisit l'enfant par le fond du lange et le hissa sur son genou. Jemmy se cala confortablement contre lui, faisant son trou, puis il se détendit, serrant son morceau de pain dans une main et suçant tranquillement le pouce de l'autre.

Roger se relaxa à son tour, un coude sur la table, l'autre bras autour de son fils, masse chaude et lourde qui respirait doucement contre ses côtes, accompagnant de manière paisible les bruits que faisait Brianna en mettant le couvert. À sa surprise, son pouce cessa bientôt de lui faire mal. Il le laissa néanmoins où il était, trop épuisé pour s'interroger sur cette étrange sensation de confort.

Après avoir été sollicités des heures durant, ses muscles se décontractaient progressivement.

Ses oreilles résonnaient encore des instructions sèches de son beau-père. « Sers-toi de ton avant-bras, bon sang ! Ton poignet ! Ton poignet ! Cesse d'agiter ta main comme ça, garde-la près du corps. C'est une épée, pas un gourdin ! Utilise la pointe ! »

À un moment, il avait projeté Jamie contre un tronc d'arbre d'un coup d'épaule. À un autre, son beau-père avait trébuché contre une pierre et était tombé à genoux. Mais pour ce qui avait été de le toucher avec son épée, il aurait pu tout autant se battre contre un nuage de poussière.

« Dans ce genre de combat, tous les coups sont permis », l'avait prévenu Jamie en haletant, quand ils s'étaient agenouillés au bord du ruisseau pour se débarbouiller. « Les jolis gestes, c'est pour la galerie. »

232

Il sursauta et écarquilla les yeux, brusquement arraché du vacarme des épées de bois qui s'entrechoquaient pour revenir dans la chaleur de la cabane. Le plat de cailles avait disparu. Brianna jurait entre ses dents, tentant de casser les coques en terre avec le manche de son coutelas.

« Regarde où tu mets les pieds ! Recule ! Recule ! Maintenant, reviens sur moi… non, n'avance pas tant le bras… conserve ta garde levée ! »

Et le claquement de l'arme en bois contre ses bras, ses cuisses et ses épaules, sa pointe lui piquant les côtes, s'enfonçant dans son ventre. Si la lame avait été en acier, il n'aurait pas survécu plus de quelques minutes, finissant en lambeaux sanglants.

« Ne coince pas ma lame sous la tienne, repousse-la. Frappe ! Frappe-la ! Attaque ! En avant ! Reste serré, reste serré… voilà, comme ça, bien ! »

Son coude ripa et sa main tomba sur la table. Il se redressa en sursaut, rattrapant de justesse le bébé endormi, puis cligna des yeux, les reflets du feu brouillant sa vue.

Brianna tressaillit et referma son cahier d'un air coupable. Elle le rangea sur la desserte, caché derrière un plat en étain, debout sur la tranche.

— C'est prêt, déclara-t-elle précipitamment. Je vais juste… chercher le lait.

Elle disparut dans le garde-manger dans un bruissement de jupe.

Roger se souleva Jemmy contre son épaule, malgré ses bras ramollis comme des nouilles trop cuites. Le petit garçon dormait profondément, mais tenait toujours son pouce dans sa bouche. Celui de Roger était mouillé de salive, et une vague honte l'envahit. Zut, l'avait-elle dessiné ainsi ? À coup sûr, elle avait dû le surprendre dans cette posture et avait trouvé ça « mignon ». Ce ne serait pas la première fois qu'elle le croquait à l'improviste dans une situation compromettante. À moins qu'elle n'ait encore été en train d'écrire un de ses rêves ?

Il déposa doucement Jemmy dans son berceau, fit tomber les miettes de sa couverture, puis massa ses mains endolories. Il entendait Brianna transvaser des liquides dans le garde-manger. Il s'approcha à pas de loup de la desserte et sortit le cahier de sa cachette. C'était des croquis, pas des rêves. Rien que quelques lignes, l'essence d'une esquisse. Un homme mort de fatigue mais toujours vigilant. La tête posée sur une main, le cou tordu par l'épuisement, le bras libre entourant une créature choyée et sans défense.

Elle l'avait intitulé *En garde*[1] ! de son écriture couchée et pointue.

Il referma le cahier et le remit en place. Elle se tenait sur le seuil du garde-manger, une cruche à la main.

— Viens manger, dit-elle doucement en le regardant dans les yeux. Tu as besoin de toutes tes forces.

---

1. En français dans le texte. *(N.d.T.)*

50

Roger achète une épée

Il avait déjà tenu des épées du XVIIIᵉ siècle, si bien que ni le poids ni la longueur ne le surprirent. La corbeille autour de la poignée était légèrement cabossée, mais pas au point de gêner sa prise. Toutefois, la différence entre disposer avec révérence une antiquité dans une vitrine de musée et choisir une lame affûtée dans l'intention délibérée de s'en servir pour transpercer un corps humain était évidente.

Jamie l'examina d'un œil critique avant de la lui rendre.

— Elle a un peu souffert, mais la lame est bien équilibrée. Essaie-la pour voir si elle te va.

Se sentant totalement idiot, il glissa la main dans la corbeille et prit une pose d'escrime en se basant sur ses souvenirs des films d'Errol Flynn. Ils se tenaient dans l'allée commerçante de Cross Creek, devant la forge. Quelques passants s'arrêtèrent pour offrir leurs conseils avisés.

— Combien demande Moore pour ce morceau de fer blanc ? demanda l'un d'eux d'un air dédaigneux. Au-delà de deux shillings, c'est du vol pur et simple.

Furieux, Moore se pencha par-dessus le battant inférieur de la porte de sa forge.

— Elle est très bien, mon épée ! Elle me vient de mon oncle qui s'est battu à Fort Stanwyck. Elle en a tué, des Français, je peux vous le dire ! Et elle n'a qu'une petite bosse.

— Une petite bosse ! Tu veux rire, elle est tellement cabossée qu'en voulant embrocher un homme, on risque de lui couper l'oreille !

Un rire parcourut l'attroupement qui s'était formé, couvrant la réponse du forgeron. Roger abaissa la pointe de l'épée, puis la releva lentement. Comment essayait-on cette arme ? Était-il censé faire quelques moulinets du bras ? Piquer quelque chose avec ? Une carriole était garée non loin, remplie de sacs de jute contenant quelque chose... de la laine brute, à en juger par l'odeur.

Il chercha vainement le propriétaire de la voiture dans la foule grandissante. L'énorme cheval de trait attelé paraissait seul, ses oreilles couchées sur des rênes tombantes.

Le cordonnier, qui possédait l'échoppe d'en face, pinça les lèvres d'un air connaisseur.

— Si c'est une épée que cherche ce jeune homme, Malachy McCabe en a une meilleure. Il l'a conservée depuis son séjour à l'armée. Je crois qu'il serait prêt à s'en séparer pour trois shillings, tout au plus.

Un ancien soldat d'âge moyen contempla l'arme en inclinant la tête et opina :

— Elle n'est pas très élégante, mais elle m'a l'air d'être bien maniable.

Roger tendit le bras en avant, visant la porte de la forge, et manqua d'embrocher le forgeron qui sortait pour défendre sa marchandise. Celui-ci bondit sur le côté en poussant un petit cri, et la foule rugit de rire.

Une voix nasillarde tonnant derrière le dos de Roger interrompit ses excuses.

— Tenez, monsieur ! Permettez-moi de vous offrir une cible plus digne de votre lame qu'un malheureux forgeron sans défense.

Pivotant sur ses talons, Roger se retrouva face au Dr Fentiman en train de dégainer une rapière hors de sa canne creuse. Le médecin, qui lui arrivait plus ou moins au niveau du sternum, brandit son arme avec une férocité cordiale. Il sortait apparemment d'un déjeuner bien arrosé, et son nez brillait comme une ampoule de Noël.

— Un brin d'exercice, monsieur ?

Fentiman fendait l'air devant lui de sa lame, la faisant chanter.

— Le premier à verser le sang de son adversaire l'emporte, qu'en dites-vous ?

Le public s'en mêla aussitôt :

— Hé ! mais c'est vous donner un avantage injuste, docteur ! Votre métier n'est-il pas justement de saigner les gens ?

— Ah ! Ah ! Si au lieu de le piquer vous le transpercez, vous vous engagez à reboucher le trou gratis ?

— Dites, docteur, les affaires marchent donc si mal que vous en êtes réduit à vous créer votre clientèle ?

— Prends garde à toi, jeune homme. Si tu lui tournes le dos, il te donnera un lavement !

— Mieux vaut un lavement qu'une épée dans le cul !

Le médecin ne prêta pas attention à ces commentaires vulgaires et autres calomnies. Il tenait sa rapière à la verticale, paré pour le combat. Roger jeta un œil vers Jamie qui, l'air amusé, observait la scène, adossé au mur. Il arqua un sourcil et haussa brièvement les épaules.

— Vois comment tu la sens dans ta main, déclara-t-il.

Apparemment, il considérait qu'un duel avec un nain éméché était un test aussi valable qu'un autre.

Roger leva son épée et fixa le médecin d'un air menaçant.

— *En garde*[1] ! lança-t-il.

— *Gardez-vous*[1] ! répondit aussitôt son adversaire en plongeant en avant.

Roger pivota sur un talon, et le médecin passa en trombe devant lui, son arme à bout de bras comme une lance. Moore le forgeron bondit juste à temps pour éviter d'être embroché une deuxième fois, jurant abondamment et agitant un poing.

— J'ai l'air d'une cible ou quoi ?

Sans se démonter, Fentiman retrouva son équilibre et chargea de nouveau, lâchant des cris aigus pour s'encourager.

Roger avait l'impression d'être attaqué par une guêpe. Toutefois, en ne cédant pas à la panique, il était parvenu à suivre la chose et à la faire dévier de sa course. Le médecin était peut-être un bon escrimeur quand il était sobre, mais, dans son état actuel, ses assauts frénétiques et ses moulinets déments étaient faciles à déjouer, à condition de rester concentré.

Roger se rendit alors compte qu'il pouvait mettre fin au duel à tout instant, d'un simple coup avec la tranche de sa lourde épée sur la mince rapière de son adversaire. Cependant, il commençait à s'amuser et prenait soin de toujours parer avec le plat de sa lame.

Peu à peu, tout disparut de son champ de vision, à l'exception de la pointe de l'arme adverse. Les cris de la foule n'étaient plus qu'un bourdonnement lointain,

---

1. En français dans le texte. *(N.d.T.)*

la crasse de l'allée et la devanture de la forge à peine visibles. Il s'égratigna le coude contre le mur, recula, se déplaça en cercle pour gagner plus d'espace, le tout sans pensée consciente.

La rapière frappait sa lame, engageait, puis se libérait dans un crissement strident. Le fracas du métal, le sifflement de l'air et les ondes de choc se répercutaient dans les os de ses poignets à chaque coup.

« Observe le mouvement de son épée, accompagne-la, dévie-la. » Il ne savait pas ce qu'il faisait, mais il le faisait. La transpiration lui coulant dans les yeux, il secoua la tête pour s'en débarrasser, faillit ne pas arrêter une botte basse vers sa cuisse, le fit *in extremis* et repoussa la rapière en arrière.

Le docteur chancela, déséquilibré, et des cris sauvages de « Maintenant ! », « Plante-le tout de suite ! » remplirent l'air chargé de poussière. Il vit le gilet brodé de son adversaire, offert, rempli de papillons de soie, et refréna l'impulsion viscérale de lui plonger la lame en plein cœur.

Désarçonné par l'intensité de cette envie, il recula d'un pas. Le docteur sentit sa faiblesse et bondit en avant, soufflant, la pointe tendue. Roger fit un écart, et Fentiman continua sa course, piquant la croupe du cheval de trait.

L'animal poussa un cri outragé et envoya promptement son agresseur et sa rapière voler à travers l'allée et s'écraser contre l'échoppe du cordonnier. Le docteur s'effondra sur le sol comme une mouche écrasée, sous une pluie de lacets et de souliers.

Roger resta immobile, hors d'haleine. Son corps tout entier palpitait en rythme avec les battements tonitruants de son cœur. Il avait envie de continuer le combat, d'éclater de rire, de frapper quelque chose. Il avait envie de plaquer Brianna contre le mur le plus proche, là, maintenant.

Jamie souleva doucement la main de Roger et détacha ses doigts de la garde de l'épée. Il avait oublié qu'il la tenait encore. Sans elle, son bras semblait trop léger, comme prêt à se lever vers le ciel, tout seul. Ses doigts étaient raides d'avoir serré si fort la poignée. Il les fléchit machinalement et perçut le picotement dû au sang qui affluait de nouveau.

Son corps le piquait de partout. Il entendait à peine les rires et les propositions de lui offrir à boire, ni ne sentait les tapes de félicitations dans son dos.

— Un lavement ! Un lavement ! Qu'on lui donne un lavement ! chantait un groupe d'apprentis.

Ils suivaient le médecin qu'on emportait dans la taverne la plus proche pour lui administrer les premiers soins. Le propriétaire du cheval s'empressait auprès de son animal qui paraissait plus perplexe que blessé.

— Je suppose que c'est lui le vainqueur. Il a versé le premier sang.

Roger prit conscience qu'il avait parlé uniquement en reconnaissant le son de sa propre voix, étrangement calme à ses oreilles.

Jamie le regardait d'un air interrogateur, l'épée en équilibre sur la paume d'une main.

— Alors, qu'en penses-tu ?

Roger hocha la tête. L'allée était inondée de soleil et remplie d'une fine poussière blanche. Elle s'infiltrait sous les paupières, brûlant les yeux.

— Oui, dit-il. Elle fera l'affaire.

— Parfait, répondit Jamie, toi aussi.

QUATRIÈME PARTIE

Un chasseur sachant chasser...

51

Les lunes de Jupiter

Fin novembre 1771

Pour la quatrième fois en autant de minutes, Roger se répéta qu'il était médicalement impossible de mourir de frustration sexuelle. Il doutait même que cela puisse provoquer des séquelles durables. D'un autre côté, ce ne pouvait être bon pour la santé, même s'il s'efforçait de se convaincre que cela formait le caractère.

Il roula sur le dos en prenant soin de ne pas faire bruisser le matelas et fixa le plafond. Mauvaise idée. Les premières lueurs de l'aube filtraient par une fente dans la peau huilée tendue devant la fenêtre, tombant en un rayon oblique en travers de leur lit. Du coin de l'œil, il devinait toujours les hanches dorées de sa femme, comme illuminées par un projecteur.

Couchée sur le ventre, elle avait le visage enfoui dans l'oreiller. Le drap en lin avait glissé jusque sous ses reins, la laissant nue de la nuque à la raie des fesses. Elle était étendue si près de lui dans leur lit étroit que leurs jambes se touchaient. Son souffle chaud caressait l'épaule de Roger. Il en avait la gorge sèche.

Il ferma les yeux, mais cela ne l'aida guère, les images de la veille s'étant mises rapidement à défiler sous ses paupières. Brianna dans la lumière tamisée du feu de cheminée, les reflets flamboyants de sa chevelure scintillant dans la pénombre, la courbe d'un sein brillant soudainement quand elle avait fait glisser sa chemise de ses épaules.

En dépit de l'heure tardive et de sa fatigue, il avait été pris d'un désir fou. Toutefois, quelqu'un d'autre avait eu encore plus besoin d'elle. Il entrouvrit ses paupières et se hissa sur un coude, juste assez pour voir, au-delà des boucles éparses de Brianna, le berceau près du mur. Aucun signe de mouvement.

Ils avaient depuis longtemps conclu un accord. En cas d'urgence, il se réveillait instantanément, alors qu'elle était hagarde et maladroite. Aussi, lorsque la sirène stridente s'élevait du berceau en pleine nuit, les extirpant brutalement du sommeil le cœur battant, Roger se levait et se chargeait des premières nécessités d'hygiène. Le temps qu'il amène Jemmy à sa mère, celle-ci avait les idées plus claires et était prête à l'accueillir dans le refuge chaud et laiteux de son corps.

Désormais plus grand, Jemmy se réveillait moins souvent la nuit. Le cas échéant, c'était à cause d'un mal de ventre ou d'un cauchemar, et l'apaiser prenait plus de temps. Cette fois encore, Roger s'était rendormi avant que Brianna ait fini de le réconforter. Quand elle s'était enfin glissée dans leur lit, ses fesses frottant contre sa cuisse, les enveloppes de maïs dans le matelas craquant comme un millier de pétards lointains l'avaient brutalement extirpé de son sommeil dans un état de turgescence avancée.

Sentant la pression de sa croupe contre son corps, il s'était retenu de rouler sur elle et de l'assaillir par-derrière. Des petits bruits de succion l'avaient arrêté de justesse. Elle avait pris Jemmy dans le lit.

Il était resté immobile, écoutant, priant qu'elle reste éveillée assez longtemps pour ramener le petit salopiaud dans son berceau. Parfois, mère et enfant s'endormaient ensemble, et, le lendemain matin, à son lever, Roger baignait dans une odeur troublante de femme et de pipi de bébé.

Finalement, il s'était rendormi lui aussi, malgré l'inconfort de sa situation, écrasé par une journée de labeur à couper du bois dans la montagne.

Il inspira doucement. Non, cette fois, elle l'avait recouché dans son propre lit. Il ne restait plus dans leur couche que le parfum de Brianna, un effluve terreux de chair féminine, une vague exhalaison de transpiration et de moiteur intime.

Elle soupira dans son sommeil, murmura quelques paroles inintelligibles et tourna sa tête sur l'oreiller. Ses yeux étaient bordés de cernes. Elle avait veillé tard pour faire de la gelée, puis s'était occupée deux fois du morp... du bébé. Comment pouvait-il la réveiller encore pour satisfaire ses besoins primaires ?

Comment pouvait-il ne pas la réveiller ?

Il serra les dents, écartelé entre la tentation, la compassion et la conviction qu'en cédant à ses pulsions, il serait interrompu au pire moment par le petit bonhomme dans le berceau.

Chat échaudé avait beau craindre l'eau froide, les exigences de la chair hurlaient plus fort que la voix de la sagesse. Il posa courageusement une main sur la fesse la plus proche, la pétrissant avec douceur. Elle était fraîche, lisse et ronde comme une courge.

Brianna gémit et s'étira langoureusement. Elle cambra les reins, soulevant son arrière-train d'une telle manière que Roger fut convaincu que la raison l'enjoignait de rejeter la couverture, de se coucher sur elle et de marquer son but en dix secondes, vu qu'il ne tiendrait probablement pas plus longtemps.

Il parvint à écarter la couverture, mais n'alla pas plus loin. Lorsqu'il souleva la tête de l'oreiller, une sphère pâle s'éleva lentement derrière le bord du berceau, telle une des lunes de Jupiter. Une paire d'yeux bleus le fixa avec un détachement clinique.

— Et merde !

— Hé ! mède !

Jemmy se mit debout et sautilla sur place, s'agrippant à son lit qui commençait à être sérieusement trop petit pour lui, chantant à tue-tête :

— Mède – mède – mède – mède !

Brianna se réveilla en sursaut, clignant des yeux sous sa chevelure.

— Quoi ? Quoi ? Qu'est-ce qu'il y a ?

Roger remit discrètement la couverture en place.

— Euh… rien, je me suis cogné.

Elle s'étira sur l'oreiller, grognant tout en écartant les cheveux de sa figure, puis elle saisit le bol sur la table de chevet et but une gorgée. Elle avait toujours soif au réveil.

Elle le balaya du regard, et un sourire illumina lentement son visage.

— Ah oui ? Dis-moi… tu t'es fait une sacrée bosse ! Tu veux que je te la masse ?

Elle reposa le bol, roula gracieusement sur un coude et tendit la main vers lui.

— Tu es une vraie sadique, dit Roger en serrant les mâchoires. Tu dois tenir ça de ton père.

Elle se mit à rire, ôta sa main et se leva, enfilant sa chemise par-dessus sa tête. Quand elle souleva Jemmy hors de son berceau, celui-ci s'écria joyeusement :

— Maman ! Mède ! Maman !

— Petit rat ! rit-elle. J'ai comme l'impression qu'à cet instant, tu portes un peu sur les nerfs de ton père. Il faut dire que ton sens de l'à-propos est plutôt merdique !

Elle renifla avant d'ajouter :

— D'ailleurs, il n'y a pas que ton sens de l'à-propos.

— Question de perspective, sans doute, déclara Roger. Je suppose que, de son point de vue, il est intervenu au bon moment.

Brianna lui lança un regard ironique.

— Ça explique son nouveau mot ?

— Bah, ce n'est pas la première fois qu'il l'entend.

Il s'assit sur le bord du lit, se passa une main dans les cheveux, puis se frotta le visage.

Elle reposa Jemmy debout sur le plancher et s'agenouilla devant lui, lui déposant une bise sur le nez avant de dénouer son lange.

— Il ne nous reste plus qu'à trouver comment passer de l'abstrait au concret. Crois-tu que dix-huit mois, c'est trop tôt pour le mettre sur le pot ?

— C'est à moi que tu le demandes, ou à lui ?

— Beurk ! À l'un ou à l'autre, au premier qui a un avis sur la question.

Ce n'était pas le cas de Jemmy. Pendant que sa mère nettoyait ses parties intimes avec un linge humide et froid, il resta stoïque et joyeux, absorbé par une nouvelle composition de son cru sur le thème « Beurk, beurk, mède, mède, beurk, BEURK ! ».

Brianna mit un terme à sa chanson en le balançant sous un bras et en s'asseyant avec lui dans le fauteuil, près de la cheminée. Elle dénuda un sein en lui demandant sur un ton engageant :

— Tu as faim ?

— Oh que oui ! soupira Roger derrière elle.

Elle éclata de rire et cala Jemmy confortablement sur ses genoux où il se mit rapidement à téter.

— Ne t'inquiète pas, tu es le prochain sur ma liste, assura-t-elle à Roger. Qu'est-ce que tu préfères pour ton petit déjeuner, du porridge ou des galettes de maïs ?

— Il n'y a pas autre chose sur la carte ?

Zut, il avait été sur le point de pouvoir se lever. Retour à la case départ.

— Si, bien sûr, du pain grillé avec de la confiture de fraises, du fromage, des œufs, mais tu devras aller les chercher toi-même dans le poulailler. Je n'en ai plus dans le garde-manger.

Il avait du mal à se concentrer sur la discussion, obnubilé par la vue de Brianna dans la lumière enfumée de la cabane, ses longues jambes écartées sous sa chemise de nuit, ses talons repliés sous le fauteuil. Elle sembla détecter son manque d'intérêt pour ces considérations alimentaires et releva la tête vers lui avec un sourire, son regard s'attardant sur sa nudité.

— Tu es beau comme ça, Roger, dit-elle d'une voix douce.

Elle posa inconsciemment sa main libre sur la courbe intérieure de sa cuisse. Ses longs doigts aux ongles ras décrivaient de petits cercles à peine perceptibles sur sa peau tendre.

— Toi aussi, tu es plus que belle.

Elle leva la main et tapota doucement le dos de Jemmy, lui demandant sans le regarder :

— Ça te dit d'aller voir tante Lizzie après le petit déjeuner, mon chéri ?

Ses yeux étaient rivés sur ceux de Roger, ses lèvres esquissant un superbe sourire.

Il estima être en mesure d'attendre la fin du repas, mais il devait au moins la toucher. Elle avait étalé son châle en travers du lit. Il le ramassa et le noua autour de ses reins pour préserver sa dignité, puis se leva et alla s'agenouiller près de son fauteuil.

Un courant d'air souleva ses longues mèches rousses, et il aperçut la chair de poule sur sa peau. Il lui caressa les bras pour les réchauffer. Son propre dos nu était glacé, mais peu lui importait.

— Je t'aime, chuchota-t-il dans son oreille.

Il entrelaça ses doigts avec les siens sur sa cuisse.

Elle tourna la tête et l'embrassa, l'effleurant de ses lèvres suaves.

— Moi aussi, je t'aime.

Elle s'était rincé la bouche avec de l'eau et du vin, et sentait le raisin d'automne et le ruisseau frais. Il s'apprêtait à passer à des choses plus sérieuses quand on tambourina à la porte. La voix forte de son beau-père retentit au-dehors.

— Roger ? Tu es là ? Allez, debout !

— Qu'est-ce qu'il veut dire par « tu es là » ? grommela Roger. Où veut-il que je sois ?

— Chut.

Elle lui donna un baiser dans le cou et le lâcha à contrecœur. Puis, promenant ses yeux sur son anatomie d'un air appréciatif, elle cria :

— Il est déjà levé, papa !

— Si ça continue, ça deviendra mon état permanent, bougonna-t-il. J'arrive ! Où sont encore passés mes habits ?

— Sous le lit, là où tu les as laissés hier soir.

Brianna reposa Jemmy qui poussa des cris de joie au son de la voix de son grand-père et courut marteler la porte verrouillée. S'étant enfin aventuré à marcher, il n'avait pas perdu de temps pour passer à la phase suivante, la déambulation permanente à une allure toujours croissante.

— Allez, on se dépêche là-dedans !

La peau devant la fenêtre s'écarta soudain, inondant la pièce d'une lumière vive et révélant le visage rayonnant de Jamie Fraser. Il arqua un sourcil en voyant Roger nu, qui protégeait sa vertu en plaquant une chemise devant son entrejambe.

— Allons, allons ! Pressons ! Ce n'est pas le moment de se promener les fesses à l'air. MacLeod dit qu'il y a des bêtes de l'autre côté de la crête.

Il souffla un baiser en direction de Jemmy.

— *A ghille ruaidh, a charaid ! Ciamar a tha thu ?*

Aussitôt, Roger en oublia ses envies lubriques et sa pudeur. Il passa la chemise par-dessus sa tête en demandant :

— Quel genre de bêtes ? Des cerfs, des wapitis ?

— Je ne sais pas, mais ça se mange.

La peau huilée retomba brusquement, replongeant la pièce dans la pénombre.

L'intrusion de Jamie avait laissé pénétrer un souffle froid, dissipant l'atmosphère chaude et enfumée. À présent, il flottait un air de temps de chasse, de vent frisquet et de feuilles mortes, de boue et de fumées fraîches, de laine humide et de cuir trempé, le tout épicé par l'âcreté de la poudre noire.

Avec un dernier regard chargé de désir vers sa femme, Roger saisit ses bas.

52

Les herbes assassines

Grognant et soufflant, les hommes pénétrèrent dans la région vert sombre de conifères, aux alentours de midi. Au sommet des crêtes rocheuses, entre les éboulis, des groupes de sapins baumiers et de pruches se pressaient contre les épicéas et les pins. Ils se dressaient fiers, sûrs de leur immortalité saisonnière, leurs aiguilles bruissantes se lamentant de la beauté éphémère des feuilles mortes en contrebas.

Dans la fraîcheur de l'ombre, Roger frissonna, se félicitant d'avoir pensé à enfiler son épaisse chemise de chasse en laine par-dessus celle en lin. Ils ne parlaient pas, même quand ils s'arrêtaient brièvement pour reprendre leur souffle. Le silence de la forêt rendait sacrilège toute conversation inutile.

La nature autour d'eux semblait calme, voire déserte. Ils arrivaient peut-être trop tard, et le gibier s'était déplacé. À moins que MacLeod ne se soit trompé. Roger ne maîtrisait pas encore l'art de la chasse, mais il avait passé suffisamment de temps seul avec le soleil, le vent et le silence pour avoir développé certains instincts de chasseur.

Ils émergèrent en plein soleil, de l'autre côté de la crête. En dépit du froid, Roger sentit les rayons transpercer son corps frigorifié et ferma les yeux dans un moment de béatitude. D'un commun accord, les hommes s'immobilisèrent à l'abri du vent pour goûter le soleil.

Jamie grimpa sur un promontoire rocheux, tournant la tête d'un côté puis de l'autre, scrutant les arbres plus bas. Roger vit ses narines palpiter et sourit. Après tout, peut-être pouvait-il vraiment flairer le gibier. Plus rien ne l'étonnait. Il huma l'air à son tour, mais ne sentit que l'odeur des feuilles en décomposition et, nettement plus puissante, la vieille transpiration dégagée par le corps de Kenny Lindsay.

Fraser secoua la tête, se tourna vers Fergus à qui il lança quelques mots brefs, puis il disparut dans le bois.

— On attend, traduisit laconiquement Fergus.

Il s'assit par terre et sortit de son sac deux grosses billes en pierre. Après les avoir fait rouler dans sa paume, il se concentra intensément, puis les fit courir le long de chaque doigt.

Le soleil d'automne s'étirait en longs faisceaux entre les branches nues, administrant ses derniers sacrements saisonniers, consolant et bénissant la terre mourante d'une ultime caresse. Les hommes discutaient tranquillement, puant sous l'astre solaire. Dans le froid de la forêt, Roger n'avait pas remarqué qu'une odeur âcre de nouvelle sueur couvrait les couches plus profondes de crasse et de sécrétions corporelles diverses et variées.

Il se dit alors que ce n'était peut-être pas l'odorat extrêmement développé des animaux, mais simplement l'horrible puanteur des hommes qui rendait le gibier si difficile à approcher. Il avait parfois vu les chasseurs mohawks se frotter avec des herbes pour déguiser leurs odeurs naturelles, mais même de l'essence de menthe poivrée ne pourrait cacher la pestilence de Kenny Lindsay.

Lui-même ne puait pas autant, quand même ? Intrigué, il pencha la tête au-dessus du col ouvert de sa chemise et inspira profondément. Un filet de transpiration coula dans sa nuque. Il l'écrasa en resserrant son col et se promit de se laver avant de rentrer à la cabane, même s'il devait casser la glace du ruisseau.

Les douches et les déodorants n'avaient pas qu'une importance esthétique. On s'habituait relativement vite à presque n'importe quelle mauvaise odeur, mais ce que son environnement moderne aseptisé ne lui avait jamais permis de constater, c'étaient les implications plus intimes de l'odorat. Parfois, il avait l'impression d'être un simple babouin, un effluve suffisant à déclencher chez lui des réactions des plus primitives.

En se souvenant d'un événement de la semaine précédente, le feu lui monta aux joues.

À la recherche de Claire, il était entré dans la laiterie et l'avait trouvée en compagnie de Jamie, tous deux entièrement vêtus, chacun dans son coin. Cependant, l'air était tellement chargé du musc du désir et de la semence mâle que Roger en était devenu cramoisi, tous les poils de son corps hérissés.

Sa première réaction avait été de tourner les talons, mais il n'avait aucune excuse. Il avait donc délivré son message à Claire, conscient du regard de Fraser sur lui. Conscient également de la communication silencieuse entre eux, un courant invisible dans l'air, comme deux perles sur un fil tendu.

Jamie avait attendu qu'il s'en aille pour sortir à son tour. À cet instant, Roger avait perçu du coin de l'œil un léger mouvement, un discret effleurement de sa main sur celle de Claire, geste qui, même avec le recul, lui nouait les entrailles.

Il souffla lentement pour soulager la sensation d'oppression sur sa poitrine, puis s'étira sur le sol, laissant le soleil chauffer ses paupières closes. Il entendit le ventre de Fergus gronder, puis des bruits de pas, tandis que le jeune Français s'éloignait rapidement. Il avait mangé des saucisses avariées la veille, et tout son voisinage ne pouvait plus l'ignorer.

Les pensées de Roger dérivèrent de nouveau sur l'incident gênant de la laiterie.

Loin d'être lubrique, ni même curieux, il se surprenait souvent à les épier. Il les voyait depuis la fenêtre de sa cabane, marchant côte à côte le soir, Jamie penchant la tête vers elle, les bras dans le dos. Claire parlait avec les mains, les agitant haut devant elle, comme si elle essayait d'attraper le futur et de lui donner forme, comme si elle voulait déposer ses pensées dans les mains de Jamie, lisses et polies, des morceaux d'air sculpté.

Après avoir pris conscience de son geste, Roger s'était mis à les observer délibérément, écartant tout sentiment de honte devant cette intrusion, au demeurant mineure. Sa curiosité était motivée par un objectif bien précis. Il devait absolument savoir quelque chose, au point de mettre en sourdine ses bonnes manières.

Comment un mariage fonctionnait-il ?

Il avait été élevé dans la maison d'un célibataire. Son oncle, le révérend, et la vieille gouvernante de celui-ci lui avaient donné toute l'affection dont il avait eu besoin enfant, mais, parvenu à l'âge adulte, il ignorait tout des caresses et des paroles qui unissaient un couple marié de longue date. Pour le moment, il pouvait se fier à son instinct, mais...

Si un amour comme le leur pouvait s'apprendre...

Une tape contre son coude le fit sursauter. Il se retourna brusquement, projetant son bras pour se défendre. Jamie l'esquiva avec agilité, puis, souriant, lui indiqua la crête d'un geste du menton.

— Ça y est, je les ai trouvés.

Jamie leva une main, et Fergus se matérialisa à ses côtés. Sans pour autant avoir l'air d'un gringalet, le Français arrivait à peine au niveau de l'épaule du grand Écossais. Il mit une main en visière, scrutant le point signalé par Fraser.

Roger s'approcha d'eux, examinant le versant. Un éclat de lumière traversa une clairière plus bas, bondissant dans sa fuite. Un appel retentit dans la forêt, comme un rire haut perché. Il ne voyait rien d'autre. Toujours le même enchevêtrement inextricable de lauriers sauvages, de noyers blancs et de chênes. Tout en bas, une épaisse rangée d'arbres effeuillés révélait le lit d'un cours d'eau.

Jamie l'aperçut et lui montra quelque chose avec son index.

— Près du torrent, tu le vois ?

Tout d'abord, Roger ne vit rien. Le torrent lui-même était invisible, mais il le devinait entre les sycomores et les saules. Puis il l'aperçut. Un buisson tout au fond de la pente bougeait, mais pas à cause du vent. De petits mouvements saccadés l'agitaient, quelque chose tirait dessus pour se nourrir.

— Mince, qu'est-ce que ça peut bien être ?

Il venait d'entr'apercevoir une masse sombre grosse, très grosse.

— Je ne sais pas. C'est plus grand qu'un cerf. Peut-être un wapiti.

Jamie plissait des yeux pour se protéger du vent. Il semblait détendu, le mousquet pendant au bout du bras, mais Roger devinait son excitation.

— Un orignal ? proposa Fergus. Je n'en ai encore jamais vu, mais il paraît que c'est énorme.

— Non, dit Roger. Je veux dire, si, c'est effectivement un animal très gros, mais j'en ai chassé avec les Mohawks, ils ne se déplacent pas du tout de cette façon.

Trop tard. Il vit les lèvres de Jamie se pincer, puis se détendre de nouveau. Ils avaient tacitement convenu de ne plus jamais faire allusion au séjour de Roger chez les Indiens. Fraser se contenta de faire un signe vers la forêt à leurs pieds.

— Non, ce n'est ni un cerf ni un orignal, mais... Regardez, ils sont plusieurs !

Roger fouilla vainement le bois du regard, puis remarquant Jamie en train de se balancer lentement d'un pied sur l'autre, il l'imita, laissant ses yeux errer sur le paysage.

De fait, quand il n'essayait pas de se concentrer sur un point précis, il parvenait à voir l'ensemble du panorama comme un patchwork de couleurs et de mouvements flous, telle une toile de Van Gogh. Puis il vit ce que voyait Jamie et se figea, oubliant l'art moderne.

Ici et là, entre les gris fanés, les bruns et les taches de vert, on distinguait une discontinuité, comme des nœuds dans la trame du paysage, des mouvements différents de ceux de la végétation. Chaque créature était invisible, mais les soubresauts des buissons voisins trahissaient leur présence. Bon sang, mais quelle taille pouvaient-elles bien avoir ? Il en voyait une ici, une autre là… Il promena librement son regard et, à son tour, l'excitation lui serra la poitrine. Mince, il y en avait une bonne demi-douzaine, au moins !

— J'avais raison, j'avais raison ! Pas vrai, *Mac Dubh* ?

MacLeod exultait, son visage rond se tournant vers les uns et les autres, triomphant.

— Je vous avais bien dit que j'avais vu des bêtes, non ?

— Seigneur, c'est une vraie harde ! souffla Evan Lindsay en se tournant vers Jamie. Qu'est-ce qu'on fait, *Mac Dubh* ?

Jamie continuait de fixer le fond de la vallée.

— Difficile à dire. Ils sont sur un terrain ouvert. Je ne vois rien contre quoi les acculer.

Il suça son index et le tendit dans le vent.

— Il souffle de l'ouest. On descendra jusqu'au fond de la vallée en longeant ce ruisseau. Puis Roger et moi, nous partirons sur la gauche, en passant derrière ce grand promontoire, là-bas. Vous le voyez ?

Lindsay hocha lentement la tête, mordant sa lèvre inférieure avec son incisive tordue.

— Ils sont rassemblés près du torrent. Contournez-les jusqu'à ce grand cèdre. Puis éparpillez-vous, deux sur chaque rive. Evan étant le meilleur tireur, qu'il se tienne prêt avec son fusil. Roger et moi allons prendre le troupeau par-derrière et le rabattre sur vous.

Fergus acquiesça, examinant le terrain en contrebas.

— Je vois. S'ils nous repèrent, ils bifurqueront et s'engouffreront dans ce petit défilé pour se retrouver piégés. Parfait. *Allons-y*[1] !

_____

1. En français dans le texte. (*N.d.T.*)

Il fit signe aux autres, son crochet luisant au soleil. Puis il grimaça et posa la main sur son ventre, avant de lâcher un long pet sec qui résonna dans la forêt silencieuse. Jamie le regarda, songeur.

— Surtout, n'oublie pas de rester sous le vent.

Roger avait beau marcher comme sur des œufs, il lui était impossible de ne pas faire de bruit sur le tapis de feuilles mortes. Ayant aperçu Jamie charger et amorcer son fusil, il avait fait de même, l'odeur de la poudre suscitant chez lui un mélange d'excitation et de crainte. Compte tenu de la taille des bêtes qu'ils traquaient, il aurait peut-être la chance d'en toucher une.

Écartant ses doutes, il s'arrêta un instant pour tendre l'oreille. Seul le doux bruissement du vent dans les branches et le murmure lointain de l'eau troublaient le silence. Non loin, un léger craquement retentit, lui faisant tourner la tête. Apercevant un éclat de cheveux roux, il glissa la main sous la crosse de son fusil, le bois chaud et solide contre sa paume, appuya le canon contre son épaule et reprit sa marche.

En contournant avec précaution un buisson de sumacs, il sentit soudain sa semelle s'enfoncer dans une matière molle, glissa en arrière et se rétablit de justesse. Il baissa les yeux pour voir la cause de son dérapage et, malgré sa déception, eut une forte envie de rire. Sans plus se soucier d'aucune discrétion, il appela :

— Jamie !

Le visage de son beau-père apparut derrière un écran de lauriers, un sourcil arqué. Roger lui fit signe de regarder à ses pieds.

— Je ne suis pas un grand traqueur, mais j'ai marché dedans suffisamment de fois pour savoir ce que c'est.

Il gratta sa semelle contre un tronc d'arbre couché, puis leva la jambe vers lui.

— À votre avis, après quoi courons-nous depuis ce matin ?

Jamie s'approcha, puis s'accroupit devant la bouse d'un brun rougeâtre. Il plongea l'index dedans, puis releva les yeux vers Roger, à la fois consterné et amusé.

— Fichtre !

Toujours assis sur ses talons, il balaya du regard la forêt autour d'eux.

— Mais que fichent-elles ici ? murmura-t-il.

Il se releva et scruta les abords de la rivière.

— Ça n'a aucun sens. Il n'y a que trois vaches dans la région, et j'en ai trait deux ce matin. La troisième appartient à Bobby MacLeod. S'il avait aperçu la sienne sur la crête, il l'aurait reconnue, non ? Et puis…

Il pivota sur un talon et examina le versant qu'ils avaient descendu.

Inutile d'en dire plus. À moins d'être équipée d'un parachute, aucune vache n'aurait pu venir par là.

— Il n'y en a pas qu'une, lui rappela Roger. C'est tout un troupeau. Vous l'avez vu vous-même.

Jamie le dévisagea d'un air perplexe.

— Oui, mais comment sont-elles arrivées jusqu'ici ? Les Indiens n'en élèvent pas. Quand bien même, en cette saison, ils les auraient abattues et auraient fumé leur viande. En plus, il n'existe aucune ferme à cinquante kilomètres à la ronde.

— Si c'était un troupeau sauvage ? Des bêtes qui se sont échappées, il y a longtemps, et qui errent dans la nature ?

Une lueur d'espoir traversa le regard de Jamie, faisant écho au grondement optimiste dans le ventre de Roger.

— Dans ce cas, on devrait pouvoir les abattre facilement.

Un certain scepticisme tempérait sa voix, même s'il souriait. Il se pencha de nouveau et, saisissant un morceau de bouse entre ses doigts, il l'émietta.

— Tout frais. Elles ne sont plus très loin.

Après une autre demi-heure de marche, ils débouchèrent sur le torrent aperçu depuis la crête. Il était large et peu profond, des branches de saules traînant dans le courant. Rien ne bougeait, hormis les reflets du soleil dans l'eau, mais à l'évidence, les vaches étaient passées par là. Des empreintes fraîches marquaient la boue retournée de la berge. Dans un coin, l'herbe aplatie indiquait qu'une masse imposante s'y était couchée.

— J'aurais dû penser à apporter de la corde, grommela Jamie. La viande, c'est bien, mais du lait et du fromage toute l'année, ce serait encore mieux...

Ses ronchonnements se perdirent dans la végétation, tandis qu'il s'écartait du torrent, suivant une piste de branchages cassés.

Sans parler, les deux hommes se séparèrent, marchant lentement. Roger ouvrait grands tous ses sens, attentif aux bruits de la forêt. Même un œil aussi peu averti que le sien avait remarqué la fraîcheur des traces. Les vaches devaient être très proches. Pourtant, un silence automnal régnait, perturbé uniquement de temps à autre par le cri d'un corbeau. Bas dans le ciel, le soleil teintait la poussière de tons dorés. L'air devenait nettement plus frais. Traversant une zone d'ombre, Roger frissonna. Ils ne devraient pas trop tarder, avant de retrouver les autres et de monter le camp. En cette saison, le soir tombait vite. Un feu serait bienvenu, même si cuire quelque chose dessus serait encore plus agréable.

Ils continuaient de descendre. Jamie le précédait à quelque distance, marchant d'un pas aussi résolu que le terrain accidenté le lui permettait. De toute évidence, malgré la végétation dense, ils suivaient toujours la piste.

Un troupeau de vaches ne pouvait quand même pas se volatiliser ainsi. À moins d'être des vaches fantômes. Malgré le calme surnaturel de la forêt, il n'était pas encore prêt à avaler des couleuvres.

— Roger.

Jamie avait parlé à voix basse, mais Roger, très attentif, localisa aussitôt son beau-père à quelques pas sur sa droite. Celui-ci lui montra quelque chose près de lui.

— Regarde.

Écartant un gros buisson de ronces, il dévoila le tronc d'un gros sycomore. Une partie de l'écorce avait été arrachée, et une substance blanchâtre suintait de la plaie.

Roger s'approcha et saisit une poignée de longs poils laineux, pris dans le bois entaillé.

— J'ignorais que les vaches se frottaient, elles aussi, contre les arbres.

Méditatif, Jamie observa la touffe dans la main de son gendre.

— Oui, elles font ça, parfois. Mais, je n'ai encore jamais vu une vache avec des poils pareils. Ma foi, on dirait bien…

Quelque chose remua près du coude de Roger. Se tournant juste à temps, il vit une monstrueuse tête sombre s'avancer par-dessus son épaule. Intrigué, un petit œil rouge sang le fixait. Il poussa un cri en reculant précipitamment et son fusil se déclencha dans une détonation assourdissante. Puis, il y eut un bruit sourd, et il se retrouva projeté contre un arbre, le souffle coupé, avec pour seul souvenir immédiat celui d'une masse sombre de poils d'une telle puissance qu'elle l'avait soulevé de terre comme un brin de paille.

Il se redressa, tentant d'aspirer de grandes goulées d'air, et aperçut Jamie à quatre pattes sur le sol, qui cherchait frénétiquement son fusil.

— Lève-toi ! cria-t-il. Debout, Roger ! Bon sang, c'est un bison !

Il se releva d'un bond et suivit Jamie. Il courait, encore étourdi, étonné de tenir son fusil entre ses mains, sa corne de poudre battant contre sa hanche.

Son beau-père bondissait comme un cerf entre les buissons, sa cape enroulée en balluchon cognant contre son dos. La forêt n'était plus silencieuse, mais résonnait d'un vacarme de craquements, de piétinements et de mugissements caverneux.

Il le rejoignit au pied d'une butte qu'ils gravirent en soufflant, leurs pieds dérapant sur les feuilles glissantes. Arrivés au sommet, ils se trouvèrent devant une longue pente parsemée de hauts sapins et de jeunes pruches.

Ils étaient là. Il y en avait huit ou neuf, énormes et velus, qui dévalaient la pente en groupe serré, se séparant occasionnellement pour éviter un tronc ou un taillis. Jamie posa un genou à terre, mit en joue et tira, sans succès. Ce n'était pas le moment de s'arrêter et de recharger. Ils ne devaient pas les perdre de vue. Un coude du torrent scintillait entre les arbres plus bas sur la droite. Roger s'élança dans cette direction, sa gamelle et sa boîte de munitions volant dans les airs, son cœur martelant sa poitrine aussi fort que les sabots des bisons. Il entendait Jamie hurler des exhortations en gaélique derrière lui.

Soudain, une exclamation au ton très différent le fit se retourner. Jamie s'était arrêté, les traits figés. Avant que Roger ne réagisse, l'expression de surprise de son beau-père se mua en fureur. Grimaçant, il saisit son fusil par le canon et donna un violent coup de crosse par terre. Puis il le souleva de nouveau et recommença, encore et encore, le visage rougi par l'effort.

Abandonnant la poursuite à contrecœur, Roger remonta la pente vers lui.

— Qu'est-ce que…

Il n'acheva pas sa phrase, les cheveux dressés sur la tête. Des anneaux bruns s'agitaient entre les touffes d'herbes, épais et couverts d'écailles. Une extrémité du serpent était réduite en bouillie, son sang maculant la crosse du fusil de Jamie, mais le reste du corps sans tête se tortillait toujours sur place. Roger saisit le bras de son beau-père, mais celui-ci le repoussa et continua à pilonner le reptile.

— Arrêtez ! Vous voyez bien qu'il est mort ! Ça suffit !

Jamie s'arrêta enfin, tremblant violemment, appuyé sur son arme.

— Que s'est-il passé ? Il vous a mordu ?

— Oui, à la jambe. J'ai marché dessus.

Le visage de Jamie était blême. Il baissa de nouveau les yeux vers le cadavre encore agité de soubresauts, et un profond frisson le parcourut.

Roger se contrôla et saisit de nouveau le bras de Fraser.

— Venez vous asseoir. Laissez-moi regarder.

Jamie le suivit en boitant, puis s'affala sur un tronc couché. Avec des doigts tremblants, il chercha le haut de son bas. Roger écarta sa main et lui ôta lui-même son soulier et son bas droits. La marque des crocs était nettement visible : deux petits trous rouges dans le gras du mollet. La peau tout autour commençait à bleuir.

— C'est envenimé. Je dois l'entailler.

La gorge de Roger se noua, mais il était étrangement calme. Il sortit son couteau, songea brièvement à le stériliser, puis chassa cette idée de sa tête. Allumer un feu lui ferait perdre de précieuses minutes, et il devait agir au plus vite.

— Attends.

Jamie était toujours livide, mais il avait cessé de trembler. Il détacha sa flasque de sa ceinture et fit couler un filet de whisky sur la lame. Puis il esquissa une grimace qui se voulait encourageante.

— Claire fait toujours ça avant de charcuter quelqu'un, expliqua-t-il.

Agrippant fermement le tronc couvert de mousse, il se pencha en arrière et déclara :

— C'est bon, tu peux y aller.

Se mordant la lèvre, l'air concentré, Roger pressa la pointe de la lame juste au-dessus de la morsure. La peau était étonnamment résistante et souple. Le couteau s'enfonça, mais ne l'incisa pas. Fraser se redressa, posa ses deux mains autour de celles de Roger et poussa dessus d'un grand coup sec avec un grognement profond. La lame transperça la peau et pénétra de plusieurs centimètres. Le sang jaillit, et les bras de Jamie retombèrent le long de son corps.

— Encore. Plus fort. Fais vite !

Sa voix était ferme, mais son front dégoulinait de sueur. Roger rassembla ses forces, puis enfonça de nouveau son couteau d'un coup sec, faisant deux entailles en X au-dessus des marques de crocs, tout comme l'expliquait la méthode de secourisme. Le sang coulait en épaisses rigoles. Ce devait être bon signe. Il fallait creuser, aller chercher le venin plus profondément. Il déposa son couteau et colla sa bouche contre la plaie.

Il ne paniquait pas, mais était conscient de l'urgence de la situation. Avec quelle rapidité le venin se diffusait-il ? Il n'avait que quelques minutes devant lui, peut-être moins. Il aspira aussi fort que possible, les poils de Fraser lui chatouillant les lèvres. Le sang remplit sa bouche avec un goût de métal chaud. Pendant que, concentré sur sa tâche, il suçait et recrachait le liquide sur les feuilles jaunes, une foule de pensées éphémères traversèrent son esprit avec ce détachement singulier qui accompagne les moments d'urgence.

Cette saleté était-elle vraiment morte ?

À quel point était-il venimeux ?

Les bisons s'étaient-ils échappés ?

S'y prenait-il bien ?

Brianna le tuerait s'il laissait mourir son père, Claire aussi.

Il avait une crampe atroce dans la cuisse droite.

Où étaient donc passés les autres ? Fraser devrait les appeler… Ah ! tiens ! Il était justement en train de le faire, hurlant des mots que Roger, trop occupé, n'écoutait pas. La chair de la jambe qu'il tenait entre ses mains était devenue dure comme de la pierre, les muscles se bandant sous la pression de ses doigts.

Une main se plaqua sur sa nuque et lui tira les cheveux en arrière, l'obligeant à lâcher la plaie. Il releva les yeux, hors d'haleine.

— Ça suffit, lui dit calmement Jamie. Tu vas me vider de tout mon sang.

Avec prudence, il agita son pied nu et grimaça. Les entailles saignaient encore et, à cause de la succion, la peau tuméfiée tout autour était enflée.

Roger s'assit en arrière sur ses talons, en inspirant profondément.

— Je crois que j'ai fait encore plus de dégâts que le serpent.

Sa bouche se remplit de salive, puis il toussa et cracha. Fraser lui tendit la flasque de whisky. Roger se gargarisa, recracha, puis but une longue gorgée. Il s'essuya le menton du dos de la main et, d'un signe de tête, indiqua la jambe de son beau-père.

— Ça va aller ?

Jamie sourit faiblement.

— Ça ira. Va voir si les autres sont dans les parages.

Ils n'étaient nulle part. Grimpé sur le promontoire, il ne voyait qu'un océan houleux de branches nues agitées par le vent. Si les bisons suivaient toujours le lit du torrent, on n'en distinguait aucune trace, pas plus que des chasseurs.

La voix rauque d'avoir appelé vainement leurs noms, il redescendit le versant. Jamie s'était déplacé, à l'abri de rochers, au pied d'un grand sapin baumier. Il s'était assis, adossé contre la pierre, les jambes étalées devant lui, un mouchoir noué au-dessus du mollet mordu.

— Aucun signe. Vous pouvez marcher ?

Roger se pencha vers lui et remarqua avec angoisse qu'il avait le visage rouge et trempé de sueur en dépit de la fraîcheur.

— Je peux, mais pas longtemps.

La jambe avait encore considérablement enflé près de la morsure, et le bleu s'était propagé, formant de grandes ecchymoses de chaque côté du garrot. Le malaise de Roger s'agrandit. Il avait fait ce qu'il devait et savait faire, mais toutes les méthodes de premiers secours finissaient leur chapitre sur les morsures de serpent par « Immobilisez le membre atteint et conduisez le patient à l'hôpital le plus rapidement possible ». Les incisions et l'aspiration étaient censées avoir extrait le venin de la plaie, mais, apparemment, il en restait beaucoup qui se diffusait lentement dans l'organisme de Jamie. Quant à l'hôpital le plus proche, à savoir Claire et ses herbes, il se trouvait à une journée de marche.

Roger s'accroupit à ses côtés, se demandant ce qu'il devait faire. « Immobilisez le membre », c'était déjà fait, mais après ?

— Ça fait très mal ? demanda-t-il.

— Oui, dit Jamie en fermant les yeux.

Cette réponse ne l'avançait guère. Il s'assit sur le tapis d'aiguilles sèches pour réfléchir. Le jour baissait rapidement. La brève chaleur apportée par le soleil s'était dissipée, et les ombres sous les arbres se teintaient de bleu marine. Toutefois, il restait environ une heure avant la tombée de la nuit. De toute évidence, ils n'iraient nulle part ce soir. Même si Fraser arrivait à marcher, s'orienter la nuit dans les montagnes était pratiquement impossible. Si les autres avaient été là, ils auraient pu fabriquer un brancard pour le transporter, mais était-ce mieux que de le laisser sur place ? Tout en regrettant amèrement l'absence de Claire, il était conscient qu'elle ne pourrait pas faire grand-chose non plus, hormis réconforter Jamie s'il venait à mourir...

Cette pensée lui noua les entrailles. La repoussant fermement, il ouvrit sa bourse pour vérifier ses provisions. Il lui restait un peu de galette de maïs et, dans ces montagnes, l'eau était facile à trouver. Il entendait le gargouillis d'un ruisseau un peu plus bas. Cela dit, il ferait mieux de ramasser du bois pendant qu'il faisait encore jour.

— On ferait bien de préparer un feu, dit Jamie au même moment en le faisant sursauter.

Ayant rouvert les yeux, il examinait sa main, la tournant dans un sens puis dans l'autre, comme s'il la voyait pour la première fois.

— J'ai des picotements dans les doigts, observa-t-il d'un air intrigué.

Il se toucha le visage en ajoutant :

— Là aussi. Je ne sens plus mes lèvres. Tu crois que c'est normal ?

— Je n'en sais rien. Peut-être, oui, si vous avez bu de votre whisky.

La plaisanterie était osée, mais, au moins, elle lui arracha un semblant de rire. Jamie toucha la flasque posée à ses côtés.

— Non, je n'en ai pas pris, mais il se peut que j'en aie besoin, plus tard.

Roger déglutit et se releva.

— À présent, vous devez éviter de bouger. Je vais chercher du bois. Les autres repéreront sans doute la lueur de notre feu.

Les autres ne seraient sans doute pas d'un grand secours, du moins pas avant le lendemain matin, mais ce serait toujours plus rassurant de ne pas être seuls.

— Ramasse le serpent au passage, lança Jamie derrière lui. Œil pour œil, dent pour dent. On en fera notre dîner !

Souriant en dépit de son inquiétude, Roger lui fit un signe de la main et s'éloigna.

Tout en se baissant pour attraper une épaisse branche de pin, Roger se demanda quelles étaient leurs chances. Fraser était un grand gaillard robuste, en parfaite santé. Il tiendrait sûrement le coup.

Pourtant, il n'était pas rare que des gens meurent d'une morsure de serpent. La semaine précédente, justement, il avait entendu parler d'une Allemande près de

High Point qui, en se penchant pour prendre une bûche sur son tas de bois, s'était fait mordre à la gorge par un serpent caché sous la pile. Elle était morte en quelques minutes. Cette image lui revint en mémoire au moment où il glissait sa main sous un buisson pour saisir une branche morte, et il retira précipitamment son bras. Puis, maudissant sa stupidité, il retourna prudemment les feuilles mortes avec un bâton avant d'avancer de nouveau sa main. Il ne pouvait s'empêcher de se retourner presque toutes les minutes afin de surveiller son beau-père. S'il perdait connaissance pendant son absence ?

Puis, se souvenant qu'il n'était pas censé mourir avant quelques années dans l'incendie de sa maison, il réussit à se détendre. Pour une fois, l'annonce d'une tragédie était rassurante. Il prit une grande inspiration et soupira avant de se préparer à aller chercher le serpent.

Cette fois, la chose était totalement inerte. Néanmoins, il dut faire un effort pour la toucher. Elle était presque aussi épaisse que son poignet et mesurait près d'un mètre vingt. Elle avait commencé à se rigidifier, si bien qu'il finit par la poser sur sa brassée de bois, telle une branche écailleuse. À la voir ainsi, il comprenait comment l'Allemande s'était laissée piéger. Les motifs subtils bruns et gris de ses anneaux rendaient le reptile pratiquement invisible.

Jamie le dépeça, pendant que Roger préparait le feu. En l'observant du coin de l'œil, il constata qu'il réduisait la bête en bouillie, ses doigts de plus en plus gourds essayant tant bien que mal d'enfiler les morceaux de chair pâle sur une fine branche mal écorcée. Sa tâche achevée, il tendit la brochette vers le feu et manqua de la laisser tomber. Roger la rattrapa de justesse et sentit un tremblement agiter le bras de son beau-père.

— Ça va ?

Machinalement, il avança une main vers le front de Jamie qui, surpris et froissé, eut un mouvement de recul.

— Oui...

Puis, après un moment d'hésitation, il admit :

— Je me sens un peu bizarre.

— Pourquoi ne pas vous allonger ? Essayez de dormir. Je vous réveillerai quand ce sera cuit.

Jamie ne discuta pas, ce qui acheva d'inquiéter Roger. Il se roula en chien de fusil sur son lit de feuilles, déplaçant sa jambe blessée avec un tel soin qu'il trahissait toute sa douleur.

La brochette grésillait au-dessus des flammes et, malgré son léger dégoût à l'idée de manger de la viande de serpent, Roger sentit son estomac gronder. Ça sentait le poulet grillé ! Une fois de plus, il constata que la frontière entre l'appétit et l'inanition était ténue. Laissez le plus exigeant des gourmets sans nourriture un jour ou deux, et il ne fera pas la fine bouche devant des limaces et des lézards. Roger en avait fait son menu quotidien lors du retour de son expédition d'arpentage.

Il gardait un œil sur Jamie. Les yeux fermés, celui-ci ne bougeait pas, mais, de temps en temps, un tremblement l'agitait. Son visage était toujours aussi rouge, mais cela pouvait être le reflet du feu.

Le temps que la viande soit cuite, la nuit était tombée. Roger descendit à la rivière chercher de l'eau, puis jeta des brassées entières de feuilles sèches et de petit bois dans le feu, faisant monter les flammes haut au-dessus de sa tête. Si les chasseurs étaient quelque part, à un kilomètre à la ronde ils les repéreraient.

Fraser se redressa péniblement pour dîner. Il était clair qu'il n'avait pas d'appétit, mais il se força à mâcher et à déglutir, chaque bouchée lui demandant un effort tenace. Était-ce par pure opiniâtreté ? s'interrogea Roger. Sa vengeance personnelle contre le serpent ? Une superstition écossaise voulant que manger le reptile constitue un antidote à son venin ?

Comme pour confirmer cette hypothèse, Jamie lui demanda soudain :

— Les Indiens ont-ils des remèdes contre les morsures de serpents ?

— Oui, répondit Roger prudemment. Ils mélangent des racines et des herbes avec du crottin ou de la semoule de maïs chaude qu'ils appliquent ensuite en cataplasme.

— Ça marche ?

Un morceau de viande pendait au bout du poignet mou de Fraser, comme s'il était trop épuisé pour le porter à ses lèvres.

— Je ne les ai vus faire que deux fois. La première a parfaitement fonctionné. Aucun gonflement, aucune douleur. La petite fille était rétablie le soir même. La seconde fois... euh, ce fut moins probant.

Il avait vu le corps enveloppé dans un linceul en cuir lorsqu'ils l'avaient sorti de la cabane commune, mais n'avait pas assisté à l'agonie sordide de la victime. Apparemment, il allait bientôt en avoir l'occasion.

Fraser maugréa.

— Qu'est-ce qu'ils auraient fait à ton époque ?

— On vous aurait injecté un sérum antivenimeux.

— « Injecté » ? Un jour, Claire m'a injecté quelque chose. Je n'ai pas beaucoup aimé ça.

— Ça a marché ?

En guise de réponse, Jamie se contenta de grogner avant de déchirer un autre morceau de viande d'un coup de dents.

Malgré son angoisse, Roger ne fit qu'une bouchée de sa part de serpent, puis avala ce que Jamie avait laissé. Au-dessus d'eux, le ciel était dégagé et parsemé d'étoiles. Un vent froid agitait les arbres, glaçant leurs mains et leurs oreilles.

Il enfouit les restes du serpent (il ne manquait plus que la visite d'un gros carnivore attiré par l'odeur du sang pendant la nuit), puis entretint le feu tout en tendant l'oreille, guettant des appels. Il n'entendait rien d'autre que le gémissement du vent et le craquement des branches. Ils étaient seuls.

En dépit du froid, Fraser avait retiré sa chemise de chasse et, assis, les yeux fermés, se balançait doucement. Roger s'accroupit près de lui et lui toucha le bras. Il était brûlant.

Fraser souleva les paupières et sourit faiblement. Il prit maladroitement la tasse d'eau que lui tendait Roger et le remercia d'un signe de tête. Sa jambe avait pratiquement doublé de volume à partir du genou. La peau était mouchetée de taches rouge sombre, comme si quelque succube était venu poser ses lèvres avides, ici et là, avant de repartir frustré.

De plus en plus inquiet, Roger se demanda s'il ne s'était pas trompé sur toute la ligne. Il avait toujours été convaincu que le passé ne pouvait être modifié. Pour lui, l'heure et la nature de la mort de Fraser étaient programmées pour dans quatre ans. Sans cette certitude, il aurait eu très peur pour son beau-père. Cela dit, à voir sa tête à présent... en était-il toujours vraiment sûr ?

Jamie reposa la tasse et le fixa d'un regard calme.

— Tu as peut-être tort.

Roger sursauta. Avait-il pensé à voix haute sans s'en rendre compte ?

— À quel propos ?

— À propos du changement. Tu crois impossible de changer le cours de l'histoire. Si tu te trompais ?

Roger se pencha et tritura les braises.

— Je ne me trompe pas, répondit-il d'un ton ferme. Regardez : Claire et vous avez tout fait pour arrêter Charles Édouard Stuart, pour défaire ce qu'il avait fait. Vous n'avez pas pu. Cela ne se peut pas.

Fraser se cala contre le tronc d'arbre, les yeux mi-clos.

— Ce n'est pas tout à fait exact.

— Comment ça ?

— C'est vrai que nous n'avons pu l'empêcher d'organiser le Soulèvement, mais cela ne dépendait pas que de nous. Beaucoup d'autres personnes sont intervenues. Les chefs qui l'ont suivi, ces maudits Irlandais qui l'ont encouragé, même le roi de France s'y est mis, avec son or.

Il écarta cette idée d'un geste de la main et reprit :

— Là n'est pas la question. Tu dis que Claire et moi n'avons pas pu l'arrêter, c'est vrai. Nous n'avions rien pu faire contre le début du Soulèvement, mais nous aurions pu empêcher sa conclusion.

— Vous voulez dire… Culloden ?

Roger regarda les flammes, se souvenant vaguement de ce jour lointain où Claire leur avait raconté pour la première fois, à Brianna et à lui, l'histoire des menhirs et de Jamie Fraser. Effectivement, elle avait parlé d'une dernière occasion… une dernière chance d'éviter le massacre des clans…

Il releva les yeux vers Fraser.

— En assassinant Charles Édouard ?

— Oui. Sauf que ni elle ni moi n'avons pu nous y résoudre.

Ses yeux étaient presque fermés, mais il étirait le cou, visiblement mal à l'aise.

— Depuis, je me suis souvent demandé si c'était par sens de l'honneur… ou par lâcheté.

— Peut-être ni l'un ni l'autre, répondit Roger. Vous ne pouvez pas le savoir. Je parie que si Claire avait tenté de l'empoisonner, cela aurait mal tourné. Le plat aurait été renversé, un chien aurait avalé le poison, quelqu'un d'autre serait mort… cela n'aurait rien changé !

Fraser rouvrit brusquement les yeux et s'essuya les lèvres du revers de la main.

— Tu crois donc que tout est déjà écrit ? L'homme n'a donc pas son libre arbitre ? Quand tu as décidé de venir rejoindre Brianna, puis, plus tard, de revenir pour elle et le petit, ce n'était pas ton choix ? Tu étais destiné à agir ainsi ?

— Je…

Roger s'interrompit, les poings serrés sur les cuisses. L'odeur des fonds de cale du *Gloriana* remonta soudain et dissipa celle du feu de bois. Puis il se détendit et laissa échapper un petit rire gêné :

— On choisit bien notre moment pour discuter philosophie, non ?

— Qu'est-ce que tu veux ? dit Jamie doucement. Je n'aurai peut-être pas d'autre occasion.

Avant que Roger n'eût le temps de protester, il reprit :

— S'il n'y a pas de libre arbitre, alors il n'y a ni péché ni rédemption, n'est-ce pas ?

Roger écarta sa mèche de devant ses yeux, marmonnant :

— Je suis parti à la chasse avec Monsieur-la-terreur-des-ours et me voici sous un arbre avec saint Augustin !

Jamie ne releva pas la pointe d'humour, poursuivant sa ligne de pensée :

— Claire et moi avons choisi. Nous n'avons pas voulu commettre un meurtre. Nous avons refusé de verser le sang d'un homme. Cela signifie-t-il que nous avons sur les mains le sang de ceux qui sont morts à Culloden ? Nous n'avons pas voulu faire un péché, mais le péché nous a-t-il quand même trouvés ?

— Bien sûr que non.

Énervé, Roger se releva et asticota le feu, en poursuivant :

— Ce qui est arrivé à Culloden n'était pas votre faute. Comment cela serait-il possible ? Songez à tous ces hommes qui y ont pris part – Murray, Cumberland, les chefs de clan… –, ce n'était pas le fait d'un seul homme !

— Donc, selon toi, c'était prévu ? Nous serions perdus ou sauvés dès la naissance, et on ne peut rien y changer ? Dire que tu as été élevé par un pasteur !

Cynique, Fraser ricana.

Roger était gêné et plus agacé qu'il n'aurait dû l'être.

— C'est vrai, dit-il. Enfin, non, je ne pense pas ça. C'est juste que… si un événement s'est déjà produit d'une certaine manière, comment peut-il avoir lieu autrement ?

— C'est simplement parce que tu crois à ta version de l'événement.

— Je ne le crois pas, j'en suis sûr !

— Mmphm. Parce que tu viens de l'autre côté, que c'est déjà passé, et donc que tu n'y peux plus rien. Mais moi, pour qui rien n'est encore arrivé, pourquoi ne pourrais-je pas avoir de l'influence ?

Roger se massa le visage des deux mains.

— Cela signifie…

Il hésita. Comment pouvait-il le dire d'une manière cohérente ? Pour lui, parfois, plus rien dans ce monde n'avait de sens.

— Peut-être, dit-il finalement. Dieu seul le sait, pas moi.

— D'un autre côté, je suppose qu'on le saura bientôt.

Le ton étrange dans sa voix fit tressaillir Roger.

— Qu'est-ce que vous voulez dire par là ?

— Tu crois savoir que je vais mourir dans quatre ans, dit calmement Jamie. Si je meurs ce soir, c'est que tu te seras trompé, non ?... Donc, le passé peut être modifié.

— Vous n'allez pas mourir ! rétorqua Roger.

Il fusilla son beau-père du regard, le défiant de le contredire.

— Je suis ravi de l'entendre, mais, pour le moment, je vais boire une gorgée de whisky. Ouvre-moi la flasque, veux-tu ? Je n'arrive pas à attraper le bouchon avec mes doigts.

Les propres mains de Roger étaient loin d'être agiles. Peut-être était-ce uniquement la peau brûlante de fièvre de Fraser contre la sienne qui lui donna l'impression d'être frigorifié. Il doutait que le whisky soit recommandé en cas de morsure de serpent, mais cela n'avait sans doute plus grande importance.

— Allongez-vous, dit-il une fois que Jamie eut fini de boire. Je vais chercher encore un peu de bois.

Il était incapable de rester en place. Après avoir rassemblé assez de branches, il continua longtemps à tourner dans le noir, juste à portée de vue du feu.

Il avait passé de nombreuses nuits comme celle-ci, seul sous un ciel si vaste qu'il ne pouvait lever les yeux sans en être étourdi, glacé jusqu'aux os, marchant en rond pour se réchauffer. Des nuits où il avait été tiraillé par un combat intérieur, ayant une décision à prendre, trop énervé pour s'allonger sur un lit de feuilles, trop torturé pour dormir.

Ses choix avaient été clairs, mais si difficiles à faire. D'un côté, Brianna et tout ce qui venait avec : l'amour et le danger, le doute et la peur. De l'autre, la sécurité. Il avait choisi. Bon sang, il avait choisi ! Rien ni personne ne lui avait forcé la main. Si cela signifiait se reconstruire à partir de rien, alors il l'avait décidé aussi. Il avait également choisi d'embrasser Morag. À ce souvenir, sa bouche se tordit. Il avait encore moins deviné les conséquences de ce geste.

Une petite voix résonna dans son esprit, un vague écho remontant des ténèbres de sa mémoire.

« … Peu importe qui je suis et d'où je viens, tout ce qui compte est ce que je deviendrai. »

Qui avait écrit ça ? Montaigne ? Locke ? Un de ces foutus esprits du Siècle des lumières, avec leurs grandes idées sur le destin et l'individu ? Il aurait aimé connaître leurs opinions sur les voyages dans le temps ! Puis il se souvint, et un frisson lui parcourut l'échine.

« Ceci est le grimoire de la sorcière Geillis. J'ai adopté ce nom, parce que c'est un nom de sorcière. Peu importe qui je suis et d'où je viens, tout ce qui compte est ce que je deviendrai. »

— Exactement ! s'écria-t-il à voix haute. Pourtant, toi non plus, tu n'as rien pu changer, n'est-ce pas, grand-mère ?

Un bruit retentit derrière lui, dans la forêt, et les poils de sa nuque se hérissèrent. Puis il le reconnut. Ce n'était pas un rire de femme, comme il l'avait d'abord cru, mais le cri lointain d'un couguar.

Tout à coup, il se rendit compte qu'elle avait changé quelque chose. Certes, elle n'avait pas réussi à faire monter Charles Édouard Stuart sur le trône, mais elle avait accompli un certain nombre d'autres prouesses. Maintenant qu'il y pensait… Claire et elle avaient toutes deux modifié le cours du temps : elles avaient eu un enfant avec un homme d'une autre époque. Brianna et William Buccleigh... et quand il songeait à l'incidence de ces deux-là sur sa propre existence, que dire des autres...

Cela transformait forcément l'avenir, non ? Il s'assit sur un arbre couché, l'écorce mouillée et froide refroidissant ses fesses. Oui, forcément. Pour ne citer qu'un changement mineur : sa propre existence, conséquence directe de la prise en charge par Geilie Duncan de son propre destin. Si elle n'avait pas eu un enfant avec Dougal MacKenzie... sauf que bien sûr, elle ne l'avait pas fait exprès.

L'intention faisait-elle la différence ? N'était-ce pas là l'argument clé de sa conversation avec Jamie Fraser ?

Il se leva et contourna discrètement le feu, scrutant l'obscurité. Fraser était allongé, formant une masse dans les ténèbres, immobile.

Il s'approcha doucement, mais les aiguilles de pin craquaient sous ses semelles. Fraser ne bougea pas et garda les yeux fermés. Le teint moucheté s'était propagé à son visage. Roger lui trouva l'air congestionné, les paupières et les lèvres un peu enflées. Dans la lumière vacillante des flammes, il était impossible de dire s'il respirait.

Roger s'agenouilla et le secoua comme un prunier.

— Hé ! Vous êtes encore là ?

Il avait voulu parler sur le ton de la plaisanterie, mais la peur dans sa voix était criante, même à ses propres oreilles.

Fraser ne bougea pas, mais entrouvrit un œil.

— Oui, mais ce n'est pas une partie de plaisir.

Roger ne s'éloigna plus. Il essuya le visage de Jamie avec un linge mouillé, lui offrit encore un peu de whisky, dont il ne voulut pas, puis s'assit à ses côtés, guettant chaque nouvelle respiration rauque.

Malgré lui, il se surprit à faire des plans, passant d'une horrible présomption à une autre. S'il se produisait le pire ? Il devait bien en admettre la possibilité. Il avait déjà vu plusieurs personnes moins mal en point que Fraser mourir.

Si le pire arrivait et que les autres ne réapparaissaient pas, il devrait enterrer Jamie. Il ne pouvait ni le porter ni l'abandonner là, pas avec des couguars ou autres charognards dans les parages.

Il balaya les alentours du regard. Tout lui paraissait étranger : les rochers, les arbres, les broussailles, les formes à demi dissimulées dans l'obscurité dont les contours oscillaient et changeaient dans les reflets des flammes, le vent ronronnant comme un félin.

Là-bas, peut-être... la forme oblique d'un arbre presque déraciné se dessinait dans le noir. Il pourrait gratter une fosse peu profonde à ses pieds, puis faire basculer le tronc sur la tombe provisoire pour la protéger.

Il pressa son front contre ses genoux.

— Non ! murmura-t-il. Je vous en prie, non !

L'idée d'annoncer la nouvelle à Brianna et à Claire lui faisait mal physiquement, lui lacérant la poitrine et la gorge. Il y avait aussi tous les autres. Jemmy, Fergus et Marsali, Lizzie et son père, les Bug, les Lindsay, les autres familles de Fraser's Ridge. Tous ces gens qui comptaient sur Jamie pour les protéger et les guider.

Fraser bougea en gémissant. Roger posa une main sur son épaule, et il se calma.

Les mots non dits se bousculaient dans sa gorge, formant une boule dure.

« Ne partez pas. Restez avec nous. Restez avec moi. »

Il resta ainsi longtemps, sa main sur l'épaule de son beau-père avec l'impression absurde de le retenir, de l'ancrer à la terre. S'il le tenait jusqu'à l'aube, tout irait bien. S'il le lâchait, ce serait la fin.

Le feu s'était presque consumé, mais il repoussait sans cesse le moment d'aller l'entretenir, refusant de s'éloigner.

— MacKenzie ?

Ce n'était qu'un murmure, mais Roger se pencha aussitôt vers lui.

— Oui, je suis là. De l'eau ? Du whisky ?

Tout en parlant, il tentait d'attraper la tasse. Dans son empressement, il en renversa la moitié. Fraser but deux petites gorgées, puis détourna la tête, signifiant qu'il en avait assez. Après quoi, il déclara d'une voix basse et rauque mais audible :

— J'ignore si tu as tort ou raison, mais si je suis en train de mourir, je dois te révéler plusieurs choses, Roger. Je ne veux pas attendre qu'il soit trop tard.

— Je suis là, répéta Roger, ne sachant pas quoi dire d'autre.

Fraser ferma les yeux, rassemblant ses forces, puis glissa ses mains sous lui et roula sur le côté, lourd et maladroit. Il grimaça et attendit quelques instants de retrouver son souffle avant de poursuivre :

— Bonnet. Tu dois savoir ce que j'ai mis en route.

— Oui ?

Pour la première fois, Roger ressentit autre chose que de l'inquiétude pour le sort de son beau-père.

— Il existe un dénommé Lyon, et Duncan Innes sait où le trouver. Il travaille sur la côte, achetant aux contrebandiers qui dirigent les Outer Banks. Pendant le mariage, il est venu à River Run pour me proposer de faire affaire avec lui. Il veut distribuer mon whisky.

Le plan paraissait relativement simple. Jamie comptait faire savoir à ce Lyon – par l'entremise de qui, Roger l'ignorait – qu'il était disposé à traiter avec lui, à condition qu'il organise une rencontre avec Stephen Bonnet, sous prétexte de s'assurer que l'homme avait la réputation et les compétences nécessaires pour acheminer la marchandise le long de la côte.

— Pour ce qui est d'avoir une réputation, on ne peut pas faire mieux ! marmonna Roger dans sa barbe.

— Lyon n'acceptera pas sans faire d'histoires. Il va marchander et poser ses conditions, mais il finira par dire oui. Dis-lui que tu as assez de stock pour que l'affaire soit rentable. Si nécessaire, donne-lui un baril de notre whisky de deux ans d'âge. Dès qu'il rencontrera des gens prêts à payer pour ça, il te mangera dans la main. Le lieu de la rencontre…

Il s'interrompit et prit plusieurs inspirations avant de pouvoir continuer :

— … J'avais pensé au débarcadère de Wylie, mais si c'est toi qui t'y rends, choisis un endroit à ta convenance. S'il accepte, emmène les Lindsay avec toi pour surveiller tes arrières. Sinon, trouve quelqu'un d'autre, mais n'y va pas tout seul. Et tiens-toi prêt à le tuer du premier coup.

Roger acquiesça, déglutissant péniblement. Sous les paupières enflées, les yeux de Jamie brillaient et reflétaient les flammes.

— Ne le laisse pas te défier ni s'approcher trop près de toi. Tu as fait beaucoup de progrès à l'épée, mais tu ne feras pas le poids contre lui.

Roger ne put s'empêcher de demander :

— Mais vous, si ?

Il crut que Fraser souriait, mais c'était difficile à dire.

— Oh ! oui, répondit-il doucement. Si je vis.

Il toussa, puis, d'un geste de la main, chassa le sujet Stephen Bonnet.

— Pour le reste... surveille Sinclair. C'est un homme utile. Il sait tout ce qui se passe dans le comté, mais ne lui tourne jamais le dos.

Il marqua un temps d'arrêt, les sourcils froncés.

— Tu peux te fier à Duncan Innes et à Farquard Campbell. Ainsi qu'à Fergus, bien sûr. Il fera tout pour t'aider. Pour ce qui est des autres...

Il changea de nouveau de position et grimaça.

— Fais attention à Obadiah Henderson. Il te mettra à l'épreuve. Parmi les autres, beaucoup le feront également. Laisse-les faire, mais pas Henderson. Écrase-le à la première occasion. Il ne te laissera pas une deuxième chance.

Lentement, en s'arrêtant fréquemment pour reprendre son souffle, il poursuivit sa liste des hommes de Fraser's Ridge, des habitants de Cross Creek, des personnages influents de la vallée de Cape Fear. Leur personnalité, leurs inclinations, leurs secrets, leurs obligations.

Roger ravala sa panique, s'efforçant d'écouter avec attention, de tout enregistrer dans sa mémoire, voulant rassurer Fraser, lui demander d'arrêter, de se reposer, lui dire que tout cela était inutile... tout en sachant que c'était indispensable. Une guerre approchait, pas besoin de venir du futur pour le savoir. Si l'avenir de Fraser's Ridge – de Brianna, de Jemmy et de Claire – devait reposer entre ses mains, il devait tenir compte des moindres informations de Fraser.

La voix de Jamie s'éteignit dans un râle. Avait-il perdu connaissance ? L'épaule sous sa main était molle. Il resta assis là, n'osant pas bouger.

Une peur sourde s'installa dans le creux de son ventre, une angoisse tenace pointant sous la douleur plus vive du chagrin. Cela ne suffirait pas. Il n'y arriverait jamais. Bon sang ! Il ne parvenait même pas à toucher une cible grosse comme une maison ! Comment se substituerait-il à Jamie Fraser ? Maintenir l'ordre à l'aide de ses poings et de ses méninges ? Nourrir les siens avec un fusil et un couteau, marcher sur le terrain miné de la politique, à cheval sur un baril de poudre, avec métayers et famille sur les épaules ? Remplacer celui qu'on appelait « Sa Seigneurie » ? Ce n'était pas demain la veille !

Soudain, la main de Fraser remua. Ses doigts à la peau étirée et luisante ressemblaient à des boudins. Roger posa sa main libre sur la sienne et sentit les doigts qui cherchaient à s'enrouler autour des siens.

— Dis à Brianna que je suis fier d'elle, murmura-t-il. Donne mon épée au petit.

Roger acquiesça d'un signe de tête, incapable de parler. Puis, prenant conscience que Fraser ne le voyait pas, il s'éclaircit la gorge.

— Je lui dirai.

Il attendit, mais Fraser ne prononça plus aucune parole. Les flammes basses étaient presque éteintes, mais la main dans la sienne brûlait plus fort que des braises. Une rafale de vent passa, rabattant des mèches de cheveux sur son visage, et fit s'envoler une pluie d'étincelles.

Il attendit aussi longtemps que possible, la nuit autour d'eux s'égrenant en minutes solitaires, puis il se pencha vers Fraser et chuchota à son oreille :

— Et Claire ? Voulez-vous que je lui dise quelque chose ?

Il crut avoir attendu trop longtemps. Pendant un bon moment, Fraser ne réagit pas. Puis la grande main bougea, pressant légèrement la sienne, un mouvement à peine perceptible.

— Dis-lui... que je le pensais sincèrement.

53

Les bonnes ménagères

— Je n'ai jamais rien vu de pareil. C'est... franchement bizarre.

Je me penchai plus près.

— Quand je pense que tu as passé la moitié de ta vie comme guérisseuse ! marmonna Jamie. Ne me dis pas que les serpents n'existaient pas à ton époque.

— Pour ne rien te cacher, ils ne grouillaient pas vraiment dans le centre de Boston. En outre, en cas de morsure, on ne faisait pas appel à un chirurgien. Ce que j'ai vu de plus analogue, c'est un gardien de zoo mordu par un cobra royal. Un ami médecin légiste m'avait invitée à assister à l'autopsie.

Je me gardai d'ajouter que le gardien en question avait eu bien meilleure mine que lui en ce moment.

Je palpai délicatement sa cheville. Enflée, chaude et sèche, la peau était brillante et rouge vif. Cette couleur s'étendait de son pied jusque sous sa cage thoracique, comme s'il avait trempé dans de l'eau bouillante.

Son visage, ses oreilles et son cou avaient également un teint de tomate mûre. Seule la peau pâle de sa poitrine avait été épargnée, mais elle était néanmoins parsemée de petits boutons. Outre leur couleur de langouste cuite, ses pieds et ses mains pelaient, formant des lambeaux qui pendaient comme de la barbe espagnole.

En examinant sa hanche avec attention, je distinguai une éruption plus grave. Une ligne de petits pois rouges se détachait nettement sur la crête de l'os iliaque. Je passai un doigt dessus, fascinée.

— On dirait qu'on t'a fait rôtir lentement à petit feu. C'est la première fois que je vois une telle réaction.

Les boutons ne saillaient pas. Je les percevais à l'œil nu, mais ne pouvais les sentir individuellement. C'étaient des pétéchies, des taches de la taille d'une tête d'épingle provoquées par une hémorragie sous-cutanée. Mais il y en avait tant !

— Je ne voudrais pas avoir l'air méchant, *Sassenach*, mais tu es mal placée pour me critiquer.

Trop faible pour me faire un signe de tête, il baissa les yeux vers mes doigts, couverts de taches jaunes et bleues.

— Merde !

Je me levai précipitamment, rabattis la couverture sur lui et courus vers la porte. Distraite par l'arrivée spectaculaire de Jamie, j'avais abandonné une cuve de teinture dans la cour. Elle contenait peu d'eau. Si celle-ci s'était évaporée, les vêtements étaient fichus…

Dès la porte franchie, une puanteur chaude d'urine et d'indigo me prit à la gorge. Toutefois, je fus soulagée en apercevant Marsali, le visage rougi par l'effort, hisser une masse dégoulinante hors de la cuve, au bout de la longue fourche en bois. Je me précipitai pour l'aider, saisissant les habits fumants un à un et les jetant sur les mûriers pour qu'ils sèchent.

Soufflant sur mes doigts ébouillantés, je souris à Marsali.

— Heureusement que tu es passée par là, j'ai bien failli tout faire brûler.

Elle se passa une main sur le visage, aplatissant les fines mèches blondes qui s'étaient échappées de son fichu.

— Ils seront sans doute un peu sombres. Mais si le temps reste beau, vous devriez les mettre au soleil pour faire passer la couleur. Tenez, aidez-moi à déplacer la cuve avant qu'elle soit irrécupérable.

Des croûtes d'indigo s'étaient déjà formées et commençaient à noircir dans le fond. Un nuage de fumée âcre s'éleva de la cuve quand nous la poussâmes hors du feu.

Marsali s'éventa en toussant.

— Ça ira, Claire. J'irai chercher de l'eau pour la faire tremper. Vous pouvez retourner auprès de père. Je suis venue dès que j'ai appris la nouvelle. Comment va-t-il ?

J'étais submergée de gratitude. La dernière chose que j'avais envie de faire pour l'instant était d'aller puiser plusieurs seaux d'eau à la source. Refoulant mes propres angoisses, je répondis :

— Tu es un ange ! Je pense qu'il va guérir. Il se sent terriblement mal. De toute ma vie, je n'ai jamais vu quelqu'un dans un tel état. Mais, si la plaie ne s'infecte pas…

Je croisai les doigts en guise de prophylaxie.

— Il s'en sortira, dit Marsali avec assurance. Fergus dit qu'ils l'ont cru mort quand ils l'ont retrouvé avec Roger, mais, le temps qu'ils franchissent le second pont, il faisait déjà des plaisanteries douteuses au sujet du serpent, si bien qu'ils ont cessé de s'inquiéter.

Après avoir vu sa jambe, je n'en étais pas aussi certaine, mais je hochai la tête malgré tout.

— Oui, tout ira bien. Je vais juste lui mettre un cataplasme et nettoyer sa plaie. Va le voir, si tu veux, pendant que je prépare les oignons.

Heureusement, il n'en manquait pas. Je les avais cueillis deux semaines plus tôt, dès le premier givre. Des dizaines de nattes pendaient dans le garde-manger, odorantes et bruissantes quand je les frôlais au passage. Je détachai six gros bulbes que j'emportai dans la cuisine. Je les hachai lentement, craignant de me couper. Mes doigts étaient encore douloureux et raides d'avoir manipulé le linge bouillant.

— Laissez-moi donc faire, *a leannan*.

Mme Bug me prit le couteau des mains et réduisit les oignons en bouillie en deux temps, trois mouvements.

— C'est pour un cataplasme ? Comme vous avez raison ! Un cataplasme aux oignons, ça vous guérit n'importe quoi !

Toutefois, elle ne pouvait s'empêcher de lancer des regards inquiets vers mon infirmerie.

— Je peux faire quelque chose, maman ?

Brianna venait d'apparaître sur le seuil de la cuisine, l'air préoccupé.

— Papa fait peur à voir. Tu es sûre que ça va aller ?

Jemmy surgit derrière sa mère, moins inquiet pour son grand-père qu'intéressé par le couteau de Mme Bug. Il poussa son petit tabouret vers elle, les traits déterminés sous sa frange cuivrée, criant :

— Moi ! Moi !

J'écartai les cheveux de ma figure avec le dos de la main, les oignons me faisant larmoyer.

— Je crois que oui. Comment va Roger ?

— Bien.

Il y avait une petite note de fierté dans sa voix. Jamie lui avait raconté que Roger lui avait sauvé la vie. C'était fort probable, mais encore fallait-il qu'il reste sauvé.

— Il dort, ajouta-t-elle.

Nos regards se croisèrent, et nous nous comprîmes parfaitement. Quand votre homme était dans son lit, au moins vous saviez où il était. À savoir en sécurité, pour l'instant.

— Jemmy ! Laisse Mme Bug tranquille !

Elle cueillit son fils perché sur le tabouret, l'écartant de la planche à découper. Il se mit à battre des pieds en signe de protestation.

— Tu n'as besoin de rien, maman ?

Je me passai un doigt entre les sourcils en réfléchissant.

— Si. Peux-tu essayer de me trouver des asticots ? J'en ai besoin pour la jambe de Jamie. Le givre a dû tuer toutes les mouches, ça fait des jours que je n'en ai pas vu. Essaie quand même de regarder près du paddock. Elles pondent dans le fumier chaud.

Elle fit une brève grimace de dégoût, mais acquiesça, reposant Jemmy sur le sol.

— Allez, viens, mon grand. On va chercher des « beurks » pour grand-père.

— Beurk, beurk, beurk, beurk ! s'exclama-t-il, ravi.

Je plaçai les oignons hachés dans un bol creusé dans une calebasse séchée et y versai un peu d'eau chaude pour les faire macérer, puis revins à l'infirmerie. Une robuste table en pin massif occupait le centre de la pièce. Elle servait de table d'auscultation, de fauteuil de dentiste, de plan de travail pour fabriquer des médicaments ou de table de salle à manger auxiliaire, selon les exigences médicales du moment ou le nombre d'invités à dîner. Pour l'instant, elle accueillait la forme allongée de Jamie, à peine visible sous l'épaisse couche de plaids et de couvertures. Marsali se tenait à ses côtés, l'aidant à boire un peu d'eau. Elle osait à peine le toucher, mais une grande main s'éleva et lui caressa la joue.

— Fergus a fait du bon travail, tu sais, dit-il d'une voix éraillée d'épuisement. Il a rassemblé les hommes pour la nuit, nous a retrouvés, Roger et moi, au petit matin, puis a ramené tout le monde sain et sauf à travers la montagne. Il a un sacré sens de l'orientation, le petit !

Marsali esquissa un sourire.

— Je me tue à lui dire, mais il s'en veut d'avoir laissé les bêtes s'échapper. Il dit qu'elles étaient si grosses qu'une seule aurait suffi à nourrir tout Fraser's Ridge pendant l'hiver.

Jamie rit doucement.

— On se débrouillera.

Visiblement, parler lui coûtait, mais je n'essayai pas de renvoyer Marsali. Roger m'avait confié que Jamie avait vomi du sang pendant le voyage du retour. Je ne pouvais donc pas lui donner de l'eau-de-vie ni du whisky pour soulager la douleur et je n'avais pas de laudanum. La présence de Marsali le distrayait.

J'ouvris discrètement l'armoire et en sortis le grand bol fermé où je conservais mes sangsues. J'en avais une bonne douzaine, noires et bien grasses, qui somnolaient dans leur bouillon saumâtre d'eau et de racines de quenouille. J'en cueillis trois dans une louche et les déversai dans un bol plus petit, rempli d'eau propre, que je mis à réchauffer sur le brûle-parfum.

— Réveillez-vous, les filles ! Il est temps d'aller au boulot.

Tout en suivant la conversation murmurée derrière moi – Germain, la petite Joan, un porc-épic dans les arbres près de la cabane de Marsali et de Fergus –, j'étalai devant moi tout ce dont j'allais avoir besoin : une gaze épaisse pour le cataplasme aux oignons, la bouteille bouchée, mélange d'alcool et d'eau stérilisée, mes jattes en grès contenant de l'hydrastis du Canada séché, du rudbeckia et de la consoude, et le flacon de préparation à la pénicilline. Je jurai entre mes dents en vérifiant l'étiquette. Elle avait près d'un mois. Accaparée par notre chasse à l'ours fantôme et toutes les corvées de l'automne, je n'avais pas préparé de nouveau bouillon depuis des semaines.

Celui-ci devrait faire l'affaire. Pinçant les lèvres, je frottai les herbes entre mes paumes, les réduisant en poudre au-dessus d'une écuelle en hêtre. Avec à peine un soupçon de gêne, j'adressai en silence une prière à sainte Bride. J'avais besoin de toute l'aide possible.

— Et les branches de pins sur le sol avaient été coupées récemment ?

Jamie semblait plus intéressé par le porc-épic que par la nouvelle dent de Joan.

— Oui, très vertes et toutes fraîches. Je sais qu'elle est là-haut, cette sale bête. Mais l'arbre est immense. Je n'ai jamais pu la surprendre à terre, et encore moins lui tirer dessus.

Marsali n'était pas franchement un as du tir, mais comme Fergus ne pouvait se servir d'un mousquet avec son crochet, c'était elle qui chassait pour la famille.

— Mmphm.

Jamie s'éclaircit péniblement la gorge, et elle se hâta de lui faire boire une autre gorgée.

— Prends un peu de couenne salée dans le garde-manger et frotte-la contre un morceau de bois. Pose celui-ci sur le sol au pied de ton arbre et demande à Fergus de monter la garde. Les porcs-épics adorent le sel et la graisse. Quand ils en sentent, ils s'aventurent à terre pendant la nuit. Ensuite, pas besoin de gaspiller une balle, il suffit de l'assommer. Fergus peut s'en charger.

J'ouvris mon coffre de médecine et inspectai le plateau sur lequel étaient disposés mes scalpels et mes scies. Je choisis une petite lame incurvée, le manche refroidissant ma main. J'allais devoir débrider la plaie, enlever les tissus morts, les lambeaux de peau et les fragments de feuilles, de fibres textiles et de terre. Les hommes avaient enduit la jambe de boue et l'avaient enveloppée dans un foulard crasseux. Puis j'aspergerais les surfaces exposées de solution à la pénicilline. J'espérais que cette intervention serait efficace.

— Ce serait parfait, dit Marsali. Je n'ai encore jamais tué ce genre de bête, mais Ian m'a dit que leur viande était très bonne, très grasse. Et puis les piques peuvent servir à la couture et à faire toutes sortes de choses.

Je me mordis la lèvre, tout en examinant mes autres instruments. Le plus gros était une scie pliable, conçue pour les amputations sur le terrain, avec une lame qui mesurait une vingtaine de centimètres. Je ne l'avais pas utilisée depuis Alamance. L'idée de m'en servir à présent me glaçait le sang, mais, après avoir vu sa jambe...

— C'est vrai que sa viande est grasse, disait Jamie. Ce qui est aussi...

Il s'interrompit brusquement en changeant de position, et poussa un gémissement étouffé au moment où il bougea sa jambe.

Je sentais les étapes d'une amputation se répercuter dans les muscles de mes mains et de mes avant-bras. La résistance souple au moment de l'incision et, en traversant les muscles, le grincement de la lame contre l'os, le claquement sec des tendons sectionnés, les vaisseaux glissants, caoutchouteux et crachant du sang, qui se rétractaient dans la chair tranchée comme… comme des serpents.

Je déglutis. Non, nous n'en viendrions sûrement pas là.

— De la viande grasse te fera du bien, reprit Jamie derrière moi. Tu es bien maigre, *a muirninn*. Trop maigre pour une femme enceinte.

Je me tournai, jurant de nouveau dans ma tête. Je m'en étais doutée, mais j'avais espéré me tromper. Trois bébés en quatre ans ! Avec un mari qui avait juste une main, qui ne pouvait travailler la terre et refusait les « tâches féminines » de garde d'enfants et de brassage du malt.

Marsali émit un petit bruit, à mi-chemin entre le rire et le sanglot.

— Comment le sais-tu ? Je ne l'ai pas encore dit à Fergus.

— Tu devrais… même s'il le sait déjà.

— Il te l'a dit ?

— Non, mais je me doutais bien que ce n'était pas une indigestion qui le préoccupait quand on est partis chasser. Maintenant que je te vois, je comprends ce qui lui pesait sur le ventre.

Je me mordis la langue. L'huile de tanaisie et la mixture au vinaigre que je lui avais données n'avaient donc pas marché ? Et mes graines de carotte ? À moins, comme je le soupçonnais fortement, qu'elle ne se soit pas donné la peine de les utiliser régulièrement ? Quoi qu'il en soit, il était trop tard pour les questions et les reproches. Quand elle redressa la tête, je croisai son regard et m'efforçai de paraître optimiste.

— Oh ! dit-elle faiblement. On se débrouillera.

Les sangsues commençaient à se réveiller, s'étirant lentement comme des élastiques vivants. J'écartai les couvertures de Jamie et les pressai doucement sur la peau près de la plaie. Marsali étouffa un cri à la vue des plaies. Je la rassurai :

— Ce n'est pas aussi terrible que ça en a l'air.

C'était vrai, mais, en soi, la réalité était déjà assez terrible. Les entailles faites au couteau étaient bordées de croûtes, mais toujours ouvertes. Au lieu de se refermer et de cicatriser, elles s'érodaient du pus suintant des tissus exposés. La chair environnante était très enflée, noire et striée de rouge.

J'ignorais quel type de serpent l'avait mordu, non pas que cela fasse une grande différence puisque nous n'avions pas de sérum, mais il sécrétait apparemment une puissante toxine hémolytique. De petits vaisseaux sanguins, ainsi que des plus gros près du point d'injection, avaient éclaté et saigné partout dans son corps, à l'intérieur comme à l'extérieur.

Le pied et la cheville du côté atteint étaient encore chauds, ce qui était bon signe. La circulation profonde était indemne. Le tout était d'améliorer celle près de la plaie et de prévenir une nécrose massive des tissus. Les stries rouges me préoccupaient particulièrement. Elles pouvaient n'être qu'une conséquence du processus hémorragique, mais, selon moi, elles étaient plutôt le signe avant-coureur d'une septicémie.

Roger ne m'avait pas raconté en détail leur nuit dans la montagne, mais il n'en avait pas eu besoin. J'avais déjà vu des hommes rester de longues heures dans le noir avec la mort pour seule compagne. Si Jamie était toujours en vie une nuit et un jour plus tard, il avait des chances de s'en sortir... si je parvenais à maîtriser l'infection dans son sang. Mais dans quel état ?

Je n'avais encore jamais soigné de morsures de serpent, mais j'en avais déjà vu des illustrations dans des livres de médecine. Les tissus infectés mourraient et pourriraient. Jamie pouvait aisément perdre la plus grosse partie du muscle de son mollet, ce qui ferait de lui un handicapé. Pire encore, la plaie pouvait devenir gangreneuse.

Je le regardai discrètement. Il était si mal en point qu'il pouvait à peine bouger. Pourtant, les lignes de son corps étaient toujours empreintes de grâce et de vigueur. L'idée de l'estropier m'était intolérable, mais, s'il le fallait, je le ferais. Mutiler Jamie... cette pensée me noua le ventre et rendit moites mes paumes tachées d'indigo.

Était-ce sa volonté ?

Je saisis le bol d'eau à son chevet et le bus d'un trait. Je ne lui demanderais pas son avis. La décision lui revenait de droit, mais il m'appartenait, et j'avais déjà arrêté mon choix. Peu m'importait ce que je devrais faire pour le garder, je ne le laisserais pas m'abandonner.

— Tu es sûr que ça va, père ? demanda Marsali.

Elle m'avait observée. Son regard effrayé allait et venait entre Jamie et moi. Je fis de mon mieux pour afficher un air compétent et assuré.

Jamie m'avait observée, lui aussi. Un faible sourire apparut au coin de ses lèvres.

— Je le croyais, répondit-il, mais, maintenant, j'en suis moins persuadé.

— Que se passe-t-il ? demandai-je, inquiète. Tu as une nouvelle douleur quelque part ?

— Non, non, je me sens très bien, m'assura-t-il en mentant ouvertement. C'est juste que, quand je ne me blesse pas trop gravement, tu me traites de tous les noms. En revanche, quand ça va très mal, tu es tout miel. Or, depuis que je suis rentré, je n'ai pas eu droit à un seul nom d'oiseau, pas un seul mot de reproche ! Tu me crois donc à l'article de la mort, *Sassenach* ?

Malgré son ironie, je lisais une vraie inquiétude dans son regard. Il n'y avait pas de vipères en Écosse, il ne pouvait comprendre ce qui arrivait à sa jambe.

Je pris une grande inspiration et posai doucement les mains sur ses épaules.

— Espèce de grand échalas empoté ! Marcher sur un serpent, peuh ! Tu ne peux donc pas regarder où tu mets les pieds ?

— Pas quand je dévale une pente derrière cinq cents kilos de viande ! répliqua-t-il en souriant.

Je sentis ses muscles sous mes mains se détendre et réprimai mon envie de lui sourire en retour.

— Idiot, tu m'as flanqué une frousse bleue !

Au moins, je ne mentais pas.

— Parce que tu crois que je n'ai pas eu peur, moi ?

— Tu n'en as pas le droit. Un seul de nous deux a le droit de paniquer à la fois, et c'est mon tour.

Cela le fit rire, un rire qui dégénéra rapidement en quinte de toux et en violents frissons.

Je rabattis rapidement les couvertures sur lui et me tournai vers Marsali :

— Va me chercher une pierre chaude pour mettre sous ses pieds. Remplis la théière d'eau bouillante et apporte-la aussi.

Elle fila vers la cuisine. Je jetai un œil vers la fenêtre, me demandant si Brianna parviendrait à dénicher des asticots. Ils n'avaient pas leur pareil pour nettoyer les plaies purulentes sans abîmer les tissus sains voisins. Si je voulais sauver sa jambe, l'aide de sainte Bride ne suffirait pas.

Tout en me demandant si, par hasard, il y avait un saint patron pour les asticots, je soulevai un coin des couvertures pour surveiller le travail de mes autres assistants invertébrés. Parfait ! Les sangsues ne chômaient pas, elles gonflaient déjà, suçant tout le sang qui se déversait des vaisseaux capillaires sectionnés en inondant les tissus de sa jambe. Une fois cette pression supprimée, la circulation pouvait se rétablir sainement, à temps pour préserver la peau et les muscles.

Sa main était agrippée au bord de la table, et je sentais ses tremblements dans mes cuisses, là où elles étaient pressées contre le bois. Je pris sa tête entre mes mains, ses joues étaient brûlantes.

— Tu ne mourras pas ! sifflai-je. Pas question ! Je te l'interdis !

— Tout le monde me répète la même chose, marmonna-t-il les yeux fermés. J'ai mon mot à dire dans cette affaire ?

— Non ! Tiens, bois ça.

Je pressai le bol de bouillon à la pénicilline contre ses lèvres. Il fit la grimace, mais avala docilement.

Marsali revint avec la théière remplie d'eau bouillante. J'en versai aussitôt sur mon mélange d'herbes sèches et les laissai macérer pendant que je l'aidai à boire un peu d'eau fraîche pour faire passer le goût du bouillon.

Il déglutit, puis s'enfonça dans l'oreiller.

— Qu'est-ce que c'était ? demanda-t-il. Ça a un goût de fer.

— C'est de l'eau, répondis-je. Il est normal que tout ait un goût métallique, tes gencives saignent.

Je tendis une cruche vide à Marsali et lui demandai de me ramener encore de l'eau.

— Ajoutes-y du miel, précisai-je. Une dose de miel pour quatre d'eau.

Avant de ressortir, elle marqua un temps d'arrêt. Elle regarda Jamie, le front plissé, puis déclara :

— Ce qui lui faudrait, c'est du bouillon de bœuf. Maman ne jurait que par ça, et sa mère avant elle. Quand un corps a perdu beaucoup de sang, rien de tel qu'un bon bouillon de bœuf.

Elle devait être sérieusement inquiète. Par diplomatie, elle ne faisait jamais allusion à sa mère en ma présence. Mais, pour une fois, cette garce de vampire de Laoghaire avait raison. Un bouillon de bœuf aurait été excellent, à condition d'avoir de la viande de bœuf fraîche, ce qui n'était pas le cas.

Je la chassai de la pièce.

— Eau et miel !

J'allai chercher des renforts dans le bol de sangsues et, en chemin, m'arrêtai devant la fenêtre pour voir où en était Brianna avec ses asticots.

Elle se tenait près de l'enclos, pieds nus, la jupe retroussée jusqu'aux genoux, en train d'ôter du crottin de cheval de sur son talon. Bredouille pour le moment, donc. Elle m'aperçut et me fit signe de la main. Elle pointa un doigt vers la hache plantée non loin dans une souche, puis vers la forêt. Je hochai la tête. Elle aurait peut-être plus de chance dans un tronc d'arbre pourri.

Jemmy était assis non loin, attaché par une longe à un poteau de l'enclos. Maintenant qu'il n'avait plus besoin d'aide pour se lever et marcher, cela l'empêchait de disparaître quand sa mère était occupée. Il était en train de tirer sur la tige d'une coloquinte qui s'enroulait autour du poteau, poussant des cris ravis lorsqu'une pluie de feuilles et de vestiges de courges givrés lui retomba sur le crâne.

Un mouvement de l'autre côté attira mon regard. Marsali revenait de la source, chargée de seaux d'eau. Non, cela ne se voyait pas encore, mais Jamie avait raison, elle était trop maigre. Maintenant que je savais, je remarquai son teint pâle et les cernes sous ses yeux.

Un autre mouvement. Les longues jambes blanches de Brianna lançant des éclats sous sa jupe relevée, dans l'ombre bleue d'un épicéa. Et elle, utilisait-elle son huile de tanaisie, au moins ? Elle allaitait toujours Jemmy, mais ce n'était pas une garantie, pas à son âge...

Un bruit derrière moi me fit me retourner. Jamie grimpait lentement sous son nid de couvertures, tel un grand paresseux cramoisi, ma scie d'amputation à la main.

— Mais qu'est-ce que tu fabriques !

Les traits crispés, il retomba sur le dos, pantelant, serrant l'instrument contre son torse.

Les mains sur les hanches, je pris un air menaçant.

— Je répète : qu'est-ce que tu fab...

Il ouvrit un œil et me coupa d'un ton ferme.

— Non. Je sais à quoi tu penses, *Sassenach*. Il n'en est pas question.

J'essayai de contrôler ma voix.

— Tu ne sais pas ce qui pourrait arriv...

— Je sais mieux que toi ce qui est en train d'arriver à ma jambe...

Il s'interrompit pour reprendre son souffle et acheva :

— ... mais ça ne change rien.

— Pour toi peut-être pas, mais pour moi, si !

— Je ne mourrai pas, annonça-t-il simplement. Et je ne veux pas vivre avec une moitié de jambe. Cette seule idée me fait horreur.

— Personnellement, ça ne m'emballe pas non plus, mais s'il s'agit de choisir entre ta jambe et ta vie !

— Ce n'est pas le cas.

— Ça pourrait très bien le devenir !

— Ça ne le sera pas.

L'âge ne changeait rien. À deux ans ou à cinquante, un Fraser restait un Fraser. Un rocher n'aurait pu être plus têtu. Je me passai une main dans les cheveux.

— D'accord, dis-je en serrant les dents. Rends-moi cette foutue scie que je la range.

— Ta parole.

— Ma quoi ?

Je le regardai d'un œil torve. Il me le rendit au centuple.

— Donne-moi ta parole. Pris de fièvre, il se peut que je ne sois plus moi-même. Je ne veux pas que tu me prennes ma jambe, alors que je ne suis pas en état de te l'interdire.

— À ce moment-là, je n'aurais sans doute pas le choix.

— Toi, peut-être pas, mais moi si. Or, j'ai décidé. Ta parole, *Sassenach*.

— Espèce d'insupportable, d'exaspérant, de...

Son sourire, une ligne blanche au milieu d'un visage rouge vif, était toujours aussi surprenant.

— Si tu me traites d'Écossais, alors je vais sûrement vivre.

Un hurlement au-dehors m'empêcha de lui répondre. Je me précipitai vers la fenêtre juste à temps pour voir Marsali lâcher ses deux seaux. L'eau éclaboussa sa jupe et ses chaussures, mais elle n'y prêta guère attention. Je suivis son regard et poussai à mon tour un cri étranglé.

Il avait tranquillement traversé l'enclos, brisant les supports comme de vulgaires allumettes, et se tenait au milieu du carré de potirons, près de la maison, mâchonnant des tiges, énorme, sombre et laineux. Il se dressait à trois mètres de Jemmy, qui le contemplait avec des yeux ronds et la bouche grande ouverte.

Marsali cria de nouveau, communiquant sa terreur à Jemmy, qui se mit à appeler sa mère en pleurant. Comme si la scène se déroulait au ralenti autour de moi, je tournai sur mes talons, arrachai la scie des mains de Jamie, bondis hors de la pièce et me ruai vers la cour, tout en me disant que les bisons paraissaient nettement plus petits dans les zoos.

Au moment où je bondissais du perron – je dus sauter les marches, car je ne me souvins pas de les avoir descendues –, je vis Brianna surgir de la forêt. Elle courait silencieusement, la hache à la main, le visage calme et concentré. Elle atteignit la bête avant moi.

Tout en s'approchant, elle brandit l'outil haut derrière elle, puis, dans un arc puissant, l'abattit de toutes ses forces, juste en arrière des oreilles du bison. Un jet de sang éclaboussa les potirons. Il meugla et baissa la tête, comme pour charger.

Brianna bondit de côté, plongea vers Jemmy, se retrouva à genoux, tirant sur la longe qui le retenait à la clôture. Du coin de l'œil, j'aperçus Marsali qui, tout en récitant des prières et des imprécations en gaélique, attrapait un jupon teint sur un des mûriers.

Tout en courant, j'avais déplié ma scie. Je coupai la longe de Jemmy en deux mouvements, puis retraversai la cour à toute vitesse. Entre-temps, Marsali avait jeté le jupon sur la tête de l'animal, le désorientant complètement. Il secouait la tête en vacillant, et son sang imprégnait le tissu, formant une tache noire sur l'indigo.

Il m'arrivait à l'épaule et dégageait une drôle d'odeur, poussiéreuse et chaude, sauvage mais étrangement familière, avec des relents d'étable, comme une grosse vache. Il avança d'un pas, puis d'un autre. J'enfouis mes doigts dans la laine pour m'agripper. Ses spasmes se transmettaient à moi comme un tremblement de terre.

Ce n'était pourtant pas le cas, mais j'eus l'impression d'avoir toujours fait ça. Je glissai une main sous sa gueule baveuse, sentis son souffle chaud traverser ma manche. Son pouls battait dans l'angle de la mâchoire. J'imaginais le gros cœur musclé pompant du sang, chaud dans ma main, froid contre ma joue pressée contre le jupon imbibé.

Je sciai la gorge, enfonçant profondément la lame de métal. Mes mains et mes avant-bras rencontrèrent la résistance souple de la peau et des muscles, le grincement de l'os, le claquement sec des tendons, les vaisseaux glissants, caoutchouteux et crachant du sang, qui se rétractaient dans la chair.

Le monde trembla. Le bison trébucha, glissa et s'effondra dans un bruit sourd. Lorsque je revins à moi, j'étais assise au milieu de la cour, une main encore entortillée dans ses poils, une jambe ankylosée par le poids de sa tête, mes jupes plaquées contre mes cuisses, chaudes et puantes, trempées de liquide rougeâtre.

Quelqu'un parla, et je relevai la tête. Jamie était à quatre pattes sur le perron, bouche bée, nu comme un ver. Assise par terre, les jambes écartées devant elle, Marsali ouvrait et fermait la bouche sans émettre un son.

Brianna se tenait près de moi, Jemmy dans les bras. Sa terreur oubliée, il se pencha, examinant le bison avec curiosité.

— Oooo ! fit-il.

— Oui, comme tu dis, convins-je.

— Tu n'as rien, maman ?

Soudain, je me rendis compte qu'elle m'avait posé la question plusieurs fois. Elle plaça doucement sa main sur ma tête.

— Je ne sais pas, répondis-je. Non, je ne crois pas.

Je pris sa main, libérai péniblement ma jambe, puis m'accrochai à elle pour me hisser debout. Des tremblements identiques à ceux qui avaient agité le bison continuaient de la parcourir, tout comme moi, mais ils s'atténuaient. Elle baissa les yeux vers le corps massif. Couché sur le flanc, il lui arrivait presque à la taille. Marsali, qui nous avait rejointes, le contemplait en secouant la tête d'un air incrédule.

— Sainte Marie, mère de Dieu ! Comment va-t-on dépecer une chose pareille !

— Oh, dis-je d'une voix faible, on se débrouillera.

54

Avoir de bons copains...

J'appuyai mon front contre la vitre fraîche de mon infirmerie, les yeux mi-clos devant la scène extérieure. Mon épuisement en accroissait le côté surréaliste... non qu'elle en eût besoin.

Le soleil s'était presque couché, nimbant d'or les dernières feuilles déchiquetées des marronniers. Les épicéas se détachaient en noir sur ce fond flamboyant, tout comme le gibet au centre de la cour et la dépouille monstrueuse qui s'y balançait. On avait allumé un feu près des mûriers, et des silhouettes s'activaient tout autour, à demi dissimulées par les flammes et les ombres. Certaines, armées de couteaux et de machettes, attaquaient la carcasse, d'autres traînaient des morceaux de chair fraîche et des seaux de graisse. Près du feu, des formes féminines s'affairaient en un ballet silencieux.

Je distinguais la haute silhouette pâle de Brianna dans la horde de démons qui dépeçaient le bison... elle surveillait les opérations, sans doute. Avant d'être ramené de force dans l'infirmerie, Jamie avait estimé le poids de la bête entre neuf cents kilos et une tonne.

Après avoir confié Jemmy à Lizzie, Brianna avait hoché la tête et contourné lentement la dépouille, l'air songeur.

— Exact, avait-elle confirmé.

Dès que les premiers hommes étaient arrivés, à moitié vêtus, pas rasés et les yeux excités, elle avait donné l'ordre d'abattre des troncs et d'ériger un palan à poulie capable de hisser et de supporter une tonne de viande.

Dans un premier temps, les hommes, vexés de ne pas avoir tué la bête eux-mêmes, ne lui avaient pas prêté attention. Toutefois, Brianna était du genre têtu.

Alors que Geordie Chisholm et ses fils s'approchaient de la dépouille, le couteau à la main, elle s'était placée devant eux, en demandant :

— Qui a porté ce coup ?

Elle indiqua l'entaille profonde derrière le crâne, puis leur montra sa manche tachée de sang.

— Et celui-ci ?

Elle pointa délicatement le bout de son pied nu vers la gorge tranchée et la mare de sang dans la cour. Mes bas s'y trouvaient encore, là où je les avais ôtés, fripés et rouges de sang, mais distinctement féminins.

Depuis la fenêtre, j'avais vu les visages se tourner vers la maison, soudain conscients que Brianna était la fille de Sa Seigneurie... un détail qu'il valait mieux ne pas négliger.

Toutefois, ce fut Roger qui acheva de les convaincre, les frères Lindsay sur ses talons, chacun une hache à la main.

— C'est son bison, déclara-t-il de sa voix rauque. Faites ce qu'elle vous dit.

Bombant le torse, il dévisagea les hommes avec fermeté, sans aucune discussion possible. Fergus s'était alors penché vers la bête, l'avait saisi par la queue et, faisant mine de vouloir la traîner tout seul, avait demandé poliment :

— Où souhaitez-vous qu'on vous la livre, madame ?

Tout le monde avait éclaté de rire, puis, penauds et résignés, les hommes avaient attendu les instructions de la grande rouquine.

Après un regard surpris puis reconnaissant à Roger, Brianna avait alors pris la tête des opérations, avec des résultats remarquables. La nuit commençait tout juste à tomber, et l'équarrissage était presque terminé, la viande répartie entre tous les foyers de Fraser's Ridge. Elle connaissait tout le monde, le nombre de bouches à nourrir dans chaque cabane, et distribuait les quartiers et les ris au fur et à mesure qu'ils étaient découpés. Même Jamie n'aurait pas fait mieux, pensai-je avec une pointe de fierté.

Je jetai un œil vers la table où il était emmitouflé dans les couvertures. J'avais voulu le coucher à l'étage dans notre chambre, mais il avait insisté pour rester au rez-de-chaussée où il pouvait entendre – à défaut de voir – ce qui se passait.

— Ils ont presque fini le dépeçage, l'informai-je. Brianna a fait des merveilles.

Ses yeux étaient entrouverts mais fiévreux, ce qui lui donnait un air rêveur. Au son de ma voix, il revint à la réalité et sourit faiblement.

— Ah oui ? C'est bien.

On avait tendu la peau du bison pour la sécher, découpé l'énorme foie en tranches puis cuit sur le feu, fait tremper les intestins pour les nettoyer, suspendu les cuisses dans le fumoir, découpé la viande en morceaux pour la sécher, mis de côté la graisse pour la transformer en suif et en savon. Une fois mis à nu, les os parfumeraient la soupe, puis seraient conservés pour fabriquer des boutons.

Murdo Lindsay avait apporté religieusement les précieux sabots et les cornes sanglantes sur mon plan de travail. Sans doute des trophées, pensai-je, une version XVIIIe siècle des oreilles et de la queue du taureau offertes au torero. J'avais aussi récupéré la vésicule biliaire, même si personne ne me l'aurait contestée. Il était communément admis que j'utilisais médicalement n'importe quelle matière organique. Masse verdâtre de la taille de mon poing, la vésicule suintait à présent tranquillement dans un bol, près des sabots boueux.

Tout le monde était accouru en apprenant la nouvelle. Même Ronnie Sinclair était monté de sa tonnellerie, au pied de la montagne. Par conséquent, il ne restait plus grand-chose du bison, hormis le squelette. Une vague odeur de viande grillée, de café et de fumée de bois de noyer remplissait l'air. J'ouvris grande la fenêtre pour laisser pénétrer ces effluves appétissants.

Des rires et le crépitement des flammes entrèrent, portés par le vent. Il faisait chaud dans l'infirmerie, et la bouffée d'air frais était bienvenue.

— Tu as faim, Jamie ?

Pour ma part, j'aurais mangé un bison, même si je venais juste de m'en rendre compte en sentant la nourriture. Je fermai les yeux et respirai, revigorée par le parfum du foie sauté et des oignons.

— Non, dit-il d'une voix endormie. Je ne veux rien.

— Tu devrais manger un peu de soupe avant de dormir.

Je lissai les cheveux sur son front. Il me semblait moins rouge, mais c'était difficile à dire à la lueur du feu et de la bougie. Nous avions réussi à lui faire avaler beaucoup d'eau sucrée et de tisane pour lutter contre la déshydratation. Ses yeux n'étaient plus enfoncés dans leurs orbites, mais les os de ses pommettes et de sa mâchoire saillaient plus que jamais. Il n'avait rien mangé de consistant depuis plus de quarante-huit heures, et sa fièvre brûlait une immense quantité d'énergie, consumant ses tissus.

— Il vous faut encore un peu d'eau chaude, madame ?

Lizzie venait d'apparaître sur le seuil, l'air encore plus échevelée que d'habitude, Jemmy dans ses bras. Elle avait perdu son fichu, et ses cheveux fins et blonds s'étaient échappés de son chignon. Jemmy, qui en avait attrapé une poignée, tirait vigoureusement dessus, faisant grimacer Lizzy chaque fois.

— Maman, maman-maman !

À sa plainte montante, il était évident qu'il récitait la même litanie depuis un certain temps déjà.

— Maman-MAMAN !

— Non, merci, Lizzie, j'ai tout ce qu'il me faut. Et toi, ça suffit ! On ne tire pas les cheveux.

J'attrapai sa main potelée et écartai un à un ses doigts.

— D'ailleurs, que fais-tu encore debout à cette heure-ci ?

— Il veut sa mère, expliqua Lizzie, au cas où cela m'aurait échappé. Je l'ai déjà couché une dizaine de fois, mais il escalade son berceau dès que j'ai le dos tourné. Je n'arrive pas à…

La porte d'entrée s'ouvrit, et un fort courant d'air s'engouffra, faisant luire les braises du brûle-parfum. J'entendis des pieds nus sur le parquet en chêne du couloir.

Brianna apparut, couverte de sang jusqu'aux sourcils qui, de la même couleur rouge, se fondaient dans son masque d'hémoglobine. Interdit, Jemmy la dévisagea, puis ses lèvres s'affaissèrent dans une expression de désarroi incrédule, au bord du hurlement.

— C'est moi, mon chéri, le rassura-t-elle.

Elle tendit une main vers lui, mais s'arrêta juste avant de le toucher. Il ne se mit pas à hurler, mais enfouit son visage dans l'épaule de Lizzie, rejetant la possibilité d'un rapport quelconque entre cette vision apocalyptique et cette mère qu'il avait réclamée à cor et à cri quelques instants plus tôt.

Brianna ne s'offusqua pas du rejet de son fils et ne semblait pas non plus se rendre compte qu'elle laissait des empreintes de sang et de boue sur le plancher.

Elle me tendit son poing fermé.

— Regarde !

Sa main était recouverte d'une croûte de sang séché, avec des croissants noirs sous les ongles. Elle écarta solennellement les doigts pour me montrer son trésor : une poignée de minuscules vers blancs qui gigotaient. Mon cœur se mit à battre plus fort.

— C'est la bonne espèce ? demanda-t-elle.

— Je crois. Je vais vérifier.

Je pris rapidement une pincée d'herbes mouillées dans la tisanière et les plaçai sur une petite assiette pour offrir aux vers un refuge provisoire. Brianna les déposa délicatement sur les feuilles et transporta le tout sur le comptoir où se trouvait mon microscope, comme s'il s'agissait de poussière d'or.

Je ramassai un ver avec le bord d'un ongle et le déposai sur une lamelle où il se débattit tristement dans une vaine quête de nourriture. Je fis signe à Brianna de m'apporter une autre bougie.

Orientant le miroir pour capter la lumière, je marmonnai :

— Rien qu'une bouche et un ventre, ces petits gloutons !

Je retins mon souffle, l'œil collé à l'oculaire. Les larves des mouches de la viande n'avaient qu'une seule ligne visible sur le corps. Celles des lucilies bouchères en avaient deux. Ces lignes étaient invisibles à l'œil nu mais capitales. Si les asticots se nourrissaient exclusivement de charogne, de chair morte et en décomposition, les larves des lucilies, elles, creusaient des galeries dans la chair vivante, dévorant les muscles et le sang de leur hôte. Je ne voulais pas vraiment introduire ce genre d'invitées dans une plaie fraîche !

Je fermai un œil, laissant l'autre s'adapter aux ombres mouvantes dans la lentille. Le cylindre sombre du corps se tordait dans tous les sens. Je distinguais nettement une ligne. Y en avait-il une autre ? Je scrutai jusqu'à ce que mon œil commence à larmoyer. Non, une seule. Je poussai un soupir de soulagement et me détendis.

Brianna s'approcha de Jamie.

— Félicitations, papa !

Il ouvrit un œil et contempla avec un manque flagrant d'enthousiasme sa fille couverte de sang séché des pieds à la tête.

— Pour quoi ?

— Pour les asticots. Tu avais fait mouche !

Ouvrant l'autre main, elle montra un fragment de métal difforme, une balle de fusil aplatie.

— J'ai trouvé les asticots dans une plaie de l'arrière-train du bison. La balle y était aussi.

Je me mis à rire.

— Jamie ! Tu lui as tiré dans les fesses ?

Il esquissa un sourire.

— Je ne pensais pas l'avoir touché. J'ai juste essayé de dévier le troupeau en direction de Fergus.

Il tendit lentement la main et prit le morceau de métal, le faisant rouler entre ses doigts.

— Tu devrais la garder comme porte-bonheur, dit Brianna. Ou la mordre pendant que maman te triture la jambe.

Malgré son ton léger, je distinguai un froncement entre ses sourcils rouges.

— Trop tard, dit Jamie.

Elle aperçut alors la lanière en cuir posée près de sa tête, portant encore l'empreinte de ses dents. Elle se tourna vers moi, atterrée. Je haussai les épaules en signe d'impuissance. J'avais passé plus d'une heure à nettoyer sa plaie, ce qui n'avait pas été facile, ni pour lui ni pour moi.

— Ne t'en fais pas, ma fille, reprit-il. Je vais bien.

J'allais ajouter quelque chose, puis me ravisai en voyant l'expression de Brianna. Elle avait travaillé dur et devait encore s'occuper de Jemmy et de Roger. Elle n'avait pas besoin de s'inquiéter davantage pour son père... du moins pas encore.

Je mis les asticots dans une coupelle d'eau stérilisée, agitai le liquide un moment, puis les reversai sur leur lit de feuilles. Après quoi, je déclarai à Jamie, autant pour le rassurer que pour m'en convaincre moi-même :

— Ça ne fera pas mal.

— Très amusant ! J'ai l'impression d'avoir déjà entendu ça quelque part.

— Cette fois, elle a raison, dit une voix rauque derrière moi.

Roger s'était lavé. Ses cheveux noirs encore mouillés retombaient mollement sur ses épaules, et il portait des habits propres. Jemmy, à moitié endormi, suçait son pouce dans ses bras.

— Alors, comment ça va ? demanda-t-il doucement en s'approchant de la table.

Jamie tourna la tête vers lui.

— On fait aller.

— Tant mieux.

À ma surprise, Roger posa une main sur l'épaule de son beau-père et la serra brièvement. Je ne l'avais jamais vu faire un tel geste et, une fois de plus, je me demandai ce qui s'était passé entre eux, sur la montagne. Puis Roger me regarda en fronçant les sourcils.

— Marsali est partie préparer du bouillon de bœuf, ou plutôt de bison. Vous devriez en prendre un peu aussi.

En m'asseyant, je pris conscience que j'étais debout depuis l'aube. Le moindre muscle de mon corps me faisait mal, même l'endroit où je m'étais cassé le tibia des années plus tôt. Toutefois, le devoir m'appelait.

— On ne doit pas faire attendre nos petits amis, dis-je en me relevant péniblement. Il vaut mieux en finir tout de suite.

Jamie grogna, s'étira puis se détendit, résigné. Il m'observa du coin de l'œil, tandis que j'allais chercher l'assiette d'asticots et mes forceps, puis il reprit la lanière en cuir à son chevet.

— Vous n'en aurez pas besoin, dit Roger.

Il prit un tabouret et vint s'asseoir à ses côtés avant d'ajouter :

— Vous pouvez la croire, ces petites bestioles ne vous feront pas mal. En revanche, elles chatouillent terriblement, mais il suffit de ne pas y penser. Concentrez-vous sur autre chose, et vous ne vous rendrez compte de rien.

Jamie lui lança un regard dubitatif.

— Merci pour le réconfort, MacKenzie.

— De rien. Tenez, je vous ai apporté un petit cadeau.

Il se pencha en avant et déposa sur lui son fils assoupi. Le garçon émit un cri de surprise, puis il se détendit, les bras de son grand-père autour de lui. Il leva une menotte potelée, la referma sur les cheveux de Jamie, puis après un soupir béat, il s'endormit sur la large poitrine chaude et fiévreuse.

Méfiant, Jamie plissa le front en me voyant saisir le forceps, puis il haussa les épaules, reposa sa joue contre le crâne de Jemmy et ferma les yeux. L'opération était un jeu d'enfant. Je soulevai simplement le cataplasme aux oignons et déposai un à un les asticots sur les entailles ulcérées de son mollet. Roger se tenait derrière moi et observait.

— Ça ressemble presque de nouveau à une jambe, dit-il, surpris. Je ne l'aurais pas cru possible.

Je souris tout en restant concentrée sur mon travail.

— Les sangsues sont très efficaces, expliquai-je. Cela dit, ton petit travail au couteau a sans doute aidé aussi. Tu as fait des trous assez gros pour que le pus et les sécrétions puissent s'écouler à l'extérieur.

Le membre était toujours chaud et rouge, mais son gonflement avait nettement diminué. La longue arête du tibia et la courbe délicate du talon et de la cheville étaient de nouveau visibles. Si je ne me faisais pas d'illusions sur les risques qui perduraient – la gangrène, l'infection –, mon cœur était plus léger. Je reconnaissais la jambe de mon Jamie.

Je pinçai un autre asticot juste derrière la tête, veillant à ne pas l'écraser, soulevai la lèvre de la plaie avec la fine sonde que je tenais de l'autre main et déposai la larve gesticulante dans la poche ainsi créée. J'essayais de ne pas prêter attention à la texture spongieuse de la chair sous mes doigts, qui me rappelait très désagréablement le pied d'Aaron Beardsley.

— Voilà ! dis-je quelques instants plus tard.

Je remis le cataplasme en place. Les oignons et l'ail macérés, enveloppés dans la gaze et imbibés de bouillon à la pénicilline, garderaient les plaies humides et suintantes. Renouvelés toutes les heures, les cataplasmes chauds stimuleraient aussi la circulation. Ensuite, je lui appliquerais un bandage au miel pour éviter d'autres infections bactériennes.

La concentration avait empêché mes doigts de trembler. À présent, il n'y avait plus rien d'autre à faire qu'attendre. Je reposai l'assiette de feuilles humides sur le comptoir en la faisant cliqueter.

Je ne me souvenais pas d'avoir été, un jour, aussi fatiguée.

55

Choisir

Passant outre à mes recommandations, Jamie insista pour que Roger et M. Bug le montent dans notre chambre.

— Je ne veux pas que tu dormes par terre dans l'infirmerie, *Sassenach*. Tu devrais être dans ton lit, mais le seul moyen pour que tu y sois, c'est que j'y sois aussi, pas vrai ?

J'aurais pu essayer de l'en dissuader, mais, en vérité, j'étais tellement épuisée que je l'aurais suivi sur la terre battue de l'écurie pour dormir.

Cependant, une fois qu'il fut installé, mes doutes me reprirent. Tout en suspendant ma robe à une patère, je protestai :

— Je risque de t'écraser la jambe ! Je vais dérouler une paillasse devant le feu et…

— Pas question, tu dormiras avec moi.

Il s'enfonça dans l'oreiller en fermant les yeux. Son teint avait pâli. Toutefois, s'il était moins rouge, les endroits où les hémorragies n'avaient pas formé de taches étaient d'une blancheur alarmante.

— Tu continuerais à donner des ordres même sur ton lit de mort ! rétorquai-je. Tu n'es pas obligé de toujours tout diriger, tu sais ? Tu pourrais rester tranquille et, pour une fois, laisser les autres faire leur travail. Tu crois que le monde va s'écrouler parce que tu...

Il ouvrit les yeux et me lança un regard noir.

— *Sassenach*.

— Quoi ?

— Je voudrais que tu me touches... sans me faire mal. Rien qu'une fois avant que je m'endorme. Ça t'ennuierait ?

Je me figeai, déconcertée. Il avait raison. Entre l'urgence de la situation et mon inquiétude, tout ce que je lui avais fait subir depuis ce matin était douloureux, gênant, ou les deux. Marsali, Brianna, Roger, Jemmy... ils l'avaient tous ému par leur gentillesse, lui offrant sympathie et réconfort.

Pour ma part, terrifiée par ce qui pouvait arriver, par la contrainte d'une possible opération, je n'avais pas pris le temps de lui témoigner ma tendresse. Je détournai le visage, cachant mes larmes. Une fois ressaisie, je m'approchai du lit, me penchai sur lui et l'embrassai, tout doucement.

Je coiffai ses cheveux en arrière, lui dégageant le front, puis lissai ses sourcils du pouce. Archie Bug l'avait rasé. La peau de ses joues était douce et chaude contre ma main, ses os durs sous ma paume... et, pourtant, il ne m'avait jamais paru aussi fragile. Fragile comme moi en ce moment.

— S'il te plaît, dors à côté de moi cette nuit, murmurat-il.

Je lui souris, mes lèvres tremblant à peine.

— D'accord. Laisse-moi juste me brosser les cheveux.

En chemise, je m'assis devant la coiffeuse et pris une brosse. Il m'observait sans parler, en souriant faiblement. Il aimait me regarder faire. Peut-être cela l'apaisait-il autant que moi.

Au rez-de-chaussée couraient des bruits étouffés et lointains. Les volets étant entrouverts, les reflets du feu dans la cour dansaient sur la vitre, et je me demandai, en me dirigeant vers la fenêtre, s'il ne valait pas mieux les fermer.

— Laisse, *Sassenach*, murmura-t-il du lit. J'aime entendre les voix.

Le son des conversations au-dehors était en effet réconfortant, telle une berceuse entrecoupée d'éclats de rire.

Le frottement de la brosse, doux et régulier comme des vagues mourant sur le sable, arrachait mes angoisses et mes soucis comme autant de feuilles mortes et de débris végétaux. Les tensions de la journée s'en allaient doucement. Lorsque je m'arrêtai, Jamie avait les yeux fermés.

Je m'agenouillai pour remuer les braises, soufflai la chandelle puis me glissai doucement dans le lit, veillant à ne pas trop remuer le matelas.

Comme Jamie me tournait le dos, je me couchai sur le côté, épousant sa forme sans le toucher.

Je restai là, immobile. Tous les bruits de la maison avaient trouvé leur rythme nocturne : le crépitement des flammes et le sifflement du vent dans le conduit de cheminée, le craquement soudain d'une marche de l'escalier. J'entendais même les ronflements nasillards de M. Wemyss, transformés en bourdonnement apaisant par les portes en bois massif qui nous séparaient.

En raison de l'alcool et de l'heure tardive, les voix au-dehors étaient rendues traînantes et joviales, sans la moindre hostilité ni violence cachées. Cela dit, c'était le moindre de mes soucis. Ce soir, les habitants de Fraser's Ridge pouvaient bien s'étriper et danser sur les cadavres, moi, je concentrais toute mon attention sur Jamie.

Sa respiration était superficielle mais régulière, ses épaules détendues. Je ne voulais pas le déranger, car il avait avant tout besoin de repos, mais je mourais d'envie de le toucher pour me rassurer, en constatant qu'il était bien là, en vie.

Comment se sentait-il ? Avait-il de la fièvre ? L'infection dans sa jambe s'était-elle propagée en dépit de la pénicilline, diffusant son poison dans son sang ?

J'approchai mon visage à quelques centimètres de son dos et inspirai, profondément et lentement. Sa chaleur se transmettait à mes joues, mais, à travers sa chemise, j'étais incapable de deviner sa température.

Il sentait vaguement la forêt mais surtout le sang. Les oignons du cataplasme et sa sueur lui donnaient une odeur amère.

J'inhalai encore. Pas d'odeur de pus. C'était trop tôt pour la puanteur de la gangrène, même si, invisible sous les bandages, le pourrissement avait débuté. En revanche, je décelai pour la première fois une étrange exhalaison de sa peau. La nécrose du tissu musculaire ? Une sécrétion quelconque provoquée par le venin ? Je soufflai par le nez, puis inspirai de nouveau fortement.

— Je pue à ce point ?

— Argh ! dis-je en me mordant la langue.

Il trembla un peu, riant sans doute.

— À me renifler ainsi le dos, tu me fais penser à une truie truffière, *Sassenach*.

— Ah, vraiment ?

Je touchai le bout de ma langue, avant d'ajouter :

— Puisque tu ne dors pas, puis-je savoir comment tu te sens ?

318

— Comme un tas de tripes pourries.

— Très imagé ! Tu peux être un peu plus précis ?

Je posai doucement une main sur sa hanche et l'entendis expirer en gémissant.

— Comme un tas de tripes pourries... farcies d'asticots.

— Même sur ton lit de mort, tu chercherais encore à faire de l'humour, n'est-ce pas ?

En disant cela, j'eus un pincement au cœur : c'était probablement vrai.

— J'essaierai, *Sassenach*. Mais je ne suis pas certain d'être au mieux de ma forme dans ce genre de circonstances.

Il murmurait d'une voix endormie.

— Tu as très mal ?

— Non, je suis juste... fatigué.

Épuisé au point de ne pas trouver ses mots, il avait choisi celui-là, faute de mieux.

— Ça n'a rien d'étonnant. Je vais dormir ailleurs pour que tu puisses te reposer.

— Non ! Ne me laisse pas.

Son épaule s'affaissa vers moi et il tenta de soulever la tête. Mon malaise augmenta en constatant qu'il n'en avait même plus la force.

— Je ne t'abandonne pas, mais je devrais peut-être dormir dans le fauteuil. Je ne veux pas...

— J'ai froid, dit-il doucement. Très froid.

Appuyant mes doigts juste sous son sternum, je cherchai le pouls abdominal. Il était rapide, moins profond qu'il n'aurait dû. Il n'était pas du tout fiévreux, au contraire. Non seulement il avait froid, mais il était froid. Sa peau était fraîche et ses mains glacées. Son état devenait très alarmant.

Sans plus de précautions, je me blottis contre lui, mes seins s'écrasant contre son dos, ma joue se pressant contre son omoplate. Je me concentrai aussi fort que possible pour produire de la chaleur corporelle, lui transmettant la mienne à travers sa peau. Il m'avait si souvent accueillie et protégée dans le creux de son corps. J'aurais tant voulu être plus grande pour lui rendre à présent la pareille. En fait, je pouvais simplement m'accrocher à lui comme un petit cataplasme à la moutarde, en espérant être aussi efficace.

Tout doucement, je trouvai le rebord de sa chemise de nuit et la retroussai. Je posai mes mains à plat contre ses fesses qui se contractèrent de surprise, puis se détendirent.

Un bref instant, je me demandai pourquoi j'avais un tel besoin de le toucher, besoin que j'avais ressenti bien des fois. Je ne m'appesantis pas sur la question, ayant depuis longtemps cessé de m'inquiéter au sujet de ce comportement scientifiquement injustifié.

Je palpai la texture granulée de son éruption cutanée et, soudainement, songeai à une lamie. Une créature lisse et froide au toucher, capable de se métamorphoser, passionnément venimeuse et de nature infectieuse. Une seule morsure et son venin se diffusait, ralentissant le cœur de sa proie, glaçant son sang. J'imaginai des écailles minuscules se soulevant sous sa peau dans le noir.

— Claire, dit-il doucement. Touche-moi.

Son cœur battait et résonnait sourdement dans mon oreille collée contre l'oreiller.

Je glissai la main vers le bas de son ventre, puis descendis plus lentement. Mes doigts écartèrent les boucles frisées, pour prendre en coupe ses bourses rondes. Le peu de chaleur qui lui restait se trouvait là.

320

tre. Puis je me souvins et me redressai sur le lit, en écarquillant les yeux.

Ses paupières étaient baissées et sa peau avait la couleur du vieil ivoire. Sa tête était légèrement tournée de côté, mais je ne voyais pas son pouls dans son cou tendu. Il était encore chaud ou, du moins, les draps l'étaient. Je humai l'air. La chambre empestait l'oignon, le miel et la transpiration fiévreuse, mais pas la mort subite.

D'un geste sec, je le tapai au centre de la poitrine et il sursauta, ouvrant grands les yeux.

— Espèce de salaud ! Tu as essayé de me fausser compagnie pendant la nuit, hein ?

J'étais tellement soulagée de le voir respirer, que ma voix en tremblait.

Sa poitrine se soulevait et s'affaissait sous ma main. Mon propre cœur battait à se rompre, comme si on m'avait retenue au bord d'un précipice.

Il cligna des yeux. Il avait encore le regard chargé, embué par la fièvre. Il ne chercha même pas à faire comme s'il ne m'avait pas compris.

— Ça ne m'a pas demandé beaucoup d'efforts, *Sasseach*. Ne pas mourir était plus dur.

À la lumière du jour, je compris clairement ce que, la veille, la fatigue et l'après-coup du choc m'avaient empêchée de saisir. L'insistance pour dormir dans son propre lit, pour garder les volets ouverts afin d'entendre sa famille et ses métayers dans la cour. Et moi à ses côtés. Très soigneusement, sans me prévenir, il avait décidé comment et où il voulait mourir.

— Quand tu as demandé de monter ici, tu pensais que tu ne passerais pas la nuit, n'est-ce pas ?

J'étais plus estomaquée qu'accusatrice.

Comme je le caressais avec le pouce, il s'éveilla. Il poussa un long soupir, et son corps me parut alors plus lourd, s'enfonçant dans le matelas tandis qu'il se déten- dait. Sa chair, comme de la cire dans ma main, devenai lisse et soyeuse à mesure qu'elle se réchauffait.

Je me sentais bizarre. Je n'avais plus peur. Tous m sens étaient étrangement affûtés et pourtant... en pa Je n'entendais que le souffle de Jamie et les batteme de son cœur. L'obscurité en était pleine. Je ne pens plus mais agissais d'instinct, ma main descendant core plus bas, dans ses profondeurs, cherchant le c de cette chaleur, au centre de son être.

Puis, je bougeai... nous bougeâmes ensemble. U mes mains était entre ses jambes, mes doigts juste en arrière de ses testicules, l'autre enserr verge, allant et venant au même rythme que mes c et mes reins, pendant que je me pressais contre

J'aurais pu continuer ainsi pour l'éternité ave pression de n'avoir jamais fait autre chose. perdu toute notion du temps, baignant dans cett ce rythme lancinant tandis que nous remuior deux dans le noir. À un moment donné, dans donné, une pulsation régulière, d'abord dans un puis dans les deux, se fondit dans les battement cœurs.

Il poussa un soupir, long et lent, et l'air s'ex mes propres poumons. Nous restâmes sile sombrâmes doucement dans l'inconscience,

Je me réveillai dans un état de sérénité t bile, dénuée de pensées, j'écoutai le sang dans mes veines, regardant flotter les poussière dans le rayon de soleil qui filtr

Il prit un moment pour répondre, même s'il ne semblait pas hésitant. Il cherchait plutôt les mots justes.

— Je n'en étais pas certain, dit-il enfin lentement. Même si je me sentais vraiment très mal.

Il ferma les yeux, trop exténué pour les garder ouverts.

— D'ailleurs, je ne vais pas franchement mieux. Mais tu n'as plus à t'inquiéter, j'ai fait mon choix.

— C'est-à-dire ?

Je tâtonnai sous les couvertures et trouvai son poignet. Il était chaud, brûlant même, avec un pouls qui battait trop vite et pas assez fort. Toutefois, c'était si différent du frisson mortel de la veille que j'en fus d'abord soulagée.

Il inspira plusieurs fois à fond, puis tourna la tête vers moi et rouvrit les yeux.

— C'est-à-dire que j'aurais pu mourir la nuit dernière.

Effectivement, il aurait pu, mais il ne voulait pas dire cela. À l'entendre, son geste avait été délibéré...

— Que veux-tu dire par « j'ai fait mon choix » ? Tu as décidé de ne plus mourir ?

J'avais beau m'efforcer d'utiliser un ton léger, ce n'était guère efficace. Ce calme hors du temps dans lequel nous avions baigné nous enveloppait encore.

— C'était très étrange, dit-il, et en même temps, pas du tout.

Gardant un doigt sur son pouls, je déclarai :

— Tu ferais peut-être mieux de me dire exactement ce qui s'est passé.

Il sourit, plus avec son regard qu'avec ses lèvres sèches et gercées aux commissures. Je les touchai, tout en pensant que ce serait bien d'aller lui chercher un baume apaisant, de l'eau, un peu de tisane... mais je repoussai cette idée à plus tard. Je voulais l'entendre.

— Je ne sais pas vraiment, *Sassenach*. Ou plutôt si, mais je ne sais pas comment le dire.

Ses yeux d'un éclat bleu vif fixaient mon visage, resplendissants dans la lumière matinale, avec une expression presque intriguée, comme s'il ne m'avait encore jamais vue.

— Tu es belle, dit-il doucement. Si belle, *mo chridhe*.

Mes mains étaient toujours tachées de bleu-jaune et des traînées du sang de bison, mes cheveux sales pendaient tristement en formant des nœuds dans mon cou. J'empestais l'odeur d'urine rance de la teinture à l'indigo et la sueur froide. Pourtant, son visage s'illuminait comme s'il contemplait une pleine lune par une nuit d'été, pure et ravissante.

Pendant qu'il parlait, son regard se promenait sur mes traits, les dessinant l'un après l'autre.

— Quand Archie et Roger m'ont amené ici, j'allais très mal. À chaque battement de cœur, ma jambe et mon crâne m'élançaient au point que je redoutais le suivant. J'attendais alors l'intervalle pour penser. Tu ne peux pas imaginer tout le temps qui s'écoule entre deux battements.

Pendant ces laps de temps, il s'était mis à espérer que la prochaine pulsation ne viendrait jamais. Peu à peu, il s'était rendu compte que son cœur ralentissait et que la douleur semblait plus lointaine, séparée de lui-même.

Sa peau s'était refroidie. La fièvre avait quitté à la fois son corps et son esprit, laissant ce dernier étrangement clair.

— C'est ça que je n'arrive pas vraiment à exprimer, *Sassenach*. Mais j'ai… vu.

Pris par l'intensité de son récit, il avait libéré son poignet et enroulé ses doigts autour des miens.

— Vu quoi ?

Au moment même où je posai la question, je savais déjà qu'il ne pourrait me répondre. Comme tout médecin, j'avais vu des malades décider de mourir, et je connaissais ce regard qu'ils avaient, parfois. Les yeux grands ouverts fixant un point au loin.

Il hésita, cherchant ses mots. Je me souvins alors d'une histoire et vins à sa rescousse.

— Dans l'hôpital où je travaillais, une vieille dame est morte, de manière très paisible, avec tous ses grands enfants autour d'elle. J'avais moi-même constaté que son pouls ne battait plus, elle ne respirait plus. Tous ses proches rassemblés autour du lit pleuraient. Puis, soudain, elle a ouvert les yeux. Elle ne regardait personne en particulier, mais elle voyait clairement quelque chose. Elle a dit très distinctement « Oooooh ! », ravie, comme une petite fille devant une scène merveilleuse. Puis elle a refermé les yeux.

Les larmes m'étaient montées aux yeux. Il serra ma main plus fort.

— C'était comme ça ? lui demandai-je.

— À peu près.

Il s'était senti suspendu dans un lieu qu'il ne pouvait pas décrire, habité par une paix absolue.

— C'était comme s'il y avait… pas vraiment une porte, mais… une sorte de passage devant moi. Je pouvais le franchir, si je le souhaitais. Et j'en avais envie.

Il me jeta un coup d'œil en biais, en souriant timidement.

Il avait su aussi ce qui l'attendait plus loin et, dès cet instant, s'était rendu compte que le choix lui appartenait. Avancer ou rebrousser chemin.

— C'est à ce moment que tu m'as demandé de te toucher ?

— Tu étais la seule chose qui pouvait me faire revenir, dit-il simplement. Tout seul, je n'en avais pas la force.

J'avais la gorge nouée. Incapable de parler, je serrai sa main de toutes mes forces.

— Pourquoi ? demandai-je enfin. Pourquoi as-tu... choisi de rester ?

— Parce que tu as besoin de moi, dit-il dans un souffle.

— Pas parce que tu m'aimes ?

L'ombre d'un sourire se dessina sur ses lèvres.

— *Sassenach*, je t'aime maintenant et je t'aimerai toujours, que je sois mort ou que tu le sois, que nous soyons ensemble ou séparés. Tu le sais.

Il toucha son visage avant d'ajouter :

— Je sais que c'est vrai pour toi aussi.

Il baissa la tête, ses cheveux retombant le long de ses joues.

— Mais je ne parlais pas que pour toi, *Sassenach*. J'ai encore du travail à faire. J'ai d'abord pensé – pas longtemps, c'est vrai – que vous pourriez vous débrouiller, toi, Roger, le vieil Archie, Joseph et les Beardsley. Mais la guerre approche et... hélas pour moi... je suis un chef.

Il secoua lentement la tête d'un air résigné.

— Dieu m'a fait ce que je suis. Il m'a donné un devoir, et je dois m'en acquitter, quel qu'en soit le prix.

— Le prix, répétai-je, mal à l'aise.

Dans sa voix sonnait quelque chose de plus dur que de la résignation. Il me regarda, puis se tourna avec un détachement feint vers le pied du lit.

— L'état de ma jambe n'a pas empiré, *Sassenach*, mais il ne s'est pas amélioré non plus. Je crois que tu vas devoir me la couper.

Assise dans mon infirmerie, je regardais par la fenêtre, essayant de réfléchir à une solution. Il devait y avoir
autre chose à faire. Il le fallait.

Il avait raison. Les stries rouges n'avaient pas pro-
gressé, mais elles étaient toujours aussi vilaines et me-
naçantes. La pénicilline que je lui avais fait boire et que
j'avais appliquée localement avait agi sur l'infection,
mais pas assez. Les asticots faisaient des merveilles sur
les petits abcès, mais ils ne pouvaient atteindre la bactériémie sous-jacente qui empoisonnait son sang.

Je levai les yeux vers ma bouteille en verre fumé. Il
ne restait qu'un tiers de la solution. Cela lui permettrait
de tenir un moment, mais c'était insuffisant. En outre,
il y avait peu de chance qu'administrée par voie orale,
elle ait un effet assez puissant pour éradiquer la bacté-
rie mortelle qui se multipliait dans son sang.

— « Dix mille pour dix millions de milligrammes »,
citai-je de mémoire.

C'était le dosage de pénicilline recommandé pour soigner une bactériémie ou une septicémie, selon le *Merk
Manual*, ouvrage de référence du médecin. Je regardai
le cahier de Daniel Rawlings, puis de nouveau la bouteille. Même sans en connaître la concentration, ma
préparation de pénicilline serait sans doute plus efficace que le mélange d'aristoloche et d'ail préconisé par
Rawlings, mais pas assez cependant pour faire une différence.

Depuis la veille, ma scie d'amputation était posée sur
le comptoir. J'avais promis à Jamie de ne rien faire, et
il me l'avait rendue.

Je serrai les poings, en proie à une insoutenable frustration, si puissante qu'elle submergeait presque mon
désespoir. Pourquoi, pourquoi n'avais-je pas préparé
davantage de pénicilline dès notre retour ? Comment

avais-je pu être aussi irresponsable, aussi négligente, aussi... conne !

Pourquoi n'avais-je pas insisté pour aller à Charleston, voire à Wilmington, dans l'espoir de trouver un souffleur de verre capable de me fabriquer la pompe et le cylindre d'une seringue hypodermique ? J'aurais sûrement pu improviser pour faire l'aiguille. Après toutes les difficultés, après toutes mes expériences pour obtenir cette précieuse substance... Pourquoi maintenant, alors que j'en avais désespérément besoin...

Un grattement contre la porte ouverte me fit me retourner, m'efforçant de reprendre l'air normal. Il me faudrait annoncer rapidement la nouvelle à toute la maisonnée, mais je préférais attendre qu'ils soient tous là.

C'était un des Beardsley. Depuis que Lizzie leur avait soigneusement coupé les cheveux à la même longueur, on les différenciait plus difficilement, à moins d'être assez près pour voir leurs pouces. Dès qu'ils parlaient, cela devenait plus simple.

— Madame ?

C'était Keziah.

— Oui ?

Peu importait si mon ton était sec, il ne percevait pas les nuances.

Il portait un sac en toile. Quand il entra dans la pièce, je vis le tissu remuer et changer de forme. Mon air révulsé le fit sourire.

— C'est pour Sa Seigneurie, annonça-t-il de sa voix forte et terne. L'autre, le vieil Aaron, disait que ça marchait. Quand on se fait mordre par un serpent, faut trouver son petit frère, lui couper la tête et boire son sang.

Il me tendit son sac que je pris du bout des doigts, le tenant le plus loin possible de moi. Son contenu gigota en émettant un vague bruit de crécelle qui me donna la chair de poule.

— Merci, dis-je faiblement. Je vais… euh… en faire quelque chose. C'est très gentil.

Keziah m'adressa un sourire rayonnant et sortit en s'inclinant respectueusement, me laissant avec ce qui me semblait être un serpent à sonnette, petit mais de très mauvais poil. Je cherchai frénétiquement autour de moi un endroit où le mettre. Je n'osai pas le jeter par la fenêtre, car Jemmy jouait souvent dans la cour, près de la maison.

Finalement, de ma main libre, je poussai un grand bocal de sel sur le comptoir et le vidai sur la table. Je fis ensuite tomber le sac dans le bocal, refermai le couvercle, puis courus à l'autre bout de la pièce m'effondrer sur un tabouret, l'arrière des genoux rendu moite par la peur.

En théorie, je n'avais rien contre les serpents, mais dans la pratique…

Brianna passa la tête dans l'entrebâillement de la porte.

— Maman ? Comment va papa ce matin ?

— Pas terrible.

Elle dut lire la gravité de l'état de Jamie sur mon visage, car elle entra et vint s'asseoir à mes côtés.

— À ce point ? demanda-t-elle doucement.

Je hochai la tête, incapable de parler. Elle poussa un grand soupir.

— Je peux faire quelque chose ?

En signe d'impuissance, je haussai les épaules. Pourtant j'avais bien un début d'idée, ou plutôt une idée mise en sourdine depuis un certain temps refaisait surface.

— La seule solution que j'entrevois serait de lui ouvrir la jambe, en entaillant profondément les muscles, et de verser le peu de pénicilline qui me reste directement sur le foyer d'infection bactérienne. Naturellement, l'idéal serait de l'injecter. La pénicilline brute comme la mienne est très instable en milieu acide. Par voie orale, elle ne serait pas assez puissante pour traverser l'estomac.

— C'est plus ou moins ce que tante Jenny avait fait, non ? D'où la grande cicatrice sur sa cuisse.

J'acquiesçai, essuyant mes paumes sur mon tablier. D'ordinaire, j'avais les mains sèches, mais le souvenir de la scie à amputation dans mes doigts était encore très frais dans ma mémoire.

— Il faudrait pratiquer deux ou trois incisions profondes. Cela risque fort de le laisser handicapé à vie, mais cela pourrait réussir. Dans ton école d'ingénieurs, ne t'a-t-on pas appris, par hasard, à fabriquer une seringue hypodermique ?

— Pourquoi ne l'as-tu pas dit plus tôt ? Je ne sais pas si je peux te fabriquer une seringue, mais c'est bien le diable si je ne trouve pas un truc équivalent. Tu le veux pour quand ?

Je la regardai un instant, la bouche ouverte, puis me ressaisis.

— Dans quelques heures. Si les cataplasmes chauds n'apportent pas une amélioration, je vais devoir l'amputer d'ici ce soir.

Elle blêmit.

— L'amputer ! Tu ne peux pas faire ça !

— Ce n'est pas de gaieté de cœur, crois-moi, mais, s'il le faut, je le ferai.

Mes mains se recroquevillèrent, refusant cette perspective.

— Laisse-moi réfléchir. Oh !... où est Mme Bug ? Je voulais lui laisser Jemmy, mais...

— Elle n'est pas là ? Elle est peut-être simplement dans le poulailler.

— Non, j'y suis passée en venant. Je ne l'ai trouvée nulle part... et le feu de la cuisine est éteint.

Étrange. Mme Bug était montée à la maison comme d'habitude pour préparer le petit déjeuner... pourquoi était-elle repartie ? J'espérais que le vieil Archie n'avait rien. Cela aurait été le comble.

Intriguée, je jetai un coup d'œil autour de nous.

— Qu'as-tu fait de Jemmy, alors ?

Il ne s'éloignait jamais bien loin de sa mère, même si, comme tous les petits garçons, il commençait à se montrer aventureux.

— Lizzie l'a amené voir papa. Je lui demanderai de me le garder un moment.

— Bien. Oh, Brianna !

Elle se retourna sur le pas de la porte, haussant des sourcils interrogateurs.

J'agitai un doigt vers le bocal sur mon comptoir.

— Ça t'ennuierait de prendre ça et de le jeter dehors, ma chérie ? Débarrasse-t'en quelque part.

— Bien sûr, mais qu'est-ce que c'est ?

Le petit serpent à sonnette avait rampé hors de son sac et s'était enroulé en un nœud noir suspect. Au moment où elle tendit la main vers le bocal, il bondit, la faisant sursauter et pousser un cri.

— *Ifrinn !* lâcha-t-elle.

Je me mis à rire en dépit de mon état d'anxiété.

— D'où le sors-tu et pourquoi ? demanda-t-elle.

S'étant remise de son choc initial, elle se pencha prudemment et tapota le verre. Le reptile, extrêmement irascible, se jeta de nouveau contre la paroi du bocal. Elle retira précipitamment sa main.

— Keziah me l'a apporté, expliquai-je. Jamie est censé boire son sang pour guérir.

Du bout de l'index, elle suivit la trajectoire de deux gouttes de liquide jaunâtre qui glissaient le long du bocal.

— Regarde-moi ça ! Il a essayé de me mordre à travers le verre, cet idiot ! À mon avis, il n'est pas du tout d'accord avec l'idée de Keziah.

De fait, il s'était enroulé et agitait sa sonnette avec une animosité frénétique.

— Ce n'est pas bien grave, dis-je en venant me placer derrière elle. Je ne pense pas que Jamie soit d'accord non plus. Je ne sais pas pourquoi, mais, ces temps-ci, il en a après les serpents.

— Mmphm.

Elle continuait à fixer le reptile, l'air songeur.

— Keziah t'a-t-il dit où il l'avait trouvé ?

— Je n'ai pas pensé à le lui demander. Pourquoi ?

— Il commence à faire froid dehors. Les serpents hibernent, non ?

— Euh… c'est du moins ce qu'affirme le docteur Brickell.

L'ouvrage du bon docteur, l'*Histoire naturelle de la Caroline du Nord*, était divertissant à lire, mais j'avais quelque doute quant à la véracité de ses observations, notamment celles ayant trait aux serpents et aux crocodiles dont les prouesses me semblaient pour le moins exagérées.

Elle hocha la tête sans quitter le bocal des yeux.

— Tous les vipéridés ont une anatomie exemplaire. Leurs mâchoires sont désarticulées pour leur permettre d'avaler des proies plus grosses qu'eux et, quand ils ne s'en servent pas, leurs crochets se rabattent contre leur palais.

Je lui répondis d'un ton impatient. Elle n'y prêta même pas attention.

— Et alors ?

— Alors, leurs crochets sont creux. Ils sont reliés à une poche de venin située dans leur joue. Quand ils mordent, les muscles de la joue pressent contre la poche pour expulser le venin dans le crochet, puis dans la proie. Exactement comme…

— Bordel de merde !

Elle s'arracha enfin à la contemplation du crotale pour se tourner vers moi.

— J'ai d'abord pensé à une plume aiguisée, mais ce système fonctionnerait nettement mieux. Il est déjà conçu pour ça.

Un vague espoir renaissait en moi.

— Je vois, mais il te faudrait une sorte de réservoir…

— Avant tout, il me faut un serpent plus gros, dit-elle en se dirigeant vers la porte. Je vais chercher Josiah ou Keziah. Si cet animal vient d'un nid, il y en a sûrement d'autres.

Elle partit rapidement, me laissant seule. J'examinai ma solution avec un regain d'optimisme. Si je devais l'injecter, il me fallait filtrer et purifier le plus possible d'antibiotique.

J'aurais aimé faire bouillir la solution, mais je n'osais pas, de peur qu'une température trop forte ne détruise les principes actifs de ma pénicilline brute, si celle-ci en avait encore.

À quoi me servirait une seringue si je n'avais rien à injecter ? Je tournai en rond dans mon infirmerie, prenant des objets ici, les déposant là, ne sachant quoi faire.

Je repris la scie à amputation et fermai les yeux, revivant délibérément les mouvements et les sensations, essayant de retrouver le détachement quasi surnaturel qui m'avait habitée à la mise à mort du bison.

Malheureusement, cette fois, c'était Jamie qui avait communiqué avec l'au-delà. « Sympa de votre part de lui avoir donné le choix ! grognai-je cyniquement. Vous auriez pu, par la même occasion, lui rendre le retour plus doux ! »

Mais il ne l'aurait jamais demandé. Je rouvris les yeux, étonnée, sans savoir si mon subconscient avait formulé la réponse ou si elle était venue d'ailleurs..., mais elle était très claire dans mon esprit, et je ne pouvais qu'admettre sa véracité.

Jamie avait l'habitude de prendre ses décisions seul, puis de s'y tenir, quel qu'en soit le prix. Il avait compris que vivre signifiait perdre sa jambe, avec tout ce que cela impliquait. Il l'avait accepté comme la conséquence logique de son choix.

— Oui, mais moi, je ne l'accepte pas ! m'écriai-je à voix haute en direction de la fenêtre.

Un jaseur des cèdres qui se balançait à l'extrémité d'une branche me regarda, surpris, derrière son masque noir de cambrioleur. Puis, décidant que j'étais folle mais inoffensive, il reprit ses activités.

J'ouvris la porte de l'armoire et le couvercle de mon coffre de médecine, puis allai chercher une feuille de papier, une plume et de l'encre dans le bureau de Jamie.

Bocal de baies rouges de gaulthérie séchées. Extraits de pyrrol des ombelles. Essence d'orme rouge. Écorces de saule et de cerisier. Vergerette. Achillée millefeuille.

La pénicilline était de loin l'antibiotique le plus efficace, mais pas le seul. Les hommes faisaient la guerre aux microbes depuis des millénaires sans savoir contre quoi ils se battaient. J'avais un léger avantage : je savais.

Je dressai une liste de toutes mes herbes. Sous chaque nom, j'inscrivis toutes leurs propriétés médicinales et leur utilisation. Toute plante ayant servi à soigner un état septique était bonne à retenir, qu'elle permette de nettoyer des lacérations, de traiter des plaies buccales, la diarrhée ou la dysenterie... J'entendis des pas dans la cuisine et appelai Mme Bug pour lui demander de me faire bouillir de l'eau afin de faire tremper mes préparations au plus tôt.

Elle apparut sur le pas de la porte, les joues rosies par le froid, ses cheveux ébouriffés s'échappant de son bonnet, un grand panier dans les bras. Avant que j'aie pu ouvrir la bouche, elle le laissa tomber lourdement sur le comptoir devant moi. Son mari arriva derrière elle, portant un autre panier et un petit fût ouvert d'où s'échappait une forte odeur d'alcool. L'air autour d'eux était étrangement fétide, comme s'ils s'étaient roulés dans une benne à ordures.

Les yeux inquiets mais brillants, elle m'expliqua :

— Je vous ai entendu dire que vous étiez à court de moisissures. Alors j'ai dit à mon Archie : faisons le tour des maisons des environs pour voir ce qu'on peut récupérer. Car, après tout, le pain rancit si vite avec cette humidité, et même si le Seigneur m'est témoin que la mère Chisholm est une vraie souillon, il n'empêche qu'elle a du cœur. Cela dit, je n'ose même pas imaginer ce qui se passe dans cette porcherie qu'elle appelle une maison, mais...

Je ne l'écoutais déjà plus, m'étant plongée dans le butin du raid matinal que le couple avait fait sur les garde-manger et les dépotoirs de Fraser's Ridge. Croûtes de pain, vieux biscuits, courge à demi pourrie, tranche de tarte portant encore une empreinte de dents... c'était une vraie mixture de restes gluants et de fragments en décomposition, tous couverts de moisissures bleu velouté et vert lichen, entrelacées de grumeaux verruqueux roses et jaunes et de traînées de poussières blanchâtres. Le fût était à moitié rempli de maïs fermenté, formant un liquide opaque sur lequel flottaient des îlots de champignons bleus.

— Les porcs d'Evan Lindsay, résuma M. Bug dans un élan de loquacité inattendu.

Noir de crasse, le couple me dévisageait avec un grand sourire.

Ma gorge était nouée, pas seulement par les miasmes du maïs pourri.

— Merci, parvins-je à dire. Oh, merci !

Le soir venait de tomber quand je montai l'escalier, portant mon plateau de potions et d'instruments, en proie à un mélange d'excitation et d'énervement.

Jamie était assis dans le lit, adossé à une pile d'oreillers et entouré de visiteurs. Les gens avaient défilé toute la journée pour le voir et lui souhaiter un prompt rétablissement. Bon nombre d'entre eux étaient restés, si bien qu'une rangée de visages anxieux se tourna vers moi à mon arrivée.

Il avait les traits très tirés, et je me demandais si je n'aurais pas dû chasser ses visiteurs. Puis en voyant Murdo Lindsay lui prendre la main et la serrer, je me dis que la distraction et le soutien apportés par ses amis lui étaient probablement plus utiles qu'un repos que, de toute manière, il n'aurait pas pris.

Affectant un ton détaché, il déclara :

— Eh bien, je suppose que nous sommes prêts !

Il étira ses membres, fléchissant ses orteils sous la couverture. Compte tenu de l'état de sa jambe, cela devait lui faire un mal de chien, mais, il le savait, c'était peut-être sa dernière occasion de la remuer.

Je m'efforçai de prendre un air rassurant et sûr de moi.

— Nous sommes prêts à tenter quelque chose. Si quelqu'un veut faire une petite prière pour que ça marche, surtout qu'il ne se gêne pas.

La surprise qu'avait déclenchée mon arrivée céda la place à l'angoisse. Marsali, qui tenait Joan endormie dans ses bras, glissa rapidement une main dans la poche de son tablier à la recherche de son rosaire.

On se précipita pour débarrasser la table de chevet jonchée de livres, de papiers, de restes de chandelles, de diverses friandises apportées pour tenter Jamie, toutes restées intactes, ainsi que – allez savoir pourquoi ! – la caisse d'un tympanon et une peau de marmotte à moitié tannée. Je posai mon plateau, et Brianna, qui m'accompagnait, s'avança en tenant avec précaution son invention dans ses mains, tel un enfant de chœur présentant les hosties au prêtre.

Jamie regarda l'objet en fronçant les sourcils, puis se tourna vers moi :

— Nom d'un chien, qu'est-ce que c'est que ça ?

— Une sorte de crotale démontable, expliqua Brianna.

Tout le monde tordait le cou pour voir, intrigué, mais l'objet de la curiosité générale changea rapidement lorsque j'écartai la couverture et dénudai la jambe. Des murmures choqués et des exclamations de compassion s'élevèrent.

Tout au long de la journée, Lizzie et Marsali avaient soigneusement renouvelé les cataplasmes chauds aux oignons et aux graines de lin. Quand je les soulevai pour les mettre de côté, des volutes de vapeur s'en dégagèrent. La chair de la jambe était rouge vif jusqu'au genou, du moins là où elle n'était pas noire ou suintante de pus. Nous avions extrait provisoirement les asticots, craignant que la chaleur ne les tue. À présent, ils se trouvaient dans une assiette, dans mon infirmerie, se régalant sur une des trouvailles les plus juteuses des Bug. Si je parvenais à sauver la jambe, ils m'aideraient plus tard à faire le ménage dans la plaie.

J'avais soigneusement passé au crible tous les détritus, examinant les moisissures bleues au microscope et plaçant dans une grande coupe tout ce que j'identifiais comme étant porteur de *penicillium*. Ensuite, j'avais versé la liqueur de maïs fermenté sur cet assortiment hétéroclite. Le tout avait macéré pendant la journée et, avec un peu de chance, dissous toute la pénicilline brute dans le liquide alcoolisé.

Pendant ce temps, j'avais préparé une sélection de plantes réputées pour avoir des vertus curatives sur les états purulents. Je les avais mises à tremper pendant plusieurs heures dans de l'eau bouillante.

Je tendis une tasse de cette décoction fortement aromatisée à Roger en détournant soigneusement le nez et lui ordonnai :

— Fais-lui boire ça. Jusqu'à la dernière goutte !

Jamie huma la mixture, me lança un regard lourd de reproches, mais but docilement, faisant des grimaces exagérées pour amuser la galerie, qui gloussa de rire. L'atmosphère ainsi détendue, je passai au clou du spectacle, en me tournant pour prendre la seringue improvisée de Brianna.

Les jumeaux Beardsley, serrés l'un contre l'autre, jouèrent des coudes pour mieux voir, bombant le torse de fierté. Dès que Brianna leur avait expliqué ce qu'elle voulait, ils étaient partis ventre à terre et revinrent avec un beau crotale de près de un mètre de long, heureusement mort cette fois, presque coupé en deux en son milieu d'un coup de hache pour préserver la tête.

Avec précaution, j'avais extrait les glandes venimeuses, puis détaché les crochets, les confiant à Mme Bug avec l'ordre de les rincer plusieurs fois dans l'alcool pour éliminer toute trace de venin.

Brianna avait utilisé la soie huilée qui avait enveloppé l'astrolabe et en avait cousu une partie en forme de tube, dont une extrémité s'achevait en points noués, comme une suture de bourse. Ensuite, elle avait coupé un épais segment de penne de dinde, ramolli dans l'eau chaude, et s'en était servi pour relier le bout du tube au crochet. Elle avait soudé hermétiquement les jointures de la canule, de la plume et du crochet avec de la cire d'abeille et en avait aussi répandu sur les coutures pour éviter les fuites. C'était du beau travail. On aurait dit un petit serpent dodu avec un énorme crochet incurvé, ce qui souleva moult commentaires dans l'assistance.

Murdo Lindsay gardait toujours une des mains de Jamie dans la sienne. Lorsque je fis signe à Fergus de me tenir la chandelle, je vis Jamie tendre l'autre main vers Roger. Celui-ci parut momentanément déconcerté, puis il la prit fermement et s'agenouilla près du lit.

Je palpai la jambe avec délicatesse, choisis un bon endroit sans gros vaisseaux, le nettoyai avec de l'alcool pur, puis y plantai le crochet, le plus profondément possible. Les spectateurs retinrent leur souffle, et Jamie se raidit, mais ne bougea pas.

— Allons-y.

Je me retournai vers Brianna, debout derrière moi avec la bouteille d'alcool de maïs filtré. En se mordant la lèvre inférieure, elle versa avec soin le liquide dans l'instrument en soie que je tenais par le bord. Je repliai son couvercle et, avec le pouce et l'index, le pressai fermement vers le bas, expulsant la solution dans les tissus de la jambe.

Jamie émit un bruit étranglé, et Murdo et Roger se penchèrent instinctivement vers lui, leur épaule contre les siennes pour le maintenir.

Je n'osai aller trop vite de peur de faire sauter la cire par une pression excessive, même si nous avions une seringue de secours réalisée avec l'autre crochet. Je répétai l'opération tout le long du membre, Brianna remplissant le tube à chaque injection. Chaque fois que j'enlevais le crochet, du sang s'élevait du trou, coulant en filets rouges sur le côté de la jambe. Sans lui avoir demandé, Lizzie s'empara d'un linge humide et nettoya les traces, l'air concentré.

La chambre était silencieuse, tous retenant leur souffle à chaque nouvelle piqûre puis expirant quand elle prenait fin. Inconsciemment, ils se penchaient en avant, accompagnant mon mouvement quand je pressais l'alcool dans les tissus infectés. Les muscles des bras de Jamie saillaient, et il dégoulinait de transpiration, mais ni lui, ni Murdo, ni Roger n'émirent un son ni ne bougèrent.

Du coin de l'œil, je vis Joseph Wemyss lui lisser les cheveux en arrière, puis lui éponger le visage et le cou avec une serviette.

Cela ne dura pas longtemps. Une fois fini, j'étalai du miel sur les plaies ouvertes, puis lui massai le pied et la cheville avec de l'huile de gaulthérie.

— Maintenant que tu m'as bien badigeonné, je suis prêt pour le four, *Sassenach* ?

340

Il agita les orteils, déclenchant une nouvelle vague de rires dans la chambre et soulageant la tension.

Tout le monde prit congé, lui donnant une tape sur l'épaule ou une bise sur la joue en lui souhaitant bonne chance. Il sourit et hocha la tête, agitant la main, échangeant des amabilités, faisant des plaisanteries.

Lorsque la porte se referma sur le dernier visiteur, il se renfonça dans son oreiller et ferma les yeux en poussant un long soupir. Je remis de l'ordre sur mon plateau, mettant la seringue à tremper dans l'alcool, rebouchant mes flacons et pliant les bandages. Puis, je m'assis sur le lit à ses côtés, et il tendit la main vers moi sans rouvrir les paupières.

Sa peau était chaude et sèche, sa main rougie par la poigne d'acier de Murdo. Je caressai ses articulations de mon pouce, écoutant les bruits de la maison plus bas, étouffés mais animés.

— Ça va marcher, murmurai-je au bout d'une minute. J'en suis sûre.

— Je sais.

Il inspira profondément et, enfin, se mit à pleurer.

56

Du sang neuf

Roger se réveilla soudain d'un sommeil noir et sans rêve. Il se sentait comme un poisson expulsé hors de l'eau, le souffle coupé, dans un milieu étranger et inimaginable, baignant dans une étrange lumière et où il n'y avait que des surfaces planes. Puis, son esprit enregistra le contact de la main de Brianna sur son bras, et il réintégra son corps... et son lit.

— Hein ?

Il se redressa brusquement en position assise.

— Excuse-moi de te réveiller.

Brianna lui souriait, mais elle scrutait son visage, l'air préoccupé. Alors qu'elle lissait ses cheveux en arrière, il l'attrapa machinalement par les bras et retomba sur l'oreiller en l'entraînant avec lui.

— Hmmm...

L'enlacer était son ancrage dans le monde réel... sa chair solide et sa peau chaude, ses cheveux doux comme des rêves sur son visage.

— Ça y est ? demanda-t-elle doucement.

Elle promena une main sur son torse nu, et son mamelon se durcit, les poils tout autour se hérissant.

— Ça y est.

Il soupira, puis déposa un baiser sur son front et se détendit en clignant des yeux. Sa gorge était sèche et râpeuse, sa bouche poisseuse, mais il parvenait de nouveau à former des pensées cohérentes.

— Quelle heure est-il ?

Il était dans son propre lit et il faisait assez sombre dans la pièce pour que ce soit le soir, mais la pénombre était uniquement due à la porte fermée et aux fenêtres couvertes. Quelque chose d'illogique flottait dans la lumière et dans l'air.

Elle se libéra et se releva, rejetant ses cheveux en arrière.

— Midi passé. Je ne voulais pas te réveiller, mais il y a un homme dont je ne sais quoi faire.

Elle regarda en direction de la grande maison, puis baissa la voix, même si personne ne pouvait les entendre.

— Papa est profondément endormi, maman aussi. Je ne tiens pas à les réveiller. Même si je le voulais, j'ai peu de chance d'y arriver. Même un coup de canon n'y ferait probablement rien.

Elle esquissa un sourire ironique, puis saisit la cruche sur la table de chevet. Le bruit de l'eau dans la tasse résonna aux oreilles de Roger, comme de la pluie sur une terre calcinée. Il prit le récipient, le vida d'une traite et le lui tendit de nouveau.

— Il s'appelle Thomas Christie, reprit Brianna. Il est venu voir papa. Il dit avoir été à Ardsmuir.

— Ah oui ?

Roger buvait plus lentement, en rassemblant ses pensées. Puis, posant les pieds sur le plancher, il attrapa sa chemise suspendue à une patère.

— Dis-lui que j'arrive dans une minute.

Elle l'embrassa brièvement et sortit, s'arrêtant juste le temps de décrocher la peau devant la fenêtre, permettant ainsi à un brillant rayon de lumière et à un courant d'air frisquet de pénétrer dans la pièce.

Il s'habilla, l'esprit encore agréablement brumeux. Quand il se pencha pour ramasser ses bas sous le lit, un objet dans leurs draps froissés attira son regard, juste sous le bord de l'oreiller. Intrigué, il le saisit. C'était le petit talisman de fécondité, la vieille figurine en pierre rose, lisse dans le creux de sa main, mais d'une lourdeur inattendue.

— Ça alors ! dit-il à voix haute.

Il le contempla un long moment, puis le remit à sa place.

Brianna avait installé le visiteur dans le bureau de Jamie, pièce que la plupart des métayers avaient baptisée « juste un mot, monsieur ». Roger fit une halte dans le couloir afin de vérifier que toutes les parties de son corps répondaient à l'appel. Il n'avait pas eu le temps de se raser, mais il s'était coiffé. Compte tenu des circonstances, Christie ne pouvait pas trop en demander.

En entrant, il eut la surprise de voir trois visages se tourner vers lui. Brianna avait omis de le prévenir que leur visiteur était venu escorté. Cependant, le plus âgé, un monsieur aux épaules carrées, avec des cheveux courts et noirs striés de gris, était forcément Thomas Christie. Le plus jeune, un garçon brun qui n'avait pas plus de vingt ans, était indubitablement son fils.

Roger tendit la main au plus âgé.

— Monsieur Christie ? Roger MacKenzie. Je suis le mari de la fille de Jamie Fraser... je crois que vous avez déjà rencontré ma femme.

Christie parut surpris, puis regarda par-dessus l'épaule de Roger comme s'il s'attendait à voir Jamie apparaître derrière lui. Roger s'éclaircit la gorge. Sa voix chargée de sommeil était encore plus rauque que d'habitude.

— Je crains que mon beau-père ne soit... indisponible pour le moment. Je peux peut-être vous être utile ?

Christie l'examina, évaluant ses possibilités, puis il hocha la tête. Il prit enfin la main de Roger et la serra avec fermeté. À sa stupéfaction, ce dernier sentit quelque chose d'à la fois familier et de totalement inattendu : la pression très nette d'un salut maçonnique contre son articulation. Depuis des années, personne ne le lui avait fait, il répondit donc par ce qu'il espérait être la riposte appropriée. Apparemment, celle-ci donna satisfaction. L'expression sévère de Christie s'adoucit un tantinet, et il lâcha sa main.

— Peut-être bien, monsieur MacKenzie, peut-être bien. Je cherche une terre sur laquelle m'établir avec ma famille, et je me suis laissé dire que M. Fraser pourrait me proposer quelque chose.

— Ce n'est pas impossible, répondit prudemment Roger.

Qu'est-ce encore que cette histoire ? Christie avait-il essayé son salut au hasard ou avait-il eu une bonne raison de penser qu'on le reconnaîtrait ? Dans ce dernier cas, il présumait se trouver parmi des initiés. Pensait-il que Fraser et, par extension, son gendre, étaient francs-maçons ? Cette idée n'était jamais venue à l'esprit de Roger, Jamie n'y ayant pas fait la moindre allusion.

— Je vous en prie, asseyez-vous.

La famille de Christie – son fils et une fille qui pouvait être la sienne, mais aussi sa bru – s'était levée en le voyant entrer, debout derrière le *pater familias* comme des domestiques en présence d'un dignitaire en visite.

Plutôt mal à l'aise, Roger prit place dans le fauteuil de Jamie. Il saisit une plume dans le pot émaillé bleu, espérant se donner un air plus professionnel. Mince, quel genre de questions pouvait-on bien poser à un candidat métayer ?

Il afficha son plus beau sourire, conscient d'avoir les joues mal rasées.

— Ma femme m'a dit que vous avez fait la connaissance de mon beau-père en Écosse ?

— À la prison d'Ardsmuir.

Christie le regarda de manière austère, comme s'il le défiait de contester cette déclaration.

Roger s'éclaircit de nouveau la gorge. Bien que cicatrisée, elle tendait à rester encrassée et râpeuse pendant un moment, après le réveil. Christie prit ce raclement comme un commentaire réprobateur et se raidit. Ses sourcils épais, ses yeux marron jaune, ainsi que ses cheveux courts duveteux et l'absence d'un cou visible lui donnaient l'apparence d'une grande chouette irascible.

— Jamie Fraser y était détenu lui aussi. Je ne vous apprends sûrement rien ?

— Non, non, bien sûr, dit aimablement Roger. Plusieurs autres hommes établis à Fraser's Ridge viennent aussi d'Ardsmuir.

— Qui ?

Le regard suspicieux de Christie renforça encore son allure d'oiseau nocturne.

Roger se frotta le front.

— Euh... il y a les Lindsay, c'est-à-dire Kenny, Murdo et Evan. Geordie Chisholm et Robert MacLeod. Je crois... non, je suis presque sûr qu'Alex MacNeill était à Ardsmuir, lui aussi.

Christie avait suivi l'énumération avec une grande attention, telle une effraie surveillant un mouvement dans la paille de sa grange préférée. Puis il se détendit, lissant ses plumes.

— Je les connais tous, dit-il d'un air satisfait. Mac-Neill pourra attester de mes bonnes mœurs, s'il le faut.

Son ton suggérait fortement qu'une vérification serait néanmoins un affront.

Roger n'avait jamais vu Fraser interroger des candidats à une métairie, mais il l'avait entendu en parler avec Claire. Il posa donc quelques questions à Christie sur son passé récent, essayant de combiner la courtoisie avec un air d'autorité. À son avis, il s'en sortait plutôt bien.

Christie avait été déporté aux colonies avec les autres prisonniers, mais il avait eu la chance de voir son contrat de servage racheté par un planteur de la Caroline du Sud. Ce dernier, découvrant sa connaissance des lettres, en avait fait le précepteur de ses six enfants, puis avait fait payer aux familles voisines le privilège d'envoyer leur progéniture se faire éduquer par Christie. Son contrat parvenu à terme, celui-ci avait accepté de rester en échange de gages.

— Vraiment ?

L'intérêt de Roger pour le visiteur s'était considérablement accru. Un maître d'école ! Voilà qui ferait un immense plaisir à Brianna qui ne demandait qu'à rendre son tablier de maîtresse. En outre, Christie semblait parfaitement capable de mater les élèves les plus rétifs.

— Qu'est-ce qui vous amène dans notre région, monsieur Christie ? Nous sommes bien loin de la Caroline du Sud.

Christie haussa ses larges épaules. Il était fatigué par sa longue route, couvert de poussière, mais ses vêtements étaient taillés dans un drap de bonne qualité et il était bien chaussé.

— Ma femme a été emportée par la grippe, dit-il sur un ton bourru. Tout comme M. Everett, mon employeur. Son héritier n'avait pas besoin de mes services, et je n'ai pas voulu rester sur place sans un emploi stable. Vous avez dit que M. Fraser était indisponible. Savez-vous quand il reviendra ?

— Je n'en ai aucune idée.

Hésitant, Roger se tapotait les dents avec le bout de sa plume. De fait, il était bien incapable de le dire. La veille au soir, Jamie lui avait paru tout juste vivant. Même s'il se remettait convenablement, il resterait alité un bon moment. Il ne voulait pas renvoyer Christie ni le faire attendre indéfiniment. La saison étant déjà bien avancée, s'il voulait l'installer avec sa famille avant l'hiver, il ne fallait pas perdre de temps.

Il observa Christie puis son fils. Tous deux étaient grands et costauds. Ni l'un ni l'autre n'avait l'air d'un ivrogne ou d'un voyou, et leurs paumes calleuses attestaient qu'ils n'avaient pas peur du travail manuel. Ils avaient une femme pour s'occuper de leur foyer. En outre, toute fraternité maçonnique mise à part, Christie avait été l'un des hommes d'Ardsmuir et Jamie s'était toujours efforcé de trouver une place à ses anciens compagnons.

Prenant sa décision, Roger sortit une feuille de papier propre et déboucha l'encrier.

— Très bien, monsieur Christie. Je pense que nous pourrons trouver un... arrangement.

Au même moment, la porte s'ouvrit, et Brianna entra en portant des biscuits et de la bière. Elle battit modestement des cils en déposant son plateau sur le bureau, et il lut une lueur amusée dans son regard discret.

Il pencha la tête en souriant et effleura son poignet quand elle lui tendit un verre. Il se demandait si elle était au courant d'éventuels liens de son père avec la franc-maçonnerie. Probablement pas, sinon elle lui en aurait parlé.

— Brianna, je te présente nos nouveaux métayers. Monsieur Thomas Christie et...

— Mon fils, Allan, dit Christie avec un signe de tête vers ce dernier. Et ma fille, Malva.

S'il avait les mêmes cheveux noirs et épais, le fils ne ressemblait en rien à son père. Il était nettement plus beau, avec un visage carré et fraîchement rasé. Il s'inclina sans rien dire, les yeux fixés sur les rafraîchissements.

La fille, les mains modestement posées sur les genoux, releva à peine le menton. Roger eut la vague impression qu'elle était assez grande et avait entre dix-sept et dix-huit ans. Elle portait une robe bleu nuit avec un châle blanc, ses boucles brunes encadrant l'ovale pâle de son visage. Encore un bon point pour Christie. Les filles à marier étaient rares dans la région, les jolies filles encore plus. Malva Christie recevrait probablement plusieurs demandes avant les semailles de printemps.

Brianna salua chacun d'entre eux d'un hochement de tête, observant la jeune fille du coin de l'œil avec un intérêt particulier. Puis un cri strident s'éleva de la cuisine, et elle partit en courant, marmonnant des excuses.

— Notre fils, expliqua sommairement Roger.

Il prit un verre de bière et l'offrit.

— Un rafraîchissement, monsieur Christie ?

Les contrats de métairie étaient rangés dans le tiroir gauche du secrétaire. Il les avait déjà vus et en connaissait les termes généraux. La surface de départ était de vingt-cinq hectares, des terres supplémentaires pouvant être louées selon les besoins. Les modalités de paiement étaient décidées au cas par cas. Après une petite discussion agrémentée de bière et de biscuits, ils parvinrent à un accord satisfaisant pour tous.

Achevant la rédaction du contrat avec une élégante fioriture, Roger signa de son nom, en tant que représentant de James Fraser, puis poussa le papier vers Christie, de l'autre côté du bureau. Celui-ci acceptait de payer la moitié de son loyer en faisant office de maître d'école pendant cinq mois de l'année. Roger se dit avec une certaine autosatisfaction que Jamie lui-même n'aurait pu faire mieux.

Puis il se ressaisit. Non, Jamie serait allé un peu plus loin et aurait fait en sorte que les Christie reçoivent, outre l'hospitalité, un logement provisoire en attendant d'avoir leur propre toit. Pas dans la grande maison, certes, avec Jamie malade et Claire occupée à le soigner. Il réfléchit un moment, puis sortit dans le couloir et appela Lizzie. Lorsque celle-ci pointa son minois anxieux, il lui sourit et expliqua :

— Nous avons un nouveau métayer et sa famille, *a muirninn*. Voici monsieur Thomas Christie, son fils et sa fille. Peux-tu demander à ton père de les conduire chez Evan Lindsay ? C'est près des terres où ils vont s'installer. Evan et sa femme auront peut-être de la place pour les héberger, jusqu'à ce qu'ils construisent leur propre cabane.

— Oui, bien sûr, monsieur Roger.

Lizzie esquissa une brève révérence en direction de Christie, avant de demander à Roger :

— Monsieur Jamie est donc au courant ?

Roger se sentit rougir, mais il parvint à conserver un visage serein.

— Je le lui dirai dès qu'il se sentira mieux.

— Monsieur Fraser est souffrant ? Je suis navrée de l'entendre.

La voix douce et inconnue s'était élevée derrière lui, le prenant par surprise. Il se retourna pour découvrir Malva Christie qui le fixait d'un air interrogateur. Il ne lui avait pas vraiment prêté attention et fut frappé par la beauté de ses yeux en amande, d'un étrange gris lumineux, bordés d'épais cils noirs. Sans doute avant les semailles de printemps, rectifia-t-il mentalement en toussotant.

— Il a été mordu par un serpent, expliqua-t-il. Mais ne vous inquiétez pas, il se remet.

Il tendit la main vers Christie, prêt cette fois pour le salut secret.

— Bienvenue à Fraser's Ridge. J'espère que vous et votre famille y serez heureux.

Jamie était assis dans son lit, dorloté des pieds à la tête par une armée de femmes dévouées, ce qui paraissait l'alarmer plus qu'autre chose. Son visage se détendit en voyant apparaître un autre représentant de la gent masculine, et il écarta d'un geste Lizzie, Marsali et Mme Bug. Elles sortirent à contrecœur, mais Claire resta, s'affairant avec ses flacons et ses lames.

Roger prit place au pied du lit, mais Claire le chassa avec vigueur, lui indiquant un tabouret. Elle souleva alors un pan de couverture pour vérifier qu'il n'avait commis aucun dégât.

Elle tapota la gaze blanche d'un air rassuré. Apparemment, les asticots étaient de nouveau au travail, gagnant leur croûte. Elle se redressa et fit un signe de tête à Roger, tel le grand vizir accordant une audience avec le calife de Bagdad. Il regarda Jamie, qui leva les yeux au ciel puis le salua d'un sourire narquois.

— Comment ça va ? demandèrent-ils à l'unisson.

Ils se mirent à rire, et Jamie haussa les épaules en déclarant :

— Je suis en vie, mais ça ne veut pas dire que tu avais raison.

Claire releva des yeux curieux.

— Raison à quel sujet ?

— Oh ! rien, un petit détail philosophique concernant les choix et le hasard, répondit Jamie.

Elle grogna, dédaigneuse.

— Je ne veux même pas en entendre parler !

— Ça tombe bien, je ne me sens pas d'attaque pour aborder ce genre de débat avec seulement du pain et du lait dans le ventre.

Il jeta un regard écœuré vers le bol rempli d'une sorte de bouillie à moitié mangée, puis se concentra de nouveau sur Roger :

— Au fait, as-tu soigné l'ulcère sur la patte de la mule ?

— Je m'en suis chargée, dit Claire. Il cicatrise très bien. Roger était occupé à s'entretenir avec de nouveaux métayers.

— Ah oui ?

Intéressé, Fraser arqua les sourcils.

Roger s'empressa d'intervenir avant d'être encore supplanté :

— Oui, un certain Thomas Christie et sa famille. Il dit avoir été à Ardsmuir avec vous.

Pendant une fraction de seconde, il eut l'impression que tout l'air de la chambre avait été aspiré. Fraser le dévisagea sans la moindre expression. Puis il hocha la tête, retrouva comme par magie son air bienveillant, et le temps reprit son cours.

— Oui, je me souviens très bien de Tom Christie. Où était-il passé ces vingt dernières années ?

Roger lui répéta les paroles du maître d'école, puis lui expliqua leur arrangement. Jamie acquiesça, la mine satisfaite.

— C'est très bien. Dis-lui que pour ses classes, il peut utiliser tous les livres de ma bibliothèque. S'il en a besoin d'autres, qu'il dresse une liste. On la donnera à Fergus la prochaine fois qu'il ira à Cross Creek ou à Wilmington.

Ils discutèrent ensuite de certaines questions pratiques, puis, au bout de quelques minutes, Roger prit congé.

Tout semblait parfaitement normal, et pourtant il percevait un vague malaise. Ce devait être son imagination. En se tournant pour refermer la porte derrière lui, il vit Jamie, les mains croisées sur sa poitrine et les yeux fermés. S'il ne dormait pas encore, il n'avait clairement aucune envie de discuter. Incertaine, Claire l'observait, avec ses yeux de faucon plissés. Elle aussi avait perçu le trouble de Jamie.

Il n'avait rien imaginé. Que s'était-il donc passé avec ce Tom Christie ?

57

Le soleil de minuit

Le lendemain, Roger ferma la porte derrière lui et se tint un moment sous le porche, inspirant l'air frais du matin. Il ne devait pas être plus de sept heures et demie. Le soleil avait atteint les arbres de la crête la plus haute de la montagne, son disque pâle auréolant les dernières feuilles jaunes.

Il lança un regard à la ronde, dressant mentalement la liste de ses corvées de la journée. Des poulets picoraient dans la cour, et il entendait un petit groupe de cochons grogner en retournant la terre sous les châtaigniers, non loin.

Il y avait des arbres à étayer et du foin à rentrer, pas dans les grands champs, mais dans les lopins en friche éparpillés sur les versants. Ceux-ci livreraient une brassée, ici et là, de quoi contenter une vache de plus pendant l'hiver.

Une branche d'arbre avait traversé le toit du fumoir en tombant. Il fallait reboucher le trou avec de nouveaux bardeaux et débiter la branche coupable. Il fallait creuser une nouvelle fosse d'aisance avant que le sol ne gèle ou ne se transforme en boue, faucher le lin, réparer les barrières de l'enclos, remettre en état le rouet de Lizzie…

Il était abruti, incapable de décider par quoi commencer. Il avait suffisamment dormi pour chasser l'épuisement de ces derniers jours, mais en débarquant juste après les mésaventures éprouvantes de Jamie, Thomas Christie et sa famille avaient drainé toute son énergie mentale.

Il leva le nez. Quelques nuages en queue de chat s'étiraient dans le ciel. Il ne pleuvrait pas avant un moment. Le toit du fumoir pouvait donc attendre. Il se gratta le crâne. D'abord le foin, ensuite l'étayage. Il fourra dans son sac une jatte en grès remplie de bière et les sandwichs préparés par Brianna, puis partit chercher sa faucille et sa hache.

La marche le ragaillardit. L'exercice réveilla et étira ses muscles et, lorsqu'il arriva dans les hauts prés, il se sentit de nouveau lui-même, solidement enchâssé dans le monde physique de la montagne et de la forêt. Il posa sa hache contre un arbre et commença à couper le foin.

Ce n'était pas la monotonie reposante et mécanique de la fenaison habituelle, où la grande faux déposait les hautes tiges grasses en faisceaux couchés, qu'il restait juste à ramasser. Ce travail-là était à la fois plus dur et plus facile. Il devait attraper des bouquets d'herbes sauvages, les couper près de la racine, puis les lancer par poignées entières dans son grand sac en toile.

Cela ne demandait pas une grande force physique mais de l'attention. Dans cette partie dégagée entre les arbres, les touffes étaient denses, mais elles s'immisçaient entre des affleurements de granit, des petits buissons, des racines en décomposition et des ronces.

Bientôt, tout en restant vigilant, il laissa divaguer son esprit vers les histoires que lui avait racontées Jamie, cette fameuse nuit dans les montagnes, sous les étoiles.

Il en connaissait déjà certaines : l'origine de la brouille entre Alex MacNeill et Nelson McIver, le fait qu'un des fils de Patrick Neary était sans doute un voleur et ce qu'il convenait de faire à son sujet. Il lui avait aussi rappelé quelles terres vendre, quand et à qui.

D'autres nouvelles l'avaient totalement pris de court, notamment celle concernant Stephen Bonnet. À ce souvenir, il serra les dents.

Et ce qu'il fallait faire au sujet de Claire.

Se réveillant soudain de sa stupeur fébrile, Jamie avait agrippé le bras de Roger avec une force surprenante, les yeux ardents.

— Si je meurs, elle doit partir. Renvoie-la. Force-la à repartir. Si le petit peut faire la traversée, vous devriez tous rentrer. Mais elle, elle doit absolument retraverser les pierres.

— Pourquoi ? avait demandé Roger. La traversée peut être très dangereuse.

— C'est très dangereux ici aussi pour elle, sans moi.

Son regard s'était brusquement brouillé et ses traits s'étaient affaissés. Épuisé, il était retombé sur sa couche, puis, tout à coup, s'était de nouveau raidi :

— C'est une Ancienne, avait-il haleté. S'ils l'apprennent, ils la tueront.

Puis il avait fermé les yeux et n'avait plus dit un mot jusqu'à ce que les autres les retrouvent au petit matin.

À présent, dans la lumière limpide de cette belle journée d'automne, loin du vent gémissant et des flammes dansantes, Roger était raisonnablement sûr que Fraser avait été en proie à un délire, son inquiétude pour sa femme se mêlant aux fantômes distillés par le poison dans son sang. Depuis, cependant, cela n'avait cessé de le turlupiner.

« C'est une Ancienne. » Dommage que Fraser ne se soit pas exprimé en gaélique, le sens aurait été plus clair. S'il avait qualifié son épouse de *ban-sidhe*, Roger aurait tout de suite compris s'il la considérait comme appartenant au monde des fées ou uniquement comme une sage bien ancrée dans le monde des humains.

Il ne pouvait tout de même pas… quoique. À l'époque de Roger, la croyance en « l'Autre Peuple » demeurait encore forte dans les Highlands, même si on l'admettait moins ouvertement. Fraser ne cachait pas qu'il croyait aux fantômes, sans parler des saints et des anges. Dans l'esprit cyniquement presbytérien de Roger, il n'existait pas une grande différence entre allumer un cierge à sainte Geneviève et mettre un pot de lait devant sa porte pour les fées.

D'un autre côté, lui-même n'aurait jamais touché à du lait destiné aux Autres, ni déplacé un charme suspendu à l'entrée d'une étable ou à un linteau de porte, et ce, pas uniquement par respect pour la personne qui l'avait mis là.

Le travail lui avait donné chaud. Sa chemise collait à son dos, la transpiration coulant entre ses omoplates. Il fit une brève pause pour boire un peu d'eau de sa gourde et nouer un chiffon autour de son front.

Cependant, Fraser pouvait avoir mis le doigt sur quelque chose. L'idée que Brianna, et même Claire, soit une *sìdheanach* était risible, mais, bien sûr, il ne s'agissait pas que de cela. Elles « étaient » différentes. Tout le monde n'avait pas la faculté de voyager à travers les pierres. Et parmi ceux qui l'avaient, peu passaient à l'acte.

Il y en avait d'autres. Geillis Duncan. Le voyageur inconnu dont avait parlé Claire, l'homme dont elle avait trouvé la tête coupée dans la nature, avec ses plombages intacts. En dépit de la sueur, l'évocation de ce dernier lui fit froid dans le dos.

Jamie avait enterré la tête, avec le respect qui lui était dû et une brève prière, dans une clairière, sur une colline non loin de la maison. C'était le premier et le seul occupant du cimetière de Fraser's Ridge. Claire avait insisté pour qu'il marque la tombe d'une dalle en granit brut, sans inscription – qu'y avait-il à dire ? –, mais marbré de veines de serpentine verte.

Fraser avait-il raison ? « Si le petit peut faire la traversée, vous devriez tous rentrer. »

Sinon ? Un jour peut-être, ils finiraient tous côte à côte dans la clairière ensoleillée, chacun sous sa dalle de granit. Sauf que la leur porterait un nom. Quelles dates de naissance graveraient-ils ? Pour Jemmy, cela ne poserait pas de problème, mais pour les autres...

Là était le hic, ou l'un des hics. « Si le petit peut faire la traversée. » Si la théorie de Claire était exacte et que la faculté de traverser les pierres était génétique comme la couleur des yeux ou le rhésus sanguin, alors il avait cinquante pour cent de chances d'y arriver s'il était l'enfant de Stephen Bonnet, entre soixante-quinze et cent pour cent s'il était le sien.

Il tailla rageusement une touffe d'herbes sans se donner la peine de la tenir, et une pluie de graines lui tomba dans les cheveux. Puis il se souvint de la petite statuette rose sous l'oreiller et inspira profondément. Si elle était efficace, il y aurait un autre enfant, qui, cette fois, serait indubitablement de lui. Encore trois chances sur quatre de pouvoir traverser les pierres... ou une tombe de plus dans le cimetière familial.

Son sac était presque plein, et il avait presque tout coupé dans ce coin. Il récupéra sa hache et balança la besace par-dessus son épaule. Il s'apprêtait à prendre la direction du champ de blé situé dans les hauteurs, lorsqu'il aperçut la petite silhouette noueuse de Kenny Lindsay entre les arbres. Celui-ci était sans doute venu avec la même intention que Roger, car il agita sa faucille dans un salut cordial, en lançant :

— *Madain mhath a Smeòraich !* Eh, au fait, il paraît qu'il y a des nouveaux par ici ?

Ne s'étonnant plus de la rapidité avec laquelle les informations circulaient dans les montagnes, Roger lui tendit sa jatte de bière et lui raconta ce qu'il savait sur la nouvelle famille.

— Ils s'appellent bien Christie, hein ? demanda Kenny.

— Oui, Thomas Christie, son fils et sa fille. Vous devez le connaître, il était à Ardsmuir.

— Ah oui ? Oh !

Le revoilà. Cet infime temps d'arrêt à l'évocation du nouveau venu.

— Ce Christie-là, répéta Kenny. Mmm…

Le bout de sa langue pointa entre ses lèvres, goûtant le nom.

De plus en plus mal à l'aise, Roger demanda de but en blanc :

— Qu'est-ce qui ne va pas avec ce Christie-là ?

Kenny parut surpris.

— Mais rien… pourquoi ? Il y a quelque chose qui ne va pas ?

— Non, enfin… je ne sais pas, vous avez eu l'air pris de court en entendant son nom. Je me demandais s'il n'était pas connu pour être un voleur, un soûlard ou quelque chose du genre.

Le visage de Linsday s'illumina.

— Ah ! Oui, je comprends ce que vous voulez dire. Mais non, pour autant que je sache, Christie est un homme respectable.

— Pour autant que vous sachiez ? Vous n'étiez pas à Ardsmuir avec lui ? C'est pourtant ce qu'il a dit.

— Oh si ! il y était bien, lui aussi.

Toutefois, Lindsay ne semblait pas vraiment sûr de lui. Toutes les autres tentatives de Roger pour l'aiguillonner ne lui valurent que de vagues hochements de tête. Finalement, ils cessèrent de parler, marchant côte à côte sous le soleil.

Au bout d'un moment, Kenny demanda :

— Vous passerez bien par chez nous, *a Smeòraich*. On est tout à côté de la maison, là, à l'autre bout de ce pré. Ma femme est partie vendre son porc, mais nous avons du babeurre frais.

Roger opina du bonnet en souriant.

— Volontiers, Kenny. Merci.

Il accompagna Lindsay tandis qu'il s'occupait de ses bêtes, deux chèvres laitières et une truie. Kenny partit leur chercher de l'eau à une source voisine, pendant que Roger empilait son foin et en versait une fourchée dans la mangeoire des chèvres.

Puis, Kenny distribua du maïs concassé à sa truie, une énorme créature mouchetée avec une oreille pendante et un regard mauvais.

— Belle bête ! dit Roger poliment.

— Mauvaise comme une teigne et plus rapide qu'une vipère ! grommela Lindsay. Elle a bien failli m'arracher une main hier. Je voulais la conduire au verrat de *Mac Dubh* pour la faire saillir, mais elle n'était pas d'accord.

— Quand ces dames ne sont pas d'humeur, il vaut mieux ne pas insister, convint Roger.

Kenny dodelina de la tête en réfléchissant.

— Peut-être bien, mais il existe des moyens de les amadouer, non ? Mon frère Evan m'a donné un tuyau.

Il lui adressa un grand sourire révélant quelques dents en moins et lui indiqua, d'un signe de tête, un tonneau dans un coin qui dégageait un fort parfum de maïs fermenté.

Roger se mit à rire et eut une vision éphémère de Kenny et de Rosamund, son imposante femme, au lit. En passant, il se demanda si l'alcool jouait un rôle important dans leur couple, en apparence si mal assorti.

— Ça marche, insista Kenny. Elle en raffole. Une vraie pocharde, celle-là ! Le problème, c'est qu'après en avoir bu assez pour être dans de bonnes dispositions, elle ne marche plus droit. Il vaudra mieux amener le verrat jusqu'à elle, quand *Mac Dubh* sera d'attaque.

— Elle est en chaleur ? Je vous l'amènerai demain, proposa Roger dans un élan courageux.

Kenny parut surpris, puis acquiesça, ravi.

— C'est vraiment gentil, *a Smeòraich*.

Il hésita un instant, puis déclara sur un ton détaché :

— J'espère que *Mac Dubh* sera bientôt sur pied. Il a quand même pu recevoir Tom Christie ?

— Non, il ne l'a pas vu, mais je lui ai raconté.

— Ah ? Alors, tout va pour le mieux, n'est-ce pas ?

Roger le fixa, mais Kenny détourna le regard.

Pris d'une impulsion, Roger se pencha par-dessus la pile de foin et attrapa la main de Kenny, le faisant sursauter. Il effectua le serrement de main particulier, avec la tape sur l'articulation, puis il le lâcha.

Interdit, Kenny le dévisagea, clignant des yeux dans le rayon de soleil qui filtrait par la porte ouverte. Puis il posa son seau vide, s'essuya la main sur son vieux kilt et la tendit solennellement à Roger.

Lorsqu'il le lâcha, ils étaient toujours bons amis, mais quelque chose de très subtil avait changé entre eux.

— Christie aussi, observa Roger.

Kenny hocha la tête.

— Oh oui ! Nous le sommes tous.

— Tous… ceux d'Ardsmuir ? Jamie aussi ?

Roger était estomaqué. Kenny acquiesça et ramassa son seau.

— Oui, c'est même *Mac Dubh* qui a commencé. Vous ne le saviez pas ?

Il fit non de la tête. Il était inutile de feindre. Kenny en parlerait sûrement avec Jamie quand il le verrait. Il fixa Lindsay dans le blanc des yeux.

— Alors, ce Christie, qu'est-ce qui ne va pas chez lui ?

Maintenant qu'il ne s'agissait plus de discuter d'un frère maçonnique avec un non-initié, les réticences antérieures de Lindsay disparurent.

— Ce n'est rien, vraiment. J'étais juste surpris de le savoir ici. Il ne s'entendait pas très bien avec *Mac Dubh*. J'imagine que s'il avait eu une autre possibilité, il n'aurait pas choisi de venir à Fraser's Ridge.

Roger fut momentanément surpris d'apprendre que tous les anciens d'Ardsmuir n'étaient pas convaincus que le soleil surgissait tous les matins du trou du cul de Jamie Fraser. Puis, en y réfléchissant bien, il ne voyait pas pourquoi. Dieu savait que son beau-père était aussi doué pour se faire des ennemis que des amis.

— Pourquoi ?

Sa question était pourtant simple, mais Kenny regarda autour de lui dans la bergerie, comme s'il cherchait une issue de secours. Heureusement, Roger se tenait entre lui et la porte. Ses épaules s'affaissèrent, et il capitula.

— Pour pas grand-chose. C'est que Christie est protestant, voyez-vous ?

— Oui, je vois. On l'a enfermé avec les prisonniers jacobites, ce qui n'a pas plu à ces derniers. C'est ce que vous essayez de me dire ?

Cela n'avait rien d'étonnant. Même à son époque, entre les catholiques et les austères descendants écossais de John Knox[1], ce n'était pas franchement la grande histoire d'amour. Les Écossais avaient toujours eu un penchant pour les guerres de religion et, finalement, la cause jacobite dans son ensemble n'avait pas été autre chose.

Prenez quelques ardents calvinistes convaincus que s'ils ne faisaient pas leur lit au carré, le pape descendrait par le conduit de cheminée pour leur mordre les orteils, enfermez-les dans une cellule avec une poignée d'hommes récitant des *Je vous salue Marie* à longueur de journée, et… oui, il voyait ça d'ici. À côté, les émeutes entre hooligans devaient être de la rigolade.

— Mais, dans ce cas, pourquoi Christie a-t-il été incarcéré à Ardsmuir ?

Kenny parut surpris.

— Oh ! il était jacobite, lui aussi… Arrêté avec les autres après Culloden, jugé et emprisonné.

— Un jacobite protestant ?

Ce n'était pas impossible, ni même tiré par les cheveux. La politique entraînait des paradoxes bien plus bizarres, même si cette combinaison restait inhabituelle.

Kenny soupira en regardant vers la ligne d'horizon. Le soleil descendait lentement entre les pins.

---

1. John Knox (1505 ou 1513 – 1572), réformateur écossais, fondateur du presbytérianisme. *(N.d.T.)*

— Rentrons dans la maison, MacKenzie. Si Tom Christie s'établit à Fraser's Ridge, autant que vous connaissiez toute l'histoire. Si je me dépêche, vous serez rentré pour l'heure du dîner.

Rosamund n'était pas à la maison, mais le babeurre était gardé bien au frais dans le puits, comme promis. Après avoir tiré deux tabourets et versé le babeurre dans des tasses, Kenny tint sa parole et commença son récit avec application. Christie était originaire des Lowlands, comme MacKenzie avait bien dû le deviner. Il venait d'Édimbourg. À l'époque du Soulèvement, il était marchand, à la tête d'une affaire prospère dont il venait d'hériter de son père, un homme qui avait travaillé dur toute sa vie. Loin d'être un feignant lui-même, Tom Christie était déterminé à devenir un vrai gentleman.

L'armée du prince Tearlach's occupant la ville, il avait enfilé ses meilleurs habits et avait demandé un entretien avec O'Sullivan, l'Irlandais chargé de l'intendance militaire.

— Personne ne sait ce qu'ils se sont dit, mais quand il est ressorti, Christie avait en poche un contrat pour ravitailler l'armée des Highlands et une invitation au bal donné à Holyrood ce soir-là.

Kenny but une grande gorgée de babeurre et reposa sa tasse, sa moustache bordée de blanc, en fixant Roger, d'un air complice.

— Vous avez sûrement entendu parler de ces fameux bals du palais, non ? *Mac Dubh* nous les a racontés, encore et encore. La Grande Galerie, avec les portraits de tous les rois d'Écosse, les cheminées en carreaux de faïence de Hollande, assez grandes pour y rôtir un bœuf. Le prince et tous ces grands seigneurs venus lui rendre hommage, tous vêtus de soie et de dentelles. Et la nourriture ! Seigneur, quand il nous décrivait tous ces plats !

Kenny ouvrit de grands yeux rêveurs, se souvenant de ces récits écoutés le ventre vide. Il sortit la langue et, inconsciemment, lécha la crème dans sa moustache.

Puis, il se secoua pour revenir dans le présent, reprenant comme si de rien n'était :

— Donc, quand l'armée a quitté Édimbourg, Christie l'a suivie. Je ne peux pas dire si c'était pour surveiller son investissement ou rester dans l'œil du prince.

Roger remarqua au passage que l'idée que Christie ait pu agir pour des motifs purement patriotiques ne figurait pas sur la liste des possibilités. Mais que ce soit par prudence ou par ambition, Christie était resté... trop longtemps. Il avait quitté l'armée à Nairn, à la veille de la bataille de Culloden, reprenant la route d'Édimbourg aux rênes de l'une des carrioles de l'intendance.

— S'il avait laissé la charrette et était rentré à cheval, il s'en serait sans doute sorti, commenta cyniquement Kenny. Mais non ! Il s'est retrouvé nez à nez avec une bande de Campbell. Des troupes du gouvernement, vous me suivez ?

Roger acquiesça.

— J'ai entendu dire qu'il avait essayé de se faire passer pour un marchand ambulant, mais il avait chargé du blé dans une ferme sur cette même route, et le fermier avait juré sur la tête de sainte Bride qu'il l'avait vu trois jours plus tôt avec une cocarde blanche sur la poitrine. Il était cuit !

Christie avait d'abord été envoyé à la prison de Berwick, puis, de là, pour des raisons que seule la Couronne connaissait, avait été transféré à Ardsmuir, où il était arrivé un an avant Jamie Fraser.

— Je suis arrivé en même temps. C'était une vieille prison qui, par endroits, tombait en ruine. Ils ne l'utilisaient plus depuis des années. Quand la Couronne a décidé de la rouvrir, ils y ont amené des hommes d'un peu partout, environ cent cinquante, tout au plus. La plupart étaient des jacobites, plus quelques voleurs et un assassin ou deux.

Kenny n'était pas un grand conteur, mais il parlait avec des mots si simples et si sincères que Roger n'avait aucun mal à visualiser les pierres noires de suie et les détenus en guenilles. Des hommes venus des quatre coins d'Écosse, arrachés à leur foyer, privés de leurs parents et de leurs compagnons, jetés comme des détritus sur un tas de compost, où la crasse, la famine et la promiscuité généraient un pourrissement qui brisait la sensibilité et le civisme.

De petits groupes s'étaient formés, tant pour se protéger mutuellement que pour entretenir un semblant d'humanité. En conflit constant, ils s'entrechoquaient comme des galets balayés par les vagues, s'égratignant de temps à autre, écrasant l'individu isolé qui avait le malheur de rester coincé entre eux.

— Dans des endroits pareils, expliqua Kenny, tout ce qui compte, c'est manger et se tenir au chaud.

Parmi les groupes se trouvait un petit noyau de calvinistes endurcis avec, à sa tête, Thomas Christie. Ils restaient tranquillement dans leur coin, partageant la nourriture et les couvertures, se défendant les uns les autres et adoptant une attitude pharisaïque qui rendaient les catholiques fous de rage.

— Si l'un de nous avait pris feu – parce qu'il arrivait de temps en temps que quelqu'un soit poussé dans les flammes pendant son sommeil –, ils n'auraient pas pissé dessus pour le sauver. Ils ne volaient pas la nourriture des autres, c'est vrai, mais ils restaient à l'écart à prier à voix haute, déblatérant à longueur de journée contre les débauchés, les usuriers, les idolâtres et tout le tintouin, s'assurant que personne n'ignore à qui ils faisaient allusion ! Puis *Mac Dubh* est arrivé.

Le soleil d'automne sombrait derrière la montagne. En dépit de la faible lumière, Roger vit les traits de Kenny durcis par ces sombres réminiscences se radoucir soudain.

— C'était quoi, le retour du Messie ?

Il avait parlé entre ses dents et fut surpris d'entendre Lindsay rire.

— Uniquement dans la mesure où certains d'entre nous connaissaient déjà *Sheumais ruaidh* ! Non, mon ami. Ils l'ont amené par bateau. Or, vous savez que Jamie Fraser n'a pas franchement le pied marin, non ?

— J'en ai entendu parler, en effet.

— Croyez-le. Il est entré dans la cellule en titubant, vert comme une pomme pas mûre, et a vomi dans un coin. Puis il a rampé sous un banc et n'a plus bougé pendant un jour ou deux.

Après avoir refait surface, Fraser était resté discret un certain temps, observant qui était qui et qui faisait quoi. Mais il était né gentleman, avait été laird et vaillant guerrier. Les Highlanders avaient la plus haute estime pour lui. Les hommes s'inclinaient naturellement en sa présence, lui demandaient conseil, recherchaient son jugement. Les plus faibles se sentaient protégés.

— Autant vous dire qu'il était comme une épine dans le cul de Tom Christie, lui qui croyait être la plus grosse grenouille de la mare !

En guise d'illustration, Kenny rentra le menton, gonfla sa gorge et écarquilla les yeux, faisant rire Roger aux éclats.

— Oui, oui, je vois. Il n'appréciait pas beaucoup la concurrence. C'est tout ?

Kenny hocha la tête.

— Ça n'aurait pas été trop grave, sans doute, si sa bande de culs-bénits ne s'était pas mise à bâcler ses prières pour aller écouter *Mac Dubh* raconter ses histoires. Mais, le bouquet, ce fut le nouveau gouverneur.

Bogle, l'ancien gouverneur de la prison, avait été remplacé par le colonel Harry Quarry. Homme relativement jeune mais soldat aguerri, il s'était battu à Falkirk et à Culloden. Contrairement à son prédécesseur, il avait un certain respect pour ses prisonniers et il connaissait Jamie Fraser de réputation, le considérant comme un ennemi vaincu, certes, mais honorable.

— Peu après avoir pris son commandement à Ardsmuir, Quarry a convoqué *Mac Dubh*. Je ne sais ce qui s'est passé entre eux, mais c'est bientôt devenu une habitude. Une fois par semaine, les gardiens venaient chercher *Mac Dubh* pour l'emmener se faire raser et laver. Puis, il montait chez Quarry et lui parlait de nos besoins.

— J'imagine que ça n'a pas dû faire plaisir à Tom Christie, non plus.

Il se forgeait peu à peu une image plus détaillée du personnage : ambitieux, intelligent… et envieux. Compétent, mais n'ayant pas eu la chance de naître noble comme Fraser, ni d'avoir son talent de guerrier, des avantages qui auraient pu susciter une certaine rancœur chez un marchand autodidacte avec des aspirations sociales, bien avant la catastrophe de Culloden. Roger éprouvait même une sympathie sournoise pour Christie : Jamie Fraser n'était pas un concurrent facile pour un simple mortel.

Kenny inclina la cruche de babeurre vers la tasse de Roger, mais celui-ci avança une main.

— Non, non, merci. Mais la franc-maçonnerie... que vient-elle faire là-dedans ? Vous avez dit qu'il existait un lien avec Christie.

La nuit était presque tombée. Il allait devoir rentrer chez lui dans le noir, mais peu lui importait. Curieux, il ne partirait pas avant de connaître le fin mot de l'histoire.

Kenny grogna et réajusta son kilt sur ses cuisses. Il n'avait rien contre l'hospitalité, mais des corvées l'attendaient. Néanmoins, son devoir de courtoisie prit le dessus. En outre, il avait toujours apprécié la Grive, indépendamment de son lien familial avec *Mac Dubh*. Résigné, il soupira et poursuivit.

— Non, Christie n'était pas du tout content que *Mac Dubh* ait pris la place qu'il estimait être la sienne, de droit. Je doute qu'il ait su combien coûtait la position de chef dans un endroit comme celui-là, enfin, pas à l'époque. Mais c'est une autre histoire.

D'un geste de la main, il écarta cette idée.

— Il faut dire que Christie était un chef, lui aussi, mais pas aussi bon que *Mac Dubh*. Pourtant, certains l'écoutaient, et pas seulement des grenouilles de bénitier.

Si Roger se sentait quelque peu insulté par cette caractérisation peu flatteuse de ses coreligionnaires, il était trop intéressé par la suite du récit pour protester.

— Et alors ?

— Les heurts ont recommencé. Ce n'était que des altercations, mais la tension montait.

Des glissements et des frictions, des failles et des fractures, comme lorsque deux masses terrestres se rencontrent, pressant et poussant l'une contre l'autre jusqu'à ce que des montagnes se dressent entre elles, ou que l'une soit engloutie par l'autre dans un fracas de terre et de roches pulvérisées.

— On voyait bien que *Mac Dubh* réfléchissait à une solution, mais il n'est pas du genre à dire à tout le monde ce qu'il pense, pas vrai ? Puis, un soir, il est revenu dans la cellule, tard dans la nuit. Au lieu de se coucher, il nous a rassemblés, moi et mes frères, Gavin Hayes, Ronnie Sinclair... et Tom Christie.

Discrètement, Fraser avait réveillé les six hommes et les avait réunis sous l'une des rares fenêtres de la cellule. Harassés par une journée de travaux forcés, ils s'étaient demandé ce qu'il leur voulait. Depuis la dernière escarmouche – une bagarre entre deux prisonniers à cause d'une insulte sans importance –, Christie et Fraser n'avaient pas échangé une seule parole, s'évitant soigneusement.

C'était une nuit douce de printemps. L'air était froid, mais chargé des odeurs de la végétation renaissant sur la lande et des embruns salés de la mer lointaine. Une de ces nuits qui donnaient envie de courir libre sur la terre et de sentir le sang battre dans ses veines. Épuisés ou non, les hommes se ranimèrent, intrigués et alertes.

Christie était sur ses gardes. Pourquoi était-il convoqué par Fraser avec cinq de ses plus proches alliés ? Que mijotaient-ils ? Certes, une cinquantaine d'hommes étaient couchés dans la cellule, et certains viendraient à son secours s'il les appelait. Mais il pouvait aussi être frappé ou tué avant même de se savoir menacé.

Dans un premier temps, Fraser s'était contenté de sourire et de tendre la main vers Tom Christie. Suspicieux, celui-ci avait hésité, mais il n'avait guère eu le choix.

— À voir le choc qui a secoué Christie, on aurait cru que *Mac Dubh* tenait la foudre dans sa main.

La propre main de Kenny était ouverte entre eux sur la table, sa paume couverte de cals. Ses petits doigts trapus se refermèrent lentement.

— Je ne sais pas comment *Mac Dubh* a appris que Christie était franc-maçon, mais il était au courant. Vous auriez dû voir la figure de Tom quand il s'est rendu compte que Jamie Fraser était un frère !

Lisant la question sur le visage de Roger, il expliqua :

— C'est Quarry qui l'a initié. C'était un maître.

Un maître maçonnique, à la tête d'une petite Loge militaire composée des officiers de sa garnison. L'un de leurs membres étant mort récemment, il leur fallait un remplaçant pour respecter le nombre requis de sept frères. Quarry avait longuement réfléchi à la question puis, après avoir sondé le terrain avec prudence, avait offert à Jamie de les rejoindre. Après tout, un gentleman était un gentleman, jacobite ou pas.

Roger soupçonnait le côté peu orthodoxe de la manœuvre, mais ce Quarry semblait du genre à adapter les règles selon ses besoins. Fraser aussi, d'ailleurs.

— Donc, Quarry l'a initié. D'apprenti, il est passé compagnon, puis, en un mois, a été élevé au grade de maître. C'est à ce moment qu'il a décidé de nous en parler. Et cette nuit-là, tous les sept, nous avons fondé une nouvelle Loge, la Seconde Loge d'Ardsmuir.

Roger ne put cacher son amusement.

— Je vois. Vous six… et Christie.

Tom Christie, protestant guindé et honorable ayant prêté le serment maçonnique, n'avait pas eu d'autre choix que d'accepter Fraser et ses catholiques comme ses frères.

— Ce n'était qu'un début. Au bout de trois mois, tous les hommes de la cellule avaient été faits apprentis. Après ça, il y a eu nettement moins de grabuge.

Le principe d'égalité était une des bases de la franc-maçonnerie. Gentleman, fermier, pêcheur ou laird, ces distinctions n'avaient plus cours au sein d'une Loge. La tolérance était un autre de ces principes. Pas de discussions politiques ou religieuses entre les frères, c'était la règle.

— Je suppose que l'appartenance de Jamie à la Loge des officiers s'avérait plutôt utile, observa Roger.

— Oh ! répondit Kenny d'un air vague. Ça n'a pas fait de mal.

Il repoussa son tabouret pour se lever. L'histoire était terminée. La nuit était tombée, et il était temps d'allumer une chandelle. Il ne bougea pas pour attraper le bougeoir en argile posé sur le rebord de la cheminée, mais Roger, en jetant un coup d'œil vers le lit de braise, remarqua pour la première fois l'absence de toute odeur de cuisine.

— Il est temps que je rentre, dit-il en se levant. Vous venez dîner à la maison ?

Le visage de Kenny s'illumina.

— Ma foi, ce n'est pas de refus, merci ! Donnez-moi juste le temps de traire les chèvres, et je descends avec vous.

Lorsque je remontai dans la chambre après un délicieux petit déjeuner à base d'omelette à la viande de bison hachée, aux petits oignons doux et aux champignons, je trouvai Jamie réveillé, quoique pas franchement frais ni dispos.

Je déposai mon plateau et posai une main sur son front.

— Comment te sens-tu ce matin ?

Il était encore chaud mais non brûlant. La fièvre avait presque disparu.

— Je voudrais être mort pour qu'on cesse de me demander, à tout bout de champ, comment je vais.

Je pris son humeur grognon comme le signe que sa santé s'améliorait et ôtai ma main.

— Tu as utilisé le pot de chambre, ce matin ?

Il arqua un sourcil et me fusilla du regard.

— Et toi ?

— Tu sais, tu es parfaitement insupportable quand tu es malade !

Je me hissai sur la pointe des pieds pour jeter un œil de l'autre côté du lit vers la bassine émaillée. Rien.

— Ne t'est-il jamais arrivé de penser que c'est toi, *Sassenach*, qui es infernale ? Quand tu n'es pas en train de me gaver avec une substance infâme à base de cloportes bouillis et de rognures d'ongles, tu m'appuies sur le ventre ou tu poses des questions indiscrètes sur l'état de mes intestins. Aïe !

Je venais de rabattre les draps et d'appuyer sur son bas-ventre. Sa vessie n'était ni enflée ni distendue. Son cri était apparemment dû au fait qu'il était chatouilleux. Puis je palpai rapidement son foie, qui, heureusement, n'était pas dur.

— Tu as mal au dos ?

À titre préventif, il croisa les mains sur son entre-jambe.

— Non, mais j'ai un mal de crâne qui empire à vue d'œil.

— Ne fais pas l'enfant. Je veux juste vérifier que le venin n'a pas atteint tes reins. Si tu n'arrives pas à pisser…

Il remonta précipitamment les draps jusque sous son menton.

— Je pisse très bien, merci ! Si je pouvais simplement prendre mon petit déjeuner en paix, je…

— Comment peux-tu le savoir, puisque tu n'as pas…

— J'ai.

Devant mon regard sceptique vers le pot de chambre, il poussa un soupir exaspéré et marmonna quelque chose qui se terminait par :

— … la fenêtre.

Interloquée, je me retournai et vis le châssis levé et les volets ouverts.

— Tu as fait quoi ?

— Eh bien oui, quoi ! se défendit-il. Puisque j'étais debout, c'était quand même plus simple.

— Qu'est-ce que tu faisais debout ?

— J'avais envie de me lever.

Il battit des paupières, innocent comme un nouveau-né. Je n'insistai pas, passant aux questions plus sérieuses.

— Y avait-il du sang dans…

— Qu'est-ce que tu m'as apporté pour le petit déjeuner ?

N'écoutant pas mes questions, il roula sur le côté et souleva la serviette qui recouvrait le plateau. Il contempla le bol de pain trempé dans du lait, puis leva la tête vers moi, avec le regard d'un être profondément trahi.

Avant qu'il n'ait pu m'adresser d'autres récriminations, je m'assis rapidement sur le tabouret à son chevet et demandai :

— Qu'est-ce qui ne va pas avec Tom Christie ?

Il tiqua, pris par surprise.

— Pourquoi, il y a quelque chose qui ne va pas ? Comment le saurais-je ? Je ne lui ai pas parlé.

Il prit la cuillère et tapota le pain et le lait d'un air suspicieux.

— Quant à moi, je ne l'ai pas vu depuis plus de vingt ans. Pour autant que je sache, il peut bien lui avoir poussé une deuxième tête.

— Ah bon ? Tu as peut-être réussi à berner Roger – ce qui n'est pas dit – mais, avec moi, ça ne marche pas. Je te connais.

Il releva les yeux avec un sourire narquois.

— Me connais-tu assez pour savoir ce que je pense du pain trempé dans le lait ?

Mon cœur vacilla devant ce sourire, mais je parvins à conserver ma dignité.

— Si tu comptes marchander pour que je t'apporte un steak, tu peux courir. Ce n'est pas grave, j'attendrai. Tôt ou tard, j'apprendrai tout ce que je veux savoir à propos de Tom Christie.

Je me levai et lissai mes jupes, puis me dirigeai vers la porte.

— Du porridge avec du miel, et je te dis tout.

Je fis volte-face et le découvris qui me regardait avec un grand sourire.

— Affaire conclue ! dis-je en revenant m'asseoir.

Il hésita un moment, mais devinant qu'il ne savait par où commencer, je lui donnai un coup de pouce :

— Roger m'a déjà parlé de la loge maçonnique à Ardsmuir. Hier soir.

Il me regarda, sidéré.

— D'où le sait-il ? C'est Christie qui lui a raconté ?

— Non, Kenny Lindsay. Mais, apparemment, Christie a fait un salut maçonnique à Roger en arrivant. D'ailleurs, je croyais que les catholiques n'avaient pas le droit d'adhérer à la franc-maçonnerie ?

Il esquissa une moue cynique.

— Peut-être, mais le pape n'était pas incarcéré à la prison d'Ardsmuir, alors que moi, si. En outre, je n'ai jamais entendu dire que c'était interdit. Alors, comme ça, notre petit Roger est franc-maçon, lui aussi ?

— Il faut croire. Peut-être qu'aujourd'hui, c'est permis. Quoi qu'il en soit, revenons à nos moutons : il y a autre chose au sujet de Christie, n'est-ce pas ?

Il hocha la tête et détourna le regard.

— Oui. Tu te souviens du sergent Murchison, *Sassenach* ?

— Très bien.

Je ne l'avais rencontré qu'une seule fois, cela faisait plus de deux ans, à Cross Creek. Toutefois, ce nom me rappelait un autre contexte, plus récent. Puis je me souvins.

— Archie Hayes a fait allusion à lui, ou à eux, non ? Ils étaient deux jumeaux. L'un d'eux a tiré sur Archie à Culloden, c'est bien ça ?

Jamie acquiesça. À son regard voilé, je devinai qu'il revoyait ces jours sombres passés à Ardsmuir.

— Oui. Tirer froidement sur un enfant à bout portant leur ressemblait bien. J'espère ne plus jamais croiser deux êtres aussi vicieux.

Un coin de ses lèvres se redressa, mais sans aucun humour.

— La seule bonne action à porter au crédit de Stephen Bonnet est d'avoir abattu un de ces deux voyous.

— Et l'autre ?

— C'est moi qui l'ai tué.

La chambre parut soudain très silencieuse, comme si nous étions à des années-lumière de Fraser's Ridge, seuls tous les deux, sa déclaration flottant dans l'espace entre nous. Il me fixait dans le blanc des yeux, méfiant, attendant ma réaction. Je déglutis, puis demandai d'une voix dont le calme me surprit :

— Pourquoi ?

Il détourna enfin le regard, secouant la tête.

— Pour un tas de raisons, et aucune.

Il se frotta machinalement les poignets, sentant encore le poids des fers.

— Je pourrais te raconter mille histoires illustrant leur cruauté, toutes vraies. Ils vivaient sur le dos des faibles, volant, maltraitant... ils semaient le mal et s'en délectaient. On ne peut rien faire contre ce genre d'individus, pas dans une prison. Mais, je ne te dis pas ça pour me disculper, je n'ai aucune excuse.

Les prisonniers d'Ardsmuir étaient affectés aux travaux forcés dans les tourbières et les carrières. Ils travaillaient en petites équipes, chacune gardée par un soldat anglais armé d'un mousquet et d'un gourdin. Le mousquet, pour arrêter les tentatives d'évasion, le gourdin, pour faire régner l'ordre et imposer la soumission.

— C'était l'été. Tu connais les étés dans les Highlands, *Sassenach*. Tu te souviens de la lumière ?

J'acquiesçai. Tout au nord, au moment du solstice d'été, le soleil se couchait à peine. Il disparaissait derrière l'horizon, mais, même à minuit, le ciel restait d'un blanc pâle et laiteux. L'air semblait rempli d'une brume irréelle.

De temps à autre, le gouverneur de la prison en profitait pour faire travailler les détenus tard dans la nuit.

— Ça ne nous ennuyait pas trop. Nous étions toujours mieux dehors qu'à l'intérieur. Pourtant, à la fin de la journée, ivres de fatigue, nous pouvions à peine poser un pied devant l'autre. Nous marchions comme dans un rêve.

Le travail terminé, les gardiens, aussi abrutis d'épuisement que leurs détenus, rassemblaient leurs équipes en colonne, et tous rentraient à la prison en file indienne, traînant la patte sur la lande.

— Une nuit, les premiers avaient commencé à rentrer. Nous devions encore charger la carriole avec les derniers blocs de pierre et nos outils de taille. Je me souviens... j'ai hissé une grosse pierre dans la carriole et j'ai reculé d'un pas, hors d'haleine. Au même instant, j'ai entendu un bruit derrière moi. C'était le sergent Murchison, Billy... même si je n'ai su son prénom que plus tard.

Le sergent formait une silhouette trapue dans la pénombre, ses traits invisibles se détachant sur un ciel couleur coquille d'huître.

— Aujourd'hui encore, je me demande si j'aurais agi ainsi si j'avais distingué son visage.

Le sergent avait levé son gourdin et donné un coup dans les côtes de Jamie, puis lui avait indiqué une masse oubliée sur le bas-côté. Là-dessus, il avait tourné les talons.

— Je n'ai même pas réfléchi. Je l'ai rejoint en deux enjambées et j'ai passé la chaîne de mes fers autour de son cou. Il n'a pas eu le temps d'émettre le moindre son.

La carriole n'était qu'à trois mètres du bord de la carrière. La paroi tombait à pic sur douze mètres. Au fond se trouvait un étang d'une trentaine de mètres de profondeur, noir et lisse comme une flaque d'huile sous le ciel blanc.

— Je l'ai attaché à un des blocs et l'ai balancé dans le vide. Puis je suis revenu à la carriole. Les deux autres détenus de mon équipe m'y attendaient, raides comme des statues, m'observant. Ils n'ont rien dit, et moi non plus. J'ai grimpé à bord et j'ai pris les rênes. Ils se sont installés à l'arrière et nous avons pris la direction de la prison. Nous avons rapidement rejoint la colonne des prisonniers et nous sommes tous rentrés ensemble. Personne ne s'est aperçu de la disparition de Murchison avant le lendemain soir, car on le croyait au village, en repos. Je ne crois pas qu'ils aient retrouvé son cadavre.

— Et les deux autres détenus ? demandai-je doucement.

— Tom Christie et Duncan Innes.

Il poussa un long soupir et étira les bras, roulant les épaules comment s'il portait une chemise trop serrée. Puis, il leva une main et la tourna d'un côté puis de l'autre, examinant son poignet avec un froncement de sourcils.

— C'est étrange, dit-il, surpris.

— Quoi donc ?

— Les marques... elles n'y sont plus.

— Les marques... des fers ?

Il hocha la tête, regardant l'autre poignet avec la même perplexité. Sa peau était claire, dorée par le soleil mais lisse.

— Je les ai gardées pendant des années... à cause du frottement. Je ne m'étais même pas aperçu qu'elles s'étaient effacées.

Je posai une main sur son poignet, caressant doucement du pouce le pouls, là où son artère radiale chevauchait l'os.

— Tu ne les avais déjà plus lorsque je t'ai retrouvé à Édimbourg, Jamie. Elles ont disparu il y a belle lurette.

Il fixa ses bras en secouant la tête, comme s'il avait du mal à le croire.

— Celles de Tom Christie aussi, alors, dit-il doucement.

CINQUIÈME PARTIE

Un métier dangereux

58

Aurum

La maison était calme. M. Wemyss était parti au moulin, emmenant Lizzie et Mme Bug avec lui. Il était trop tard dans la journée pour qu'un des habitants de Fraser's Ridge vienne nous rendre visite. Ils étaient tous occupés à nourrir leurs bêtes et à les enfermer pour la nuit, à aller chercher de l'eau et du bois, à préparer le feu pour le dîner.

Ma propre bête était nourrie et couchée. Roulé en boule dans le dernier rayon de soleil sur le rebord de la fenêtre, Adso, repu, fermait les yeux, en pleine extase. Ma contribution au dîner, que Fergus qualifiait élégamment de *lapin aux chanterelles*[1] – mais qui n'était qu'un vulgaire ragoût –, mitonnait doucement sur le feu depuis ce matin et ne requérait pas mon attention. Pour ce qui était de balayer le plancher, de laver les carreaux, d'épousseter et autres corvées du même genre... puisque, paraît-il, le travail d'une femme au foyer n'était jamais terminé, pourquoi se préoccuper de ce qui n'était pas encore commencé ?

---

1. En français dans le texte. *(N.d.T.)*

Je sortis une plume et l'encrier de l'armoire, ainsi que le grand cahier noir de médecine, et m'installai près d'Adso pour partager son petit coin de soleil. Je rédigeai une description soignée de l'excroissance – qui devait être surveillée – sur l'oreille du petit Geordie Chisholm, puis ajoutai mes dernières mesures de la main gauche de Tom Christie.

Celui-ci souffrait d'arthrite dans les deux mains, avec une légère tendance à l'atrophie des muscles interosseux, ce qui leur donnait l'aspect de griffes. Toutefois, l'ayant bien observé au cours du dîner, la veille, j'étais presque certaine que sa main droite n'était pas uniquement atteinte de rhumatismes, mais aussi de la maladie de Dupuytren, une étrange flexion de l'auriculaire et de l'annulaire vers la paume, due à un raccourcissement de l'aponévrose palmaire.

D'ordinaire, je n'aurais pas eu le moindre doute, mais, après toutes ces années de dur labeur, les mains de Christie étaient recouvertes de cals si épais que je n'arrivais pas à sentir le nodule caractéristique à la base de l'annulaire. Toutefois, ce doigt m'avait semblé bizarre dès que je l'avais vu de près, le jour où Christie était venu se faire recoudre une entaille, à la base du pouce. Depuis, je surveillais son évolution chaque fois que j'apercevais son propriétaire et que je parvenais à jeter un œil sur sa main, ce qui n'était pas fréquent.

En dépit des appréhensions de Jamie, les Christie s'avéraient jusque-là des métayers idéaux, vivant tranquillement chez eux, sauf quand Thomas exerçait ses obligations de maître d'école, ce qu'il semblait faire avec discipline et efficacité.

Je pris conscience d'une présence derrière moi, juste derrière ma tête. Le rayon de soleil s'était déplacé, Adso aussi.

— N'y pense même pas, monsieur le chat ! marmonnai-je.

Un ronronnement d'anticipation vibra près de mon oreille gauche et une grosse patte se posa délicatement sur le sommet de mon crâne.

— Bon, d'accord ! soupirai-je, résignée.

À vrai dire, je n'avais pas vraiment le choix, à moins d'aller écrire ailleurs. Adso était un fétichiste du cheveu. Peu lui importait d'ailleurs qu'ils soient attachés à une tête ou pas. heureusement, jusqu'à présent seul le major MacDonald avait été assez intrépide pour s'asseoir à portée de ses griffes, coiffé d'une perruque. Finalement, j'avais fini par la récupérer, après avoir rampé sous la maison où le chat s'était retranché avec son butin. Personne d'autre n'aurait osé le lui arracher. Le major MacDonald avait moyennement apprécié la plaisanterie et, s'il continuait de rendre visite à Jamie de temps à autre, il n'ôtait plus son chapeau et buvait sa chicorée chaude à la table de la cuisine avec son tricorne enfoncé sur le crâne, ne quittant pas Adso des yeux.

Je me détendis, pas au point de me mettre à ronronner à mon tour, mais assez pour être toute ramollie. Il était, ma foi, assez agréable de se faire masser le crâne avec un museau et brosser les cheveux à coups de patte. Il n'y avait aucun danger, à moins qu'Adso eût piétiné la cataire peu avant. Heureusement, l'herbe à chat était enfermée avec soin. Les yeux mi-clos, je réfléchis à l'exercice délicat de décrire la maladie de Dupuytren sans l'appeler ainsi, le baron éponyme n'étant pas encore né.

Finalement, une image valant mille mots, je fis un bref dessin des symptômes, tout en me demandant comment convaincre Thomas Christie de me laisser opérer sa main.

Cette intervention était relativement simple et rapide, mais, d'une part, nous n'avions pas d'anesthésique, de l'autre, en fervent presbytérien, Christie ne buvait pas une goutte d'alcool... Peut-être Jamie pourrait-il s'asseoir sur sa poitrine et Roger sur ses jambes. Et Brianna tiendrait fermement son poignet...

Je mis ce problème de côté, bâillant avec volupté. Je refermai précipitamment la bouche en apercevant une libellule jaune entrer par la fenêtre, vrombissant comme un hélicoptère. Adso s'élança dans les airs derrière elle, abandonnant mes cheveux dans un désordre sauvage, et mon ruban, longuement mâchouillé, pendant mollement derrière mon oreille. Je retirai l'objet trempé avec un léger dégoût et l'étalai sur le rebord de la fenêtre. Puis je revins en arrière dans mon cahier, admirant mes beaux dessins de la morsure de serpent de Jamie et de la seringue hypodermique de Brianna.

À ma grande stupéfaction, sa jambe avait cicatrisé proprement en dépit de la perte des tissus nécrotiques. Les asticots avaient si bien fait leur travail que les seules traces permanentes étaient les deux petites dépressions dans la peau où le serpent avait planté ses crochets et une fine ligne droite, là où j'avais pratiqué mon incision pour débrider la plaie et placer les larves. Jamie boitait encore un peu, mais cela disparaîtrait probablement avec le temps.

Fredonnant avec satisfaction, je feuilletai encore le cahier, m'arrêtant sur les dernières pages rédigées par Daniel Rawlings.

Josephus Howard... se plaint d'une fistule au rectum, négligée depuis si longtemps qu'elle s'est gravement abcédée, se compliquant d'un cas d'hémorroïdes aiguës. Traitée avec une décoction à base de lierre terrestre mélangé à de

*l'alun brûlé et de petites quantités de miel, le tout bouilli
dans du jus de marguerite dorée.*

Une autre note sur la même page, datée d'un mois
plus tard, rendait état de l'efficacité de ce traitement,
avec des illustrations montrant l'avant et l'après. Rawlings n'était guère plus doué que moi en dessin, mais il
était parvenu à capturer avec un réalisme saisissant l'inconfort extrême de l'état de son patient.

Je suçai le bout de ma plume un moment, puis ajoutai une note en marge, expliquant qu'avec ce remède,
un régime riche en légumes fibreux permettrait de prévenir à la fois la constipation et ses complications plus
sérieuses... Rien de tel qu'une petite leçon de choses !

Je reposai ma plume et tournai la page, me demand-
dant si le lierre terrestre poussait dans la région. J'entendais Jamie s'affairer dans son bureau. J'irais le
questionner plus tard.

Je faillis ne pas le voir. Ces mots étaient griffonnés
au dos de la page sur laquelle était dessinée la fistule.
Rawlings les avait apparemment rajoutés pour résumer
ses activités de la journée.

*Ai parlé avec M. Hector Cameron de River Run qui me
supplie d'examiner les yeux de son épouse, dont la vue
semble gravement réduite. Sa plantation se trouve à une
distance considérable, mais il m'enverra un cheval.*

L'atmosphère soporifique de l'après-midi s'envola
d'un coup. Fascinée, je me redressai et poursuivis ma
lecture, cherchant à savoir si le médecin avait fini par
ausculter Jocasta ou pas. Un jour, j'avais persuadé
cette dernière, non sans mal, de me laisser examiner
ses yeux et j'étais curieuse de connaître les conclusions de Rawlings. Sans l'aide d'un ophtalmoscope, je

n'avais aucun moyen d'être sûre de la cause de sa cécité, mais j'avais ma petite idée. Au moins, je pouvais
écarter avec assez d'assurance des troubles tels que la
cataracte ou le diabète. Peut-être Rawlings avait-il repéré quelque chose qui m'aurait échappé ou, qui sait,
l'état de Jocasta avait beaucoup évolué depuis qu'il
l'avait vue.

*Ai saigné le forgeron d'un demi-litre de sang, purgé sa
femme à l'huile de séné (10 minimums) et administré
(3 minimums) de la même préparation au chat après avoir
observé des vers dans ses selles.*

Cela me fit sourire. Aussi rudimentaires que soient
ses méthodes, Daniel Rawlings était un bon médecin.
Souvent, je m'interrogeais sur ce qu'il était devenu.
Aurais-je un jour la chance de le rencontrer ? J'avais la
triste intuition que non. Je ne pouvais imaginer qu'un
médecin ne cherche pas à récupérer des instruments
aussi beaux que les siens. Encore fallait-il être en état
de le faire.

Jamie s'était renseigné pour moi, sans résultat. Daniel Rawlings était parti un beau jour pour la Virginie,
abandonnant son coffre médical derrière lui, et plus
personne n'avait jamais entendu parler de lui.

Une autre page, un autre patient. Des saignées, des
purges, des furoncles à percer, des ongles infectés à extraire, un abcès dentaire à traiter, une femme avec une
plaie persistante à la jambe à cautériser... Rawlings
n'avait pas chômé en débarquant à Cross Creek. Mais
était-il arrivé jusqu'à River Run ?

Oui, une semaine plus tard et quelques pages plus
loin.

*Suis arrivé à River Run au terme d'un voyage éreintant,
pluie diluvienne et vent à décorner les bœufs, la route complètement inondée par endroits. Si bien que j'ai dû couper
à travers champs, fouetté par la grêle, de la boue jusqu'au
cou. M'étais mis en route à l'aube avec le serviteur noir de
M. Cameron, qui m'avait apporté un cheval. Ne suis parvenu à bon port qu'à la nuit tombée, épuisé et affamé. Ai
été accueilli par M. Cameron avec un verre de cognac.*

S'étant donné la peine d'aller chercher un médecin,
Hector Cameron avait décidé d'en profiter au maxi-
mum, lui faisant ausculter tous ses esclaves et ses domestiques, ainsi que le maître de maison lui-même.
Rawlings l'avait décrit comme suit :

*Âgé de soixante-treize ans, de taille moyenne, de stature
large mais légèrement voûtée, avec des mains si défor-
mées par les rhumatismes qu'il lui est impossible de
manipuler tout instrument plus complexe qu'une cuillère.
À tous autres égards, bien préservé, très vigoureux pour
son âge. Se plaint de se lever fréquemment pendant la nuit
et de mictions douloureuses. Plutôt que des calculs ou
une maladie chronique des parties intimes, je soupçonne
une distension de la vessie, la plainte étant récurrente,
chaque crise ne se prolongeant pas au-delà de deux
semaines et s'accompagnant d'une sensation de brûlure
dans la verge. Une faible fièvre, une sensibilité à la pal-
pation du bas-abdomen et une coloration noirâtre des
urines, puissamment malodorantes, me confortent dans
cette idée.*

*La maison étant bien approvisionnée en canneberges
séchées, j'en ai prescrit une décoction, une tasse de leur jus
épaissi à boire deux fois par jour. Ai également recommandé
des infusions de gaillet, à boire matin et soir, pour ses effets
rafraîchissants et en cas de présence de gravelle dans la vessie, ce qui pourrait aggraver la condition du patient.*

J'approuvai d'un hochement de tête. Je n'étais pas toujours d'accord avec les diagnostics et les traitements de Rawlings, mais, cette fois, il avait mis dans le mille. Mais, Jocasta ?

Elle figurait à la page suivante.

> *Jocasta Cameron, soixante-quatre ans, multipare, bien nourrie, en bon état de santé générale, d'allure juvénile.*

« Multipare » me paraissait un terme bien froid pour une femme qui avait élevé ses trois enfants, les conduisant au-delà des dangers de la prime enfance, pour les perdre ensuite tous simultanément, dans des circonstances aussi cruelles.

> *Aucun signe de maladie organique, aucune lésion externe des yeux. Le blanc est clair, les cils ne sont pas collés par des écoulements, il n'y a pas de tumeur visible. Les pupilles réagissent normalement lorsqu'on passe une lumière devant ou quand on la cache. En approchant une chandelle de côté, le corps vitré de l'œil s'illumine, mais ne présente aucun défaut. Ai toutefois observé un léger voile sur le cristallin de l'œil droit, indiquant un début de cataracte, mais qui ne suffit pas à justifier la perte progressive de la vue.*

Là encore, Rawlings et moi étions d'accord. Il avait aussi noté la durée sur laquelle la perte de vue s'était étalée – environ deux ans – et la manière – un rétrécissement progressif du champ de vision.

Selon moi, cela avait pris plus de temps. Parfois, la baisse était si graduelle qu'on ne s'en rendait pas compte avant que la vue soit sérieusement menacée.

> *... des fragments de vision se sont effrités comme des pelures d'oignon. Même le peu de perception restant ne*

*fonctionne que dans la pénombre, la patiente manifestant
une profonde irritation et de la douleur lorsque ses yeux
sont exposés à la lumière solaire.*

*J'ai déjà observé un état similaire deux fois, quoique
moins avancé, toujours chez des sujets du même âge. J'ai
fait part de mon opinion, selon laquelle la vision sera bientôt complètement effacée, sans rémission possible. Heureusement, M. Cameron a offert à son épouse un serviteur
noir sachant lire, afin de l'accompagner et de la prévenir
des obstacles, ainsi que pour lui faire la lecture et l'informer sur son environnement.*

Son état s'était davantage aggravé. À présent, la lumière avait disparu et Jocasta était totalement aveugle.
Ainsi donc, c'était une cécité progressive. Cela ne m'en
disait pas beaucoup plus, car la plupart de ces patho-
logies l'étaient. Quand Rawlings l'avait-il examinée ?

Il pouvait s'agir de plusieurs maladies : dégénérescence
oculaire, tumeur du nerf optique, lésions parasitaires, ré-
tinite pigmentaire, artérite temporale... probablement
pas un décollement de la rétine, car cela serait arrivé
abruptement, mais je pensais surtout à un glaucome. Je
revoyais Phaedre essorant des linges imbibés de thé froid,
déclarant que sa maîtresse souffrait « encore » de maux
de tête, sur un ton signifiant que c'était habituel, et
Duncan me demandant de fabriquer un oreiller à la lavande pour soulager les migraines de son épouse.

À l'époque, je n'avais pas posé de questions sur la nature de ces maux de tête récurrents. Ils pouvaient n'avoir
aucun rapport avec les yeux de Jocasta, être provoqués
par sa tension nerveuse plutôt que par la pression exer-
cée parfois, mais pas toujours, par un glaucome. Après
tout, l'artérite aussi entraînait des migraines. Le problème du glaucome était qu'il ne s'accompagnait d'aucun
symptôme prévisible, hormis la cécité finale. Il était dû

à un mauvais écoulement de l'humeur contenue dans le globe oculaire, ce qui entraînait une augmentation de la pression. Cela finissait par affecter l'œil, sans signe avant-coureur pour le médecin ou le patient. Mais il existait d'autres formes de cécité asymptomatique...

J'envisageai toutes les possibilités quand je vis d'autres notes ajoutées par Rawlings au dos de la feuille... en latin.

Je fus un peu surprise en constatant qu'il s'agissait d'une continuation du passage précédent. Dans l'écriture à la plume, des assombrissements et des éclaircissements correspondaient aux moments où l'auteur avait retrempé son outil dans l'encre. Chaque description de cas présentait des nuances différentes, en raison de l'utilisation d'encres variées. Dans ce cas, la remarque avait bien été écrite en même temps que le commentaire précédent.

Pourquoi être passé brusquement au latin ? Rawlings ne s'en servait jamais dans ses comptes rendus, hormis pour un mot ou une expression, ici ou là, nécessaire à la description formelle d'un cas clinique. Or, j'avais sous les yeux une demi-page de latin, rédigée de manière appliquée et non à la hâte comme d'habitude, donnant l'impression qu'il avait soigneusement pesé chaque mot avant de le coucher sur le papier.

Je feuilletai rapidement le cahier et constatai qu'il avait utilisé le latin en différents endroits, mais pas souvent, et toujours à la suite d'un commentaire en anglais. Comme c'était étrange... Je revins au passage concernant River Run et tentai de le déchiffrer.

Au bout de deux phrases, je capitulai et allai trouver Jamie dans son bureau, où il écrivait des lettres, ou du moins essayait.

Son encrier, une petite coloquinte surmontée d'un bouchon de liège, était ouvert. Récemment rempli, il sentait l'odeur de la résine de chêne macérée avec de la limaille de fer. Une nouvelle penne de dindon, taillée avec un tel acharnement qu'elle ressemblait davantage à une dague qu'à une plume, et une feuille de papier étaient posées sur le buvard. Trois mots esseulés noircissaient le haut de la page. Un seul regard vers Jamie me suffit pour en deviner la teneur : *Ma chère sœur*.

Souriant d'un air ironique, il haussa les épaules.

— Que veux-tu que je lui dise ?

— Je ne sais pas.

Je vins me placer derrière lui et posai une main sur son épaule, que je serrai brièvement. Il mit sa main sur la mienne, puis reprit sa plume.

— Je ne peux pas encore lui dire que je suis désolé !

Il fit doucement rouler la penne entre son pouce et son majeur, tout en poursuivant :

— Je le lui ai déjà écrit dans chacune de mes lettres. Si elle était disposée à me pardonner...

Si cela avait été le cas, Jenny aurait répondu à au moins une des lettres qu'il envoyait fidèlement à Lallybroch une fois par mois.

— Ian t'a pardonné. Les enfants aussi.

Les missives de son beau-frère nous parvenaient sporadiquement, mais elles arrivaient, ainsi que quelques mots occasionnels de son homonyme, le petit Jamie et, plus rarement, de Maggie, de Kitty, de Michael ou de Janet. Mais le silence de Jenny était assez assourdissant pour étouffer les voix de tous les autres.

— Oui, ce serait encore pire si...

Il n'acheva pas sa phrase, fixant la feuille blanche devant lui. En fait, rien ne pouvait être pire que ce rejet.

Personne au monde n'était plus proche, plus important pour lui que Jenny, à l'exception de moi, sans doute.

Je partageais son lit, sa vie, son amour, ses pensées. Elle avait partagé son cœur et son âme depuis le jour où il était né... jusqu'à celui où il lui avait égaré son fils chéri. Du moins, elle le jugeait ainsi.

Cela me fendait le cœur de le voir porter sur ses épaules la culpabilité de la disparition de Ian. J'en voulais aussi à Jenny. Je comprenais sa douleur de mère et compatissais, mais tout de même... Ian n'était pas mort, à ce qu'on sache. Elle seule pouvait absoudre Jamie, elle le savait sûrement.

Je tirai un tabouret et m'assis près de Jamie, oubliant mon cahier. Sur le bureau, une pile de papiers était noircie de son écriture laborieuse. Avec sa main handicapée, écrire lui demandait un effort considérable et, pourtant, il s'entêtait presque tous les soirs à raconter tous les événements de la journée. Les visiteurs à Fraser's Ridge, la santé des bêtes, l'avancée dans la construction de nouveaux bâtiments, les nouveaux colons, les nouvelles des comtés de l'est... il écrivait tout, lentement, un mot après l'autre, puis il confiait les pages ainsi accumulées à un visiteur de passage pour leur faire franchir la première étape de leur long voyage périlleux jusqu'en Écosse. Toutes ses lettres n'arrivaient pas forcément à destination, mais certaines, si. La plupart de celles qu'on nous envoyait du vieux continent finissaient par nous parvenir, à condition qu'on veuille bien écrire.

Pendant un moment, j'avais voulu me convaincre que la lettre de Jenny s'était tout simplement égarée, mais cela faisait trop longtemps maintenant, et j'avais cessé d'espérer. Pas Jamie.

— Je pensais lui envoyer ceci.

Il fouilla dans la liasse de feuilles et en extirpa un morceau de papier jauni et taché, avec un bord dentelé, signe qu'il avait été déchiré dans un livre.

C'était un message de Ian, la seule preuve tangible qu'il était encore en vie et en bonne santé. Notre ami trappeur, John Quincy Myers, nous l'avait apporté lors du *gathering*.

Rédigé pour plaisanter dans un latin maladroit, le mot nous assurait qu'il était heureux. Il s'était marié avec une jeune fille « à la manière mohawk » – ce qui signifiait, présumais-je, qu'il avait décidé de partager sa maison, son lit et son feu et qu'elle avait bien voulu – et espérait être père « au printemps prochain ». C'était tout. Le printemps était arrivé et reparti, sans un autre mot. Ian n'était pas mort, mais c'était tout comme. Nos chances de le revoir un jour étaient ténues, et Jamie le savait. La nature sauvage l'avait englouti.

Du bout de sa plume, Jamie caressa les lettres rondes et enfantines. Il avait déjà parlé du message à Jenny, mais ne le lui avait pas encore envoyé. Je savais pourquoi. Il était son seul lien physique avec Ian. S'en séparer revenait en quelque sorte à l'abandonner définitivement aux Mohawks. Le message disait :

Ave ! Ian salutat avinculus Jacobus, « *Ian salue son oncle James* ».

Jamie aimait tous les enfants de Jenny, mais Ian occupait une place à part dans son cœur. Il était plus qu'un neveu… une sorte de fils adoptif, comme Fergus, mais du même sang. En somme, il servait de substitut au fils qu'il avait perdu. Celui-ci n'était pas mort non plus, mais ne pourrait jamais être reconnu. Le monde semblait soudain rempli d'enfants perdus.

— Oui, dis-je doucement. Je crois que tu devrais le lui envoyer. Jenny devrait l'avoir, même si…

Je toussotai, me rappelant soudain le cahier. Je le repris, espérant lui changer les idées.

— Hum… parlant de latin… Je ne comprends pas un passage là-dedans. Tu veux bien y jeter un coup d'œil ?

— Oui, bien sûr.

Il mit le mot de Ian de côté et me prit le cahier des mains, l'orientant de manière que le dernier rayon de soleil de l'après-midi l'éclaire. Il fronça les sourcils, suivant les lignes du bout d'un doigt.

— Nom de nom ! Cet homme ne connaît pas plus sa grammaire latine que toi, *Sassenach*.

— Je te remercie. On ne peut pas tous être académiciens !

Je me rapprochai, lisant par-dessus son épaule. J'avais donc vu juste. Rawlings ne passait pas au latin simplement pour le plaisir, ni pour afficher son érudition.

Jamie traduisait lentement, déchiffrant au fur et à mesure.

— « Je suis éveillé… », non… je pense qu'il a voulu dire : « J'ai été réveillé par des bruits dans la chambre adjacente à la mienne. Je pense… » Non, « J'ai pensé que mon patient allait se soulager et je me suis levé pour le suivre… » En voilà une drôle d'idée ! Pourquoi faire ?

— Le patient – à propos, il s'agit d'Hector Cameron – avait un problème de vessie. Rawlings voulait sans doute le voir uriner pour vérifier ses symptômes : douleur, sang dans l'urine, ce genre de choses.

Jamie me jeta un regard en coin, un sourcil en accent circonflexe, puis se replongea dans son déchiffrage en marmonnant des remarques au sujet des manies bizarres des médecins.

— « *Homo prodeciente...* », « L'homme avance... ».
Pourquoi l'appelle-t-il « l'homme » et non par son nom ?

— Parce qu'il essayait d'être secret, m'impatientai-je,
curieuse de connaître la suite. C'est pourquoi il a écrit
en latin. Si Cameron avait lu son nom dans le cahier,
il aurait été intrigué, non ?

— « L'homme avance hors... » Hors ? Il veut dire
hors de sa chambre, ou de la maison ? Ce doit être au-
dehors. « ... et je le suis. Il marche d'un pas rapide et
régulier... » Oui et alors ? Pourquoi pas ? Oh, attends,
voilà la réponse : « Je ne comprends pas. Je donne... »
Non, « J'ai donné à l'homme douze grains de laudanum ».

— Douze grains ? Tu es sûr de ça ?

Jamie me montra le passage du doigt. Effectivement,
c'était écrit noir sur blanc.

— Mais c'est une dose de cheval !

— Peut-être, mais il a bel et bien écrit « ... douze
grains de laudanum pour aider son sommeil ». Je comprends qu'il ait été surpris de le voir batifoler sur la pelouse en pleine nuit !

Je le poussai du coude.

— Continue !

— Mmphm. Il dit s'être rendu à la fosse d'aisances,
sans doute pensant y retrouver Cameron, mais il n'y
avait personne et ça ne sentait pas la... euh... bref, personne ne l'avait utilisée récemment.

— Tu n'as pas besoin d'être délicat avec moi, le
rassurai-je.

— Je sais. Mais en dépit de ma longue association
avec toi, *Sassenach*, ma propre sensibilité ne s'est pas
encore émoussée. Aïe !

Il se frotta le bras, là où je l'avais pincé.

— Ne me fais pas rire avec ta sensibilité. Si tu en avais eu une, tu ne m'aurais pas épousée ! Maintenant, peut-on essayer de savoir où était passé Cameron ?

Il parcourut la page, ses lèvres articulant silencieusement des mots.

— Il n'en sait rien. Il a tourné en rond pendant un moment, jusqu'à ce que le majordome jaillisse hors de sa tanière, le prenant pour un maraudeur, et le menace avec une bouteille de whisky.

— Une arme redoutable ! observai-je.

Je souris en imaginant Ulysse en bonnet de nuit en train de pourchasser le docteur sur la pelouse.

— Comment traduit-on whisky en latin ?

— Il a utilisé l'expression la plus proche, *aqua vitæ*, mais ça ne peut être que du whisky. Il dit que le majordome lui en a donné un verre pour se remettre du choc.

— Alors, il n'a jamais retrouvé Cameron ?

— Si, après avoir quitté Ulysse. Il ronflait, sagement couché dans son lit. Le lendemain matin, quand il l'a interrogé, Cameron ne se souvenait pas s'être levé pendant la nuit.

Il tourna la page du bout du doigt en levant les yeux vers moi.

— Tu penses que le laudanum pourrait l'avoir empêché de se souvenir ?

— Possible. Mais c'est tout bonnement incroyable qu'un homme avec autant de laudanum dans le système ait pu tenir debout, à moins que...

Je plissai le front, me souvenant des remarques de Jocasta lors de notre conversation à River Run.

— Se pourrait-il que ton oncle Hector ait été un mangeur d'opium ou quelque chose du genre ? S'il consommait régulièrement beaucoup de laudanum, il a dû développer une accoutumance, ce qui explique-rait que la dose de Rawlings ne lui ait rien fait.

Ne s'étonnant jamais des soupçons de dépravation pesant sur les épaules de ses parents, Jamie réfléchit à la question, puis secoua la tête.

— Si c'était le cas, j'en aurais entendu parler. D'autre part, pourquoi me l'aurait-on rapporté ?

Le fait était. Si Hector Cameron avait eu un faible pour les narcotiques importés, cela n'aurait regardé personne d'autre que lui. Propriétaire de l'une des plantations les plus prospères de la région, il avait lar-gement les moyens financiers et pratiques de se les procurer. Bizarre quand même que personne n'en ait parlé.

Jamie, lui, suivait son idée.

— Pourquoi un homme sortirait-il en pleine nuit de chez lui pour aller pisser, *Sassenach* ? Je sais qu'Hector Cameron avait un pot de chambre, je l'ai moi-même uti-lisé. Il porte son nom, et l'écusson des Cameron est peint sur le fond.

Je fixai la page d'écriture cryptique.

— Excellente question. Peut-être que, souffrant de ter-ribles douleurs, dues à des calculs par exemple, il a pré-féré sortir pour éviter de réveiller toute la maisonnée.

Jamie fit une moue cynique.

— Je n'ai pas entendu dire qu'il mangeait de l'opium, et encore moins qu'il fût particulièrement soucieux du confort de sa femme et de ses domestiques. À vrai dire, tous les témoignages concordent sur un point : mon oncle était une belle ordure.

Je me mis à rire.

— C'est sans doute pour cette raison que ta tante ap-précie tant Duncan.

Adso entra dans le bureau, les vestiges de la libellule dans la gueule, et s'assit à mes pieds pour me faire admirer son trophée. Je lui donnai une petite tape sur la tête.

— C'est très bien, mais ne gâche pas ton appétit. Il y a encore plein de cafards dans l'office, et je compte sur toi pour faire le ménage.

L'air songeur, Jamie tapotait d'un doigt le cahier ouvert.

— *Ecce homo*, murmura-t-il. Tu crois qu'il voulait parler d'un *homo* français ?

Je le regardai, interloquée.

— D'un quoi ?

— As-tu pensé que, peut-être, ce n'était pas Hector Cameron que ton docteur a suivi, *Sassenach* ?

— Euh... sincèrement ? Non. Pourquoi, qu'est-ce qui te fait croire qu'il pourrait s'agir de quelqu'un d'autre, et plus particulièrement, d'un Français ?

Jamie me montra le bord de la page où Rawlings avait fait de petits dessins. Je les avais pris pour des gribouillis. Celui sous son doigt représentait une fleur de lys.

— *Ecce homo*, répéta-t-il. Le docteur n'était pas certain de l'identité de l'homme qu'il suivait, voilà pourquoi il ne l'a pas précisée. Si Cameron était drogué, alors c'est quelqu'un d'autre qui est sorti cette nuit-là. Pourtant, il ne mentionne aucun étranger présent dans la maison.

— Il ne l'aurait sans doute pas mentionné, à moins de l'avoir examiné. Il lui arrive d'inscrire des notes personnelles, mais il s'agit avant tout d'un cahier de médecine : il y consigne les troubles de ses patients et les traitements administrés. Toutefois...

J'hésitai, examinant la page.

— La fleur de lys ne signifie peut-être rien, et encore moins qu'il y eût un Français présent à River Run.

Exception faite de Fergus, les Français n'étaient pas très fréquents en Caroline du Nord. Il existait bien une colonie de Français au sud de Savannah, mais elle se trouvait à des centaines de kilomètres de là.

La fleur de lys pouvait n'être qu'un gribouillis, et pourtant... Rawlings n'en avait fait nulle part ailleurs sur son cahier. S'il ajoutait des dessins, ceux-ci étaient appliqués et pertinents, destinés à se souvenir d'un cas particulier ou à éclairer un autre médecin après lui.

Au-dessus de la fleur de lys, un symbole ressemblait à un triangle avec un cercle au sommet et une basse incurvée. À la base, je lus une séquence de lettres : *Au* et *Aq*.

— A... u, dis-je lentement. *Aurum*.

Jamie me regarda, surpris.

— De l'or ?

— Oui, c'est l'abréviation scientifique pour l'or. *Aurum et aqua*. « De l'or et de l'eau ». Je suppose qu'il veut dire *goldwasser*. Des éclats d'or en suspens dans une solution aqueuse, un remède contre l'arthrite. Le plus étrange, c'est qu'il fonctionne, mais personne ne sait pourquoi.

— Plutôt coûteux comme traitement. D'un autre côté, Cameron pouvait se le permettre. Il avait peut-être conservé quelques grammes de ses lingots !

— Avant, il a écrit que ton oncle souffrait d'arthrite. Peut-être comptait-il lui conseiller de la *goldwasser*, mais je ne vois pas le rapport avec la fleur de lys et cet autre truc... Je ne connais pas un tel symbole de médicament.

À ma surprise, Jamie se mit à rire.

— Ça ne m'étonne pas, *Sassenach*, c'est un compas maçonnique.

J'écarquillai les yeux.

— Ah bon ? Cameron était franc-maçon ?

Il haussa les épaules et se passa une main dans les cheveux. Même si maintenant j'étais au courant, il n'abordait jamais avec moi ses liens avec la franc-maçonnerie. Il avait été initié à Ardsmuir et, indépendamment du secret imposé aux frères, il parlait rarement de sa vie entre les murs suintants de la prison.

Néanmoins, il ne pouvait s'empêcher de formuler des conclusions logiques.

— Rawlings devait aussi être franc-maçon, dit-il, sinon, il n'aurait pas fait ce dessin.

Je ne savais plus quoi dire, mais n'eus pas besoin de me poser trop longtemps la question. Ayant recraché une paire d'ailes ambrées, Adso bondit sur le bureau en quête d'autres amuse-gueules. Jamie posa une main protectrice sur son encrier et saisit sa plume neuve de l'autre. Privé de proie, le chat longea le bord du meuble et alla se coucher sur la liasse de lettres, agitant nonchalamment la queue en faisant mine d'admirer la vue.

Jamie plissa des yeux devant tant d'insolence et le repoussa de la pointe de sa plume.

— Ôte ton derrière velu de ma correspondance, sale bête !

Les yeux verts du chat s'ouvrirent grand en fixant les mouvements de la longue penne, et ses omoplates se tendirent. Jamie agita son leurre sous son nez, et Adso tenta vainement de l'attraper d'un coup de patte.

Je le soulevai du bureau avant que la situation ne dégénère, tandis qu'il émettait un miaulement de protestation.

— Non, c'est son joujou, tentai-je de lui expliquer. Toi, tu viens avec moi. Il y a des cafards à qui tu dois régler leur compte.

J'allai reprendre mon cahier de ma main libre, quand Jamie m'arrêta d'un geste.

— Non, laisse-le moi, *Sassenach*. Cette idée d'un franc-maçon français se promenant la nuit dans River Run m'intrigue. J'aimerais lire les autres passages en latin du docteur Rawlings.

— Comme tu voudras.

Je hissai Adso sur une épaule, en jetant un coup d'œil par la fenêtre. Le soleil ne formait plus qu'un halo flamboyant derrière les châtaigniers. J'entendais des voix de femmes et d'enfants dans la cuisine. Mme Bug commençait à mettre la table, assistée de Brianna et de Marsali.

— Le dîner sera bientôt servi, annonçai-je.

Je me penchai pour déposer un baiser sur le crâne de Jamie. Il sourit, porta ses doigts à ses lèvres puis vers moi. Le temps que j'atteigne la porte, il était déjà replongé dans l'examen des pages noircies du cahier. La feuille portant les trois mots isolés attendait sur le bord du bureau, oubliée... pour le moment.

59

Sang dessus dessous

Je surpris un éclat brun de l'autre côté de la porte, et Adso bondit comme si quelqu'un avait crié : « Poisson ! » C'était tout comme : Lizzie revenait de la laiterie avec un bol de crème fraîche dans une main, le beurrier rempli dans l'autre et une grosse cruche de lait écrasée contre son sein et maintenue par ses poignets croisés. Le chat s'enroula autour de ses chevilles comme une corde velue, sans doute dans l'espoir de la faire trébucher et lâcher son butin.

Je me précipitai pour récupérer la cruche.

Lizzie poussa un soupir de soulagement.

— Oh ! merci, madame ! C'est juste que je n'avais pas envie de faire deux voyages.

Elle renifla et tenta de s'essuyer le nez sur son avant-bras, mettant le beurre en péril. Je sortis un mouchoir de ma poche et lui pressai contre les narines, me retenant de justesse de formuler la parole maternelle : « Souffle ! »

— Merci, madame, répéta-t-elle.

— Tu te sens bien, Lizzie ?

Sans attendre sa réponse, je la pris par le bras et l'entraînai dans l'infirmerie où la grande fenêtre me donnait assez de lumière pour l'examiner.

— Mais, je vais très bien, madame, je vous assure !

Elle serrait la crème et le beurre contre elle pour se protéger.

Elle était pâlotte, mais je l'avais toujours connue ainsi, avec cet air de ne pas avoir un seul corpuscule en trop. Toutefois, sa peau avait un teint maladif qui ne me disait rien qui vaille. Son dernier accès paludéen remontait à plus d'un an, et elle semblait généralement en bonne santé, mais...

— Viens par ici, j'en ai juste pour une minute.

Je la poussai doucement vers une paire de hauts tabourets. La mort dans l'âme mais n'osant pas protester, elle s'assit, ses plats en équilibre sur ses genoux. Après un coup d'œil vers le regard prédateur d'Adso, je les lui pris et les mis à l'abri dans l'armoire.

Son pouls était normal, c'est-à-dire normal pour Lizzie, à savoir rapide et faible. Sa respiration... bonne, sans à-coups ni sifflement. Je sentais ses ganglions lymphatiques sous sa mâchoire, mais cela n'avait rien d'extraordinaire. Le paludisme les avait laissés définitivement enflés, comme la courbe d'un œuf de caille sous sa peau délicate. Toutefois, je pouvais également palper ceux de son cou et, ça, c'était inhabituel.

Je soulevai une de ses paupières, examinant attentivement le globe gris pâle qui me fixait en retour d'un air anxieux. Rien, un peu rouge, peut-être. Là encore, quelque chose me chiffonnait dans ses yeux, sans que j'arrive à mettre le doigt dessus. Une vague nuance de jaune dans la sclérotique ? Fronçant les sourcils, je plaçai une main sous son menton et lui fis tourner la tête de droite à gauche.

— Salut, tout le monde ! Tout va comme vous voulez ?

Roger se tenait sur le pas de la porte, un très gros oiseau, très mort, se balançant nonchalamment au bout de son bras.

Je m'efforçai de m'exclamer avec enthousiasme :

— Oh ! Un dindon !

Non pas que je n'aimais pas ça, mais Jamie et Brianna nous en avaient déjà rapporté cinq la semaine précédente, ce qui rendait nos dîners quelque peu monotones ces derniers temps. Trois de ces énormes bestioles pendaient dans le fumoir. D'un autre côté, les dindons étaient des animaux roublards et particulièrement difficiles à chasser et, pour autant que je sache, Roger n'avait encore jamais réussi à en tuer un.

— Tu l'as abattu toi-même ?

Je m'approchai pour l'admirer consciencieusement. Il le tenait par les pattes, ses grandes ailes à demi déployées, les plumes de son poitrail reflétant le soleil en dessinant des motifs irisés vert noirâtre.

Roger avait le visage rouge d'excitation ou d'excès de soleil, ou bien des deux.

— Non, je l'ai battu à la course, dit-il fièrement. Je l'ai atteint à l'aile avec une pierre, puis je l'ai coursé et lui ai brisé le cou.

— Fantastique !

Cette fois, mon enthousiasme était plus sincère. Cela voulait dire que nous n'aurions pas besoin de chercher la balle en nettoyant la volaille, ni ne risquerions de nous casser une dent en la mangeant.

Lizzie était descendue de son tabouret pour admirer la prise.

— Quel bel oiseau, monsieur MacKenzie ! Qu'est-ce qu'il est gros ! Vous voulez que je vous le plume ?

— Pardon ? Oh non, merci Lizzie, je… euh… je m'en chargerai.

Il rougit encore un peu plus et je réprimai un sourire. Il tenait à montrer à Brianna son trophée dans toute sa splendeur. Il passa l'oiseau dans sa main gauche et tendit vers moi la droite, enveloppée dans un mouchoir sanglant.

— J'ai eu un petit accident dans mon corps à corps avec le dindon. Vous pensez qu'il serait possible de… ?

Je déroulai son bandage de fortune, grimaçant devant les plaies. Défendant chèrement sa vie, l'animal lui avait enfoncé ses serres dans le dos de la main, lui faisant trois profondes entailles en zigzag. Le sang avait en grande partie coagulé, mais des gouttes fraîches perlaient encore de l'une d'elles, coulant au bout de son doigt avant de s'écraser sur le sol.

— Non seulement c'est possible, mais c'est nécessaire. Viens t'asseoir que je te nettoie. Eh, Lizzie ! Ne t'en va pas comme ça !

Pensant profiter de cette distraction pour s'éclipser, Lizzie s'arrêta net sur le pas de la porte, comme si je lui avais tiré dans le dos.

— Non, vraiment, madame, je vous jure, je vais très bien, m'implora-t-elle. Je me sens en pleine forme, je vous assure.

À vrai dire, je l'avais rappelée pour lui signaler qu'elle oubliait sa crème et son beurre. Pour le lait, c'était trop tard. Dressé sur ses pattes arrière, Adso avait déjà la tête tout entière à l'intérieur de la cruche, d'où nous parvenaient des lapements frénétiques. Le bruit faisait contrepoint à celui des gouttes de sang sur le plancher, ce qui me donna une idée.

— Viens te rasseoir, Lizzie. Ne t'inquiète pas, je veux juste te prendre un peu de sang.

Elle ressemblait à un campagnol relevant le nez de ses miettes pour découvrir qu'il se trouvait au beau milieu d'une réunion de chouettes. Toutefois, elle n'était pas du genre à désobéir à un ordre. Traînant le pas, elle grimpa de nouveau sur son tabouret, près de Roger. Intrigué, celui-ci demanda :

— Pourquoi voulez-vous du sang ? Vous savez, vous pouvez avoir tout le mien, gratis !

Il me tendit sa main ensanglantée en souriant.

— C'est très généreux de ta part, mais tu n'as jamais eu le paludisme, n'est-ce pas ?

J'étalai un linge propre et une poignée de lamelles en verre.

— Pas que je sache, répondit-il.

Il observait mes préparatifs avec un grand intérêt. Lizzie émit un petit rire gêné.

— Si vous l'aviez eu, vous le sauriez, monsieur.

— Vous avez raison, dit-il avec compassion. C'est très pénible, paraît-il.

— Tous les os font mal au point d'avoir l'impression qu'ils sont réduits en poudre à l'intérieur du corps. Les yeux brûlent comme des démons. Puis, la sueur ruisselle par tous les pores de la peau. Viennent ensuite les frissons, qui font claquer des dents si fort qu'elles manquent de se casser...

Au souvenir de ces douleurs, elle se recroquevilla, puis, soucieuse, regarda la lancette que je stérilisais au-dessus de la flamme de ma lampe à alcool, en ajoutant :

— Je croyais pourtant que c'était bel et bien terminé.

— Je l'espère, dis-je en fixant la fine lame.

Je pris un morceau de lin et ma bouteille bleue d'alcool distillé, et nettoyai le bout de son majeur avec soin.

— Certaines personnes subissent un seul accès de paludisme, puis plus rien. J'espère que c'est ton cas, Lizzie. Mais, chez la plupart des gens, les crises reviennent de temps en temps. J'essaie de savoir si c'est ce qui est en train d'arriver. Prête ?

Sans attendre sa réponse, je glissai la lancette sur son doigt, pressai celui-ci contre les trois lamelles, puis nouai le tissu autour. Je plaçai une lamelle propre sur chacune des trois taches, qui s'étalèrent entre les deux plaques de verre, puis les laissai sécher.

— C'est fini, Lizzie. Tu devras attendre un peu. Avant de les examiner, je dois d'abord les préparer. Je t'appellerai quand ce sera prêt, d'accord ?

Elle descendit de son tabouret, les yeux rivés sur les lamelles, l'air apeuré.

— Oh, ce n'est pas grave, madame ! Je n'ai pas besoin de voir.

Elle lissa son tablier et sortit si rapidement qu'elle en oublia encore le beurre et la crème.

— Désolé de te faire attendre, dis-je à Roger.

— Je vous en prie.

Il m'observa avec fascination, tandis que je débouchais trois petits pots en grès pour y glisser les trois plaques sèches. Puis, je me tournai enfin vers lui pour nettoyer et bander sa plaie, lavant les croûtes de sang séché sur ses articulations.

— C'est moins méchant que je ne le croyais, commentai-je. Tu as beaucoup saigné, ce qui est bien.

— Puisque vous le dites.

Il ne sourcilla pas, mais il évitait soigneusement de regarder ce que je faisais, gardant le visage tourné vers la fenêtre.

— Ça nettoie la plaie, expliquai-je.

Je tamponnai sa main avec de l'alcool. Il serra les dents, mais ne broncha pas. Puis, il indiqua d'un signe de tête les pots en grès.

— En parlant de sang, que comptez-vous faire avec celui de notre Mlle Souris ?

— Une expérience. Je ne sais pas si ça marchera, mais j'ai fabriqué plusieurs colorants expérimentaux à l'aide des plantes utilisées pour la teinture. Si l'un d'eux fonctionne avec le sang, je pourrai distinguer clairement les globules rouges au microscope... et ce qu'ils contiennent.

Je parlai avec un mélange d'espoir et d'excitation.

Dupliquer des colorants cellulaires avec les matériaux du bord n'était pas une mince affaire, mais c'était faisable. Je disposais des solvants ordinaires – l'alcool, l'eau, la térébenthine et ses distillats – ainsi que d'un large éventail de pigments végétaux, de l'indigo au cynorhodon, sans parler d'une longue expérience de leurs propriétés colorantes.

Je n'avais pas de violet de méthyle ni de fuchsine, mais j'avais réussi à obtenir un colorant rouge qui rendait les cellules épithéliales très visibles, ne serait-ce que provisoirement. Restait à vérifier que le même colorant fonctionnait sur les globules rouges et leurs inclusions, sinon il me faudrait procéder par colorations différentielles.

— À votre avis, que peuvent-ils bien contenir ? demanda Roger.

— Du *plasmodium vivax*. Le protozoaire responsable du paludisme.

— Vous pouvez le voir ? Je croyais que les microbes étaient beaucoup trop petits pour être décelés, même au microscope.

Je me mis à rire.

— Tu me rappelles Jamie. Il m'est impossible de lui faire rentrer le concept même du microbe dans la tête.

Au fait, pendant qu'on y est, tu ne connaîtrais pas ton groupe sanguin, par hasard ?

Il dut sentir que ma question était loin d'être innocente. Suspicieux, il arqua un sourcil et répondit lentement.

— Si. O positif.

Je remplaçai son premier carré de gaze par un propre et enroulai un bandage autour de sa main.

— Intéressant.

— Pourquoi ?

Je ressortis les lamelles dégoulinantes des teintures rose et bleue. Je posai la première contre la cruche de lait pour la faire sécher, puis échangeai les deux autres, plaçant la lamelle rose dans le pot de teinture bleue, et inversement. Puis, je soufflai sur la troisième tout en expliquant :

— Il existe trois principaux groupes sanguins. En fait, il y en a plus, mais le grand public connaît surtout ces trois-là. On appelle ça le système ABO, chaque individu étant classé selon son appartenance au groupe A, B ou O. Or, comme pour tous nos traits, ce groupe est déterminé génétiquement, c'est-à-dire que chacun de nous hérite d'une moitié des gènes de son père et d'une moitié de ceux de sa mère.

— Oui, je me souviens vaguement avoir appris ça à l'école. Je revois encore tous ces graphiques généalogiques illustrant l'hémophilie de la famille royale, etc. Quel rapport avec moi ?

La lamelle rose paraissant sèche, je l'installai sur la platine du microscope et me penchai sur l'oculaire pour le régler :

— Ces groupes sanguins sont liés aux antigènes – de petites choses aux formes bizarres vivant à la surface des globules rouges. Les gens qui appartiennent au

411

groupe A ont une sorte d'antigène sur leurs cellules, ceux du type B en ont une autre, et ceux du groupe O n'en ont pas du tout.

Les globules rouges apparurent soudain, faiblement colorés, tels de petits spectres ronds et roses. Ici et là, une tache d'un rose plus soutenu indiquait ce qui pouvait être un débris cellulaire ou encore un gros globule blanc. Il n'y avait pas grand-chose à voir de plus.

Je sortis les deux autres lamelles de leur bain tout en poursuivant :

— Si un des parents transmet à son enfant le gène du groupe O et que l'autre lui donne celui du type A, l'enfant appartiendra au groupe A, car ce sont ses antigènes que l'on détecte pour le classer. Toutefois, il aura quand même en lui le gène du type O.

J'agitai une lamelle pour accélérer son séchage.

— Par exemple, je suis du groupe A. Je sais que mon père était du groupe O. Pour cela, il faut qu'il ait reçu le gène du type O de ses deux parents. Donc, quel que soit le gène qu'il m'ait transmis, il était forcément du type O. Par conséquent, le gène A m'est venu de ma mère.

Voyant son regard perplexe, je reposai la lamelle en soupirant. Un peu plus tôt, Brianna était venue me dessiner des spores de pénicilline. Elle avait oublié son calepin et un morceau de fusain. Je le pris et l'ouvris à une page vierge, sur laquelle j'esquissai rapidement un tableau.

— Regarde, dis-je en le lui montrant.

Henry   *Julia*
OO = Type O   *A ? = A ou AB*

Claire
OA = Type A

412

Je tapotai mon nom du bout de mon fusain.

— Tu comprends ? Je ne suis pas sûre du groupe de ma mère, mais ce n'est pas important. Si je suis du type A, elle m'a forcément transmis le gène A, puisque mon père ne pouvait l'avoir.

La lamelle suivante était presque sèche. Reposant le fusain, je la mis en place et me penchai de nouveau sur l'oculaire.

— Vous pouvez voir ces groupes sanguins, ou ces antigènes, au microscope ? demanda-t-il derrière moi.

— Non, répondis-je sans relever la tête. La résolution n'est pas assez bonne, mais on peut voir d'autres choses… j'espère.

Je tournai le bouton de quelques millimètres, et les cellules apparurent. Je laissai échapper mon souffle, un frisson d'excitation me parcourant tout le corps. Les voilà ! Ils étaient là, à l'intérieur des cercles ronds et roses des globules rouges, formant des taches sombres, certaines rondes, d'autres ressemblant à des quilles miniatures. Je poussai un cri de ravissement.

— Viens voir !

Je m'écartai pour céder la place à Roger. Il observa, l'air grave.

— Qu'est-ce que je regarde exactement ? demanda-t-il au bout d'un moment.

— *Plasmodium vivax*, répondis-je fièrement. Le paludisme. Ce sont les taches sombres à l'intérieur des cellules.

Les ronds étaient les protozoaires, les créatures unicellulaires transmises dans le sang par la piqûre d'un moustique. Ceux qui ressemblaient à des quilles étaient des protozoaires en train d'éclore, se préparant à se reproduire.

Reprenant mon observation, je poursuivis :

— Quand ils éclosent, ils se multiplient jusqu'à faire exploser la membrane de la cellule infestée, puis ils en envahissent une autre, et ainsi de suite... C'est au cours de cette phase que le patient souffre de l'attaque de paludisme, avec de la fièvre et des frissons. Quand les *plasmodium* sont dormants – à savoir qu'ils ne se multiplient pas –, le patient est normal.

— Mais qu'est-ce qui les incite à se multiplier ?

— Personne ne le sait exactement. Toutefois, on peut vérifier s'ils sont ou non en phase de multiplication et administrer de la quinine. On ne peut pas en prendre à vie, ni même sur des périodes prolongées. Malheureusement, la pénicilline n'a aucun effet sur la plupart des protozoaires. En revanche, je peux vérifier le sang de Lizzie régulièrement. Si le nombre de *plasmodium* augmente brusquement, je lui donnerai aussitôt de la quinine. Avec un peu de chance, cela lui évitera un nouvel accès. En tout cas, ça vaut la peine d'essayer.

Il hocha la tête, contemplant le microscope et la lamelle bleue et rose.

— En effet, dit-il évasivement.

Préoccupé, il me regardait nettoyer les salissures occasionnées par mes manipulations. Lorsque je me penchai pour ramasser le mouchoir sanglant dans lequel il avait enveloppé sa main, il me demanda :

— Vous connaissez sûrement le groupe sanguin de Brianna ?

— B, répondis-je. C'est assez rare, surtout chez une Blanche. On le trouve surtout dans de petites populations isolées, comme certaines tribus indiennes du sud-ouest américain, ou chez certains Noirs. Ces derniers descendent probablement tous d'une région spécifique d'Afrique, mais à l'époque où le système ABO a été inventé, leurs liens avec leurs ancêtres s'étaient déjà effacés.

— De petites populations isolées... Comme les Highlands écossaises, peut-être ?

Je levai les yeux vers lui.

— Peut-être.

Il reprit le calepin et traça à son tour un tableau.

$$Claire \qquad Jamie$$
$$AO = type \; OB \; ? = B \; ou \; AB$$

$$Brianna$$
$$OB = Type \; B$$

Il releva vers moi des yeux interrogateurs.

— C'est ça, confirmai-je. Tu as tout compris.

Il m'adressa un sourire narquois, puis baissa de nouveau les yeux vers son croquis. Puis il continua sans me regarder :

— Alors, vous pouvez le savoir ou pas ? Avec certitude ?

Je fis tomber le mouchoir dans le panier de linge sale avec un petit soupir.

— Non, répondis-je. Ou plutôt, je ne peux pas dire avec certitude si Jemmy est de toi. En revanche, je peux « peut-être » savoir avec certitude s'il ne l'est pas.

— Comment ?

— Brianna est du type B, mais moi du A. Cela signifie qu'elle a le gène B et mon gène O. Elle peut avoir donné l'un ou l'autre à Jemmy. De ton côté, tu ne peux lui avoir transmis qu'un gène O, puisque tu n'en as pas d'autres.

Je lui montrai une rangée de tubes près de la fenêtre, le soleil de l'après-midi donnant des reflets dorés au sérum brun à l'intérieur.

— Si Brianna lui a donné son gène O, et toi, son père, un gène O également, Jemmy sera du groupe O, son sang n'aura pas d'anticorps et ne réagira pas au sérum de mon sang, à celui de Jamie ni à celui de Brianna. Si Brianna lui a donné son gène B, et toi ton O, il sera du type B – son sang réagira alors à mon sérum, mais pas à celui de Brianna. Dans un cas comme dans l'autre, tu pourrais être son père – mais tout comme n'importe quel homme du groupe O. Toutefois, si...

J'inspirai profondément et pris le fusain sur la table. Je continuai à parler tout en dessinant lentement, illustrant les possibilités.

Brianna   *Roger*
OB = Type B   *OO = Type O*

Jemmy
OB ou OO = Type B ou Type O

Je tapotai le bâtonnet de fusain contre le papier et repris :

— Mais... si Jemmy s'avère être du type A ou AB, c'est que son père n'est pas homozygote pour le type O, homozygote signifiant qu'il a deux gènes identiques, ce qui est ton cas.

J'écrivis la seconde possibilité à la gauche de la première :

X   *Brianna*   *Roger*
AO/AA/AB/BB/BO/OO   *BO = Type B*   *OO = Type O*

Jemmy
AB = Type AB   *BO = Type B*
AO = Type A   *OO = Type O*
OB/BO = Type B
BB = Type B
OO = Type O

Je vis le regard de Roger se poser sur le X et me demandai ce qui m'avait pris de l'écrire ainsi. Après tout, l'autre candidat à la paternité de Jemmy ne pouvait pas être n'importe qui. Néanmoins, je n'avais pu me résoudre à écrire « Bonnet ». Peut-être par simple superstition ou pour maintenir la plus grande distance possible entre cet individu et nous.

— N'oublie pas que le type O est très répandu, dis-je, contrite.

Roger grogna, examinant la feuille d'un air songeur.

— Donc, dit-il enfin, s'il est du type O ou B, il est peut-être de moi, mais pas s'il est du type A ou AB.

Je déglutis.

— C'est un test très rudimentaire, le prévins-je. Je ne peux pas… je veux dire… il y a toujours une marge d'erreur.

Avec un doigt, il frottait le bandage sur sa main blessée.

— Vous en avez déjà parlé à Brianna ? demanda-t-il.

— Bien sûr. Elle a dit qu'elle ne voulait pas le savoir, mais que si tu le demandais, je devais faire le test.

Il porta une main à la cicatrice sur sa gorge, fixant les lattes du plancher, le regard lointain.

Je me détournai pour lui laisser un peu d'intimité et me penchai sur mon microscope. Plus tard, je ferais une grille de comptage pour évaluer la densité relative des cellules infestées par le *plasmodium*. Pour le moment, il faudrait se contenter d'un comptage à l'œil nu.

J'eus soudain une idée. Maintenant que j'avais trouvé un colorant qui fonctionnait, je devrais vérifier le sang des autres habitants de Fraser's Ridge, à commencer par ceux qui habitaient la maison. Les moustiques étaient beaucoup plus rares dans les montagnes que sur la côte, mais il y en avait quand même. Or, si Lizzie paraissait rétablie, elle restait un foyer d'infection potentiel.

— ... quatre, cinq, six...

Je comptais les globules infectés dans ma barbe, m'efforçant d'oublier la présence de Roger, assis sur le tabouret voisin, et surtout le souvenir qui était remonté des tréfonds de ma mémoire au moment de la révélation du groupe sanguin de Brianna.

Elle avait été opérée des amygdales à l'âge de sept ans. Je revoyais encore la tête du médecin, fronçant les sourcils en examinant le graphique qui indiquait le groupe de l'enfant et celui de ses parents. Frank était du groupe A, comme moi. Or, deux parents de type A ne pouvaient en aucune façon donner naissance à un enfant de type B.

Le médecin avait relevé la tête, son regard embarrassé allant de Frank à moi et de moi à Frank. Puis, ses yeux revinrent sur moi avec une lueur froide de spéculation. J'aurais pu tout aussi bien porter, cousu sur mon sein, le « A » écarlate de la femme adultère, ou plutôt, compte tenu des circonstances, la lettre « B ».

Frank – le saint homme ! – avait surpris son regard et déclaré :

— Le père de la petite, le premier mari de ma femme, est mort. J'ai adopté Brianna lorsque nous nous sommes mariés.

Le médecin avait esquissé un sourire navré, tandis que Frank prenait ma main et la serrait fort dans les plis de ma jupe.

À cette réminiscence, mes doigts se contractèrent. Je fis accidentellement glisser la lamelle et me retrouvai en train de fixer un morceau de verre flou et vide.

Il y eut un bruit derrière moi. Roger s'était levé. Je pivotai vers lui, et il me sourit, ses yeux verts doux comme de la mousse.

— Le sang n'a pas d'importance, déclara-t-il calmement. C'est mon fils.

— Oui, je sais.

Il y eut un moment de silence, soudain brisé par un craquement sonore. Baissant les yeux, je vis un éventail de plumes de dindon me filer entre les jambes. Pris la main dans le sac, Adso se précipita hors de l'infirmerie, une énorme aile dans la gueule.

— Sale voleur ! m'écria-je.

60

Petit malin

— Tu as fini de travailler ? demanda Brianna d'une voix endormie.

Il venait de se glisser dans leur lit après avoir passé une partie de la soirée et de la nuit à tenter de retranscrire, de mémoire, les dizaines de versets d'une ballade ancienne que Kimmie Clellan lui avait chantée de sa vieille voix rocailleuse.

— Oui, pour ce soir.

Elle roula sur le côté et pressa ses fesses contre lui. Il glissa les bras autour de sa taille et déposa un baiser derrière son oreille. Elle prit sa main glacée dans la sienne, la replia et la coinça douillettement sous son menton après l'avoir embrassée. Il s'étira, puis se détendit, ses muscles se décontractant. Il sentit les mouvements de leurs corps, tandis qu'ils s'imbriquaient, se fondant l'un dans l'autre. Un léger ronflement s'élevait du lit de Jemmy.

Le feu brûlait doucement, dégageant un parfum doux de bois de noyer. La chaleur l'envahit, étirant une couverture de sommeil jusque sous ses oreilles, débloquant tous les petits verrous de son esprit, laissant toutes ses pensées et ses impressions de la journée se déverser en tas colorés.

Résistant à l'inconscience encore quelques instants, il farfouilla parmi les trésors ainsi répandus dans l'espoir de retrouver un fragment oublié de la ballade de Clellan, un accord de *bodhran* qui ferait resurgir tout un pan de chanson, des vers estropiés. Toutefois, ce ne fut pas la voix éraillée du vieil Écossais qui retentit, mais une autre, une voix chaude de contralto, presque un rire, qui lui disait : « Petit malin ! »

Il tressaillit.

— Hein, qu'est-ce que tu as dit ? marmonna Brianna.

Les mots résonnaient dans sa tête à mesure qu'ils se formaient dans sa mémoire.

— C'est ça… fais ton petit malin ! répéta-t-il lentement. C'est ce qu'elle me disait.

— Qui ça ?

Brianna tourna sa tête échevelée vers lui.

— Ma mère.

Il posa sa main libre sur sa hanche, reprenant :

— Ce matin, quand Jemmy faisait le têtu, tu m'as demandé ce qu'on disait aux enfants en Écosse. Je t'ai répondu que je ne savais pas, mais une chose vient de me revenir. Ma mère me disait toujours : « C'est ça, fais ton petit malin ! » ou « Tu n'as pas fini de faire ton petit malin ? »

Brianna émit un bruit amusé. Ils restèrent silencieux un instant, puis elle reprit doucement, toute trace de sommeil ayant disparu de sa voix :

— Tu m'as déjà parlé de ton père de temps en temps, mais c'est la première fois que je t'entends faire allusion à ta mère.

Il haussa les épaules et fléchit les genoux, les pressant contre l'arrière de ses cuisses.

— Je ne me souviens pas de grand-chose à son sujet.
Elle posa une main sur la sienne.

— Quel âge avais-tu quand elle est morte ?

— Oh, quatre ans, je crois, presque cinq.

— Mmmm.

Elle serra sa main et se tut, perdue dans ses pensées. Toutefois, il percevait une vague tension dans ses épaules.

— Quoi ?

— Oh... rien.

Il libéra sa main, écarta la couverture et lui massa la nuque. Elle détourna la tête pour lui faciliter la tâche, enfouissant son visage dans l'oreiller. D'une voix étouffée, elle reprit :

— Je me disais simplement que... si je meurs maintenant, alors que Jemmy est si jeune... il ne se souviendra probablement pas du tout de moi.

— Bien sûr que si.

Il avait parlé machinalement, voulant la rassurer, tout en sachant qu'elle avait probablement raison.

— Toi, tu ne t'en souviens pas, pourtant tu étais plus vieux à sa mort.

Il enfonça lentement le gras du pouce à la base de son cou.

— Non, je m'en souviens, mais justes des bribes. Parfois, quand je rêve ou que je pense à autre chose, je l'entr'aperçois, ou j'entends comme un écho de sa voix. Un des rares détails dont je me rappelle clairement, c'est le médaillon qu'elle portait autour du cou, des pierres rouges formant ses initiales. Des grenats.

Ce bijou lui avait peut-être sauvé la vie lors de sa première tentative avortée pour traverser les pierres. De temps à autre, il regrettait encore sa disparition, comme une écharde juste sous la surface de sa peau, mais il parvenait à étouffer ce regret, se disant que c'était juste un petit bout de métal.

Quand même, il lui manquait.

— Oui, mais c'est un objet, Roger. Est-ce que tu te souviens d'elle ? Qu'est-ce que Jemmy saurait de moi – ou de toi – si tout ce qui lui restait de nous était…

Elle chercha dans la pièce un objet caractéristique.

— Disons… ton *bodhran* et mon canif.

— Il saurait que son père était musicien et sa mère, assoiffée de sang. Aïe !

Il tenta de parer un autre coup de coude en plaquant ses deux mains sur ses épaules.

— Non, sérieusement, reprit-il. Il saurait un tas de choses sur nous, et pas uniquement grâce à nos babioles.

— Comment ?

— Eh bien… tu as fait un peu d'histoire à l'école, non ? Tu sais tout ce qu'on peut reconstituer à partir des objets de la vie quotidienne, comme la vaisselle ou les jouets.

— Mmmm.

Malgré son air dubitatif, il devinait son besoin de se laisser convaincre.

— Grâce à tes dessins, Jemmy en connaîtrait bien plus sur toi.

« Et bien plus qu'un fils ne devrait en savoir sur sa mère s'il tombait sur ton cahier de rêves », pensa-t-il. Une impulsion soudaine de le dire à voix haute, d'avouer qu'il l'avait lu, trembla au bout de sa langue, mais il la ravala. Au-delà de la simple peur de sa réaction face à cette intrusion, il y en avait une autre, plus grande. Qu'elle cesse d'écrire et que lui perde ces plongées clandestines dans les profondeurs de son esprit.

— Je suppose que tu as raison, dit-elle, songeuse. Je me demande s'il dessinera lui aussi, ou s'il sera doué pour la musique.

« Ça dépend si Stephen Bonnet joue de la flûte », pensa-t-il cyniquement. Il refoula aussi cette pensée, reprenant plutôt son doux massage en déclarant :

— Il saura qui nous étions en se regardant lui-même.

— Mmmm ?

— Pense à toi. Tous ceux qui te voient disent : « Vous devez être la fille de Jamie Fraser ! » Pas juste à cause de tes cheveux roux. Ton aptitude au tir, non ? Il y a aussi la manière dont toi et ta mère, vous raffolez des tomates.

— Mmmm... Ne me parle pas de tomates ! La semaine dernière, j'ai fini celles que nous avions séchées. Dire qu'il faut attendre six mois avant d'en revoir !

— Désolé.

Il déposa une bise dans son cou pour se faire pardonner.

Quelques instants plus tard, il reprit :

— Je me demande... quand tu as su à propos de Jamie Fraser... quand on a commencé à faire des recherches... tu as bien dû te demander à quoi il ressemblait, non ? Puis, quand tu l'as retrouvé... était-il à la hauteur de ton imagination ? Correspondait-il à tes espoirs construits sur ce que tu savais déjà de lui ? Ou... sur ce que tu savais de toi-même ?

Elle émit un petit rire, un peu ironique cette fois.

— Je n'en sais rien. Je n'aurais pas su le dire sur le moment, et je ne le sais toujours pas.

— Je ne comprends pas.

— Quand tu entends parler de quelqu'un avant de le rencontrer, la personne en chair et en os n'est jamais comme on te l'avait décrite, ni comme tu l'avais imaginée. Mais cette image que tu t'étais faite ne disparaît pas pour autant, elle fusionne avec celle de l'être que tu découvres. Inversement, quand tu apprends des choses sur une personne que tu connais déjà, cela affecte aussi la façon dont tu la vois, non ?

— Sans doute. Tu penses à ton père... l'autre ? Frank ?

— Je crois, oui.

Elle changea de position, faisant retomber les mains de Roger. Elle n'avait pas envie de parler de Frank Randall, pas maintenant.

— Et tes parents ? Tu crois que le révérend avait conservé toutes leurs affaires dans des cartons pour toi ? Pour que tu puisses les examiner plus tard et te créer d'autres souvenirs, en plus de ceux que tu avais d'eux vivants ?

— Oui, je suppose. Pourtant, je n'avais pas de vrais souvenirs de mon père. Il ne m'a vu qu'une seule fois, quand je n'avais pas encore un an.

— Mais tu te souviens de ta mère, n'est-ce pas ? Au moins un peu ?

Elle avait l'air anxieuse, tenant absolument à ce qu'il se rappelle son passé. Il hésita et se rendit compte avec un serrement de cœur qu'il n'évoquait jamais sciemment sa mère. Il en eut soudain honte.

— Elle est morte pendant la guerre, n'est-ce pas ?

Inversant les rôles, elle avait tendu une main en arrière et massait à présent le muscle de sa cuisse.

— Oui. Elle... pendant le blitz. Une bombe.

— En Écosse ? Mais je croyais...

— Non, à Londres.

Il ne voulait pas en parler. Il n'en avait jamais parlé. Les rares occasions où sa mémoire dérivait dans cette direction, il virait de bord. Ce territoire se trouvait derrière une porte close sur laquelle était écrit « Défense d'entrer », un interdit qu'il n'avait jamais envisagé de transgresser. Pourtant, ce soir... Il percevait l'angoisse de Brianna à l'idée que son fils puisse l'oublier. Il entendait le même écho, comme une voix faible qui l'appelait, la voix de la femme enfermée de l'autre côté de cette porte. Mais était-elle vraiment verrouillée ?

Avec une sensation de vide dans le cœur, un sentiment proche de la terreur, il posa une main sur la poignée... De quoi se souvenait-il exactement ?

— Gran, ma grand-mère maternelle, était anglaise. Quand mon père est mort, nous sommes allés vivre chez elle à Londres.

Il n'avait pas pensé à Gran, pas plus qu'à sa mère, depuis des années. Le seul fait de prononcer son nom fit resurgir le parfum de la lotion à l'eau de rose et à la glycérine qu'elle se mettait sur les mains, la vague odeur de renfermé de son appartement dans le quartier de Tottenham Court Road, rempli de meubles trop grands, tapissés en crin de cheval, vestiges d'une vie antérieure où elle avait eu une maison, un mari, des enfants.

Il prit une grande inspiration. Brianna le sentit et l'encouragea en pressant son dos ferme contre sa poitrine. Il embrassa sa nuque. Par la porte à peine entre-bâillée lui parvenait la lumière blême d'un après-midi d'hiver londonien. Elle éclairait un tas de vieux cubes en bois, sur un tapis élimé. Une main fine de femme les empilait en construisant une tour, un faible rayon de soleil faisant jaillir du diamant à son doigt un superbe arc-en-ciel.

— Maman était petite, comme Gran. Enfin, elles me paraissaient grandes, bien sûr, mais je me souviens qu'elle se dressait sur la pointe des pieds pour attraper des choses dans les placards.

Des choses… la boîte à thé, avec son sucrier en verre taillé, la bouilloire cabossée, les tasses dépareillées. La sienne était ornée d'un panda. Un paquet de biscuits, rouge vif, avec un dessin de perroquet… Mince, il n'avait plus jamais revu cette marque ! Les fabriquait-on encore ? Non, bien sûr, pas ici et maintenant…

Il chassa ces images de sa tête, remettant son esprit sur les bons rails.

— Je sais à quoi elle ressemblait, mais surtout grâce aux photos.

Pourtant, il avait des souvenirs… enfouis quelque part, qui lui nouaient le ventre. Il pensa « maman », et soudain les images devenaient réelles. Il voyait clairement la chaînette de ses lunettes, un rang de minuscules perles de métal frôlant la courbe douce d'un sein, une douceur chaude et agréable contre sa joue, une odeur de savon, le coton fleuri d'une blouse, des fleurs bleues, en forme de trompette, avec des entrelacs de lianes.

— Comment était-elle ? Tu lui ressembles ?

— Un peu. Elle était brune, comme moi.

Avec des cheveux bouclés et brillants. Volant dans le vent, saupoudrés de grains de sable blanc. Il les avait fait pleuvoir sur elle, et elle avait secoué la tête en riant. Une plage quelque part ?

— Le révérend avait accroché plusieurs photos dans son bureau. Sur l'une d'elles, j'étais assis sur ses genoux. Je ne sais pas ce que nous regardions, mais nous avions tous les deux l'air de nous retenir de rire. On se ressemble beaucoup. J'ai sa bouche, je crois. Peut-être aussi… la forme de ses sourcils.

Pendant longtemps, il n'avait pu regarder les photos de sa mère sans avoir la gorge nouée. Puis cela avait passé, les images avaient perdu leur sens, devenant des objets parmi tant d'autres dans le bric-à-brac habituel du presbytère. À présent, il les visualisait nettement, et le nœud dans sa gorge était revenu. Il déglutit pour tenter de le faire passer.

— Tu veux de l'eau ?

Elle tendit la main vers la cruche sur la table de chevet, mais il arrêta son geste d'une main sur l'épaule.

— Ce n'est rien, dit-il d'une voix éraillée. Tu sais… la prochaine fois que tu vas chez ta grand-tante à River Run, tu devrais peindre un autoportrait.

— Moi ?

Elle paraissait surprise, mais également, lui semblat-il, plutôt séduite par l'idée.

— Bien sûr, tu en es parfaitement capable. Et puis ce serait comme… un souvenir permanent.

« Pour que Jemmy se rappelle de ton visage si tu venais à disparaître. » Les mots non dits flottèrent un instant dans l'obscurité autour d'eux, les plongeant tous les deux dans un silence songeur. Zut ! Dire qu'il avait voulu la rassurer !

Il effleura d'un doigt la courbe de sa joue et de sa tempe.

— J'aimerais avoir un portrait de toi. Pour qu'on le regarde ensemble quand on sera vieux et pour te dire que tu n'as pas changé.

Elle rit, puis roula sur le dos en s'étirant de tout son long, pointant les orteils jusqu'à faire craquer ses articulations. Puis, elle se détendit avec un soupir.

— J'y réfléchirai, dit-elle simplement.

Le doux crépitement du feu et les craquements étouffés du bois de la cabane étaient hypnotiques. Dehors, la nuit était froide mais calme. Le matin serait brumeux, il l'avait senti à l'humidité de la terre en sortant un peu plus tôt. Mais, à l'intérieur, il faisait bon et sec.

Brianna se laissa entraîner doucement par le sommeil, qui venait le chercher lui aussi.

La tentation de s'y abandonner était forte, mais si les angoisses de Brianna s'étaient momentanément estompées, lui, il entendait toujours le murmure de l'autre côté de la porte : « Il ne se souviendra pas de moi. »

« Si, maman, je me souviens. » Cette fois, il poussa grand la porte.

— J'étais avec elle, commença-t-il doucement.

Il était sur le dos, fixant les poutres en sapin du plafond.

— Quoi ? Avec qui ?

— Avec ma mère. Et ma grand-mère. Quand... la bombe.

Il l'entendit se retourner brusquement vers lui, mais il ne bougea pas.

— Tu veux me raconter ?

Elle chercha sa main, puis enroula ses doigts autour, la serrant. Il n'était pas certain de le vouloir, mais il hocha la tête, pressant ses doigts à son tour.

Il soupira longuement, sentant les derniers effluves de beignets de maïs et d'oignons qui s'attardaient dans les recoins de la cabane. Cela réveilla dans son esprit des odeurs de chauffage au gaz, de porridge, de laine mouillée et de vapeurs d'essence de camions, autant de guides olfactifs et silencieux dans le labyrinthe de sa mémoire.

— C'était la nuit. J'ai entendu les sirènes annonçant un raid aérien. Je savais ce que c'était, mais, chaque fois, ça me flanquait une peur bleue. Nous n'avions pas le temps de nous habiller. Maman m'a tiré du lit et a jeté mon manteau par-dessus mon pyjama. Nous avons dévalé l'escalier. Il y avait trente-six marches, j'avais passé ma journée à les compter en rentrant des courses. Puis, nous avons couru vers l'abri le plus proche.

C'était la station de métro de l'autre côté de la rue. Un carrelage blanc sale, la lueur clignotante des ampoules fluorescentes, la bouffée d'air chaud venant des profondeurs, comme le souffle d'un dragon tapi dans une grotte souterraine.

— C'était excitant. Tout semblait vibrer : le sol, les murs, l'air lui-même.

Les gens se bousculaient. Les agents criaient pour se faire entendre au-dessus du brouhaha de la foule. Un tonnerre de pieds ébranlait les marches en bois, tandis que des flots de Londoniens se déversaient dans les entrailles de la terre, descendant un niveau après l'autre, creusant leur trou vers la sécurité. C'était la panique, mais une panique ordonnée.

— Les bombes pouvaient pénétrer jusqu'à une quinzaine de mètres en profondeur, mais les niveaux inférieurs étaient sûrs.

Ils avaient atteint le bas du premier escalier, puis couru avec une masse de gens dans une courte galerie carrelée de blanc qui débouchait sur l'escalier suivant. Le palier, à cet endroit, était plus large que la cage elle-même, et les fuyards s'y entassaient en une marée tourbillonnante, gonflée par la pression de ceux qui arrivaient derrière, l'escalier descendant ne laissant passer qu'un filet de personnes à la fois.

— Il y avait un mur autour de la bouche de l'escalier. J'entendais Gran s'inquiéter. Elle avait peur que je sois écrasé par la foule qui continuait d'affluer de la rue.

Les lampes d'urgence formaient des lignes ininterrompues le long des plafonds, baignant la foule qui grouillait en dessous dans une lumière crue. Il était tard dans la nuit. La plupart des gens étaient vêtus avec ce qui leur était tombé sous la main au déclenchement des sirènes. Il apercevait des fragments de chair nue et des vêtements extraordinaires. Une femme portait un chapeau extravagant, orné de plumes et de fruits, sur un vieux pardessus élimé.

Il l'observait avec fascination, tentant de voir s'il y avait vraiment un faisan entier sur la coiffe. Un préposé à la défense passive, portant un casque blanc avec un gros W noir dessus, s'époumonait, tentant désespérément de hâter le mouvement de la foule qui se pressait déjà, tentant de la canaliser vers le quai pour faire de la place au pied de l'escalier.

— On entendait des enfants pleurer, mais pas moi. Je n'avais pas peur, parce que maman me tenait par la main.

« Tant qu'elle était là, il ne pouvait rien arriver de mal. »

— Il y a eu un fracas sourd au loin, et les lumières ont vacillé. Puis un grand bruit de déchirure. Les gens ont levé les yeux, et tout le monde a hurlé.

La fissure dans le plafond voûté n'avait pas paru particulièrement menaçante, une simple ligne noire en zig-zag suivant le contour des carreaux blancs. Puis, elle s'était écartée brusquement, s'ouvrant comme une gueule de dragon. La poussière et les débris de carrelage s'étaient mis à pleuvoir sur la foule.

Il s'était réchauffé depuis longtemps, pourtant chaque poil de son corps était hérissé. Son cœur se remit à tambouriner dans sa poitrine, et le nœud se resserra de nouveau autour de sa gorge.

— Elle m'a lâché, dit-il dans un murmure étranglé. Elle a lâché ma main.

Brianna serra fort la sienne, essayant de sauver l'enfant qu'il avait été.

— Elle y a été obligée, Roger. Elle ne t'aurait pas lâché, si elle avait pu faire autrement.

Il secoua violemment la tête.

— Non, ce n'est pas ça... Attends. Attends une minute.

Il ferma les yeux, essayant de ralentir sa respiration, de rassembler les fragments épars de cette nuit lointaine. La confusion, la panique, la douleur... Que s'était-il passé exactement ? Il n'en avait conservé qu'une impression de chaos. Pourtant, il était là, il savait forcément ce qui était arrivé... si seulement il trouvait la force de revivre cet horrible événement.

Puis, il se laissa aller.

— Au début, je ne me souvenais de rien, dit-il lentement. Ou plutôt si, mais surtout de ce que les gens m'avaient raconté.

Il ne se rappelait pas avoir été transporté, inconscient, hors des galeries. Une fois remonté à l'air libre, sain et sauf, il avait passé plusieurs semaines, hagard et muet de terreur, bringuebalé entre les abris antiaériens et les familles d'accueil avec d'autres orphelins.

— Je connaissais mon nom et mon adresse, bien sûr, mais, vu les circonstances, ça ne servait pas à grand-chose. Mon père s'était écrasé avec son avion depuis longtemps, et il ne restait rien de l'immeuble de ma grand-mère. Puis, les gens de l'assistance sanitaire ont fini par localiser le frère de Gran, le révérend. Le temps qu'il vienne me chercher, ils avaient plus ou moins reconstitué le drame. Ils m'ont dit que c'était un miracle que je n'aie pas été tué avec les autres, dans l'escalier. Dans la panique, ma mère avait dû me lâcher, et la foule m'avait emporté jusqu'au niveau inférieur, là où le plafond ne s'était pas effondré.

— Mais, maintenant, tu t'en souviens ? demanda Brianna.

— Je me souvenais du moment où elle avait lâché ma main et je pensais que le reste de l'histoire était vrai, aussi. Mais, ça ne s'est pas passé tout à fait ainsi.

Il marqua un temps d'arrêt et déglutit. Puis, les mots se mirent à sortir plus facilement, le nœud dans sa gorge ayant disparu, le poids sur sa poitrine aussi.

— Elle a lâché ma main… et m'a soulevé de terre. Ce petit bout de femme m'a hissé à bout de bras et m'a lancé au pied de l'escalier, sur la foule qui courait vers le quai plus bas. J'ai été à moitié assommé par la chute, mais je me rappelle du rugissement quand le plafond a lâché. Personne, sur le palier, n'a survécu.

Elle pressa son visage contre son torse, et il la sentit prendre une longue inspiration tremblante. Il lui caressa les cheveux, les battements de son cœur commençant à ralentir. La lueur du feu formait une brume scintillante devant ses yeux humides.

— Ne t'inquiète pas, lui chuchota-t-il à l'oreille. Nous n'oublierons pas. Ni Jemmy. Ni moi. Quoi qu'il arrive. Nous n'oublierons pas.

Il voyait le visage de sa mère, se détachant clairement sur le fond étincelant. Elle lui sourit et ses lèvres articulèrent : « Petit malin ! »

61

Mon frère

La neige commençait à fondre. J'étais partagée entre le plaisir de voir la nature autour de nous se préparer à accueillir les premiers soubresauts du printemps, et l'inquiétude de voir dégeler la barrière de glace qui nous protégeait encore provisoirement du monde extérieur.

Jamie n'avait pas changé d'avis. Il avait passé toute une soirée à composer, avec des mots choisis, sa lettre à George Lyon. Il était désormais prêt, lui annonçait-il, à envisager la vente de ses biens – comprenez du whisky clandestin – et avait le plaisir de lui faire savoir qu'il en tenait une quantité non négligeable à sa disposition. Toutefois, soucieux qu'il n'arrive malheur à sa marchandise au cours de son acheminement – à savoir sa confiscation par les autorités douanières ou son détournement par des bandits de grand chemin –, il souhaitait s'assurer de sa prise en charge par un professionnel réputé pour son savoir-faire en la matière – entendez un contrebandier expérimenté connaissant bien la côte.

Son bon ami d'Edenton, M. Priestly – que naturellement, il ne connaissait ni d'Ève ni d'Adam –, et M. Samuel Cornell, avec lequel il avait eu l'honneur de participer au Conseil de guerre du gouverneur, l'avaient informé qu'un certain Stephen Bonnet était de loin la personne la plus compétente pour ce type d'opération, sa réputation surpassant de loin celle de tous ses concurrents. Si M. Lyon avait l'obligeance de lui organiser une rencontre avec ce M. Bonnet afin qu'il puisse se former une opinion par lui-même et s'assurer de la viabilité de leur projet, alors...

— Tu crois qu'il va le faire ? avais-je demandé.

— S'il connaît Stephen Bonnet ou sait où le trouver, oui. Priestly et Cornell sont des noms magiques.

— Et s'il trouve Bonnet... ?

— J'irai le rencontrer.

Il avait pressé le cabochon de la bague de son père dans le sceau en cire, laissant une marque lisse entourée des minuscules feuilles de fraisier du blason des Fraser. Elles symbolisaient la constance. À mes yeux, certains jours, ce qualificatif me paraissait un simple euphémisme pour entêtement.

Fergus avait emporté la lettre de Lyon, et je tentais de la chasser de mon esprit. L'hiver n'était pas encore terminé. Avec un peu de chance, le navire de Bonnet serait pris dans une tempête et sombrerait, ce qui nous épargnerait à tous bien des soucis.

Toutefois, la question continuait de me turlupiner. En rentrant à la maison ce jour-là après avoir aidé à un accouchement, je trouvai une pile de lettres sur le bureau de Jamie. Mon cœur ne fit qu'un bond.

Dieu merci, il n'y avait aucune réponse de George Lyon. Quand bien même il y en aurait eu une, un courrier bien plus important l'aurait éclipsé : une enveloppe au nom de Jamie avec l'écriture volontaire et caractéristique de sa sœur.

J'eus la plus grande peine à ne pas l'ouvrir sur-le-champ, afin, s'il s'agissait de reproches cinglants, de la jeter au feu avant que Jamie ne la lise. Toutefois, l'honneur l'emporta. Je parvins à contenir mon impatience jusqu'au retour du destinataire, parti faire une course à Salem, et qui rentra croûté de boue. Informé de l'arrivée de la lettre, il se débarbouilla et se lava les mains rapidement, puis il entra dans son bureau, refermant soigneusement la porte derrière lui avant de briser le sceau de l'enveloppe.

Son visage était de marbre, mais je le vis prendre une longue inspiration, comme s'il se préparait au pire. Je vins me placer derrière lui et posai une main sur son épaule pour lui donner du courage.

Jenny Fraser Murray avait une belle écriture appliquée, formant des lettres rondes et gracieuses, coulant sur la page en lignes droites et faciles à lire.

16 septembre 1771

Mon frère,

Voici qu'après avoir pris la plume et gratté ces deux mots ci-dessus, je suis assise ici depuis si longtemps à les regarder sans savoir quoi dire, que la chandelle s'est déjà consumée de plusieurs centimètres. Ce serait gaspiller de la bonne cire d'abeille que de continuer ainsi, pourtant, si je la mouche et monte me coucher, j'aurais gâché une bonne feuille de papier... Je dois donc continuer, par souci d'économie.

Je pourrais t'accabler de reproches. Cela occuperait un peu de place sur la page et préserverait, pour la postérité, ce que mon mari considère être les insultes les plus hideuses et ordurières qu'il ait jamais entendues de sa longue existence. Il faut dire que je me suis donné un mal considérable à les composer et que cela me désolerait de les voir se perdre. Toutefois, je crains de ne pas avoir assez de papier pour les consigner toutes.

Mais peut-être qu'après tout, je ne tiens pas à t'admonester ni à te condamner. Tu risquerais de l'interpréter comme un châtiment mérité, de soulager ta conscience en pensant avoir expié et en cessant de te fustiger toi-même. Ce serait une pénitence trop douce. Je préfère savoir que tu as tissé ta propre haire, que tu la portes chaque jour que Dieu fait et qu'elle écorche ton âme comme la perte de mon fils écorche la mienne.

Malgré cela, je suppose que je t'écris aujourd'hui pour te pardonner... Prendre la plume m'en a coûté, tu t'en doutes, et si le pardon me semble un exercice difficile pour le moment, je présume que sa pratique me paraîtra moins ardue avec le temps.

Les sourcils de Jamie se hissèrent presque jusqu'à la racine de ses cheveux, mais, fasciné, il poursuivit sa lecture à voix haute.

Tu dois te demander ce qui m'a incitée à commettre un tel geste, aussi laisse-moi t'expliquer.

Lundi dernier, je suis allée voir Maggie. Elle a eu un nouveau petit, ce qui fait que tu es oncle une fois de plus. C'est une jolie petite fille nommée Angelica, un nom idiot, à mon goût, mais elle est très blonde et porte une tache couleur fraise sur la poitrine, ce qui ne peut être que de bon augure. Je les ai quittées le soir venu et j'avais parcouru une bonne partie du chemin de retour quand ma mule a marché dans une taupinière et a fait une chute. Nous nous sommes relevées toutes deux fort contusionnées, et il m'est rapidement apparu que je ne pouvais ni remonter en selle, ni espérer rentrer à la maison à pied.

Je me trouvais sur la route d'Auldearn, juste de l'autre côté de la colline de Balriggan. En temps normal, je ne recherche pas la compagnie de Laoghaire MacKenzie (elle a repris son nom de jeune fille après que j'ai clairement fait savoir dans tout le comté ce que je pensais de son recours au nom « Fraser », sur lequel elle n'a aucun droit légitime), mais c'était le seul endroit où je trouverais un abri et de la nourriture, car la nuit tombait et la pluie menaçait.

J'ai donc dessellé la mule et l'ai laissée trouver son dîner sur le bord de la route pendant que j'allais chercher le mien en boitant.

Je suis arrivée derrière la maison, en passant par le potager et en longeant la charmille que tu as construite. À présent, les plantes ont bien poussé et l'ont envahie entièrement, si bien que je ne pouvais pas voir à l'intérieur. Toutefois, il y avait des gens, car j'entendais des voix.

Entre-temps, la pluie s'était mise à tomber. Ce n'était encore qu'un clapotis, mais le bruit sur les feuilles devait couvrir ma voix, car j'avais beau appeler, personne ne me répondait. Je m'approchai, traînant la patte comme un escargot ; je m'étais retourné la cheville droite et j'étais encore tout estourbie par ma chute. Je m'apprêtais à appeler encore, lorsque j'entendis les bruits d'un belutage d'une virulence rare de l'autre côté de la charmille.

— « Belutage » ?

Je lançai un regard interrogateur à Jamie.

— Fornication, répondit-il laconiquement.

— Ah !

Je me hissai sur la pointe des pieds pour lire par-dessus son épaule.

Naturellement, j'étais pétrifiée, ne sachant trop quoi faire. J'entendais bien que c'était Laoghaire qui se faisait ainsi hurtebiller, mais j'ignorais qui était son besogneux. Ma cheville avait enflé comme une vessie au point que je ne pouvais plus marcher, si bien que je fus obligée de rester là sous la pluie à écouter toute cette ribauderie.

Si elle avait été courtisée par un homme de la région, je l'aurais su. Or je n'avais pas entendu dire qu'elle était sensible aux propositions d'un galant. Non pas qu'elle n'en ait pas eu : après tout, elle possède Balriggan et mène un train de laird avec l'argent que tu lui envoies.

438

J'étais donc remplie d'outrage devant cet étalage de stupre, mais encore plus de stupeur devant ma propre réaction. Car, aussi irrationnelle ma fureur fut-elle, j'étais indignée pour toi. Je fus donc bien malgré moi contrainte de reconnaître que mes sentiments à ton égard ne s'étaient pas totalement éteints.

La lettre s'interrompait à cet endroit, Jenny ayant apparemment été appelée ailleurs. Elle reprenait ensuite sur la page suivante, deux jours plus tard.

18 septembre 1771

De temps en temps, je rêve de Petit Ian...

— Quoi ? m'exclamai-je. Que vient faire « Petit Ian » là-dedans ! Qui était avec Laoghaire ?
— J'aimerais bien le savoir aussi, marmonna Jamie.

De temps en temps, je rêve de Petit Ian. Ces rêves prennent le plus souvent la forme d'une scène de la vie quotidienne. Tantôt je le vois ici à Lallybroch, tantôt je le vois vivre parmi les sauvages... s'il vit encore (je tente de me persuader que, s'il en était autrement, mon cœur le saurait).

Je constate donc qu'au bout du compte, tout revient à ce simple mot, « frère ». Tu es mon frère comme Ian est mon fils, tous deux êtes ma chair et mon âme, et vous le serez toujours. Si la perte de Ian hante mes nuits, la perte de mon Jamie hante mes jours.

Il cessa de lire un instant, la gorge nouée, puis reprit sa lecture d'une voix plus ferme :

J'ai passé toute la matinée à rédiger des lettres, me demandant si je devais finir celle-ci ou la jeter au feu. À présent, les comptes sont faits, j'ai écrit à tous ceux dont le nom me venait à l'esprit, les nuages se sont dispersés, le soleil illumine mon bureau à travers la fenêtre ouverte et les ombres des rosiers de maman se balancent sur moi.

Au fil des ans, j'ai souvent entendu la voix de notre mère me parler, me guider. Toutefois, je n'ai pas besoin de l'entendre maintenant pour savoir ce qu'elle dirait. Aussi, je ne jetterai pas cette lettre dans les flammes.

Tu te souviens du jour où j'ai cassé notre cruche à lait en voulant te la lancer à la figure parce que tu me faisais tourner en bourrique ? Je sais que oui, car tu l'as raconté à Claire. Je n'osais pas avouer ma faute, alors tu t'es accusé à ma place. Père s'en est rendu compte et nous a punis tous les deux.

Aujourd'hui que je suis dix fois grand-mère et que mes cheveux sont gris, je rougis encore de honte quand je revois père nous ordonnant de nous agenouiller côte à côte et de nous pencher sur le banc pour recevoir nos coups de trique.

Tu as gémi et pleuré comme un chiot quand il t'a corrigé. J'osais à peine respirer et ne pouvais pas te regarder. Quand ce fut mon tour, j'étais tellement émue et mortifiée que j'ai à peine senti les coups. Je suis sûre qu'en lisant ces lignes, tu t'indignes en affirmant que père frappait moins fort parce que j'étais une fille. Peut-être. Je dois bien reconnaître que Ian est plus doux avec ses filles.

Jamie émit un grognement outré.

— Ce n'est pas que je le crois, j'en suis certain ! bougonna-t-il.

Il se frotta le nez, puis reprit sa lecture en pianotant nerveusement sur le bureau.

Puis, père a dit qu'il devait te fouetter une seconde fois, cette fois pour avoir menti, car, après tout, « la vérité, c'est la vérité ». Je voulais me relever et m'enfuir, mais il m'a ordonné de ne pas bouger, me disant que, puisque tu allais payer pour ma lâcheté, il était juste que j'y assiste.

Sais-tu que la seconde fois, tu n'as pas pipé ? J'espère que tu n'as pas senti la trique sur tes fesses, car chaque coup semblait s'abattre directement sur moi.

Ce jour-là, je me suis juré de ne plus jamais être lâche.

Pourtant, je me rends compte que c'est lâcheté de ma part que de continuer à t'en vouloir pour Petit Ian. J'ai toujours su ce que c'était qu'aimer un homme, qu'il soit époux ou frère, amant ou fils. C'est dangereux.

Les hommes vont où bon leur semble, ils font ce qu'ils croient devoir faire. La femme n'a pas pour devoir de les retenir, ni de leur reprocher d'être ce qu'ils sont... ou de ne pas revenir.

Je le savais déjà quand j'ai envoyé Ian en France avec une croix en bois de bouleau et une boucle de mes cheveux, priant qu'il me revienne un jour, corps et âme. Je le savais quand je t'ai offert un rosaire et t'ai vu partir pour Leoch, espérant que tu n'oublierais pas Lallybroch et ta grande sœur. Je le savais quand Petit Jamie a nagé jusqu'à l'île aux Phoques, quand Michael a embarqué pour Paris. J'aurais dû le savoir quand Petit Ian est parti avec toi.

Mais la vie a été généreuse avec moi. Mes hommes me sont toujours revenus, un peu abîmés parfois, estropiés, déguenillés, froissés, mais je les ai toujours récupérés. J'en suis venue à croire que c'était mon droit. J'avais tort.

J'ai vu tant de veuves depuis le Soulèvement. Je ne saurais dire pourquoi j'estimais que leur souffrance devait m'être épargnée, pourquoi je devais conserver tous mes hommes, n'ayant perdu qu'un seul bébé, ma petite Caitlin. Sans doute qu'après sa mort, j'ai chéri encore plus Petit Ian, sachant que c'était mon dernier.

Je le considérais encore comme mon bébé. J'aurais dû voir l'homme qu'il était devenu. Cela étant, je sais que, quand bien même tu aurais pu le retenir, tu t'en serais gardé. Car, toi aussi, tu es une de ces maudites créatures qu'on ne retient pas.

Maintenant que je suis presque arrivée en bas de cette page, il me semble qu'il serait extrêmement prodigue de ma part d'en gaspiller une autre.

Mère t'a toujours aimé, Jamie. Sur son lit de mort, elle m'a demandé de veiller sur toi et de toujours te chérir. Comme si je pouvais m'en empêcher !

Ta sœur qui t'aime,

Janet Flora Arabella Fraser Murray

Jamie tint la lettre entre ses mains encore un moment, puis la posa tout doucement sur le bureau. Il s'assit la tête penchée, le front posé sur le poing, si bien que je ne pouvais voir son visage. Ses doigts écartés dans ses cheveux massaient son crâne. J'entendais sa respiration, entrecoupée de hoquets de temps à autre.

Enfin, il laissa retomber sa main et redressa la tête vers moi, clignant des yeux. Il avait les joues rouges et des larmes aux yeux. Son expression était indescriptible, mélange de stupéfaction, de fureur et de rire.

Il renifla et s'essuya les yeux du revers de la main.

— Bon sang, je ne comprendrai jamais comment elle y arrive !

Je sortis mon mouchoir de mon corselet et le lui tendis.

— Arrive à faire quoi ?

— À me faire sentir comme si j'étais un gamin de huit ans. Et un idiot par-dessus le marché !

J'étais ravie de la lettre de Jenny et je sentais le cœur de Jamie beaucoup plus léger depuis son arrivée. Parallèlement, je demeurais très intriguée par l'incident qu'elle avait commencé à raconter… et Jamie l'était encore plus, même s'il se gardait de le dire.

Une semaine plus tard, une autre lettre nous parvint, adressée par son beau-frère Ian. Toutefois, elle contenait seulement les nouvelles habituelles de Lallybroch et de Broch Mordha, sans aucune mention des mésa-ventures de Jenny près de Balriggan ni de sa découverte dans la charmille.

Perchée sur la barrière de l'enclos, j'observais Jamie qui s'apprêtait à châtrer une portée de pourceaux. Je lui demandai avec tact :

— Je suppose que demander des éclaircissements à Jenny ou à Ian ne serait pas convenable ?

— N'y compte pas, répondit-il d'un ton ferme. Après tout, ça ne me regarde pas. Si cette femme a déjà été mon épouse, il est sûr et certain qu'elle ne l'est plus. Si elle a décidé de prendre un amant, c'est son affaire.

Il écrasa du pied le soufflet à pédale, attisant le petit feu sur lequel chauffait le cautère, puis sortit les ci-sailles de sa ceinture.

— Quel côté veux-tu, *Sassenach* ?

J'avais le choix entre la forte possibilité de me faire mordre en leur tenant la tête, et la certitude de me faire conchier en les attaquant par l'autre bout. La triste vérité était que Jamie était nettement plus fort que moi, et si, pour lui, castrer un animal ne présentait pas de difficulté majeure, je possédais un savoir-faire grâce à ma profes-sion. Mon choix me fut donc dicté par le sens pratique plutôt que par l'héroïsme. Je m'étais préparée en m'équi-pant de mon épais tablier en toile, de mes sabots en bois et d'une vieille chemise ayant autrefois appartenu à Fer-gus et qui était condamnée au feu dès la fin de l'opération.

— Tu tiens, je coupe.

Je glissai à terre et pris les cisailles.

Il s'ensuivit un bref mais bruyant interlude, après le-quel les cinq porcelets eurent droit à un repas de conso-lation, composé des restes de la cuisine, leur arrière-train ayant été badigeonné d'une mixture au goudron et à la térébenthine pour prévenir les risques d'infection.

Les voyant se goinfrer d'un air satisfait, je demandai à Jamie :

— Que préférerais-tu, si tu étais un porc ? T'échiner à trouver ta propre nourriture et garder tes bijoux de famille, ou les céder et t'empiffrer à longueur de journée ?

Ceux-ci resteraient dans l'enclos où ils seraient soigneusement engraissés à la pâtée pour obtenir une viande tendre, alors que la plupart des autres porcs étaient lâchés dans les bois où ils devaient se nourrir tout seuls.

— J'imagine que ce qu'ils n'ont jamais connu ne peut pas leur manquer, répondit Jamie.

Il s'appuya contre la barrière quelques minutes, contemplant les porcelets agitant de plaisir leurs petites queues en tire-bouchon, leurs plaies apparemment déjà oubliées. Puis, il ajouta avec une moue cynique :

— En outre, une paire d'amourettes ne fait pas toujours le bonheur d'un homme... même si je n'en ai jamais rencontré un qui soit prêt à s'en séparer.

— Ma foi, les prêtres les trouvent peut-être un peu encombrantes.

J'éloignai soigneusement la chemise souillée de mon corps avant de l'enlever par-dessus ma tête en râlant :

— Pouah ! Rien ne sent aussi mauvais que les excréments de porc ! Rien !

Il se mit à rire.

— Quoi ? Pas même un cadavre en décomposition ? Une plaie purulente ? Un bouc ?

— La crotte de porc les bat tous, haut la main.

Jamie me prit la chemise et la déchira en lambeaux. Il mit de côté les morceaux les moins sales pour nettoyer les outils ou boucher des trous et jeta le reste dans les flammes, reculant lorsqu'une brise souffla une odeur pestilentielle dans notre direction. Puis, il reprit le fil de la conversation.

— C'est vrai qu'il y avait Narsès. Un grand général, à ce qu'on dit, en dépit du fait qu'il était eunuque.

— Peut-être le cerveau d'un homme fonctionne-t-il mieux quand il n'est pas distrait.

Il émit un petit rire narquois tout en jetant une pelletée de terre sur le feu. Je récupérai mon cautère et mon pot de goudron, puis nous rentrâmes à la maison, discutant de choses et d'autres.

Toutefois, sa remarque continua de me trotter dans la tête... « une paire d'amourettes ne fait pas toujours le bonheur d'un homme ». Avait-il voulu parler des hommes en général ? Ou y avait-il là une allusion à sa vie personnelle ?

Dans tout ce qu'il m'avait raconté sur son bref mariage avec Laoghaire MacKenzie – c'est-à-dire pas grand-chose, par consentement mutuel –, rien n'indiquait qu'elle l'ait attiré physiquement. D'un autre côté, je connaissais son corps presque aussi bien que le mien. S'il avait une grande capacité à endurer les privations, il avait une faculté au moins équivalente pour les épanchements passionnés. Il pouvait être ascète par nécessité, mais pas par prédisposition.

La plupart du temps, je parvenais à oublier qu'il avait partagé la couche de Laoghaire, même si cela n'avait pas duré longtemps et n'avait guère été – selon lui – gratifiant. Je n'oubliais pas qu'elle avait été, et était encore, une très jolie femme.

Pour cette raison, j'aurais préféré que Jenny Murray trouve une autre source d'inspiration pour justifier son changement d'attitude vis-à-vis de son frère.

Nous allâmes nous coucher tard, après une soirée bien arrosée au cours de laquelle Fergus avait régalé la compagnie en nous chantant la *Ballade de la prostituée*, chanson plutôt salace apprise lorsqu'il était encore un gamin pickpocket dans les rues de Paris.

Jamie s'enfonça dans l'oreiller, les mains croisées derrière la nuque, pouffant de rire en se remémorant des bribes de la chanson. Il faisait froid, la condensation de nos souffles embuant la vitre, mais il ne portait pas de chemise. Je l'admirai discrètement, tout en me brossant les cheveux.

Il s'était remis de la morsure de crotale mais était encore amaigri. La courbe gracieuse de ses clavicules était visible, et les longs muscles de ses bras étiraient sa peau. À l'échancrure de sa chemise, sa poitrine était couleur de bronze, mais la chair sous ses bras était d'un blanc laiteux parcouru d'un réseau de veines bleues. La lueur de la chandelle allongeait les ombres des os saillants de son visage et faisait scintiller ses cheveux, ambre et cannelle sur ses épaules, acajou et roux doré ailleurs.

— Cette lumière te va bien, *Sassenach*.

Ses yeux couleur d'un océan sans fond m'observaient aussi.

— Je pensais justement la même chose à ton sujet.

Je reposai ma brosse et me levai. Mes cheveux retombèrent en nuage sur mes épaules, propres, doux et brillants. Ils étaient parfumés au souci et au tournesol, tout comme ma peau. Prendre un bain et se shampouiner en hiver nécessitait une logistique complexe, mais j'avais été bien décidée à ne pas me coucher en empestant la merde de cochon.

Je me penchai pour souffler la bougie, mais il m'arrêta en me prenant le poignet.

— Laisse-la brûler. Viens te coucher et laisse-moi te regarder. J'aime voir la lumière danser dans tes yeux. Elle ressemble au whisky, quand tu le verses sur le haggis et que tu le fais flamber.

— Tu es un vrai poète, murmurai-je.

Il m'attira à lui et se poussa pour me faire de la place. Il dénoua le cordon de ma chemise et me l'ôta. L'air frais dans la chambre fit aussitôt se dresser mes mamelons, mais son torse était divinement chaud quand il me serra contre lui, soupirant d'aise.

— Ce doit être la chanson de Fergus qui m'inspire, dit-il.

Il plaça une main sous un de mes seins et le soupesa avec une moue approbatrice.

— Tu as les plus beaux seins que j'aie jamais vus. Tu te rappelles de ce couplet où le gars raconte que la dame a des mamelles si énormes qu'elle peut lui couvrir les oreilles avec ? Les tiens ne sont pas si gros, bien sûr, mais je pense que tu pourrais...

— Ils n'ont pas besoin d'être énormes pour faire ça ! l'assurai-je. Tiens, pousse-toi, je vais te montrer. En plus, je ne crois pas qu'il s'agisse de lui couvrir les oreilles, mais plutôt de les lui prendre en sandwich et de les frotter l'un contre l'autre. Or, les miens sont amplement assez généreux pour... tu vois ?

— Oh !

Il semblait profondément reconnaissant et un peu hors d'haleine.

— Oui... euh... je vois. Oh !... en tout cas, la vue d'ici est magnifique, *Sassenach*.

— C'est plutôt intéressant, d'ici aussi.

J'avais un mal fou à ne pas rire et à ne pas loucher.

— À ton avis, lequel de nous deux devrait aller et venir ? demandai-je.

— Moi, pour le moment. Je ne te fais pas mal, *Sasse-nach* ?

— En fait, si, ça gratte un peu. Attends un instant.

Je tendis la main vers la table de chevet, tâtonnant jusqu'à trouver le pot de crème au lait d'amandes pour mes mains. Je repoussai le couvercle et y plongeai un doigt.

— Oui, c'est nettement mieux, non ? demandai-je.

— Oh. Oh, oui !

— Et puis, tu te souviens de l'autre couplet ?

Je le lâchai un instant et glissai mon doigt enduit de crème dans la fente de ses fesses.

— ... De ce que la prostituée fait à l'enfant de chœur...

— Oh, mon Dieu !

— Oui, c'est bien ce qu'il a dit, lui aussi. D'après la chanson.

Beaucoup plus tard, dans l'obscurité, je me réveillai en sentant ses mains de nouveau sur moi. Encore agréablement ballottée par mes rêves, je ne bougeai pas, le laissant faire ce qu'il voulait.

Mon esprit n'était que vaguement connecté à la réalité, et il me fallut un certain temps avant de me rendre compte que quelque chose ne tournait pas rond. J'en mis encore plus pour me concentrer et remonter à la surface de la conscience. Enfin, j'ouvris les yeux.

Il était à demi accroupi au-dessus de moi, le visage éclairé par les dernières braises du feu. Les yeux fermés et le front plissé, il soufflait par ses lèvres entrouvertes, remuant presque mécaniquement. Perplexe et l'esprit encore embrumé, je me demandai comment il pouvait faire cela en dormant.

Un fin voile de transpiration faisait luire ses pommettes et les courbes de son corps nu.

Il me pétrissait d'une étrange manière, comme un automate, un travailleur à la chaîne. Ses doigts étaient plus qu'indiscrets, tout en étant impersonnels. J'aurais pu être n'importe qui, ou n'importe quoi.

Puis, les yeux toujours fermés, ses sourcils froncés lui donnant l'air concentré, il rejeta complètement la couverture et se glissa entre mes jambes. Il les ouvrit d'un geste brusque, ce qui ne lui ressemblait pas. Instinctivement, je tentai de les resserrer et de me dégager. Ses mains s'abattirent alors sur mes épaules, me plaquant contre le matelas, son genou m'écarta les cuisses et il me pénétra brutalement.

Je poussai un cri aigu de protestation, et il ouvrit les yeux. Hébété, il me dévisagea, son visage à quelques centimètres du mien, puis une lueur d'intelligence traversa son regard. Il se figea.

— Ça ne va pas, non ? m'écriai-je. Tu me prends pour qui ?

Il s'extirpa aussitôt et bondit hors du lit, nos draps et couvertures retombant en tas sur le plancher. Il décrocha ses vêtements de la patère et sortit de la chambre en deux enjambées, claquant la porte derrière lui.

Je me redressai, ahurie. Je récupérai les couvertures et les rabattis sur moi, furieuse... et n'en croyant toujours pas tout à fait mes yeux. Je me frottai le visage, essayant d'achever de me réveiller. Je n'avais quand même pas rêvé !

Non. Pas moi, mais lui, si. Il avait été à moitié, ou complètement, endormi. Dans son sommeil, il m'avait prise pour cette garce de Laoghaire ! D'où cette manière de me posséder, avec ces gestes d'impatience douloureuse teintée de colère. Jamais il ne m'avait touchée ainsi.

Je me rallongeai, mais me rendormir m'était impossible. Après avoir fixé le plafond quelques minutes, je me levai et m'habillai.

Il était dans la grange.

Je m'appuyai contre le chambranle de la porte entrouverte, croisai les bras et le regardai aller et venir avec sa fourche, s'affairant au clair de lune pour calmer ses nerfs. Les miens étaient encore à vif, mais s'apaisèrent peu à peu, à mesure que je l'observais.

Le problème venait du fait que je comprenais, et trop bien. Je n'avais pas rencontré beaucoup de maîtresses de Frank. Il était discret. Cependant, de temps en temps, au cours d'une réception organisée par son université, ou au supermarché, je surprenais un regard. Chaque fois, une rage noire était montée en moi, suivie d'une grande confusion face à ma propre réaction.

La jalousie et la logique n'avaient rien en commun.

Laoghaire MacKenzie se trouvait à dix mille kilomètres. Il était fort probable que ni lui ni moi ne la reverrions jamais. Frank était encore plus loin, et il était certain que nous ne le croiserions pas dans ce monde-ci.

Non, décidément, la jalousie et la logique étaient incompatibles.

J'avais froid mais ne bougeais pas. Il savait que j'étais là, je le voyais à la manière dont il gardait la face tournée de l'autre côté en travaillant. Il transpirait. Enfin, il planta sa fourche dans une meule et s'assit sur un banc, taillé dans un demi-tronc d'arbre. Il prit sa tête entre ses mains, se frottant vigoureusement le crâne.

Puis, il releva les yeux vers moi, avec un air à la fois contrit et, malgré lui, amusé.

— Je ne sais pas ce qui m'a pris. Je ne comprends pas.

Je vins m'asseoir à ses côtés, recroquevillant mes pieds sous moi. Je pouvais sentir sa sueur, mêlée à la crème au lait d'amandes et aux effluves de nos ébats.

— Qu'est-ce que tu ne comprends pas ?

— Tout. Rien.

Je lui passai une main dans le dos.

— Allez, ne dramatisons pas. Ce n'est pas si grave, non ?

Il poussa un long soupir, s'ébrouant comme un cheval.

— Quand j'avais vingt-trois ans, je ne comprenais pas comment la simple vue d'une femme liquéfiait tous mes os tout en me donnant l'impression de pouvoir tordre une barre d'acier entre mes mains. Quand j'en ai eu vingt-cinq, je ne comprenais pas comment je pouvais à la fois chérir une femme et avoir envie de la posséder.

— N'importe quelle femme ?

J'obtins ce que j'avais cherché : un sourire en coin et un regard qui m'allèrent droit au cœur.

— Une femme, répéta-t-il.

Il prit la main que j'avais posée sur son genou et la serra fort, de peur que je la lui retire.

— Une seule, dit-il encore d'une voix éraillée.

Le bois de la grange craquait dans l'air froid. Je me blottis contre lui. La lumière de la lune se déversait par la porte ouverte, se reflétant sur les tas de foin.

— Je t'aime, *a nighean donn*. Je t'ai aimée dès le moment où j'ai posé les yeux sur toi. Je t'aimerai jusqu'à la fin des temps, et tant que tu es à mes côtés, je suis en paix avec le monde.

Une douce chaleur m'envahit, mais, avant même que j'aie eu le temps de serrer sa main en guise de réponse, il poursuivit, l'air perplexe et si désespéré qu'il en était presque comique :

— Claire, il y a une chose que je ne comprends pas. Pourquoi, au nom du Christ et de tous les saints, j'ai envie d'embarquer sur le premier navire pour l'Écosse et d'aller botter le cul à un homme que je ne connais pas, tout simplement parce qu'il a forniqué avec une femme sur laquelle je n'ai aucun droit et que, de toute façon, je ne peux pas voir en peinture !

Il cogna sur le banc avec sa main libre, envoyant des vibrations qui me secouèrent les fesses.

— Je ne comprends pas !

Je me retins de rétorquer que moi non plus, me contentant de rester sagement assise et silencieuse, caressant doucement les articulations de sa main avec mon pouce.

Au bout d'un moment, il poussa un nouveau soupir et se leva.

— Je suis un idiot.

Je ne dis rien, mais comme il semblait attendre une sorte de confirmation, j'acquiesçai poliment.

— Oui, peut-être, dis-je enfin. Mais tu ne comptes pas vraiment partir pour l'Écosse ?

Au lieu de me répondre, il se mit à faire les cent pas devant moi, donnant des coups de pied dans des mottes de terre sèche qui explosaient en poussière. Non, il n'allait tout de même pas... c'était absurde de ma part. Je parvins à me taire, non sans mal, et attendis patiemment jusqu'à ce qu'il s'arrête devant moi. Puis, il dit sur le ton d'une déclaration de principe :

— Soit, j'ignore pourquoi le fait que Laoghaire recherche la compagnie d'un autre homme m'exaspère à ce point... Non, ce n'est pas vrai, n'est-ce pas ? Je sais pourquoi. Ce n'est pas de la jalousie. Ou... si, c'en est, mais pas uniquement.

Il me défia du regard, s'attendant à ce que je le contredise, mais je restai coite. Il souffla par le nez et baissa les yeux avant de reprendre :

— Pour être vraiment honnête...

Il pinça les lèvres.

— Pourquoi ? explosa-t-il de nouveau. Qu'est-ce qu'il a, ce rustre ?

— Quel rustre ? L'homme avec qui elle... ?

— Elle n'aimait pas ça, le lit ! J'ai sans doute une trop haute opinion de mes prouesses, à moins que ce soit toi qui me flattes, mais...

Il me jeta un œil, inquiet.

— Est-ce que je suis...

Je ne savais pas trop s'il voulait entendre « oui, tu es » ou « non, tu n'es pas ». Aussi esquissai-je un sourire qui signifiait les deux à la fois.

— C'est que... je ne pensais pas être le responsable. En outre, avant qu'on se marie, Laoghaire m'avait fait comprendre que je lui plaisais. J'ai cru qu'elle n'aimait pas les hommes en général, ou uniquement l'acte luimême. De cette façon, ça me semblait moins grave... même si je me disais que je devais faire quelque chose pour lui donner le goût de... enfin, tu vois. Mais peutêtre me suis-je trompé, et c'était moi qui n'étais pas à la hauteur. C'est ça qui me reste en travers de la gorge.

Je ne savais vraiment pas quoi lui dire, mais il était clair que je devais lui répondre.

— À mon avis, ça venait d'elle. Pas de toi. Naturellement, je ne suis peut-être pas très objective. Elle a quand même essayé de m'assassiner, après tout.

Il pivota sur ses talons, bouche bée.

— Elle a fait quoi ?

— Tu ne le savais pas ? Oh !

J'essayais de me souvenir. Je ne le lui avais pas dit ? Peut-être pas. Entre une chose et une autre, cela ne m'avait pas paru indispensable à l'époque. Puis, plus tard... cela n'eut vraiment plus d'importance. Je lui résumai brièvement comment elle m'avait envoyée retrouver Geillie Duncan, ce jour-là, à Cranesmuir, sachant pertinemment que celle-ci allait être arrêtée pour sorcellerie et espérant que je subirais le même sort, ce qui avait été le cas.

Il était abasourdi.

— La petite garce ! Non, je l'ignorais, *Sassenach*. Bon sang, tu ne crois tout de même pas que je l'aurais épousée si j'avais su cela !

Compte tenu des circonstances, je pouvais me permettre d'être magnanime.

— Bah ! La pauvre, elle n'avait que seize ans. Elle ne se rendait peut-être pas compte que le tribunal nous condamnerait à être brûlées vives. Elle voulait une seule chose : qu'on m'accuse d'être une sorcière, pensant que tu te désintéresserais de moi.

La révélation de la vacherie de Laoghaire semblait, au moins, lui avoir changé les idées. Il grogna dans sa barbe et se remit à marcher de long en large, pieds nus. Il n'avait pas pris le temps de remettre ses bas et ses souliers, ce qui ne le gênait guère.

Enfin, il s'arrêta, posa une main sur le banc et sa tête contre mon épaule.

— Pardonne-moi, chuchota-t-il.

Je glissai mes bras autour de son cou et l'attirai à moi, le serrant de toutes mes forces. Je sentis ses épaules se détendre et le libérai. Il se redressa et m'aida à me relever.

Nous fermâmes la porte de la grange et marchâmes en silence vers la maison.

— Claire ? demanda-t-il soudain.

— Oui ?

Il paraissait embarrassé.

— Ce n'est pas pour chercher à me disculper… pas du tout, mais… je me demandais… tu penses parfois à Frank ? Je veux dire, quand nous…

Il s'éclaircit la gorge.

— Est-ce que l'ombre de l'Anglais traverse mon visage de temps en temps ?

Aïe ! Qu'allais-je pouvoir répondre à ça ? Je ne pouvais pas lui mentir, mais comment lui dire la vérité, de sorte qu'il comprenne, sans le blesser ?

J'observai mon souffle se condenser dans l'air froid, puis répondis sur un ton assuré.

— Je n'ai pas envie de faire l'amour à un fantôme, et je pense que toi non plus. Mais il arrive sans doute que, de temps en temps, les fantômes ne soient pas de cet avis.

Il rit doucement.

— Oui, je suppose. Je me demande si Laoghaire apprécierait le lit de l'Anglais, plus qu'elle a apprécié le mien.

— Si elle se contente d'un fantôme, ça la regarde. Mais si tu apprécies le mien, je te conseille de rentrer te coucher. On se les gèle dehors.

62

La baleine échouée

À la fin mars, les pistes à travers les montagnes devinrent de nouveau praticables. George Lyon n'avait toujours pas répondu, et, après avoir débattu un certain temps la question, il fut décidé que Jamie, Brianna, Roger, Marsali et moi irions à Wilmington, pendant que Fergus se rendrait à New Bern avec les relevés d'arpentage pour les faire officiellement enregistrer.

Les filles et moi devions réapprovisionner nos réserves mises à sec par l'hiver et acheter, entre autres, du sel, du sucre, du café, du thé et de l'opium. Pendant ce temps, Jamie et Roger se renseigneraient discrètement sur George Lyon... et Stephen Bonnet. Fergus nous rejoindrait dès sa mission accomplie, profitant de ce qu'il longerait la côte pour mener sa propre enquête.

Après quoi, en théorie, Jamie et Roger, ayant localisé M. Bonnet, débarqueraient sur son lieu d'activité professionnelle, l'abattraient d'un coup de pistolet ou d'épée, selon l'inspiration du moment, avant de reprendre la route des montagnes en se félicitant de leur travail, vite fait bien fait. Du moins, avais-je ainsi compris leur plan.

— Comment sais-tu que j'ai le trois de pique ? Et puis ce n'est pas vrai, cette histoire de bateau-paquet. Tu as vu comme moi l'épave au bout d'Elm Street, avant-hier.

— Je sais que tu as le trois de pique, parce que je ne l'ai pas et que tous les autres piques sont déjà retournés sur la table. En outre, rien ne dit que Fergus prendra le bateau. Il arrivera peut-être par la route.

Une rafale fouetta la maison, faisant trembler les volets.

— Une raison de plus pour ne pas avoir de fenêtres, observa Roger en regardant par-dessus l'épaule de Marsali. Non, il a raison, débarrasse-toi du trois de pique.

— Tiens, fais-le toi-même. Il faut que j'aille voir Joanie.

Elle lui mit son jeu entre les mains et se précipita dans la chambre voisine qu'elle occupait avec ses enfants. Je n'avais pas entendu la petite pleurer.

Un bruit sourd se fit entendre au-dessus de nos têtes, tandis qu'une branche atterrissait sur le toit. Tout le monde leva les yeux. Sous le sifflement strident du vent, on entendait le grondement de la mer déchaînée. Roger récita doucement :

— « Ceux qui sillonnent le grand large et sombrent corps et âme, ceux-là voient de près l'œuvre du Seigneur et les merveilles qu'il a créées pour les profondeurs. Car Il commande et soulève les vents de tempête qui hérissent les vagues... »

— Merci, tu es d'un grand secours ! dit Brianna sèchement.

Déjà sur les nerfs, son humeur ne s'était pas arrangée avec notre réclusion forcée. Jemmy, terrifié par le vacarme, était collé à elle comme une tique depuis deux jours. Mère et fils étaient moites, fatigués et particulièrement irascibles.

Roger lui sourit sans se laisser démonter. Il parvint non sans mal à arracher Jemmy de ses jupes et le plaça debout devant lui, lui tenant les mains en déclamant d'une manière théâtrale :

— « Ils avancent, ils reculent, ils chancellent tels des ivrognes. »

Jemmy gloussait de rire, pendant que son père le faisait aller et venir, illustrant le poème. Malgré elle, Brianna se mit à sourire.

— « Ils implorent le Seigneur, le supplient de mettre un terme à leurs tourments… »

Au mot « tourments », il souleva Jemmy, le projeta en l'air et le rattrapa sous les aisselles. Les cris de joie du petit étaient communicatifs.

— « Il les entend, ordonne à la tempête de se retirer et les vagues à nouveau s'étalent… »

Brianna applaudit avec une moue sarcastique. Jamie avait ramassé les cartes. Il les battit, puis tapota le jeu contre le bord de la table. Il s'arrêta, levant la tête. Surprise par son immobilité soudaine, je me tournai vers lui.

— Le vent est tombé. Tu entends ? Demain, on pourra enfin sortir, dit-il en souriant.

Le lendemain, le ciel s'était dégagé, et une brise fraîche soufflait de la mer. Dans le port, l'absence de mâts était déprimante. Aucun gros navire n'y était ancré, pas même un ketch ou un bateau-paquet. En revanche, il y avait une abondance de petites embarcations en tous genres, canots, radeaux, nacelles et même des *pirretas*, de petites barques à quatre rames qui fusaient sur l'eau comme des libellules.

Remarquant notre groupe qui se promenait tristement le long du quai, l'une d'elles s'approcha, ses rameurs nous demandant si nous avions besoin d'être transportés quelque part. Lorsque Roger se pencha poliment pour décliner leur offre, son chapeau s'envola, virevoltant au-dessus des eaux marron avant de s'y déposer comme une feuille morte.

L'embarcation s'empressa d'aller le récupérer. L'un des rameurs le cueillit adroitement du bout de sa rame et le hissa triomphalement, tout dégoulinant. Lorsque la *piretta* s'approcha de nouveau, la mine jubilatoire du sauveteur se transforma en stupéfaction.

— MacKenzie ! Que je sois sodomisé avec un cure-dents si ce n'est pas toi !

— Duff ! Duff ! Vieux bougre !

Roger récupéra son couvre-chef, puis tendit la main au rameur pour le hisser sur le quai. Duff, un petit Écossais trapu avec un très long nez, des joues creuses et une belle paire de favoris grisonnants qui lui donnaient l'air d'avoir été saupoudré de sucre glace, sauta agilement sur le quai et serra virilement Roger dans ses bras, à grand renfort de tapes dans le dos et d'exclamations grivoises. Ce dernier y répondit avec le même enthousiasme. Nous attendîmes poliment en retrait, pendant que Marsali essayait d'empêcher Germain de sauter dans l'eau du port.

Je me penchai vers Brianna, qui contemplait d'un air dubitatif le vieil ami de son mari.

— Tu le connais ?

— Je crois qu'un jour, ils ont été ensemble sur un bateau.

Duff lâcha enfin Roger et recula d'un pas, essuyant son nez sur sa manche et s'exclamant joyeusement :

— Non, mais, regardez-le ! Une veste de seigneur avec des boutons assortis ! Et ce chapeau ! Sacrebleu, mon garçon ! Tu es si récuré et bien mis qu'une crotte aurait honte de s'accrocher à toi !

Roger rit en frappant son chapeau contre sa cuisse pour faire tomber une algue, puis le pointa d'un air distrait vers Brianna qui examinait toujours M. Duff d'un œil soupçonneux.

— Mon épouse.

Puis, il l'agita vers nous.

— ... et ma belle-famille. M. James Fraser, Mme Fraser, la belle-sœur de ma femme, également Mme MacKenzie.

— À votre service, mesdames, monsieur.

Duff s'inclina vers Jamie et, en signe de respect, porta la main à la chose difforme qu'il portait sur la tête. Puis, il regarda Brianna avec un grand sourire.

— Alors, tu as fini par l'épouser, ta rouquine ! Je vois que vous n'avez pas chômé, non plus !

Il donna un coup de coude à Roger en chuchotant :

— Tu as payé son père pour l'avoir, ou c'est lui qui t'a payé pour l'en débarrasser ?

Jamie et Brianna le dévisagèrent avec le même regard torve, mais avant que Roger n'ait pu intervenir, Duff se tourna vers son compagnon, toujours dans l'embarcation, qui lui criait quelque chose d'incompréhensible.

— Oui, oui, j'arrive ! Rien ne presse, quand même ! Ah, ces marins !

— Ai-je bien compris ? Votre ami vient de parler d'une baleine ? demandai-je.

— Oui, bien sûr, la baleine ! Vous n'êtes pas ici pour ça ?

Tout le monde se regarda d'un air perplexe. Trop préoccupée par la vraie raison pour se soucier d'autre chose, et encore moins de baleine, Marsali s'avança.

— Non, monsieur. Nous sommes ici pour nous enquérir d'un navire appelé l'*Octopus*. Vous n'auriez rien entendu à ce sujet, par hasard ?

— Non, ma petite dame. Mais, le temps est si traître depuis un mois...

Voyant Marsali pâlir, il ajouta précipitamment :

— La plupart des bateaux auront évité la région, voyez-vous. Ils auront dévié leur route vers d'autres ports ou attendent au large que le temps se calme suffisamment longtemps pour tenter d'accoster. MacKenzie, tu te souviens quand on était à bord du *Gloriana* ?

— Oui, oui, c'est vrai, confirma Roger.

À la mention du *Gloriana*, il s'était raidi. Il jeta un coup d'œil vers Brianna, puis de nouveau vers Duff et demanda en baissant la voix :

— Au fait, je vois que tu as faussé compagnie au capitaine Bonnet ?

Une petite décharge traversa la plante de mes pieds, comme si le quai avait été électrifié. Jamie et Brianna réagirent également, mais de manière diamétralement opposée. Jamie avança d'un pas, Brianna recula d'autant.

— Stephen Bonnet ? lança Jamie. Vous connaissez ce monsieur ?

Duff se signa.

— Je l'ai connu.

Jamie hocha lentement la tête.

— Je vois. Vous savez peut-être où je pourrais le trouver ?

— Ouh là ! Pour ça...

Duff l'examina attentivement des pieds à la tête, notant les détails de son costume et de son allure générale, se demandant apparemment combien cette information pourrait lui rapporter. Son partenaire dans l'embarcation s'impatientait. Marsali aussi.

— Où iraient-ils alors, s'ils devaient être détournés vers un autre port ?

— Bonnet ? insista Jamie en parvenant à avoir l'air à la fois encourageant et menaçant.

— Alors, ils vont la voir cette baleine ou quoi ? hurla le second rameur.

Effaré, Duff clignait des yeux, ne sachant pas à qui répondre en premier. J'avançai d'un pas pour nous sortir de cette impasse.

— Qu'est-ce que c'est que cette histoire de baleine ?

Contraint de se concentrer sur cette question directe, il parut soulagé.

— Mais la baleine morte, madame ! Énorme, échouée sur l'île. Je pensais que vous étiez venus l'admirer.

Observant le port, je vis alors que la circulation des bateaux n'était pas si désordonnée que ça. Quelques gros canoës et barges se dirigeaient vers l'embouchure de Cape Fear, mais la plupart des embarcations plus modestes allaient vers un point, dans la brume lointaine, ou en revenaient, transportant de petits groupes de passagers. Des ombrelles en lin apparaissaient, ici et là, tels des champignons pastel. Des gens en tenue de ville attendaient sur le quai, scrutant l'autre côté du port.

— C'est deux shillings l'aller-retour, annonça Duff sur un ton enjôleur. Prix unique pour tout le groupe.

Roger, Brianna et Marsali semblaient intéressés. Sceptique, Jamie détaillait la *piretta*.

— Là-dedans ?

Le partenaire de Duff, un homme d'âge et de langue maternelle indéterminés, parut vexé, mais Duff s'empressa de rassurer Jamie.

— La mer est d'huile, ce matin. Vous serez assis comme sur le banc d'une taverne. Convivial, non ? Parfait pour faire la causette.

Il lui adressa un clin d'œil.

Jamie souffla entre ses dents. Malgré sa haine des bateaux, il ferait tout pour retrouver Stephen Bonnet. Toute la question était de savoir si M. Duff possédait vraiment des informations à ce sujet ou s'il cherchait seulement des clients. Jamie déglutit et redressa les épaules, rassemblant son courage.

Sans attendre, Duff en rajouta pour convaincre Marsali.

— Il y a un phare sur l'île, madame. De là-haut, on voit le grand large. On peut apercevoir les navires qui attendent.

Elle mit aussitôt la main à la poche, cherchant sa monnaie. Germain, derrière elle, était occupé à mettre une moule dans la bouche de Jemmy, comme une mère oiseau fourre dans la gueule de sa progéniture un gros ver bien juteux. J'intervins juste à temps et pris Jemmy dans mes bras.

— Non, mon chéri, on ne mange pas ces saletés. Tu ne préfères pas aller voir une jolie baleine morte ?

Résigné, Jamie soupira et ouvrit son *sporran*.

— Vous feriez bien d'appeler un confrère à la rescousse, lança-t-il à Duff. On ne tiendra pas tous dans votre coquille de noix.

La promenade sur l'eau était délicieuse. Le soleil était masqué par une couche brumeuse de fins nuages, et une brise fraîche me fit ôter mon chapeau pour le plaisir de sentir le vent dans mes cheveux. Ce n'était pas vraiment le calme plat, mais le doux mouvement des vagues était reposant, pour ceux qui ne souffraient pas du mal de mer.

Je regardai vers le dos de Jamie, mais il avait la tête penchée, ses épaules roulant dans un rythme régulier tandis qu'il ramait.

Se résignant à l'inévitable, il avait pris la situation en main, faisant venir un second bateau dans lequel il avait placé Brianna, Marsali et les enfants. Après quoi, il avait dégrafé sa broche et annoncé que Roger et lui rameraient dans l'autre *piretta*, afin que Duff puisse se mettre à l'aise et ainsi accroître ses chances de se remémorer d'intéressants détails concernant Stephen Bonnet.

Me donnant son plaid et sa veste, il avait ajouté dans un grognement :

— Je risque moins de rendre mes tripes si je suis occupé.

Roger s'installa avec l'autre paire de rames, Duff et son associé Peter à l'avant, hilares à l'idée d'être payés pour une promenade dans leur propre bateau. On m'instruisit de m'asseoir en poupe, pour leur faire face, « histoire de surveiller la situation », me glissa Jamie. Me tendant ses vêtements roulés en boule, il resserra discrètement mes doigts autour de la crosse de son pistolet.

Assis juste devant moi, Roger ramait avec aise, les muscles de ses épaules nues se contractant en rythme, apparemment habitués à cet exercice. Sur le banc devant lui, Jamie manipulait ses rames avec grâce, mais avec moins d'assurance. Pour l'instant, néanmoins, l'effort détournait son attention de son estomac.

— C'est qu'on pourrait rapidement y prendre goût, pas vrai, Peter ?

Duff leva son long nez dans le vent, fermant les yeux et savourant la balade.

Issu d'un étrange mélange d'Indien et d'Africain, Peter s'étira avec volupté à ses côtés, également ravi. Il ne portait qu'une paire de culottes élimées, retenues à la taille par un bout de corde. Ses longs cheveux noirs retombaient sur une épaule, ornés de petites tresses sur lesquelles étaient enfilés des coquillages.

— Stephen Bonnet ? rappela Jamie.

— Ah, lui.

Duff semblait plutôt disposé à mettre définitivement ce sujet de côté, mais un regard vers Jamie lui fit comprendre qu'il ne s'en sortirait pas à si bon compte.

— Qu'est-ce que vous voulez savoir, au juste ? demanda-t-il d'un air las.

— Tout d'abord, où il se trouve.

Duff parut soulagé.

— Aucune idée.

— Dans ce cas, où vous l'avez vu pour la dernière fois.

Duff et Peter échangèrent un regard.

— Voyons... tergiversa Duff. Par « voir », vous entendez la dernière fois que j'ai posé les yeux sur lui ?

— À ton avis, nigaud ? intervint Roger.

Peter hocha la tête, nous accordant apparemment un point, puis donna un coup de coude dans les côtes de son ami.

— C'était dans une gargote à Roanoke, capitula Duff. Il était en train de manger une tourte de poisson. Cuite avec des huîtres par-dessus, arrosée d'une pinte de bière brune. Il a pris aussi un flan à la mélasse.

— Je vois que vous êtes un fin observateur. Votre notion du temps est-elle aussi affinée ?

— Hein ? Ah oui, je vois ce que vous voulez dire. C'était quand déjà... ? Il y a deux mois, environ.

— Pour distinguer aussi bien ce qu'il avait dans son assiette, vous deviez être assis à sa table, n'est-ce pas ? De quoi vous a-t-il parlé ?

Duff parut embarrassé. Il jeta un œil vers moi, puis vers une mouette qui tournait au-dessus de nos têtes.

— Surtout de la forme du popotin de la serveuse.

— Même si celle-ci était particulièrement bien en chair, ça n'a pas dû vous occuper pendant tout le repas, observa Roger.

— Tu serais surpris par tout ce qu'on peut trouver à dire sur le cul d'une femme. Celle-ci l'avait rond comme une pomme et lourd comme un pudding encore fumant. C'est qu'on se gelait les fesses, dans ce bistrot, et l'idée de mettre la main sur ce petit gigot bien chaud et dodu... sans vouloir vous offenser, m'dame, ajouta-t-il précipitamment.

— Mais, je vous en prie, lui répondis-je cordialement.

— Vous savez nager, monsieur Duff ? lui demanda Jamie.

— Quoi ? Ah... je... euh...

— Non, il ne sait pas, déclara joyeusement Roger. Il me l'a dit.

Duff lui adressa un regard outragé et meurtri.

— Tu parles d'un faux frère ! Quand je pense qu'on a été camarades de bord. Tu devrais avoir honte, traître !

Jamie sortit ses rames dégoulinantes de l'eau, imité par Roger. Nous étions à cinq cents mètres du rivage, et l'eau sous la coque était d'un vert sombre profond, suggérant une profondeur de plusieurs brasses.

— Bonnet, dit simplement Jamie.

Peter croisa les bras et ferma les yeux, indiquant clairement qu'il n'avait rien à voir dans cette histoire. Duff soupira en plissant des yeux vers Jamie.

— Bon, bon... c'est vrai que je n'ai pas idée d'où il se trouve. Quand je l'ai vu à Roanoke, il prenait des dispositions pour faire rentrer des... marchandises.

— Quelles marchandises ? Pour les faire rentrer où ? Venant d'où ?

Jamie était accoudé aux rames, apparemment décontracté. Cependant, la tension dans ses épaules était visible et, malgré ses yeux fixés sur le visage de Duff, il voyait nécessairement la ligne d'horizon derrière lui, montant et descendant à un rythme lancinant, soulevant la barque puis l'abaissant. Encore et encore...

— En ce qui me concerne, j'ai déchargé pour lui des caisses de thé. Pour ce qui est du reste, je ne sais pas.

— Quel reste ?

— Enfin, l'ami ! Il n'y a pas un seul navire sur ces eaux qui n'ait pas un peu de micmac à son bord. Ne me dites pas que vous n'êtes pas au courant !

Les paupières de Peter s'étaient entrouvertes et examinaient Jamie avec un certain intérêt. Le vent avait légèrement tourné, et l'odeur de la baleine morte se faisait nettement sentir. Jamie prit plusieurs petites inspirations rapides, puis expira longuement.

— Soit. Vous avez déchargé du thé. D'où ? D'un navire ?

— Oui.

Duff observait lui aussi Jamie avec une fascination croissante. Je ne pouvais en être certaine en regardant sa nuque, mais je devinais qu'il avait commencé à verdir.

— Du *Sparrow*, poursuivit Duff. Il est resté ancré au large, et la marchandise a été débarquée par canots. On est passé par Joad's Inlet et on a accosté à Wylie's Landing. Là, on a livré la marchandise à un type qui nous y attendait.

— Quel... type ?

En dépit du vent frais, je voyais la transpiration tacher la chemise de Jamie. Duff ne répondit pas immédiatement. Une lueur de spéculation traversa ses yeux enfoncés dans leurs orbites.

— Je serais toi, je n'y songerais même pas, Duff, dit Roger. D'ici, je peux t'atteindre avec ma rame.

— Oui, tu le pourrais, mais, même si tu sais nager et que M. Fraser peut flotter, je ne pense pas qu'on puisse en dire autant de la petite dame, hein ? Avec ses jupes et ses jupons, je te parie qu'elle coulera à pic comme une pierre, hein ?

Peter bougea à peine, ramenant ses pieds sous lui.

— Claire ? dit Jamie.

Ses doigts se resserrèrent autour des rames, et la tension fit vibrer sa voix. Je poussai un soupir et sortis le pistolet caché sous la veste, sur mes genoux.

— Bon, sur lequel des deux dois-je tirer ?

Peter ouvrit les yeux si grands que je vis le blanc tout autour de ses pupilles noires. Il regarda mon arme, Duff, puis Jamie.

— On a donné le thé à un dénommé Butah. Y travaille pour m'sieur Lyon.

Il se tourna de nouveau vers moi et pointa un doigt vers Duff, suggérant :

— Tirez sur lui.

La glace étant ainsi brisée, il fallut très peu de temps à nos deux passagers pour nous confier tout ce qu'ils savaient, s'interrompant seulement de temps en temps pour permettre à Jamie de vomir par-dessus bord.

Comme l'avait laissé entendre Duff, la contrebande était si répandue dans la région qu'elle était devenue une pratique courante. La plupart des marchands et tous les bateliers de Wilmington y avaient recours, comme presque tous leurs confrères de la côte des Carolines, afin d'éviter les taxes prohibitives sur les produits importés officiellement. Stephen Bonnet n'était pas seulement un des contrebandiers les plus prospères, mais également une sorte de spécialiste.

Tordant le cou pour pouvoir se gratter le dos à loisir, Duff expliqua :

— Il vous livre ce que vous voulez, en quantité.

— Quelles quantités exactement ?

Les coudes sur les genoux, Jamie tenait sa tête entre ses mains. Cela semblait le soulager. Duff se pinça les lèvres, calculant mentalement.

— On était six à la gargote de Roanoke. Six équipés de canots. Compte tenu de leur taille, je dirais que ça faisait cinquante caisses en tout.

— Il apporte une nouvelle cargaison tous les combien ? Tous les deux mois ? demanda Roger.

— Oh, plus souvent que ça ! Je ne sais pas exactement, mais on entend les collègues parler ! D'après ce qu'ils disent, un nouveau chargement arrive toutes les deux semaines dans la bonne saison, quelque part entre la Virginie et Charleston.

Roger lâcha un grognement de surprise et Jamie redressa brièvement le front de ses mains en coupe.

— Et à la marine royale ? Qui soudoie-t-il ?

La question était pertinente. Si les petites embarcations pouvaient échapper à la vigilance de l'armée, les opérations de Bonnet impliquaient nécessairement de grandes quantités de marchandises acheminées par de gros vaisseaux. Un trafic de cette envergure passait difficilement inaperçu, et la réponse évidente était qu'il n'essayait même pas de le cacher.

Duff haussa les épaules.

— Je n'en sais rien.

— Vous n'avez pas travaillé pour Bonnet depuis le mois de février, intervins-je, pourquoi ?

Duff et Peter se regardèrent.

— On mange du diable de mer quand on a faim, me répondit Peter. On n'en mange pas si on a mieux à se mettre sous la dent.

— Pardon ?

— L'homme est dangereux, *Sassenach*, me traduisit Jamie. Ils ne travaillent pour lui que lorsqu'ils ne peuvent pas faire autrement.

— Bonnet n'est pas un gars antipathique, développa Duff... tant que vos intérêts vont dans le même sens que les siens. Mais si, tout à coup, le vent tourne...

Peter glissa un doigt devant son cou noueux en guise d'illustration.

— Ça lui prend sans prévenir, poursuivit Duff. Une minute, il vous accueille avec whisky et cigares, l'instant suivant, il est à califourchon sur votre dos pour vous découper à la scie.

— Je vois. Monsieur est-il du genre soupe au lait ? demanda Jamie.

Duff, Peter et Roger secouèrent la tête à l'unisson.

— Il est froid comme un glaçon, dit Roger avec une certaine tension dans la voix.

— Il vous tranchera la gorge sans que ça lui défrise un seul poil du cul, l'assura Duff.

— Il vous crèvera comme la baleine, ajouta Peter.

Il agita la main vers l'île. Le courant nous avait considérablement rapprochés du rivage, et je pouvais désormais apercevoir le cétacé autant que le sentir. Un nuage de mouettes tournoyait en hurlant au-dessus de la carcasse, les oiseaux plongeant pour arracher des lambeaux de chair. Un petit attroupement s'était formé non loin, les gens pressant des mouchoirs sur leur nez.

Au même moment, le vent tourna et une rafale fétide s'abattit sur nous. Je plaquai la chemise de Roger contre mon visage. Même Peter pâlit.

— Sainte Marie, mère de Dieu, ayez pitié de moi ! gémit Jamie. Oh ! Seigneur...

Il se pencha par-dessus bord et vomit plusieurs fois de suite.

Je poussai les fesses de Roger du bout d'un orteil.

— Rame ! lui suggérai-je.

Il s'empressa d'obéir et, quelques minutes plus tard, la proue de la *piretta* toucha le sable. Duff et Peter sautèrent à terre et m'aidèrent galamment à descendre, ne me tenant apparemment pas rigueur d'avoir pointé une arme sur eux.

Jamie les paya, puis tituba un peu plus loin sur la plage et s'assit, très brusquement, au pied d'un pin *tœda*. Son teint avait la même couleur que la baleine morte, gris sale avec des taches blanches.

— Vous voulez qu'on rame pour le retour, monsieur ? demanda Duff.

Sa bourse à présent bien remplie, il se pencha vers lui avec bienveillance.

Jamie agita une main vers Roger et moi.

— Non, raccompagnez-les, répondit-il. Pour ma part... je crois que... je vais rentrer à la nage.

63

Des monstres et des héros

Les garçons, excités par la baleine, tiraient leurs mères derrière eux comme des cerfs-volants. Je les suivis, gardant toutefois une distance respectueuse avec l'énorme carcasse, laissant Jamie se remettre lentement sur la plage. Roger entraîna Duff à l'écart pour discuter, pendant que Peter faisait la sieste au fond de sa barque.

L'animal avait été rejeté sur le rivage récemment, même s'il était mort depuis un certain temps. Il fallait des jours pour atteindre ce degré de décomposition. En dépit de la puanteur, quelques visiteurs intrépides avaient escaladé la masse de chair et faisaient joyeusement signe de la main à leurs amis restés en bas. Un monsieur armé d'une hache découpait des tronçons de viande qu'il mettait dans un seau. Je reconnus le propriétaire d'un boui-boui d'Hawthorn Street et le rayai mentalement de la liste de nos adresses potentielles.

La carcasse grouillait de petits crustacés moins pinailleurs que moi. Plusieurs personnes équipées de récipients cueillaient les crabes les plus gros comme autant de fruits mûrs. Des millions de puces s'étaient aussi invitées à la fête, si bien que je battis rapidement en retraite en me grattant les chevilles.

Me tournant vers la plage, je constatai que Jamie s'était levé et participait à la conversation. Duff semblait de plus en plus nerveux, lançant des regards à la baleine et à son embarcation. Il était apparemment pressé de retourner à ses affaires, avant que l'attraction du jour ne se soit complètement désintégrée.

Il parvint enfin à s'échapper et repartit rapidement vers sa *piretta*, la mine tourmentée. Jamie et Roger me rejoignirent, mais les garçons n'étaient visiblement pas prêts à quitter la baleine. Brianna se porta volontaire pour les surveiller, pendant que Marsali grimpait au sommet du phare pour tenter d'apercevoir un signe de l'*Octopus*.

— Qu'avez-vous donc raconté à ce pauvre M. Duff ? demandai-je à Jamie. Il avait l'air plutôt inquiet.

— Il sait où se trouve Lyon, expliqua Roger.

Lui-même paraissait à la fois troublé et excité.

— Or, M. Lyon sait où est Bonnet, poursuivit Jamie. Ou, s'il n'a pas son adresse précise, il connaît au moins la manière de le contacter. Si on allait un peu plus haut ?

Il était encore pâle. Il essuya la transpiration sur ses tempes et nous indiqua du doigt l'escalier du phare.

Effectivement, l'air était nettement plus frais en haut de la tour, mais je n'avais guère l'esprit à admirer la vue.

— Alors ? insistai-je.

À vrai dire, je n'étais pas certaine de vouloir entendre la réponse.

— J'ai demandé à Duff de porter un message à M. Lyon. Si tout se déroule comme prévu, nous devrions rencontrer M. Bonnet dans une semaine à Wylie's Landing.

Je fus prise d'un vertige qui n'avait rien à voir avec l'altitude. Je fermai les yeux, m'agrippant au garde-fou en bois qui entourait la petite plate-forme sur laquelle nous étions. Le vent soufflait fort, faisant craquer et gémir les planches du phare qui, soudain, avait l'air affreusement fragile.

J'entendis Jamie remuer à mes côtés et se rapprocher de Roger.

— Ce n'est qu'un homme, après tout, non ? Pas un monstre.

En était-il certain ? Pour moi, c'en était un, un monstre qui hantait Brianna et, vraisemblablement, son père. Le tuer le ramènerait-il à sa vraie dimension, faisant de lui juste un homme ?

J'ouvris les yeux et vis l'océan devant moi, telle une nappe de brume flottante. Il était vaste, beau... et désert. On pouvait voyager au bout du monde... et tomber dans le vide.

— Combien de temps as-tu navigué avec notre Stephen ? demanda Jamie. Deux mois, trois ?

— Presque trois, répondit Roger.

« Notre Stephen » ? Que signifiait cette familiarité soudaine ?

Jamie évitait soigneusement de remuer la tête, fixant un point haut au-dessus des vagues, la brise délogeant des mèches de son catogan et les faisant danser comme des flammèches dans la lumière pâle.

— Tu l'as donc connu suffisamment.

Roger se pencha sur le garde-fou. Il était solide mais mouillé et rendu glissant par les embruns projetés par les brisants en contrebas.

— Suffisamment, répéta-t-il. Ça dépend. Suffisamment pour quoi ?

Jamie se tourna vers lui, les yeux plissés contre le vent mais le regard tranchant comme un rasoir.

— Pour savoir que ce n'est qu'un homme, rien de plus.

— Que voulez-vous qu'il soit d'autre ? demanda Roger.

Jamie fixa le large, mettant sa main en visière pour admirer le soleil bas.

— Un monstre, dit-il à mi-voix. C'est-à-dire un peu moins qu'un homme... ou plus.

Roger ouvrit la bouche pour répondre, mais il ne trouva rien à dire, car c'était effectivement un monstre qui projetait l'ombre de la peur sur son cœur.

— Comment les marins le considéraient-ils ?

De l'autre côté de Jamie, je me penchai au-dessus de la balustrade pour regarder Roger.

— Sur le *Gloriana* ? Ils... le respectaient. Certains avaient peur de lui.

« Comme moi », eut-il envie d'ajouter.

— ... Il avait la réputation d'être un capitaine dur mais compétent. Les hommes étaient disposés à embarquer avec lui, parce qu'il les ramenait à bon port et que ses voyages étaient toujours lucratifs.

— Était-il cruel ? demandai-je encore, le front soucieux.

— Tous les capitaines sont cruels à un moment ou un autre, *Sassenach*, dit Jamie avec une pointe d'impatience. Ils y sont bien obligés.

Je levai les yeux vers lui, et son expression changea, le souvenir adoucissant son regard, une pensée narquoise soulevant un coin de ses lèvres. Je posai une main sur son bras et le serrai.

— Tu n'as fait que ton devoir, dis-je si bas que Roger l'entendit à peine.

Puis, haussant de nouveau le ton :

— Il y a une différence entre la cruauté et la nécessité.

— Oui, ajouta Jamie dans sa barbe. Mais la frontière est ténue entre le monstre et le héros.

64

La bataille de Wylie's Landing

Le détroit était calme et plat, sa surface à peine agitée par de minuscules vaguelettes poussées par le vent. C'était aussi bien. Roger surveillait son beau-père d'un œil. Celui-ci avait les yeux ouverts, fixés sur la berge avec une intensité désespérée, comme si la vue de la terre ferme, même hors d'atteinte, le réconfortait. Des gouttelettes de sueur luisaient sur sa lèvre inférieure, et son visage avait la même teinte nacrée que le ciel. Toutefois, il n'avait pas encore vomi.

Roger ne souffrait pas du mal de mer, mais il ne se sentait guère plus dans son assiette. Ni l'un ni l'autre n'avaient pu avaler un petit déjeuner, mais il avait l'impression d'avoir dans l'estomac une énorme boule de porridge froid, généreusement hérissée de clous de tapissier.

— On y est.

Duff releva ses rames, leur indiquant le débarcadère un peu plus loin. Peter, affalé sur les siennes, était silencieux, son visage sombre figé dans une expression signifiant clairement qu'il n'avait aucune envie d'être là et que, plus tôt son chargement humain serait débarqué, mieux ce serait.

Wylie's Landing ressemblait à un mirage, flottant sur un nuage de brume, bordé de hautes touffes de joncs et de genêts. Tout autour s'étendaient des marais, de denses taillis de forêt côtière et de vastes étendues d'eau, sous un écrasant ciel gris pâle. Comparé aux vallées verdoyantes des montagnes, l'endroit était dangereusement exposé. D'un autre côté, il était totalement isolé, semblant à des kilomètres de toute habitation.

Roger savait que ce n'était qu'une illusion. La demeure de la plantation se trouvait à moins de deux kilomètres du débarcadère, mais cachée derrière un bois à l'allure décharnée qui surgissait du terrain marécageux comme une sorte de forêt de Sherwood rabougrie, remplie de lianes et de ronces.

Le débarcadère lui-même était composé d'un court quai en bois sur pilotis et d'une série de baraques délabrées dont les planches grises se fondaient dans le ciel bas. Une petite embarcation était tirée sur la berge, coque retournée. Une clôture en lisse formait un enclos derrière les hangars. Wylie devait envoyer ses bestiaux par bateau de temps à autre.

Jamie effleura la boîte de cartouches à sa ceinture, autant pour se rassurer que pour vérifier qu'elle n'avait pas pris l'eau. Il leva les yeux au ciel. Roger l'observa et se rendit compte que s'il se mettait à pleuvoir, leurs armes à feu ne seraient plus très fiables. L'humidité faisait s'agglutiner la poudre noire. Quelques gouttes d'eau, et le coup ne partait plus. S'il y avait une chose qu'il tenait à éviter, c'était bien de se retrouver face à Bonnet avec un pistolet inutilisable.

« Ce n'est qu'un homme », se répéta-t-il silencieusement. S'il laissait Bonnet prendre des proportions surhumaines, il était perdu. Il chercha dans sa tête une image rassurante et se raccrocha à un souvenir de Bonnet assis en proue du *Gloriana*, ses culottes en tas autour de ses pieds nus, sa mâchoire couverte de chaume blond pendant mollement dans la lumière du petit matin, ses yeux mi-clos par le plaisir d'une défécation paisible.

« Merde ! » Quand il voyait Bonnet en monstre, il était bloqué, quand il le voyait en homme, c'était encore pire.

Il avait les paumes moites. Il les essuya sur ses culottes, n'essayant même pas de se cacher. Il portait un coutelas à sa ceinture, à côté de ses deux pistolets. Son épée était rangée dans son fourreau au fond du bateau. Il songea à la lettre de John Grey, puis aux yeux du capitaine Marsden, et un goût amer et métallique remplit l'arrière de sa gorge.

Suivant les instructions de Jamie, la *piretta* approcha lentement du ponton, tout le monde à bord guettant un signe de vie.

Jamie se pencha par-dessus l'épaule de Duff pour examiner les bâtiments et demanda à voix basse :

— Personne ne vit ici ? Même pas des esclaves ?

— Non. Wylie n'utilise pratiquement plus le débarcadère. Il a fait construire une piste qui part de sa maison et rejoint la grand-route d'Edenton.

Jamie lui lança un regard cynique.

— Mais si Wylie ne l'utilise pas, d'autres ne s'en privent pas, n'est-ce pas ?

Effectivement, l'endroit était bien situé pour faire de la contrebande. Invisible depuis la terre ferme, mais facilement accessible par le détroit. Ce qu'il avait d'abord pris pour une île, sur sa droite, était en fait un dédale de bancs de sable séparant la voie d'eau menant aux pontons de Wylie du bras de mer principal. Il distinguait au moins quatre canaux menant aux battures, deux d'entre eux assez larges pour permettre à un ketch de taille non négligeable de passer.

Duff rit sous cape.

— L'allée qui mène à la maison est tapissée de coquillages concassés. Si quelqu'un arrive par là, on sera prévenus à temps.

Peter sortit momentanément de sa torpeur, indiquant les bancs de sable d'un signe de tête.

— Marée, marmonna-t-il.

Duff acquiesça.

— C'est vrai. Vous n'aurez pas longtemps à attendre, ou le contraire, tout dépend.

Il semblait trouver cela drôle. Pas Jamie.

— Pourquoi ?

Duff cessa de ramer un instant, ôta sa casquette infâme et essuya son front dégarni. Puis, il agita son couvre-chef vers les bancs de sable où de petits échassiers pris de folie couraient dans tous les sens.

— La marée est montante. À marée basse, le canal n'est pas assez profond pour la quille d'un ketch. D'ici deux heures, peut-être un peu plus, ils pourront passer. S'ils attendent en ce moment même à l'entrée du canal, ils auront le temps d'entrer, de faire le boulot et de repartir, sinon, ils seront coincés jusqu'à la seconde marée montante, ce soir. Naviguer dans les canaux pendant la nuit est risqué... mais Bonnet n'est pas du genre à avoir peur de l'obscurité. Cela dit, s'il n'est pas pressé, il peut aussi décider d'attendre jusqu'à demain matin. Oui, il faudra peut-être patienter un peu...

La *piretta* glissa le long du quai, et Duff coinça sa rame entre deux pilotis incrustés d'anatifes, arrêtant l'embarcation en douceur. Jamie fut le premier à sauter sur le ponton, pressé de retrouver la terre ferme. Roger lui tendit leurs épées et le sac qui contenait leurs provisions et leurs réserves de poudre, puis débarqua à son tour. Il s'agenouilla sur le quai, tous ses sens aux aguets, guettant un mouvement humain, mais il ne percevait que le chant fluide des merles noirs dans les marais et les cris des mouettes au-dessus du détroit.

Jamie fouilla dans sa besace et en sortit une bourse qu'il lança à Duff avec un signe de tête. Tout avait été convenu d'avance. C'était un acompte, il percevrait le reste lorsqu'il reviendrait les chercher, dans deux jours.

Jamie avait attendu la dernière minute pour prendre ses dispositions, voulant s'assurer que Bonnet ne pourrait être prévenu avant la rencontre – l'embuscade. Si celle-ci réussissait, il paierait le solde de la somme fixée. Dans le cas contraire, Claire s'en acquitterait.

Il eut une vision du visage de Claire, les traits pâles et tirés, hochant brièvement la tête, les lèvres pincées, quand il lui avait expliqué l'accord passé avec Duff. Ses yeux d'ambre s'étaient ensuite posés sur ce dernier avec la férocité d'un épervier prêt à éviscérer un rat. Duff avait eu un mouvement de recul devant la menace implicite. À ce souvenir, Jamie sourit. Si l'amitié et l'argent ne suffisaient pas à clouer le bec du marin, la peur de la Dame blanche s'en chargerait.

Ils se tinrent en silence sur le quai, observant la *piretta* s'éloigner lentement. Le nœud dans l'estomac de Roger se resserra. Il aurait bien prié, mais il ne pouvait quand même pas demander au ciel de l'aider pour ce qu'il s'apprêtait à faire... Il ne pouvait s'en remettre à Dieu ou à l'archange Michel, pas plus qu'au révérend ou à ses parents. Uniquement à Jamie Fraser.

Il se demandait parfois combien d'hommes son beau-père avait déjà tués, s'il les avait comptés, s'il le savait seulement. Naturellement, tuer un homme pendant une bataille en défendant sa peau était une chose, se tapir dans les broussailles pour commettre un meurtre de sang-froid en était une autre. Même ainsi, il était sûr que ce serait plus facile pour Fraser.

Il jeta un coup d'œil vers lui. Ce dernier était parfaitement immobile. Il fixait un point au-delà de la barque, loin, plus loin que le ciel et l'eau. Il contemplait le mal, sans sourciller. Puis, il prit une profonde inspiration et déglutit. Non, ce ne serait pas plus facile pour Fraser.

Étrangement, Roger trouva cela réconfortant.

Ils inspectèrent rapidement tous les hangars, ne trouvant que des vestiges épars : des débris de caisses, des tas de paille moisie, quelques os rongés par des chiens ou des esclaves. Un ou deux des bâtiments avaient servi de logement mais pas récemment. Un animal avait construit un grand nid désordonné près d'un mur. Lorsque Jamie le poussa du bout du pied, une sorte de rongeur au pelage gris en jaillit et fila entre les jambes de Roger avant de plonger et de disparaître dans l'eau.

Ils s'installèrent dans la baraque la plus grande, construite directement sur le débarcadère, puis se préparèrent à l'attente.

Le plan était la simplicité même : tirer sur Bonnet dès l'instant où il apparaîtrait, sauf s'il pleuvait. Dans ce cas, ils devraient recourir aux épées et aux couteaux. Présentée ainsi, la procédure paraissait relativement simple, mais dans l'imagination de Roger, elle l'était nettement moins.

Après l'avoir observé en train de gigoter sur place pendant un bon quart d'heure, Jamie lui suggéra :

— Va donc faire un tour, si tu veux. On l'entendra venir.

Lui-même resta assis sans bouger, telle une grenouille sur son nénuphar, vérifiant méthodiquement l'assortiment d'armes étalé devant lui.

— Mmphm. S'il n'est pas seul ?

Jamie haussa les épaules, examinant la pierre du pistolet dans sa main. Il la toucha du bout du doigt pour s'assurer qu'elle était bien calée, puis reposa l'arme.

— S'il y a des hommes avec lui, nous devrons le séparer d'eux. Je l'emmènerai dans un des hangars sous prétexte de vouloir discuter en privé et l'éliminerai. Tu empêcheras les autres de nous suivre. Ça ne prendra que quelques minutes.

— Ah oui ? Ensuite, quand vous reviendrez tranquillement annoncer à ses hommes que vous venez de buter leur capitaine, que se passera-t-il ?

Jamie se passa un doigt le long du nez, puis répondit :

— Il sera mort. Crois-tu qu'il est le genre d'homme à inspirer une telle loyauté qu'ils voudront le venger ?

— Eh bien... peut-être pas.

Bonnet savait faire trimer ses hommes, mais il les tenait par la peur et l'appât du gain, pas par l'amour.

— J'en ai beaucoup appris sur M. Bonnet, observa Jamie. Il a plusieurs associés, mais pas d'amis. Il ne navigue pas toujours avec le même second et change souvent d'équipage, contrairement à la plupart des capitaines qui préfèrent s'entourer d'un groupe d'hommes de confiance. Bonnet choisit ses marins au petit bonheur, généralement pour leur force physique ou leur compétence particulière, mais pas parce qu'ils ont des atomes crochus. Je doute donc fort que ses coéquipiers aient beaucoup de sympathie pour lui.

Roger acquiesça devant la véracité de cette observation. Bonnet avait bien dirigé le *Gloriana*, mais il n'avait pas senti la moindre camaraderie à bord, pas même avec le lieutenant et le maître d'équipage. En outre, toutes les informations glanées jusque-là confirmaient que Bonnet recrutait ses acolytes selon ses besoins du moment. S'il venait accompagné, il ne s'agirait probablement pas d'un équipage dévoué, prêt à le défendre, mais de marins ramassés au hasard sur le port.

— Soit, mais si… quand on l'aura tué, ses hommes…

— Devront se chercher un nouvel employeur, l'interrompit Jamie. Tant que nous ne leur tirerons pas dessus et qu'ils ne se sentiront pas directement menacés, je doute fort qu'ils se préoccupent du sort de Bonnet. Néanmoins…

Il ramassa son épée, puis la fit aller et venir dans son fourreau pour s'assurer qu'elle glissait bien.

— … dans le cas contraire, nous faisons quand même comme j'ai dit. J'emmène Bonnet dans un hangar, et tu tentes de les retenir pendant une minute, le temps que je lui règle son compte, puis tu prétextes de venir voir ce qu'on fabrique. Sauf que tu ne t'arrêtes pas, tu continues tout droit vers les arbres. Je t'y rejoindrai.

Roger lui lança un regard sceptique. À l'entendre, ce plan ressemblait à celui d'une promenade dominicale. « On se retrouve au parc, j'apporte les sandwichs, tu te charges des boissons. »

Il s'éclaircit la gorge et prit un de ses pistolets. Son poids dans la main était rassurant.

— Oui, il y a juste un petit détail… dit-il. C'est moi qui le tuerai.

Fraser sursauta et se tourna vers lui. Roger garda les yeux rivés droit devant, écoutant son pouls qui battait dans ses oreilles. Fraser ouvrit la bouche, puis se ravisa, l'observant d'un air méditatif. Roger pouvait entendre ses arguments aussi nettement que s'il les avait énoncés à voix haute.

« Tu n'as jamais tué un homme, jamais même participé à une bataille. Tu tires comme un pied, tu sais tout juste manier l'épée. Pire encore, tu as peur de lui. Si tu échoues… »

— Je sais, dit-il. Mais il est à moi. Je le veux. Brianna est peut-être votre fille, mais c'est ma femme.

Fraser détourna le regard. Il pianota sur son genou un moment, puis s'arrêta et poussa un long soupir. Il se releva lentement et fixa Roger.

— C'est ton droit. Un dernier conseil dans ce cas : n'hésite pas. Ne le défie pas, tue-le dès la première occasion.

Il s'interrompit un instant avant d'ajouter :

— Si tu échoues, sache que je te vengerai.

Roger sentit la masse de porridge cloutée lui remonter dans la gorge.

— Parfait, lança-t-il. Si vous échouez, ce sera moi qui vous vengerai. Marché conclu.

À cet instant, Roger comprit pourquoi des hommes étaient prêts à le suivre n'importe où, à faire n'importe quoi. Fraser ne rit pas. Il dévisagea longuement son gendre, puis hocha la tête.

— Un sacré marché, dit-il doucement. Merci.

Il dégaina son coutelas et commença à polir sa lame.

Ils n'avaient pas de montre, mais n'en avaient pas besoin. Même avec les nuages bas qui cachaient le soleil, ils sentaient les minutes s'égrener, le pivotement lent de la terre sous les pieds changeant les rythmes de la journée. Les oiseaux qui avaient chanté à l'aube s'étaient tus, ceux qui chassaient le matin s'égosillaient. Le clapotis des vagues contre les pilotis se modifiait à mesure que la marée montante réduisait la caisse de résonance sous le quai.

Puis, l'écho des vagues sonna de plus en plus creux à mesure que la marée se retirait. Le pouls de Roger ralentit et les nœuds dans ses tripes se desserrèrent.

Soudain, quelque chose percuta l'embarcadère, et les vibrations firent tressaillir le plancher du hangar.

Jamie fut debout en une fraction de seconde, deux pistolets dans sa ceinture, un troisième à la main. Il fit un signe de tête à Roger, puis disparut par la porte.

Roger glissa ses propres pistolets sous sa ceinture, effleura le manche de son coutelas et lui emboîta le pas. Il aperçut le reflet du bateau, le bois sombre de sa lisse dépassant à peine du bord du ponton, et bondit dans le petit abri sur sa droite. Jamie, nulle part en vue, avait dû se glisser dans l'abri de gauche.

Il se plaqua contre le mur et regarda par la fente entre le chambranle et la porte. Pas encore amarrée, l'embarcation glissait le long du quai. Il n'entrevoyait qu'un bout de la poupe, le reste demeurant invisible. De toute manière, il devait attendre que Bonnet soit monté sur le débarcadère avant de lui tirer dessus.

Il essuya sa paume sur sa culotte et dégaina le meilleur de ses deux pistolets, vérifiant pour la énième fois l'amorce et la pierre. Le métal de l'arme sentait l'huile.

L'air était moite, ses vêtements adhéraient à sa peau. Si la poudre ne prenait pas ? Il toucha son coutelas en se répétant les instructions de Fraser : « Une main sur son épaule, plonge la lame sous le sternum, un coup sec. Si tu le prends par-derrière, plante-la au niveau des reins, puis remonte. » Serait-il capable de le faire de face ? Oui, il l'espérait, il voulait voir...

Il entendit le bruit sourd d'une corde tombant sur les lattes, puis quelqu'un sauter sur le quai pour amarrer. Un grognement d'effort, un bruissement d'étoffe, une pause… il ferma les yeux. Des pas, lents mais non furtifs. On approchait.

La porte était entrouverte. Il avança doucement vers l'ouverture, écoutant, attendant. Une ombre, fine dans la lumière brumeuse, s'avança sur le pas de la porte et entra.

Roger bondit et se jeta sur l'intrus, le projetant contre le mur avec un bruit creux. Son adversaire poussa un cri de surprise qui figea Roger dans son élan. En même temps, il se rendit compte que le cou qu'il tenait entre ses mains n'avait rien de masculin.

— Merde ! Je veux dire… euh… je suis désolé, madame !

Elle était plaquée contre le mur, écrasée sous son poids. Le reste d'elle n'était franchement pas masculin, non plus. Il s'écarta, et elle s'ébroua comme un chien, massant l'arrière de son crâne, là où il avait heurté la paroi.

Il était à la fois choqué et atterré.

— Je suis vraiment désolé. Je ne voulais pas… je vous ai fait mal ?

Elle était aussi grande que Brianna mais plus solidement charpentée, avec une chevelure châtain foncé et un beau visage, des pommettes saillantes et des yeux profondément enfoncés dans leurs orbites. Elle lui sourit et prononça des paroles inintelligibles avec une haleine fortement chargée d'oignons. Elle l'inspecta des pieds à la tête d'un air effronté et apparemment appréciatif. Puis, elle plaça ses mains sous ses seins en les faisant remonter dans un geste sans équivoque, lui indiquant de la tête un coin du hangar où un tas de paille humide dégageait une odeur féconde de décomposition qui n'était pas vraiment désagréable.

— Ahhhh, euh... non, balbutia Roger. Je crains qu'il n'y ait un malentendu. Non, non, ne touchez pas à ça, s'il vous plaît. Non, *no, nein* !

Il tentait d'écarter ces mains déterminées à dénouer sa ceinture. Elle se remit à parler dans une langue étrange. Il ne comprenait pas les mots, mais leur sens était clair.

— Non, je suis un homme marié ! C'est fini, oui ?

Elle éclata de rire, puis lui décocha une œillade enjôleuse entre deux battements de cils, avant de repartir à l'assaut de ses culottes.

Il aurait été convaincu d'être en pleine hallucination, s'il n'y avait eu l'odeur. De si près, l'oignon n'était pas la pire senteur. Pourtant, elle n'avait pas l'air crasseuse. Puis, il reconnut l'exhalaison caractéristique des voyageurs venant de faire un long voyage en mer. À cela venait s'ajouter un indiscutable effluve de cochons qui se dégageait de ses jupes.

— *Excusez-moi, mademoiselle*[1].

La voix de Jamie, surpris, s'éleva derrière lui. La fille fut surprise, elle aussi, mais pas effrayée. Elle lâcha néanmoins les bourses de Roger, qui recula aussitôt prudemment de quelques pas.

Jamie tenait son pistolet, mais sans le pointer sur elle. Il arqua un sourcil interrogateur vers son gendre qui tentait de remettre un peu d'ordre dans sa tenue et ses idées.

— Qui est-ce ?

— Comment voulez-vous que je le sache ? Je l'ai prise pour Bonnet, mais, visiblement, ce n'est pas lui.

— Visiblement.

---

1. En français dans le texte. *(N.d.T.)*

Apparemment, Fraser trouvait quelque chose de drôle à la situation, il avait du mal à se retenir de rire. Il se tourna vers la fille, lui demandant en français :

— *Qui êtes-vous, mademoiselle ?*

Elle fronça les sourcils, ne comprenant pas, puis prononça encore des paroles incompréhensibles.

— Qu'est-ce que cette langue ? demanda Roger.

— Aucune idée.

Avec un amusement teinté de méfiance, Jamie se dirigea vers la porte et brandit son arme.

— Surveille-la, elle n'est pas seule.

Effectivement, il y avait des voix sur le quai. Celles d'un homme et d'une autre femme. Roger et Jamie échangèrent un regard. Non, ce n'était ni Bonnet ni Lyon. Mais diable, que faisaient toutes ces bonnes femmes au milieu de nulle part ?

Le bruit des conversations se rapprocha, et la fille appela soudain dans la langue. Cela ne ressemblait pas à une mise en garde, mais Jamie se plaqua néanmoins contre le mur, son arme braquée, l'autre main sur le manche de son coutelas.

La porte étroite s'obscurcit presque entièrement, et une grosse tête échevelée s'avança. Jamie fit un bond en avant et pressa la gueule de son arme sous le menton d'un homme très massif et très surpris. L'empoignant par le col, Jamie l'attira à l'intérieur du hangar.

L'homme était talonné par une femme, dont la taille, la carrure imposante ainsi que le beau visage indiquaient clairement qu'elle était la mère de la jeune femme. Elle était blonde, alors que l'homme – le père ? – était aussi brun que l'ours auquel il ressemblait comme deux gouttes d'eau. Il était presque aussi grand que Jamie, et deux fois plus large, avec un poitrail et des épaules massives, et une énorme barbe touffue.

Ni l'un ni l'autre ne semblait particulièrement alarmé. L'homme paraissait interloqué et la femme, offusquée. La jeune éclata de rire, montrant du doigt Jamie puis Roger.

— Ça commence à être un peu vexant, grommela Jamie.

Il abaissa son arme et recula d'un pas, demandant :

— *Wer seid Ihr ?*

— Je ne crois pas qu'ils soient allemands, dit Roger. En tout cas, la demoiselle ne comprend pas le sens de *nein* ! Pas plus que sa traduction en français.

À présent, la demoiselle examinait Jamie, l'air de se demander s'il ferait un bon candidat pour un match de catch dans le tas de paille.

Entendant le mot « français », le visage de l'homme s'illumina.

— *Coumain ça va*[1] ? dit-il avec un accent à couper au couteau.

— *Vous parlez français*[1] ? demanda Jamie toujours sur ses gardes.

Le géant sourit et rapprocha le pouce et l'index.

— *Une pô*[1].

Un tout petit peu, à vrai dire. Il connaissait une dizaine de mots, mais cela lui suffit pour se présenter. Il s'appelait Mikhail Chemodurow et était accompagné de son épouse Iva et de leur fille Karina.

— *Rooshki*, précisa-t-il en se donnant une tape sur le torse.

— Des Russes ?

Roger les dévisagea, abasourdi. Jamie, lui, paraissait fasciné.

— C'est la première fois que je rencontre des Russes. Qu'est-ce qu'ils peuvent bien faire ici ?

Non sans mal, ils parvinrent à lui traduire la question. Chemodurow leur adressa un large sourire et pointa un doigt massif vers le débarcadère.

— *Les cochons. Pour le monsieur Wylie*[1].

Il lança un regard interrogateur à Jamie, répétant :

— *Monsieur Wylie*[1] ?

Vu l'odeur qu'ils dégageaient tous les trois, l'allusion aux cochons n'avait rien de surprenant ; en revanche, le lien entre des porchers russes et Phillip Wylie n'était pas évident. Toutefois, avant qu'ils n'aient le temps de l'étudier plus en détail, un bruit sourd et un grincement à l'extérieur, comme si un lourd objet en bois venait de percuter le ponton, furent suivis d'un concert tonitruant de cris, la plupart porcins, mais aussi quelques-uns humains... et féminins.

Chemodurow bondit avec une rapidité étonnante pour sa corpulence, talonné par Jamie et Roger.

Ce dernier eut tout juste le temps de voir deux embarcations amarrées au quai : la barge des Russes et un autre canot plus petit. Plusieurs hommes, armés de couteaux et de pistolets, étaient en train d'en descendre.

Jamie plongea aussitôt sur le côté, disparaissant derrière un des petits hangars. Roger dégaina son pistolet, mais hésita, ne sachant pas s'il devait fuir ou tirer. Il réfléchit une seconde de trop. Le canon d'un mousquet s'enfonça dans ses côtes, lui coupant le souffle. Des mains saisirent les armes à sa ceinture.

— Ne bouge pas, dit celui qui tenait le mousquet. Remue un sourcil, et je te fais ressortir le nombril par le trou du cul.

---

1. En français dans le texte. *(N.d.T.)*

Il parlait sans hargne, mais avec une indéniable sincérité que Roger jugea préférable de ne pas mettre à l'épreuve. Il resta immobile, les mains à demi levées, et observa.

Chemodurow avait chargé dans le tas sans hésitation. Il avait déjà propulsé un homme dans l'eau et un autre se débattait au bout d'une main, grosse comme un jambon, qui l'étranglait avec une efficacité brutale. Le Russe ne prêtait pas attention aux cris, aux menaces et aux coups, tout entier concentré sur l'homme qu'il était en train de tuer.

Des cris perçants remplissaient l'air. Iva et Karina s'étaient précipitées vers leur bateau, où deux envahisseurs tenaient chacun une version miniature de Karina. L'un deux pointa un pistolet vers les femmes. Il appuya sur la gâchette. Roger vit une étincelle et un petit nuage de fumée, mais le coup ne partit pas. Les deux Russes fondirent sur lui en hurlant. Pris de panique, il lâcha son arme et la fille, et sauta à l'eau.

Un bruit sourd arracha Roger à la contemplation de l'arrière-scène et le ramena sur Chemodurow, qui, apparemment, venait de recevoir un coup de crosse sur le crâne. Il battit des paupières, dodelina de la tête, et sa main autour du cou de sa victime se relâcha légèrement. Son assaillant grimaça, prit son élan et lui asséna un second coup de toutes ses forces. Les yeux du Russe se révulsèrent, et il s'effondra comme une masse, faisant trembler le débarcadère.

Roger fouilla vainement la mêlée du regard en quête de Stephen Bonnet. L'ancien capitaine du *Gloriana* n'était pas sur le quai.

Que se passait-il ? Bonnet n'était pas un lâche et adorait se battre. Il était inconcevable qu'il ait envoyé ses hommes en restant tranquillement en retrait. Roger compta les têtes, vérifiant de nouveau, mais, à mesure que le chaos se calmait, il dut se rendre à l'évidence. Stephen Bonnet n'était pas là.

Il n'eut pas le temps de se demander s'il était déçu ou soulagé. L'homme qui avait assommé Chemodurow se tourna vers lui, et il reconnut David Anstruther, le shérif du comté d'Orange. Anstruther le reconnut lui aussi, mais ne parut pas surpris de le voir ici.

Le combat se concluait. Les quatre femmes avaient été rassemblées et poussées dans le hangar le plus grand dans un chœur de cris et d'imprécations. Chemodurow, inconscient, y fut traîné à son tour, laissant une inquiétante trace de sang dans son sillage sur les planches.

C'est alors qu'une paire de mains soigneusement manucurées apparut sur le bord du quai et qu'un homme grand et mince se hissa avec élégance sur le ponton. Même sans sa perruque et sa veste vert bouteille, Roger n'eut aucun mal à reconnaître M. Lillywhite, un des magistrats du comté d'Orange.

Pour l'occasion, M. Lillywhite avait revêtu une simple tenue noire, mais taillée dans un drap d'une qualité impeccable. Il portait une épée de gentilhomme à la ceinture. Il traversa le quai sans se presser, faisant l'état des lieux en chemin. Roger le vit esquisser une moue dégoûtée à la vue de la traînée de sang.

Il fit un signe à l'homme qui tenait Roger, et la pression du canon contre ses reins cessa enfin, le laissant prendre une grande inspiration.

— Monsieur MacKenzie, si je ne m'abuse ? demanda Lillywhite avec la plus grande courtoisie. Mais où est donc passé M. Fraser ?

Roger s'était attendu à la question et s'efforça de répondre sur le même ton mondain.

— À Wilmington. Vous voici bien loin de vos pénates, monsieur, comment se fait-il ?

Les narines de Lillywhite se pincèrent et, cette fois, pas à cause de l'odeur de porcherie.

— Ne plaisantez pas avec moi, monsieur, dit-il sèchement.

— Je n'y songerais même pas. Toutefois, puisque nous en sommes à ce genre de questions, où est donc passé Stephen Bonnet ?

Lillywhite partit d'un bref éclat de rire, une lueur amusée brillant dans ses yeux gris.

— Mais… à Wilmington, monsieur !

Trapu et trempé de sueur, Anstruther réapparut à côté du magistrat. Avec un méchant sourire, il salua Roger d'un signe de tête.

— MacKenzie, ravi de vous revoir. Où est votre beau-père et, surtout, où est le whisky ?

Lillywhite se tourna vers le shérif en fronçant les sourcils.

— Comment, vous ne l'avez pas trouvé ? Vous avez bien fouillé toutes les baraques ?

— Oui, on a bien regardé. Il n'y a rien que des détritus.

Il se balança sur la pointe des pieds.

— Alors, MacKenzie, vous l'avez caché où ?

— Je n'ai rien caché, répondit Roger sur le même ton. Il n'y a pas de whisky.

Il commençait à se sentir plus à l'aise. Où que soit Bonnet, il n'était pas avec eux. Découvrir que la contrebande de whisky avait été un leurre ne leur ferait certainement pas plaisir, mais…

Le shérif lui décocha un coup de poing dans le creux du ventre. Plié en deux, la vision obscurcie, il tenta vainement d'aspirer de l'air et lutta contre un accès de panique en revivant la scène de sa pendaison, le noir, l'asphyxie...

De petits points lumineux dansèrent en périphérie de son champ de vision, et l'air s'engouffra enfin dans ses poumons. Il était assis sur le quai, les jambes étalées devant lui, le shérif le tenant par les cheveux.

— Réfléchissez bien, siffla Anstruther en le secouant comme un prunier.

La douleur était plus irritante que déconcertante, et il projeta son poing vers le shérif, l'atteignant à la cuisse. L'autre poussa un cri et le lâcha, sautillant en arrière.

— Vous avez regardé dans l'autre bateau ? demanda Lillywhite sans s'émouvoir de la douleur de son shérif.

Tout en acquiesçant, Anstruther fusilla Roger du regard.

— Il n'y avait que des porcs et des filles. J'aimerais bien savoir d'où ils sortent, ceux-là !

— De Russie ? suggéra Roger.

Il toussa et se releva péniblement, pressant un bras contre son abdomen comme pour empêcher ses viscères de se déverser. Le shérif brandit les poings, se préparant à un pugilat, mais Lillywhite le calma d'un geste, puis il se tourna vers Roger d'un air incrédule.

— De Russie, vous dites ? Mais quel est leur lien avec notre affaire ?

— Aucun, pour autant que je sache. Ils sont arrivés peu après moi.

Le magistrat grogna, visiblement contrarié. Il plissa le front un moment, réfléchissant, puis tenta une autre approche.

— Fraser a conclu un accord avec George Lyon. J'ai accompli la partie qui incombait à M. Lyon. Il me semble donc tout à fait convenable que vous me délivriez le whisky.

— Entre-temps, M. Fraser a pris d'autres dispositions. Il m'a envoyé pour l'expliquer à M. Lyon.

Pris de court, Lillywhite pinça les lèvres et les tordit d'un côté puis de l'autre, tout en scrutant Roger, semblant évaluer sa sincérité. Celui-ci le regardait, l'air neutre, priant pour que Jamie ne réapparaisse pas inopinément.

— Comment êtes-vous arrivé jusqu'ici ? Je ne vois pas votre bateau.

— Je suis arrivé par la terre ferme depuis Edenton. Une allée en coquillages concassés rejoint la grand-route.

Sceptiques, les deux hommes le dévisagèrent, mais il tint bon.

— Quelque chose ne sent pas très net, là-dessous, et ça ne vient pas du marécage.

Anstruther renifla bruyamment en guise d'illustration, puis cracha à ses pieds. Lillywhite n'y prêta pas attention, continuant d'observer Roger.

— Je crains de devoir vous importuner un petit moment encore, monsieur MacKenzie.

Il se tourna vers le shérif et ordonna :

— Mettez-le avec les Russes.

Anstruther accepta sa mission avec plaisir, poussant son prisonnier devant lui en lui enfonçant son fusil dans les fesses. Roger se laissa faire en serrant les dents, se demandant jusqu'où rebondirait ce nabot teigneux s'il le soulevait et le projetait de toutes ses forces sur les planches du débarcadère.

Les Russes étaient tous regroupés dans un coin du hangar, les femmes s'occupant avec sollicitude de leur père et mari blessé. Elles relevèrent néanmoins la tête quand Roger entra, l'accueillant avec un brouhaha de salutations et de questions inintelligibles. Il s'efforça de leur sourire, puis colla son oreille à la paroi pour entendre les machinations de Lillywhite et de ses acolytes.

Il avait espéré qu'ils goberaient son histoire et qu'ils repartiraient après avoir constaté l'absence de whisky. Toutefois, une autre possibilité le rendait de plus en plus nerveux.

À leur comportement, il était évident qu'ils avaient eu l'intention d'emporter le whisky de force. Et cette façon dont Lillywhite était apparu en dernier, restant caché... Ce n'était pas bon signe. Un magistrat de sa stature ne pouvait se permettre qu'on connaisse ses liens avec des contrebandiers et des pirates.

De fait, en l'absence de whisky, Roger ne pouvait l'accuser de rien. Il était illégal d'acheter des produits de contrebande, certes, mais cette pratique était si courante le long de la côte qu'une simple rumeur de ce genre ne pourrait ternir la réputation du magistrat dans son propre comté, à l'intérieur des terres. D'un autre côté, Roger était seul... ou, du moins, Lillywhite le croyait.

Manifestement, il existait un lien entre Lillywhite et Stephen Bonnet. Si Roger et Jamie Fraser se mettaient à poser des questions, tout portait à croire qu'ils finiraient tôt ou tard par le trouver. Restait à savoir si le trafic du magistrat était assez compromettant pour justifier la mort de Roger, l'empêchant ainsi de parler.

Celui-ci avait la sensation très désagréable que Lillywhite et Anstruther risquaient d'en arriver à cette même conclusion.

Il leur suffisait de l'emmener dans le marais, de le tuer, de submerger son corps, puis de revenir en disant à leurs compagnons que MacKenzie avait décidé de rentrer à Edenton. Même si quelqu'un retrouvait plus tard les membres de leur bande et parvenait à les faire parler – deux options très peu probables –, rien ne pourrait être prouvé.

À l'extérieur, les bruits sourds et les allées et venues lui indiquaient qu'ils continuaient à fouiller les lieux et à étendre leurs recherches au marais voisin.

Dès le début, Lillywhite et Anstruther avaient peut-être eu l'intention de les tuer, Fraser et lui, après avoir récupéré le whisky. Dans ce cas, ils avaient encore moins de raisons de se retenir. Mais les Russes, qu'allaient-ils leur faire ?

Un léger crépitement sur le toit signala le début de la pluie. Tant mieux ! Si leur poudre se mouillait, ils seraient obligés de l'égorger. Après avoir prié que Jamie ne revienne pas trop vite, il se mit à espérer qu'il ne réapparaisse pas trop tard. Quant à ce qu'il ferait une fois ici...

Les épées. Étaient-elles encore dans le coin du hangar ? La pluie tombait trop fort à présent pour qu'il entende les conversations au-dehors. Il abandonna donc son poste pour aller vérifier.

Les Russes le regardèrent tous avec un mélange de méfiance et d'inquiétude. Il leur sourit et leur fit signe de s'écarter. Oui, les épées étaient bien là, c'était déjà ça.

Chemadurow avait repris connaissance. Il parla d'une voix traînante. Aussitôt, Karina se leva et s'approcha de Roger. Elle lui donna une petite tape sur le bras, puis lui prit une des épées. Elle la glissa hors de son fourreau avec un chuintement qui les fit tous sursauter, puis rire nerveusement. Elle serra la garde des deux mains et la bascula contre son épaule comme une batte de base-ball. Elle avança d'un pas martial près de la porte et se planta à côté d'elle, l'air féroce.

Roger lui adressa un grand sourire d'assentiment.

— Parfait. Si quelqu'un passe la tête à l'intérieur, tranchez-la-lui.

Il mima un mouvement de hachoir avec la tranche de la main. Tous les Russes émirent des grondements approbatifs et des bruits de soutien enthousiastes. L'une des filles plus jeunes tendit la main vers son autre épée, mais il lui fit signe qu'il la gardait.

À sa surprise, elle secoua vigoureusement la tête en déclarant quelque chose en russe. Impuissant, il haussa les sourcils. Elle lui prit le bras et lui fit signe de l'accompagner dans le fond du hangar.

Durant leur brève captivité, elles n'avaient pas chômé. Elles avaient écarté les détritus pour préparer une couche confortable pour le blessé et découvert, par la même occasion, une grande trappe dans le plancher. Les bateaux pouvaient y accéder à marée basse en passant sous le ponton et, ainsi, être directement déchargés dans l'entrepôt.

À présent, la marée descendait. La surface sombre de l'eau était à moins de deux mètres. Il se déshabilla, ne gardant que sa culotte, se suspendit au rebord du trou et se laissa tomber les pieds en avant, ne connaissant pas la profondeur sous l'embarcadère.

L'eau lui arrivait au-dessus de la tête. Il s'enfonça dans un nuage de bulles argentées, puis ses pieds touchèrent le fond sablonneux. Il donna alors une impulsion pour remonter à la surface. Il agita la main pour rassurer le cercle de visages russes qui l'observaient depuis la trappe, puis nagea jusqu'à l'autre bout du quai.

Lillywhite se détourna, caressant nerveusement la garde de son épée. Depuis son perchoir sur le toit de la baraque, Jamie étudia la manière dont le magistrat se déplaçait et tripotait son arme. Il avait une belle allonge et un bon port. Rapide, quoiqu'un peu saccadé. Porter une épée dans de telles circonstances indiquait qu'il était parfaitement à l'aise avec son arme et qu'en plus, il aimait s'en servir.

Il ne voyait pas Anstruther adossé au mur du hangar, sous l'avant-toit, mais le shérif l'inquiétait moins. Ce n'était qu'un bagarreur, avec le bras court.

— On n'a qu'à les tuer tous, pour être tranquilles.

Lillywhite émit un grognement dubitatif.

— Peut-être... mais les hommes ? Je ne tiens pas à remettre mon sort entre les mains de témoins capables de parler. Nous aurions pu nous charger discrètement de Fraser et de MacKenzie, mais, avec tout ce monde... Nous pourrions peut-être ne pas toucher à ces Russes ? Ils sont étrangers et ne semblent pas parler un mot d'anglais.

— Oui, mais... comment sont-ils arrivés ici ? Ils ne sont pas sortis de nulle part par accident. Quelqu'un connaît leur existence et viendra à leur recherche. Or, ce quelqu'un doit bien avoir un moyen de communiquer avec eux. Ils en ont déjà trop vu et si vous comptez continuer à utiliser cet endroit...

Jamie tourna la tête pour essuyer ses yeux contre son épaule. La pluie tombait sans interruption, mais pas encore trop fort. Il était couché à plat ventre, bras et jambes écartés pour ne pas glisser du toit incliné. Il n'osait pas bouger, pas pour l'instant. Si la pluie tombait un peu plus fort, elle couvrirait ses bruits. Ses pistolets, posés près de lui, étaient inutilisables. Son coutelas, sa seule arme valable pour le moment, était nettement plus adapté pour une attaque-surprise que pour une véritable confrontation.

— ... renvoyer les hommes par bateau. Nous n'aurions qu'à rentrer par la route, après...

Ils continuaient de parler à voix basse, mais Jamie sentait que leur décision était déjà prise. Lillywhite devait simplement se convaincre qu'il ne pouvait faire autrement, et cela ne lui prendrait plus longtemps. Toutefois, ils devaient d'abord renvoyer les hommes. Le magistrat avait raison de craindre les témoins.

Il regarda vers le grand hangar où se trouvaient Roger et les Russes. Les bâtiments étaient très près les uns des autres, l'écart entre les toits en zinc ne dépassant pas un mètre vingt. Il n'y avait qu'une baraque entre la sienne et la grande.

Il profiterait du départ des hommes pour passer d'un toit à l'autre, comptant sur la pluie et la chance, souhaitant que Lillywhite et Anstruther ne lèvent pas les yeux. Il s'accroupirait au-dessus de la porte, puis, quand ils viendraient commettre leur méfait, attendrait qu'ils aient ouvert le battant pour sauter sur le magistrat. Il parviendrait peut-être à lui briser le cou ou, du moins, à l'amocher sérieusement. Il pouvait compter sur Roger pour se précipiter et l'aider à se débarrasser du shérif.

L'important, bien sûr, était de ne pas briser son propre cou en glissant ou en tombant. Ou une jambe. En fléchissant le genou gauche, il perçut une raideur dans les muscles de sa cheville. Elle était bien guérie, mais une légère faiblesse subsistait. S'il dégringolait et se blessait encore, il prierait que le shérif l'achève avant que Claire ne l'étripe.

L'idée le fit sourire, mais ce n'était pas le moment de penser à elle. Plus tard, quand ils s'en seraient sortis. Sa chemise trempée lui collait au dos. Cette fois, la pluie crépitait sur le zinc comme un concert de clochettes. Il rampa en arrière, se redressa à genoux, puis se leva prudemment, prêt à se plaquer sur le toit à la moindre alerte.

Non, il n'y avait personne sur le quai. Outre Lillywhite et Anstruther, ils étaient quatre, tous au sud du débarcadère, en train de patauger dans les herbes qui leur montaient jusqu'à la taille, cherchant quelque chose. Il se tourna lentement pour avancer. Au même moment, un mouvement attira son attention.

Bon sang ! Des hommes sortaient du bois. L'espace d'un instant, il les prit pour des renforts de la bande de Lillywhite, puis il se rendit compte qu'ils étaient noirs.

— *Les cochons*, avait dit le Russe. *Pour le monsieur Wylie*. Or, M. Wylie précisément, venait avec ses esclaves chercher ses cochons.

Il se rallongea et rampa sur le métal trempé vers l'arrière du toit. Tout dépendait désormais de l'aide que Wylie serait disposé à lui offrir ou de son insistance à le passer lui-même par le fil de l'épée. D'un autre côté, le planteur tenait sans doute à ses Russes.

L'eau était froide mais pas au point de l'engourdir, et le courant de la marée n'était pas encore trop fort. Toutefois, depuis sa pendaison et l'incendie de la roselière, Roger manquait singulièrement de souffle et devait remonter à la surface pour respirer toutes les deux ou trois brasses.

Il s'était d'abord dirigé vers le sud du débarcadère, mais, en distinguant des voix juste au-dessus, avait rebroussé chemin.

Il se trouvait à présent au nord, caché par le bateau des Russes. L'odeur des porcs était étouffante, et il entendait grogner dans la cale, de l'autre côté de la cloison en bois.

Dans les parages, aucun bruit de conversation n'était perceptible. Il pleuvait fort sur le détroit, cela devrait couvrir ses bruits. Il avala une grande goulée d'air et s'élança. Il nagea comme un désespéré, s'attendant à prendre une balle entre les omoplates à tout instant. Il déboula entre les joncs, sentit les algues s'enrouler autour de ses jambes, roula à moitié sur le côté, pantelant, le sel brûlant ses écorchures. Puis, il grimpa à quatre pattes sur la berge marécageuse, les roseaux s'agitant au-dessus de sa tête, la pluie ruisselant sur son dos, l'eau clapotant juste sous son menton.

Il s'arrêta enfin, hors d'haleine. Maintenant qu'il était sorti du hangar, il ne savait plus quoi faire. Retrouver Jamie paraissait une bonne idée, mais sans se faire reprendre.

Comme si cette seule pensée avait suffi à attirer l'attention sur lui, il entendit quelqu'un qui pataugeait dans l'eau non loin. Il se figea, tentant de respirer moins fort.

Merde, ils approchaient. À présent, les pas étaient tout près. Il porta la main à sa ceinture, mais il avait perdu son coutelas en nageant. Il fléchit un genou sous son menton, se tenant prêt à se redresser et à détaler.

Les hautes herbes devant s'écartèrent soudain, et il bondit juste à temps pour éviter la lance qui se ficha dans l'eau, juste là où il s'était tenu une seconde plus tôt. Elle vibra, à quelques centimètres de son visage. À l'autre bout du manche, un noir le regardait bouche bée, les yeux écarquillés. Il referma les mâchoires et déclara sur un ton accusateur :

— Vous n'êtes pas un opossum !

— Non, en effet.

Roger posa une main tremblante sur son cœur pour s'assurer qu'il était toujours dans sa poitrine, puis ajouta :

— Désolé.

Phillip Wylie n'avait pas du tout la même allure chez lui qu'en société. Vêtu pour la course aux cochons avec des culottes lâches et une veste de fermier, mouillé, sans l'ombre d'une perruque poudrée ni d'une mouche, il demeurait élégamment svelte tout en ayant l'air plutôt normal, et raisonnablement compétent. Roger lui trouvait un visage plus intelligent, en dépit de sa bouche grande ouverte et du fait qu'il s'obstinait à entrecouper le récit de Jamie de :

— Lillywhite ? Randal Lillywhite ? Mais c'est impossible !

— Concentrez-vous un instant, s'il vous plaît ! s'impatienta Jamie. Je vous ai déjà dit mille fois et je vous le répète : votre Lillywhite et son shérif s'apprêtent en ce moment même à découper vos Russes comme des jambons de Noël.

Wylie lança un regard suspicieux vers Roger, à moitié nu et dégoulinant de boue sanglante.

— Il a raison, renchérit ce dernier entre deux toux rauques. Il faut faire vite, il ne reste plus beaucoup de temps.

Wylie souffla bruyamment par le nez. Il regarda ses esclaves autour de lui comme s'il les comptait. Ils étaient une demi-douzaine, tous armés de gros bâtons, certains portant des couteaux à roseaux à la ceinture. Wylie hocha la tête.

— Soit, allons-y.

Pour éviter d'être entendus en marchant sur les coquillages concassés, ils avancèrent lentement à travers
le marais.

À un moment, Roger entendit Jamie qui, intrigué, demandait à Wylie :

— Pourquoi des cochons ?

— Pas des cochons, des sangliers russes, pour le
sport.

Wylie parlait avec fierté, écartant les hautes herbes
devant lui avec son bâton.

— Tout le monde dit que, de tous les gibiers, les sangliers russes sont les plus féroces et les plus rusés. J'ai
l'intention d'en lâcher sur mes terres pour qu'ils s'y re-
produisent.

— Vous comptez les chasser ! s'étonna Jamie. Vous
avez déjà chassé un sanglier ?

Roger vit les épaules de Wylie se raidir.

— Non, pas encore. Et vous ?

— Oui.

Jamie répondit sagement, évitant toute intonation
suspecte.

Lorsqu'ils approchèrent du débarcadère, Roger aperçut un mouvement sur l'eau, un peu plus loin. Le canot
s'éloignait.

— Ils ont cessé de nous chercher, le whisky et moi,
observa Jamie. Ils ont renvoyé leurs hommes.

Il essuya son visage trempé de pluie et se tourna vers
Wylie.

— Alors, qu'en dites-vous ? Nous devons agir vite. Les
Russes sont dans le grand hangar.

Une fois sa décision prise, Wylie n'était pas homme
à se débiner. Il leva un bras, faisant signe à ses esclaves
de le suivre, puis s'élança au trot. Toute la troupe rejoignit l'allée, fondant sur le débarcadère dans un ton-

nerre assourdissant. À lui seul, le bruit aurait dû suffire à pétrifier d'effroi Lillywhite et Anstruther. On aurait dit la charge d'une armée.

Pieds nus, Roger continua d'avancer sur le terrain marécageux, donc plus lentement que les autres. Il aperçut un visage interloqué pointer entre les baraques et disparaître rapidement.

Jamie le vit aussi et poussa un de ses cris de guerre de Highlander. Wylie fit une embardée, puis se joignit à lui en vociférant :

— Taïaut ! Sortez de là, bande de mécréants !

Encouragés, les esclaves se mirent tous à hurler et à agiter leurs bâtons tout en courant vers le ponton.

Après un tel élan d'enthousiasme, ils furent plutôt déçus de le trouver désert, à part les Russes captifs qui manquèrent de peu de décapiter Wylie, celui-ci ayant eu l'imprudence de pousser la porte de l'entrepôt sans s'annoncer.

Une brève fouille du bateau des porchers et des marais environnants ne révéla aucune trace de Lillywhite et Anstruther.

— Ils ont dû filer à la nage, dit l'un des Noirs en revenant bredouille.

Il pointa sa lance vers les bancs de sable.

— On les traque ?

Apparemment, l'homme qui avait pris Roger pour un opossum ne s'était pas encore remis de sa déception.

Wylie fit un geste vers la petite plage vide, près du ponton.

— Ils ne sont pas partis à la nage, ils ont pris mon canot.

D'un air dégoûté, il tourna les talons et commença à distribuer des ordres pour décharger et enfermer dans l'enclos les sangliers. On avait déjà emmené Chemodurow et sa famille dans la grande demeure de la plantation, les filles alternant les regards émerveillés vers les esclaves noirs et les œillades vers Roger, qui avait récupéré sa chemise et ses souliers, mais dont la culotte trempée et moulée sur son corps ne cachait rien de son anatomie.

L'un des esclaves sortit du hangar les bras chargés d'armes oubliées, rappelant temporairement à Wylie ses devoirs d'hôte.

Il esquissa une courbette un peu raide en direction de Jamie.

— Je vous suis très reconnaissant de m'avoir aidé à sauver mes biens. Permettez-moi de vous offrir l'hospitalité.

Roger remarqua que cela n'avait pas l'air de l'enchanter, mais, tout de même, il avait fait la proposition.

— Pour ma part, je vous suis reconnaissant de nous avoir aidés à sauver nos vies, répliqua Jamie avec la même affectation. Je vous remercie, mais nous...

— ... serons ravis, l'interrompit Roger. Merci.

Il prit la main de Wylie et la secoua vigoureusement, le laissant interloqué. Puis, il attrapa le bras de Jamie et l'entraîna vers l'allée de coquillages avant qu'il n'ait pu protester. Il y avait un temps et un lieu pour monter sur ses grands chevaux, mais ce n'était ni l'endroit ni l'heure.

Tandis qu'ils se dirigeaient vers la forêt, Jamie ne cessait de marmonner dans sa barbe. Patient, Roger lui glissa :

— Écoutez, personne ne vous demande de lui baiser l'arrière-train. Attendez simplement que son majordome nous donne de quoi manger et nous sécher, puis nous repartirons pendant que Wylie est encore occupé avec ses sangliers. Je n'ai rien avalé depuis ce matin, et vous non plus. Si nous devons marcher jusqu'à Edenton, je préfère avoir quelque chose dans le ventre.

L'évocation de la nourriture sembla redonner un peu de sérénité à Jamie, et, le temps qu'ils atteignent les arbres, ils étaient tous les deux d'une gaieté enivrante. Roger se demanda si cet état de bonne humeur n'était pas identique à celui ressenti après une bataille : le soulagement de se retrouver toujours en vie et indemne donnait envie de rire et de faire le pitre, rien que pour se prouver que c'était encore possible.

— Des sangliers russes, on croit rêver ! ricana Jamie. Je parie que cet homme n'a jamais vu un sanglier de sa vie. On peut quand même trouver des moyens moins dispendieux d'en finir avec la vie !

— À votre avis, combien ça a pu lui coûter ? Plus d'argent qu'on n'en verra en dix ans, je suppose. Tout ça pour transporter un troupeau de cochons sur... je ne sais combien de milliers de kilomètres !

— Pour être honnête, c'est plus que des cochons. Tu ne les as pas vus ?

Roger ne les avait qu'entr'aperçus. Au moment où il sortit du hangar avec ses vêtements, les esclaves étaient en train d'en faire grimper un sur le quai. Il était haut sur pattes et velu, avec de longues défenses jaunes plutôt inquiétantes.

Le long voyage l'avait amaigri. Ses côtes saillaient, et les frottements avaient râpé la moitié de son pelage. N'ayant pas encore retrouvé l'habitude de la terre ferme, il titubait comme un ivrogne sur des sabots ridiculement petits, roulant des yeux, poussant des grognements paniqués, pendant que les esclaves criaient et le piquaient du bout de leurs bâtons. Roger avait eu de la peine pour la pauvre bête.

— Effectivement, ils sont assez grands, convint-il. Je suppose qu'une fois remplumés, ils seront impressionnants. Je me demande s'ils vont se plaire ici, après la Russie ?

Il agita la main vers la forêt broussailleuse autour d'eux. L'air était chargé d'humidité, mais le dense feuillage au-dessus de leur tête bloquait le gros de la pluie, créant un sous-bois sombre de chênes rabougris et de sapins maigrelets où flottait une forte odeur de résine. Les brindilles et les glands, qui recouvraient la terre sablonneuse, craquaient agréablement sous leurs semelles.

— Ils trouveront une abondance de glands et de racines à manger, observa Jamie. Plus un esclave égaré de temps à autre.

Roger se mit à rire.

— Quoi, tu crois que je plaisante ? dit Jamie avec un sourire. On voit bien que tu n'as jamais chassé le sanglier, toi non plus !

— Mmphm. Peut-être que M. Wylie nous invitera à une de ses...

L'arrière de son crâne explosa et tout s'effaça.

Quand il reprit connaissance, il perçut d'abord une douleur si vive que l'inconscience lui parut nettement préférable. Il sentit des cailloux et des feuilles contre son visage, puis entendit des bruits de combat tout à côté.

Il releva péniblement la tête, puis, serrant les dents, se redressa sur les coudes, attendant quelques instants que sa vision s'éclaircisse.

Il lui fallut un petit moment pour comprendre ce qui se passait. Ils étaient à quelques mètres de lui, mais des troncs d'arbres et des branches lui masquaient partiellement la vue. Il entendit une voix marmonner « *A Dhia !* » et sut que Jamie était toujours vivant.

Il se mit à genoux, oscillant dangereusement, sa vision toujours floue. Quand il se fut enfin stabilisé, il distingua son épée devant lui, à demi enfouie sous le sable et les feuilles. Un de ses pistolets gisait à côté, mais ce n'était même pas la peine d'y songer. Même avec de la poudre sèche, il aurait été incapable de viser quoi que ce soit.

Il avança à quatre pattes et, une fois la main glissée dans la corbeille, il alla un peu mieux. Il ne la lâcherait plus. Quelque chose d'humide lui coulait dans le cou. De la pluie, du sang ? Peu importait. Il prit appui contre un tronc d'arbre, se releva, chancela, cligna des yeux plusieurs fois pour faire une mise au point, avança encore d'un pas.

Il marcha sur une masse molle qui s'affaissa sous lui, trébucha et tomba en avant, atterrissant lourdement sur un coude.

Il se retourna maladroitement, gêné par son épée, et constata qu'il avait marché sur la cuisse d'Anstruther. Le shérif gisait sur le dos, la bouche ouverte, l'air surpris. Une large entaille ouvrait son cou et une flaque de sang rouille s'était répandue autour de lui, imprégnant le sable.

Il eut un brusque mouvement de recul et se retrouva debout sans même s'en rendre compte. Lillywhite lui tournait le dos, le lin de sa chemise trempé. Il plongeait en avant, esquivait, portait un coup, parait...

Le visage de Jamie était figé dans un rictus d'effort, les lèvres retroussées, le regard suivant l'épée de son adversaire. Il avait toutefois vu Roger.

— Roger ! s'écria-t-il hors d'haleine. Roger, *a charaid* !

Lillywhite ne se retourna pas, mais se projeta en avant, portant une nouvelle longe, puis une feinte, puis une parade de tierce…

— Pas… idiot, haleta-t-il.

Apparemment, Lillywhite croyait que Jamie bluffait pour distraire son attention. Roger fut pris d'un nouveau vertige, sa vue se brouillant. Il se rattrapa à un tronc d'arbre, s'agrippant fort à l'écorce gluante pour ne pas tomber. Il leva son épée, la pointe tremblante.

— Eh ! cria-t-il faute de mieux. Eh là !

Lillywhite recula d'un pas et fit volte-face, écarquillant les yeux. Roger projeta son bras en avant, sans viser, mais avec toute la force qui lui restait.

L'épée perça l'œil de Lillywhite dans un crissement qui se répercuta tout le long du bras de Roger, le métal brisant l'os et s'enfonçant dans une substance plus molle, où l'arme resta coincée. Il voulut la lâcher, mais sa main resta coincée dans la corbeille. Lillywhite se raidit, et Roger sentit sa vie s'échapper directement le long de sa lame, à travers sa main, puis son bras, fulgurant comme un courant électrique.

Dans un élan de panique, il tourna la lame d'un côté puis de l'autre pour tenter de la ressortir. Lillywhite fut pris de convulsions, puis ses genoux lâchèrent et il s'effondra en avant, s'agitant mollement comme un gros poisson mort, tandis que Roger tirait et tordait l'épée, tentant vainement de libérer sa main.

Puis, Jamie lui attrapa le poignet et le dégagea. Il passa ensuite un bras autour des épaules de son gendre, aveuglé de panique et de douleur, et l'entraîna un peu plus loin. Il lui tint la tête et lui frotta le dos en murmurant des paroles de réconfort en gaélique pendant qu'il rendait ses tripes. Il lui essuya le visage et le cou avec des poignées de feuilles mouillées, ainsi que la morve qui lui coulait du nez avec la manche de sa chemise.

— Vous n'avez rien ? demanda enfin Roger.

— Non, et toi, ça va mieux ?

Il hocha la tête. Il tenait à peine debout et avait dépassé le stade de la douleur. Celle-ci semblait flotter au-dessus de lui, extérieure à son corps.

Lillywhite gisait sur le dos. Roger ferma les yeux et déglutit. Il entendit Jamie marmonner quelque chose dans sa barbe puis un bruit étouffé. Quand il les rouvrit, le magistrat était retourné sur le ventre, à demi recouvert de feuilles et de sable.

— Allez, viens, lui dit-il.

Il lui passa un bras sous l'aisselle pour le soutenir. Roger agita sa main libre vers les deux cadavres.

— Et eux ? Qu'est-ce qu'on en fait ?

— On les laisse aux cochons.

Le temps qu'ils sortent du bois, Roger pouvait de nouveau marcher seul, bien qu'il ait tendance à pencher d'un côté ou de l'autre. La maison de Wylie se dressa devant eux, une belle demeure en briques rouges. Ils traversèrent la pelouse, ne prêtant pas attention aux domestiques qui se pressaient aux fenêtres des étages, les observant et échangeant des commentaires.

Roger s'arrêta un instant pour faire tomber les feuilles de sa chemise.

— Pourquoi ? demanda-t-il. Ils vous l'ont expliqué ?

— Non.

Jamie sortit de sa manche un lambeau de tissu, auparavant un mouchoir, et le trempa dans la fontaine. Il s'essuya le visage avec, puis après avoir examiné les traces de crasse, le replongea dans l'eau.

514

— J'ai entendu un bruit sourd quand Anstruther t'a assommé et j'ai eu juste le temps de me retourner pour voir la lame arriver. Elle m'a éraflé les côtes, regarde-moi ça !

Il glissa ses doigts dans un grand accroc dans sa chemise, puis reprit :

— J'ai bondi derrière un arbre et dégainé mon épée. Tiens, essuie-toi avec ça, ta tête saigne encore.

Roger pressa le mouchoir mouillé contre sa nuque, grimaçant au contact de l'eau glacée contre sa plaie.

— Aïe ! Est-ce ma tête qui est fêlée ou rien de tout ça n'a de sens ? Pourquoi tenaient-ils tant à nous tuer ?

Jamie retroussa ses manches pour se laver les mains dans la fontaine, répliquant avec une logique imparable :

— Parce qu'ils voulaient notre mort. Ou quelqu'un d'autre la leur a réclamée.

— Stephen Bonnet ?

— Si j'étais joueur, je parierais là-dessus.

Roger ferma un œil pour tenter de corriger sa propension à voir deux Jamie.

— Mais vous êtes un joueur, je vous ai vu à l'œuvre.

— Puisque tu le dis !

Il se passa les mains dans les cheveux, les lissant en arrière, et se tourna vers la maison. Karina et ses sœurs étaient apparues derrière une fenêtre et leur faisaient des signes ravis.

— Ce que j'aimerais vraiment savoir, c'est où est passé Stephen Bonnet.

— À Wilmington.

Jamie fit volte-face.

— Quoi ?

— Wilmington, répéta Roger.

Il ouvrit prudemment le deuxième œil, mais tout semblait être rentré dans l'ordre. Il n'avait plus qu'un seul beau-père.

— C'est ce que ce Lillywhite a dit... mais j'ai pensé qu'il plaisantait.

Jamie le dévisagea un long moment avant de dire :

— Je l'espère.

65

Les arbres à cire

Comparée à Fraser's Ridge, Wilmington était une métropole vertigineuse et, dans d'autres circonstances, les filles et moi, nous nous serions régalées. Toutefois, compte tenu de l'absence de Roger et de Jamie ainsi que de la nature de notre séjour, nous avions fort peu le cœur à nous distraire.

Ce n'était pas faute d'essayer, mais nos jours et nos nuits étaient hantés par des scénarios imaginaires pires que des cauchemars. Je regrettais amèrement que Brianna en ait vu autant lors de la bataille d'Alamance. Imaginer ce qui pouvait se passer en se basant uniquement sur son angoisse était déjà pénible, mais s'inspirer du souvenir encore frais de la chair meurtrie, des os fracassés et des regards fixes de la mort avait de quoi rendre fou.

Au réveil, hagardes parmi des piles de vêtements froissés et de linge sentant le rance, nous donnions à manger aux enfants, les habillions, puis sortions dans l'espoir de nous changer les idées avec les distractions existantes, comme les courses de chevaux, le lèchevitrines ou les salons musicaux hebdomadaires organisés, deux soirs consécutifs, par les deux hôtesses concurrentes de la ville, Mmes Crawford et Dunning.

La soirée de cette dernière avait eu lieu le lendemain du départ de Jamie et Roger. Des œuvres à la harpe, au violon, au clavecin et à la flûte alternaient avec des récitations de poésie – du moins ce qui passait pour tel – et des « chansons comiques et tragiques » interprétées par M. Angus McCaskill, propriétaire courtois et courtisé du plus grand restaurant de la ville.

À vrai dire, les chansons tragiques étaient, de loin, les plus comiques, notamment à cause de M. McCaskill et de ses yeux révulsés et mélodramatiques lors des passages les plus sinistres, comme si les paroles étaient écrites dans son crâne. Me mordant l'intérieur de la joue, je parvins néanmoins à conserver un air compassé de circonstance.

Brianna, elle, n'avait pas besoin de se forcer. Elle resta pétrifiée durant toute la représentation, fixant les musiciens avec des yeux lugubres d'une telle intensité que certains commencèrent à se sentir mal à l'aise et s'abritèrent derrière leur instrument. Je savais bien que son attitude n'avait aucun rapport avec leurs performances. Elle revivait la dispute avec son père, la veille de son départ.

L'affrontement long et véhément avait eu lieu pendant que nous arpentions tous les quatre le quai, à la tombée du soir. Brianna avait été virulente, éloquente et féroce. Jamie avait été patient, froid et inébranlable. Je m'étais gardée d'intervenir, me montrant pour une fois la plus têtue de tous. Je ne pouvais, en mon âme et conscience, prendre la défense de ma fille. Je savais qui était Stephen Bonnet. Je ne pouvais non plus me ranger du côté de Jamie. Précisément pour la même raison.

Je savais aussi qui il était. Si l'idée qu'il affronte Bonnet me rendait physiquement malade, j'étais également consciente que peu d'hommes étaient aussi bien armés que lui pour cette tâche. Car ce n'était pas simplement une question de maîtrise des armes et de l'art d'occire son ennemi, mais avant tout une question de conscience.

Jamie était un Highlander. Le Seigneur pouvait bien clamer que le droit à la vengeance n'appartenait qu'à lui, je n'avais pas encore rencontré de Highlander non convaincu que le Seigneur avait toujours besoin d'un coup de pouce. Dieu avait créé l'homme pour une bonne raison, à savoir protéger une famille et défendre son honneur... à n'importe quel prix.

Ce que Bonnet avait fait à Brianna n'était pas un crime que Jamie pourrait pardonner, encore moins oublier. Au-delà de la simple vengeance et de la menace permanente que ce monstre représentait toujours pour sa fille et son petit-fils, Jamie se sentait responsable, du moins en partie, du mal que Bonnet pouvait infliger au reste du monde – à notre famille et à d'autres. Il l'avait un jour aidé à échapper à la potence. Il ne trouverait pas le repos avant d'avoir réparé cette erreur. Ce qu'il ne manqua pas d'expliquer.

— Parfait ! avait sifflé Brianna, les poings sur les hanches. Tu veux du repos ? Grand bien te fasse ! Tu as pensé à maman et à moi ? Tu crois que nous connaîtrons le repos une fois Roger et toi morts ?

— Tu préfères un comportement de lâche ?

— Oui !

— Non ! Tu le dis maintenant uniquement parce que tu as peur !

— Bien sûr que j'ai peur ! Maman aussi, même si elle ne le dit pas, parce qu'elle sait que tu partiras quand même !

— Elle a raison. Elle me connaît depuis suffisamment longtemps.

Il m'avait regardée du coin de l'œil avec un petit sourire, mais j'avais tourné la tête, fixant les mâts des navires ancrés dans le port pendant qu'ils continuaient à se quereller.

Finalement, Roger était intervenu, profitant d'un moment d'accalmie. Brianna tentait de reprendre son souffle.

— Brianna, avait-il dit doucement. Je ne peux pas laisser cet homme vivre dans le même monde que celui de mes enfants et de ma femme. Partirons-nous avec ta bénédiction… ou sans elle ?

Elle s'était mordu les lèvres et avait détourné ses yeux remplis de larmes.

Si elle lui avait donné sa bénédiction, ce devait être dans la nuit, au fond de leur lit. J'avais donné la mienne à Jamie dans cette même obscurité, sans prononcer un mot. J'en avais été incapable, sachant que, quoi que je dise, il partirait.

Cette nuit-là, ni lui ni moi n'avions dormi. Nous étions restés dans les bras l'un de l'autre, chacun écoutant le souffle de l'autre, attentif au moindre mouvement de son corps. Lorsque les premières lueurs de l'aube avaient filtré entre les fentes des volets, nous nous étions levés, lui pour faire ses préparatifs, moi parce que je ne pouvais rester couchée là à le regarder partir.

Sur le pas de la porte, je m'étais hissée sur la pointe des pieds pour lui chuchoter la seule chose qui comptait.

— Reviens.

Il avait souri, lissant une mèche derrière mon oreille.

— Tu te souviens de ce que je t'ai dit à Alamance, *Sassenach* ? Ce n'est pas pour cette fois non plus. On reviendra tous les deux.

Le salon musical de Mme Crawford, qui se tint le lendemain soir, accueillait pratiquement les mêmes artistes que celui de Mme Dunning, mais présentait une nouveauté. Pour la première fois, je sentais des chandelles au cirier.

Au cours de l'entracte, je humai les petites bougies qui ornaient le clavecin et demandai à la maîtresse de maison :

— D'où vient ce parfum délicieux ?

Les bougies étaient en cire d'abeille, mais dégageaient une odeur épicée et délicate, un peu comme des baies de laurier, mais en plus léger.

— Du cirier, répondit-elle, enchantée. Je ne m'en sers pas pour faire les chandelles au complet, même si c'est possible. Il faut une telle quantité de baies ! Près de quatre kilos pour un kilo de cire, vous imaginez ! Il a fallu une semaine à la fille de cuisine pour les cueillir et ce qu'elle a rapporté n'a permis de fabriquer qu'une douzaine de chandelles. J'ai donc fait fondre le tout dans de la cire d'abeille normale, et je dois reconnaître que je suis assez satisfaite du résultat. Cela donne un arôme agréable, n'est-ce pas ?

Elle se pencha vers moi et ajouta dans un chuchotement complice :

— Je me suis laissé dire que le salon de Mme Dunning hier soir empestait la graisse brûlée !

Ce fut ainsi que, le troisième jour, confrontée à la perspective de passer une journée enfermée dans nos quartiers exigus avec trois enfants en bas âge ou une nouvelle visite à la dépouille très diminuée de la baleine, j'empruntai plusieurs seaux à notre logeuse, Mme Burns, commandai un panier de pique-nique et entraînai mes troupes dans une expédition de cueillette.

J'étais un peu inquiète pour Marsali, vu la taille de son ventre – elle en était à son septième mois –, mais elle insista, disant que l'exercice et le grand air lui feraient le plus grand bien.

Comme d'habitude avec des enfants, le départ fut plutôt laborieux. Joan vomit sa purée sur sa robe, Jemmy commit un écart de conduite sanitaire aux proportions catastrophiques et Germain profita de la confusion provoquée par ces mésaventures pour disparaître. Après une demi-heure de recherche intense à laquelle toute la rue fut conviée à participer, on le retrouva derrière les écuries publiques, occupé à lancer des poignées de crottin de cheval sur les voitures et les carrioles qui passaient par là.

Une fois tout ce petit monde de nouveau lavé, habillé et, dans le cas de Germain, menacé d'une mort atroce, nous redescendîmes l'escalier, pour découvrir que M. Burns nous avait déniché un chariot. En temps normal, une chèvre était censée le tirer, mais elle était occupée à manger des orties dans le jardin voisin et refusa obstinément de se faire atteler. Finalement, Brianna déclara qu'elle était prête à tirer le chariot plutôt que de continuer à courser la bique rétive.

Nous étions presque au bout de la rue, les enfants, les seaux et le panier de pique-nique dans le chariot, quand Mme Burns nous rattrapa au petit trot, une cruche de cidre dans une main et un vieux pistolet dans l'autre.

— Pour les serpents, m'expliqua-t-elle. La dernière fois qu'elle s'est promenée par là, ma petite Annie a vu au moins une dizaine de vipères.

Étant donné que le mot « vipère » pouvait désigner le plus redoutable des mocassins ou le plus inoffensif des orvets, et qu'Annie Burns avait un goût prononcé pour le mélodrame, je n'étais pas inquiète outre mesure. Je songeai à ranger l'arme dans le panier, mais, après un bref coup d'œil vers Germain et Jemmy, images même de l'innocence angélique, je le plaçai plutôt dans mon seau, à mon bras.

Le temps était nuageux et frais, avec une douce brise marine. L'air était humide, et tout portait à croire qu'il pleuvrait avant longtemps. Pour le moment, toutefois, la promenade était très agréable.

Suivant les instructions de Mme Crawford, nous longeâmes la plage, puis nous arrivâmes en lisière d'une dense forêt côtière où des pins déplumés côtoyaient des palétuviers et des palmiers dans un enchevêtrement de lianes. Je fermai les yeux et humai le mélange entêtant d'odeurs de vase, de sable mouillé, de résine et d'air marin, auxquelles venaient s'ajouter les derniers relents de la baleine morte et de ce que j'étais venue chercher : le parfum frais et acidulé du cirier.

— Par là !

Je pointai un doigt vers le mur de végétation. Celle-ci était trop dense pour le chariot, si bien que nous l'abandonnâmes sur place. Les garçons pourchassaient les crabes minuscules et les oiseaux aux couleurs vives, alors que nous nous enfoncions dans la forêt. Marsali portait Joan qui dormait, recroquevillée comme une musaraigne, bercée par les bruits de l'océan et du vent.

En dépit des broussailles, il était plus agréable de marcher sous les arbres qu'au bord de la plage. Le haut toit de feuillage créait une agréable atmosphère d'intimité et de refuge, et le fin tapis de feuilles et d'aiguilles rendait nos pas moins hasardeux.

Fatigué de marcher, Jemmy tira sur ma jupe, levant les bras vers moi. Je glissai l'anse du seau sur mon poignet et le soulevai, faisant craquer mes vertèbres. Il enserra confortablement ma taille de ses petits pieds et appuya sa joue contre mon épaule avec un soupir de soulagement.

Nous arrivâmes bientôt dans un luxuriant taillis de ciriers et nous nous dispersâmes, nous perdant de vue dans les buissons pendant la cueillette, mais nous appelant souvent pour nous repérer.

J'avais reposé Jemmy et me demandais oisivement ce que je pourrais bien faire avec la pulpe des baies, après les avoir fait bouillir et dégorger leur cire, quand j'entendis des pas légers de l'autre côté du buisson que j'étais en train de piller.

— C'est toi, chérie ? demandai-je en pensant qu'il s'agissait de Brianna. On devrait peut-être songer à déjeuner. J'ai l'impression qu'il ne tardera pas à pleuvoir.

— Je vous remercie pour l'invitation, madame, dit une voix mâle sur un ton amusé. Mais je viens juste de prendre mon petit déjeuner.

Il sortit de derrière le buisson. Je restai pétrifiée, incapable d'émettre un son. Mon esprit, lui, n'était pas paralysé et fonctionnait à toute allure.

« Si Stephen Bonnet est ici, Jamie et Roger ne courent aucun danger, Dieu merci. »

« Où sont les enfants ? »

« Où est Brianna ? »

« Où est ce foutu pistolet, bordel de merde ! »

— Qui c'est, *grand-mère*[1] ?

Germain apparut en tenant au bout d'une main ce qui ressemblait à un rat mort, puis il s'approcha prudemment, jetant un regard méfiant vers l'intrus.

Sans quitter Bonnet des yeux, je lui dis d'une voix cassée :

— Germain, va retrouver ta mère et reste avec elle.

Bonnet observa le garçon d'un air intéressé, inclinant la tête sur le côté.

— *Grand-mère*[1] ? Tiens, tiens ! Mais qui est donc la maman de ce charmant bambin ?

— Qu'est-ce que ça peut vous faire ? dis-je le plus fermement possible. Germain, fais ce que je te dis !

Je baissai les yeux vers mon seau, mais le pistolet n'y était pas. Nous avions emporté six seaux, et trois étaient dans le chariot. L'arme devait être dans l'un deux. Quelle guigne !

— Oh, ne t'en va pas si vite, mon bonhomme !

Bonnet avança vers Germain, mais celui-ci prit peur et recula précipitamment en lui lançant son rat qui l'atteignit au genou. La surprise qui fit hésiter Bonnet une demi-seconde permit au garçonnet de décamper entre les ciriers. J'entendis ses pas sur le sable et priai pour qu'il sache où était Marsali. Il ne manquait plus qu'il se perde.

« Non, rectifiai-je dans ma tête, il pouvait encore arriver pire : que Bonnet voit Jemmy », ce qui ne manqua

---

1. En français dans le texte. (*N.d.T.*)

pas de se produire quelques secondes plus tard, quand ce dernier surgit à son tour à quatre pattes, son tablier maculé de boue.

Il n'y avait pas de soleil, mais ses cheveux roux flamboyaient comme l'embrasement d'une allumette. Ma paralysie disparut aussitôt. Je l'attrapai et fis un pas en arrière, renversant mon seau à moitié rempli de baies.

Les yeux félins de Bonnet étaient vert pâle. Ils s'illuminèrent alors avec la fixité d'un chat venant de repérer une souris. Il avança vers moi.

— Mais qui est donc ce petit garnement ?

— Mon fils, répondis-je instantanément.

Je serrai Jemmy contre moi en dépit de ses protestations. Avec cette perversité naturelle des petits enfants, il semblait fasciné par l'accent irlandais de Bonnet et se tordait dans tous les sens pour essayer de le regarder.

— Je vois qu'il a hérité des cheveux de son père.

Des gouttes de sueur luisaient dans ses épais sourcils blonds. Il en lissa un du bout d'un doigt, puis l'autre, faisant couler la transpiration le long de ses tempes.

— … tout comme sa ravissante sœur. Au fait, votre fille ne serait pas dans les parages ? Ça me ferait tellement plaisir de la revoir. Si charmante, cette Brianna !

— Non, elle est chez elle, avec son mari.

J'insistai lourdement sur ce dernier mot, espérant me faire entendre par Brianna si elle était suffisamment près. Il n'eut pas l'air impressionné.

— Chez elle ? Mais où est-ce au juste, chère maman ?

Il ôta son chapeau et essuya son visage sur sa manche.

— Oh… dans l'arrière-pays. Sur nos terres.

J'agitai vaguement le bras vers ce que je pensais être l'ouest. Qu'est-ce que c'était que ça... une causerie mondaine ? D'un autre côté, les options étaient assez limitées. Je pouvais tourner les talons et courir, dans ce cas, il me rattraperait en deux enjambées, encombrée comme je l'étais avec Jemmy. Je pouvais aussi rester sur place et attendre qu'il me dise ce qu'il voulait. Il n'était certainement pas venu pique-niquer parmi les ciriers.

— Vos terres... répéta-t-il, songeur. Qu'est-ce qui vous amène donc si loin de chez vous, si je puis me permettre de vous le demander ?

— Vous ne pouvez pas. Ou plutôt, vous n'aurez qu'à poser la question à mon mari. Il ne devrait plus tarder.

Tout en disant cela, je reculai encore d'un pas et il avança d'autant. Une lueur de panique dut traverser mon regard, car il parut amusé et fit encore un pas.

— J'en doute fort, madame Fraser. Voyez-vous, à l'heure actuelle, je crains qu'il ne soit mort.

Je serrai Jemmy si fort qu'il poussa un petit cri étranglé.

— Que voulez-vous dire ?

— J'ai conclu un marché, une sorte de répartition des tâches, si l'on peut dire. Mon ami Lillywhite et ce brave shérif Anstruther s'occupaient de MM. Fraser et Mac-Kenzie, pendant que le lieutenant Wolff réglait quelques comptes avec Mme Cameron. Pour ma part, cela me laissait le loisir de me rapprocher de mon fils et de sa mère.

Son regard se posa sur Jemmy, qui le fixait avec des yeux de chouette.

— Je ne comprends pas ce que vous voulez dire.

Il se mit à rire.

— Oh que si ! Vous êtes une piètre menteuse, madame. Ne le prenez pas mal, mais vous ne ferez jamais une bonne tricheuse aux cartes. Vous savez fort bien de quoi je parle. Vous m'avez vu cette nuit-là à River Run. Cela dit, je serais bien curieux de savoir pourquoi vous et votre mari charcutiez cette pauvre négresse que Wolff avait tuée. J'ai entendu dire que l'image d'un meurtrier était imprimée sur la rétine de sa victime, mais j'ignorais qu'on pouvait également lire son nom dans ses tripes. À quelle sorte de sorcellerie vous adonniez-vous, au juste ?

— Wolff ! Alors, c'était bien lui !

Pour le moment, je me souciais fort peu de savoir si le lieutenant avait assassiné la moitié des femmes de la Caroline, mais n'importe quel sujet susceptible de le distraire était pertinent.

— Oui, ce pauvre bougre est un vrai idiot, dit-il avec un air écœuré. Mais comme c'est lui qui a découvert l'existence de l'or, il a tenu à participer coûte que coûte aux opérations.

Où étaient donc passées Brianna et Marsali ? Germain les avait-il trouvées ? Je n'entendais rien d'autre que le bourdonnement des insectes et le grondement lointain de la mer. Comment auraient-elles pu ne pas nous entendre ?

— De l'or ? m'exclamai-je en haussant le ton. Quel or ? Il n'y en a pas à River Run. Jocasta Cameron a dû vous le dire.

Il fit une moue incrédule.

— Je dois reconnaître que Mme Cameron sait mieux mentir que vous, ma chère, mais elle ne m'a pas dupé pour autant. C'est que, voyez-vous, le docteur l'a vu, cet or.

— Quel docteur ?

Un cri aigu retentit au loin. Joan. Je toussotai, espérant couvrir le bruit, et répétai :

— De quel docteur voulez-vous parler ?

— Rawls... ou Rawlings, je ne sais plus très bien. Je peux me tromper, n'ayant pas eu le plaisir de faire sa connaissance personnellement.

Bonnet me regardait tout en tournant de temps en temps la tête vers le détroit.

— Je suis navrée, mais je ne vois toujours pas de quoi vous voulez parler.

J'essayais simultanément de soutenir son regard et de chercher un objet sur le sol autour de moi qui puisse me servir d'arme. Bonnet avait un pistolet et un couteau à sa ceinture, mais ne semblait pas disposé à s'en servir. Pour quoi faire ? Une femme seule avec un enfant de deux ans dans les bras ne représentait pas un grand danger.

— Ah non ? Enfin, comme je vous le disais, tout est parti de Wolff. Il avait une dent à se faire extraire, ou je ne sais quoi, et a rencontré ce rebouteux à Cross Creek. Il l'a remercié en lui offrant un verre, et une chose en entraînant une autre, ils ont fini la soirée dans une taverne, ronds comme des queues de pelle. Comme vous l'avez sans doute remarqué, le lieutenant a un certain penchant pour la bouteille. Apparemment, ce Rawlings était assez pochard lui aussi. Toujours est-il qu'avant la fin de la nuit, il a confié à Wolff qu'il revenait de River Run où il avait vu une grande quantité d'or.

Après quoi, Rawlings avait soit sombré dans un coma éthylique, soit dessoûlé, mais il n'en avait pas dit plus. Cependant, sa révélation avait suffi à ranimer la détermination du lieutenant à s'emparer de la main – et de la propriété – de Jocasta Cameron.

— Malheureusement, la dame n'a pas voulu de lui, lui préférant un manchot. L'orgueil du lieutenant en a pris un sacré coup, croyez-moi !

Cela le fit rire, dévoilant l'absence d'une molaire sur le côté droit.

Furieux et humilié, Wolff était allé consulter son vieil ami, Randall Lillywhite.

— Quoi ? Alors… c'est pour ça qu'il a arrêté le prêtre lors du *gathering* ? Pour l'empêcher de célébrer le mariage de Mme Cameron et de Duncan Innes ?

Bonnet acquiesça.

— En effet. Il s'agissait surtout de gagner du temps, afin de pouvoir mieux étudier l'affaire.

L'occasion s'était alors présentée à la fête organisée lors du mariage. Comme nous l'avions supposé, quelqu'un – le lieutenant Wolff – avait effectivement tenté de droguer Duncan Innes avec une coupe de punch au laudanum, dans le but de le rendre inconscient, puis de le noyer dans la rivière. Au cours du remue-ménage provoqué par sa disparition et, éventuellement, la découverte de sa mort accidentelle, Wolff aurait pu fouiller les lieux à la recherche de l'or et, après un temps de deuil réglementaire, refaire des avances à Jocasta.

— Mais cette conne de négresse a bu la coupe au lieu de la donner au manchot ! dit-il sur un ton de dédain. Pire encore, elle n'était pas morte ! Elle pouvait révéler l'identité de celui qui lui avait confié la boisson empoisonnée et de celui à qui elle était destinée. Wolff a donc mélangé du verre pilé dans le gruau qu'on lui faisait manger.

— Ce que j'aimerais savoir, c'est comment vous vous êtes retrouvé mêlé à cette histoire ? Que faisiez-vous à River Run ?

— Il se trouve que le lieutenant est un vieil ami à moi, ma chère dame. Il m'a demandé de l'aider à se débarrasser du manchot, afin de pouvoir être vu pendant la fête en train de s'amuser en toute innocence pendant que son rival était victime d'un terrible accident.

Il fronça les sourcils, tapotant la crosse de son pistolet.

— ... Quand j'ai vu que cette histoire de laudanum tournait au fiasco, j'aurais mieux fait de donner un bon coup sur le crâne de ce Innes et de le balancer à la flotte. Malheureusement, je n'ai jamais pu être seul avec lui. Il a passé la moitié de la journée dans les latrines, et il y avait toujours quelqu'un dans les parages.

Je n'apercevais rien autour de moi qui ressemble à une arme. Des brindilles, des feuilles, des fragments de coquillages, un rat mort – celui-ci avait bien marché pour Germain, mais Bonnet ne se laisserait pas surprendre deux fois de suite. N'ayant plus peur de l'inconnu, Jemmy gigotait pour descendre.

Je reculai un peu. Bonnet s'en rendit compte et sourit. Visiblement, il ne pensait pas que je pourrais lui échapper. En outre, il attendait quelque chose. Bien sûr... il me l'avait dit lui-même. Il attendait Brianna. Je compris alors qu'il nous avait suivies depuis la ville. Il savait donc que Marsali et Brianna étaient dans le coin. Il n'avait plus qu'à patienter jusqu'à ce qu'elles se manifestent.

En attendant, il continuait à vanter ses plans diaboliques.

— Mme Cameron, ou plutôt Mme Innes désormais, m'a paru plus que disposée à parler quand je lui ai laissé entendre que son nouveau mari risquait de perdre quelques autres parties précieuses de son anatomie. Mais, à ce qu'il me semble, cette vieille truite rusée a menti, elle aussi. Je me suis dit alors qu'elle me prendrait plus au sérieux si l'enjeu était son cher héritier.

Il baissa les yeux vers Jemmy, qui le fixa en retour d'un air soupçonneux.

— C'est pourquoi on va aller trouver ta grand-tante, mon garçon.

— Qui t'es ?

— Quoi, mon petit, tu ne reconnais donc pas ton papa ? Ta maman ne t'a pas dit qui j'étais ?

— Papa ?

Jemmy leva les yeux vers moi.

— Pas papa !

— Non, ce n'est pas ton papa, l'assurai-je. C'est un très vilain monsieur. On ne l'aime pas du tout.

Bonnet éclata de rire.

— Vous n'avez pas honte de lui mentir, ma chère ? Bien sûr, que c'est mon fils ! Votre fille me l'a dit en face.

— Foutaises !

J'étais parvenue à me glisser entre deux ciriers touffus. Je comptais le distraire encore un peu en entretenant la conversation, puis, à la première occasion, pivoter sur mes talons, poser Jemmy par terre et l'enjoindre de courir. Avec un peu de chance, je pourrais bloquer le passage assez longtemps pour empêcher Bonnet de le rattraper. Encore faudrait-il qu'il veuille bien courir !

— Lillywhite... repris-je. Qu'entendiez-vous en disant que Lillywhite et le shérif allaient... s'occuper de mon mari et de M. MacKenzie ?

Le seul fait de mentionner cette possibilité me donnait la nausée.

— Oh, ça ? Exactement ce que j'ai dit, madame Fraser. Votre mari est mort.

Il regardait par-dessus mon épaule, ses yeux verts scrutant les buissons. Il pensait sûrement que Brianna allait apparaître d'un instant à l'autre.

— Ce qui s'est passé lors du mariage nous a démontré que nous ne pouvions laisser Mme Cameron aussi bien protégée. Si nous voulons faire une seconde tentative, elle ne doit pas pouvoir compter sur les hommes de sa famille, pour l'aider ou pour la venger. C'est pourquoi lorsque votre mari a écrit à M. Lyon en lui suggérant d'organiser une rencontre avec moi, j'ai pensé que c'était l'occasion rêvée de nous débarrasser de lui et de M. MacKenzie, de tuer deux oiseaux avec une même pierre, pour ainsi dire. J'ai décidé d'envoyer Lillywhite et ce gentil shérif s'occuper de cette besogne. Pour ma part, j'ai préféré venir chercher mon fils et sa mère, histoire d'être sûr que, cette fois, rien n'ira de travers. C'est que, voyez-vous…

Je fis volte-face, déposai Jemmy sur le sol de l'autre côté des buissons.

— Cours ! Jemmy, cours ! Cours !

Il partit droit devant lui en trottant, pleurant de peur, puis Bonnet me vola dans les plumes.

Il tenta de me repousser, mais je m'y étais préparée et plongeai la main vers le pistolet à sa ceinture. Il voulut reculer, mais j'avais déjà les doigts sur la crosse. Je libérai l'arme et la lançai haut derrière moi, avant de tomber à la renverse sous lui.

Il roula sur le côté et se redressa sur ses genoux, puis se figea.

— Ne bougez pas ou, par la Sainte Vierge, je vous fais exploser la tête !

Je me relevai hors d'haleine et vit Marsali, pâle comme un drap, pointer le vieux pistolet à pierre par-dessus son ventre rebondi.

— Tire, *maman*[1] ! disait Germain. Tue-le comme le porc-épic !

Joan était quelque part derrière, dans les buissons. Elle se mit à pleurer en entendant la voix de sa mère, mais celle-ci ne quittait pas Bonnet des yeux. Elle avait même pensé à armer et à amorcer l'arme. Je sentais l'odeur de la poudre noire.

— Tiens donc ! dit lentement Bonnet.

Je vis ses yeux évaluer la distance qui le séparait de Marsali, cinq mètres au moins, trop pour l'atteindre d'un bond. Il mit un pied au sol et commença à se relever. Il pouvait la rejoindre en trois enjambées.

— Ne le laisse pas se mettre debout ! criai-je.

Je me levai précipitamment et le poussai à l'épaule. Il tomba sur le côté, se rattrapa sur un bras, puis rebondit avec une vitesse que je n'avais pas prévue, m'attrapant à la taille et m'entraînant avec lui dans sa chute. Cette fois, j'étais sur lui.

Il y avait des cris derrière moi, mais je n'avais pas le temps de m'en occuper. Je tentai de lui enfoncer mes doigts dans les yeux, les manquant de peu quand il tourna la tête. Mes ongles ripèrent contre sa pommette, traçant des sillons dans sa peau. Nous roulâmes dans un fouillis de jupons et de jurons irlandais, moi cherchant à lui tordre les testicules, lui essayant de m'étrangler tout en protégeant ses parties.

Puis, il se tortilla et me retourna comme une crêpe, m'écrasant le cou sous son bras et me serrant contre

1. En français dans le texte. *(N.d.T.)*

lui. J'entendis un chuintement de métal puis sentis du froid sur ma jugulaire. Je cessai de me débattre et pris une grande inspiration.

Marsali ouvrait des yeux ronds comme des soucoupes, les lèvres pincées. Dieu soit loué, son regard était toujours fixé sur Bonnet, son arme également.

— Marsali, dis-je très posément. Tire-lui dessus. Tout de suite.

— On se calme et on abaisse son arme, ma jolie, dit Bonnet aussi calmement. Sinon, à trois, je lui tranche la gorge. Un...

— Tire !

— Deux...

— Attends !

La pression de la lame contre ma gorge se relâcha un peu. Brianna se tenait entre les ciriers, Jemmy dans ses jupes.

— Lâchez-la, dit-elle.

Marsali, qui avait retenu son souffle, laissa échapper un grand soupir.

— Il n'a aucune intention de me lâcher, et ça n'a aucune importance, dis-je fermement. Marsali, tue-le ! Maintenant !

Sa main se resserra sur l'arme. En vain. Elle n'arrivait pas à tirer. Elle jeta un bref coup d'œil à Brianna, puis revint vers nous. Tout son corps tremblait.

— Tue-le, maman, chuchota Germain.

Cette fois, il paraissait moins enthousiaste. Il était pâle lui aussi et se serrait contre sa mère.

— Tu vas venir avec moi, chérie, toi et le petit.

Je sentais la poitrine de Bonnet vibrer quand il parlait et devinais son demi-sourire, même si je ne pouvais pas le voir.

— Les autres pourront partir.

— Ne le crois pas ! dis-je à Brianna. Il ne nous laissera pas partir, tu le sais. Il nous tuera, Marsali et moi, quoi qu'il dise. La seule chose à faire est de le tuer. Si Marsali n'y arrive pas, fais-le.

Elle baissa des yeux hagards vers moi. Bonnet émit un grognement, mi-amusé, mi-agacé.

— Sacrifier sa mère ! Voyons, ce n'est pas le genre de fifille à faire une chose pareille, madame Fraser.

Je m'adressai de nouveau à Marsali, articulant le plus possible pour lui faire comprendre, la faire tirer.

— Marsali, il te tuera, et le bébé aussi. Germain et Joan vont mourir ici, tout seuls. Ce qui m'arrive ne compte pas, crois-moi. Pour l'amour de Dieu, tue-le maintenant !

Elle tira.

Il y eut une étincelle, un petit nuage de fumée blanche, et Bonnet sursauta. Puis elle abaissa la main. Le coton et la balle tombèrent sur le sable. Le coup n'était pas parti.

Marsali poussa un gémissement horrifié. Brianna bondit, attrapa au vol mon seau et l'abattit sur la tête de Bonnet. Il cria et se jeta sur le côté en me lâchant. Le seau percuta ma poitrine et je l'attrapai, me retrouvant le nez dedans. Il était humide à l'intérieur, quelques baies cireuses bleu gris adhérant encore aux parois.

Puis, Germain et Jemmy se mirent tous deux à brailler, Joan hurla de plus belle dans les bois. Je lâchai le seau et rampai à quatre pattes m'abriter sous un houx.

Bonnet s'était relevé, le visage rouge, le couteau à la main. Il était visiblement furieux, mais s'efforça de sourire à Brianna. Il dut hausser la voix pour se faire entendre par-dessus le vacarme des enfants.

— Enfin, ma chérie, je ne m'intéresse qu'à toi et à mon fils et n'ai aucune intention de vous faire du mal, ni à l'un ni à l'autre.

— Ce n'est pas votre fils et il ne le sera jamais, dit-elle d'une voix basse et sèche.

Il émit un grognement de dédain.

— Ah non ? Ce n'est pas ce que tu m'as dit dans ce cachot à Cross Creek, mon cœur. Et puis, maintenant que je le vois… c'est bien mon fils. Il me ressemble, pas vrai, mon petit bonhomme ?

Jemmy enfouit son visage dans les jupes de Brianna en vagissant.

Bonnet soupira, haussa les épaules, puis cessa de faire le gentil.

— Allez, ça suffit. On y va.

Il avança vers Brianna, visiblement dans l'intention de soulever Jemmy.

Elle leva la main d'entre les plis de sa jupe et pointa le pistolet que j'avais lancé un peu plus tôt. Bonnet se figea, la bouche ouverte.

— À votre avis, Stephen, chuchota-t-elle, votre poudre est-elle suffisamment sèche ?

Elle arma le pistolet en le tenant des deux mains, l'abaissa vers son entrejambe et tira.

C'était un rapide, il fallait au moins lui concéder ça. Il n'avait pas eu le temps de s'enfuir, mais il avait posé ses deux mains sur ses précieuses bourses avant qu'elle n'ait fini d'appuyer sur la gâchette. Il y eut une explosion de sang entre ses doigts, mais je ne pouvais dire si elle avait fait mouche.

Il chancela en arrière, se tenant les parties, lançant des regards affolés autour de lui comme s'il ne pouvait y croire, puis il s'effondra sur un genou. Il respirait bruyamment par saccades.

Nous restâmes toutes paralysées à le regarder gratter le sable d'une main, en y laissant des traînées sanglantes, puis se relever, plié en deux, l'autre main toujours pressée sur son bas-ventre. Il était blafard, ses yeux verts comme de l'eau morte.

Il tituba, tourna en rond, puis s'éloigna comme un insecte qui vient de se faire marcher dessus, en boitant et en sautillant. Il s'enfonça dans les broussailles dans un fracas de branches, puis disparut. Derrière un palmier, j'aperçus une ligne de pélicans volant en formation dans le ciel bas, à la fois gauches et incroyablement gracieux.

J'étais toujours au sol, sous le choc. Un liquide chaud coula le long de ma joue, une simple goutte de pluie.

Brianna s'accroupit à mes côtés, m'aidant à me relever.

— Il a dit vrai ? Tu crois qu'il a dit vrai ? Ils sont morts ? Elle était blême mais pas hystérique.

— Non.

Tout me semblait lointain, se déroulant au ralenti. Je me levai lentement, oscillant comme si j'avais oublié comment me tenir debout.

— Non, répétai-je.

Je n'avais pas peur, ne ressentais aucune panique au souvenir des paroles de Bonnet. Rien qu'une certitude dans ma poitrine, une petite masse réconfortante.

— Non, ils sont en vie.

Jamie me l'avait dit, le jour n'était pas encore venu où nous serions séparés.

Marsali avait disparu dans le bois pour récupérer Joan. Germain était penché sur les taches de sang dans le sable, fasciné. Je me demandai soudain à quel groupe elles appartenaient, puis chassai rapidement cette pensée de mon esprit.

« Il ne sera jamais votre fils », avait-elle dit.

Je donnai une petite tape dans le dos de Jemmy.

— Allons-y. Je crois que, pour le moment, on se passera de bougies parfumées.

Jamie et Roger réapparurent à l'aube, deux jours plus tard, réveillant tous les occupants de l'auberge en tambourinant contre la porte. Les gens des maisons voisines ouvrirent leurs volets et sortirent leurs têtes coiffées de bonnets de nuit pour voir d'où venait le raffut. J'étais sûre que Roger souffrait d'une légère commotion, mais il refusa de se coucher. Il accepta toutefois que Brianna lui prenne la tête sur les genoux et émit toutes sortes de bruits pour exprimer sa compassion et son choc face à la grosseur de sa bosse. Pendant ce temps, Jamie me fit un bref compte rendu de la bataille de Wylie's Landing et je lui fournis des explications plutôt confuses de nos aventures dans le bois de ciriers.

Roger rouvrit un œil.

— Alors, Bonnet n'est pas mort ?

— À vrai dire, je ne sais pas. Il s'est enfui, mais j'ignore la gravité de sa blessure. Il n'a pas perdu énormément de sang, mais s'il a été touché dans le bas-ventre, il a peu de chances de s'en sortir. La péritonite est une façon très lente et douloureuse de mourir.

— Tant mieux ! lâcha Marsali, vindicative.

— Tant mieux ! renchérit Germain en regardant fièrement sa mère. Tu sais, grand-père, maman a tiré sur le vilain type. Et tante aussi. Il était plein de trous. Il y avait du sang partout !

— Trous ! s'exclama Jemmy. Des trous partout !

— Oui, enfin... disons un trou, murmura Brianna.

Elle ne releva pas les yeux du linge humide avec lequel elle nettoyait doucement le sang séché sur le cuir chevelu de Roger.

— Mouais... fit Jamie. Mais si tu ne lui as arraché qu'un doigt ou qu'une bourse, il peut survivre. Ça ne risque pas d'arranger son sale caractère.

Le même jour, Fergus arriva par le bateau-paquet de midi, apportant triomphalement les actes des deux concessions de terres dûment enregistrés, estampillés du sceau officiel, ajoutant ainsi la cerise sur le gâteau célébrant nos retrouvailles. La fête était néanmoins ternie par le fait qu'un élément de taille n'était pas réglé.

Après un débat houleux, il fut décidé – c'est-à-dire que Jamie décida seul et refusa obstinément d'entendre toute opinion dissidente – que nous nous rendrions directement à River Run, lui et moi. Les petites familles resteraient encore quelques jours à Wilmington pour boucler les dernières affaires et glaner la moindre information concernant un homme blessé ou mourant. Ils rentreraient ensuite à Fraser's Ridge, en évitant soigneusement de passer par Cross Creek ou River Run.

— Le lieutenant Wolff ne peut se servir de toi ou du petit pour faire chanter ma tante, si vous n'êtes pas à sa portée, indiqua Jamie à Brianna.

Puis, il se tourna vers Roger et Fergus.

— Quant à vous, ne quittez jamais vos femmes et vos enfants des yeux. Dieu seul sait sur qui ils vont tirer la prochaine fois !

Après avoir refermé la porte sur eux, il se tourna vers moi, glissa un doigt sur l'éraflure dans mon cou, puis me serra avec force, à m'en briser les côtes. Je m'accrochai à lui, ne pensant ni à respirer ni à qui pourrait nous apercevoir, trop heureuse de le toucher.

Il murmura dans mes cheveux.

— Tu as bien fait, Claire, mais, pour l'amour de Dieu, ne le refais plus jamais.

C'est ainsi que, le lendemain à l'aube, nous partîmes tous les deux à cheval, seuls.

66

Rusés comme des renards

Nous arrivâmes à River Run au coucher du soleil, trois jours plus tard, nos chevaux en nage et couverts de boue, et nous, guère mieux. L'endroit semblait paisible. Les derniers feux de la lumière printanière illuminaient les pelouses vertes, faisant ressortir les statues de marbre blanc et le mausolée d'Hector contre les ifs sombres.

En lisière du parc, nous fîmes une brève halte pour examiner la situation avant d'approcher de la maison.

— Qu'en penses-tu ? demandai-je.

Jamie se leva dans ses étriers, balayant le paysage du regard.

— Ma foi... personne n'a incendié la maison. Je ne vois pas de torrents de sang dégoulinant du grand escalier. Pourtant...

Il se rassit, fouilla dans sa sacoche et sortit un pistolet, qu'il arma par précaution. Il le glissa sous sa ceinture, rabattit les pans de sa veste par-dessus, et nous nous dirigeâmes lentement vers l'allée menant à la porte d'entrée.

Le temps que nous y arrivions, j'avais moi aussi senti que quelque chose n'allait pas. La maison était trop calme. Pas de domestiques courant par-ci par-là, pas de musique s'élevant du petit salon, aucune odeur de plats chauds apportés depuis la cuisine annexe, mais, surtout, Ulysse n'était pas là pour nous accueillir. Nous frappâmes pendant plusieurs minutes sans obtenir de réponse, puis on ouvrit enfin la porte. C'était Phaedre, la camériste de Jocasta.

Après la mort de sa mère, près d'un an plus tôt, je l'avais quittée en piteux état. Elle n'avait guère l'air mieux. Elle avait des cernes sous les yeux, les traits tirés, la peau couleur d'un fruit trop mûr. Toutefois, en nous reconnaissant, ses yeux s'illuminèrent et ses lèvres se détendirent.

— Oh, monsieur Jamie ! Depuis hier, je prie pour que quelqu'un vienne à notre aide ! J'étais sûre que ce serait M. Farquard, ce qui nous aurait donné encore plus de souci, vu que c'est un homme de loi et tout, même s'il est l'ami de votre tante…

Devant cette déclaration plutôt confuse, Jamie arqua un sourcil, perplexe, mais il lui adressa un sourire rassurant et lui serra la main.

— C'est la première fois que je suis la réponse à une prière, mais ça me fait bien plaisir. Ma tante va… bien ?

— Oh oui ! Monsieur. Elle, elle n'a pas de problème.

S'effaçant avant que nous puissions lui poser plus de questions, elle nous fit signe de la suivre à l'étage.

Jocasta était en train de tricoter dans son boudoir. Alerte, elle releva la tête en entendant des pas et, avant même qu'il ait ouvert la bouche, demanda :

— Jamie ?

Même de loin, je vis qu'elle avait manqué des mailles et que tous ses rangs n'étaient pas fermés, ce qui n'était pas dans ses habitudes, ses travaux d'aiguille étant en général méticuleusement exécutés.

— Oui, c'est moi, ma tante. Avec Claire. Que se passe-t-il ?

Il traversa la chambre en deux enjambées et lui prit la main. À l'instar de Phaedre quelques instants plus tôt, le visage de la vieille dame s'affaissa de soulagement. Elle se ressaisit aussitôt et se tourna vers moi.

— Claire ? Que Dieu bénisse sainte Bride ! Vous ne pouviez pas mieux tomber, Duncan est au plus mal.

Il était couché dans la chambre voisine, sous une pile d'édredons. Sur le coup, je crus qu'il était mort, puis il remua en entendant la voix de Jocasta.

Il redressa la tête de sous sa montagne de couvertures, plissant des yeux dans la pénombre, et demanda, surpris :

— *Mac Dubh ?* Qu'est-ce qui t'amène ici ?

— Le lieutenant Wolff, répondit Jamie sur un ton acerbe. Ce nom te dit quelque chose, je suppose ?

— Tu peux le dire.

Son ton de voix était étrange, mais je n'y prêtai pas attention, allumant des bougies et écartant les draps pour voir de quoi il retournait.

Je m'étais attendue à des plaies causées par une balle ou un coup de poignard, mais, au premier examen, je ne trouvai rien. Il me fallut quelques minutes pour rassembler mes idées et diagnostiquer une jambe cassée. C'était une simple fracture dans la partie inférieure du tibia, horriblement douloureuse, certes, mais ne mettant pas ses jours en danger.

J'envoyai Phaedre chercher de quoi lui poser une attelle, pendant que Jamie, rassuré sur le sort de son ami, s'asseyait à son chevet pour éclaircir cette affaire.

— Il est venu ici ? Le lieutenant Wolff ? demanda-t-il.

— Oui… oui.

Là encore, cette légère hésitation.

— Il est reparti ?

— Oh oui !

Il frissonna.

— Je vous fais mal ? demandai-je.

— Non, non, madame Claire. C'est juste que… eh bien…

— Tu ferais mieux de lâcher le morceau tout de suite, dit Jamie un peu exaspéré. Je doute que ce soit le genre d'histoire qui s'améliore quand on la garde pour soi. Si c'est ce que je crois, j'en aurai une à te raconter, moi aussi.

Duncan lui lança un regard torve, puis il capitula en soupirant et se renfonça dans son oreiller.

Le lieutenant était apparu deux jours plus tôt à River Run, mais, contrairement à son habitude, n'était pas passé par la grande porte pour se faire annoncer. Il avait entravé sa monture dans un champ à un kilomètre de la maison, puis s'était approché en douce.

— Nous ne l'avons su que plus tard, quand nous avons retrouvé son cheval. Après le dîner, quand je suis sorti pour aller à la fosse, il a surgi de l'obscurité. Mon cœur a failli lâcher ! Puis, il m'a tiré dessus et, si j'avais encore eu un bras de ce côté-ci, il l'aurait sûrement touché.

Malgré son handicap, Duncan s'était défendu sauvagement, donnant un coup de tête au lieutenant, puis le poussant violemment en arrière.

— Il est parti à la renverse en trébuchant, puis a basculé par-dessus le muret en brique. Sa tête a touché le sol en faisant un bruit affreux. Comme un melon fendu en deux par une hache.

— Je vois, dit Jamie vivement intéressé. Alors, il est mort sur le coup ?

— Eh bien... non.

Duncan, dont la langue s'était déliée à mesure qu'il nous racontait son histoire, parut de nouveau mal à l'aise.

— C'est que, tu vois, *Mac Dubh*, après l'avoir percuté, j'ai continué dans mon élan, j'ai mis le pied dans le caniveau de la fosse d'aisances, et ma jambe a fait crac ! J'étais là, à gémir dans l'allée, quand Ulysse m'a enfin entendu et est venu à mon aide, Jo sur ses talons.

Duncan avait expliqué la situation à sa femme, pendant qu'Ulysse partait chercher des palefreniers pour l'aider à le transporter. Entre la douleur de sa jambe et l'habitude de laisser au majordome le soin de régler les affaires courantes, il en avait oublié le lieutenant.

— C'est de ma faute, *Mac Dubh*. J'aurais dû donner des ordres. Quoique, même après y avoir amplement pensé, je ne voie pas ce que j'aurais pu dire.

Une fois Duncan couché, Jocasta et Ulysse avaient examiné la situation et conclu que le lieutenant avait franchement dépassé les bornes et qu'il constituait une menace permanente. Cela étant...

— Ulysse l'a achevé.

Duncan déglutit péniblement, l'air misérable, encore atterré.

— Jo dit que c'est elle qui le lui a ordonné, et Dieu sait qu'elle en est capable, *Mac Dubh* ! Ce n'est pas le genre de femme à tolérer qu'on lui cherche des noises sans réagir, encore moins qu'on assassine ses domestiques, qu'on la menace ou qu'on agresse son mari.

Toutefois, à son hésitation, je devinais qu'il avait quelques doutes sur le rôle exact joué par Jocasta. Jamie avait déjà compris ce qui le troublait.

— Fichtre ! Si ça se sait, Ulysse sera pendu, ou pire. Que ma tante en ait donné l'ordre ou pas.

— Je sais, dit Duncan. Je ne peux pas le laisser aller à la potence, mais que puis-je faire ? Comme il s'agit du lieutenant, la marine va s'en mêler, sans parler des shérifs et des magistrats.

Une grande partie de la prospérité de River Run reposait sur ses contrats avec la marine royale qu'elle approvisionnait en bois et en goudron. Le lieutenant Wolff avait justement servi d'agent de liaison. L'armée de Sa Majesté ne verrait sans doute pas d'un très bon œil qu'un fournisseur assassine son représentant, quelle qu'en soit l'excuse. La loi, elle, incarnée par le shérif et les magistrats du comté, se montrerait sans doute moins regardante, sauf sur l'identité du meurtrier.

Un esclave qui versait le sang d'un Blanc était automatiquement condamné, indépendamment des circonstances de son geste. Peu importait comment cela s'était passé et même si des dizaines de témoins attestaient que Wolff avait agressé Duncan, Ulysse n'aurait aucune chance si quelqu'un découvrait le pot aux roses. Je comprenais l'atmosphère de désolation de River Run. Les autres esclaves étaient aussi très conscients des risques.

Jamie se gratta le menton.

— Pourquoi ne pas dire simplement que tu l'as tué, Duncan ? Après tout, c'était de l'autodéfense. Je peux prouver que cet homme est venu dans l'intention de t'assassiner. Il était prêt ensuite à épouser ma tante de force ou à la prendre en otage et à la menacer jusqu'à lui faire avouer où était l'or.

— L'or ? Mais il n'est pas là. Je pensais qu'on avait réglé ça l'année dernière.

— Le lieutenant et ses associés étaient persuadés du contraire, l'informai-je. Qu'est-il arrivé à Wolff, exactement ?

— Ulysse lui a tranché la gorge. Je ne demande pas mieux de dire que c'était moi, sauf que...

Outre la difficulté d'égorger quelqu'un d'une seule main, il était clair que la gorge du lieutenant avait été tranchée de la main gauche... celle qui, justement, manquait à Duncan.

Je me souvins tout à coup que Jocasta était gauchère – comme son neveu –, mais trouvai inopportun de le mentionner maintenant. Je lançai un regard à Jamie, qui me répondit en haussant ses sourcils interrogateurs.

« Aurait-elle pu ? » demandai-je en silence.

« Une MacKenzie de Leoch ? » me répondit son regard cynique.

— Où est Ulysse ? demandai-je.

— Dans les écuries, sans doute. S'il n'a pas déjà pris la fuite vers l'ouest.

Sachant que son majordome serait condamné si on apprenait la vérité sur la mort du lieutenant, Jocasta l'avait envoyé seller un cheval, lui donnant l'ordre de s'enfuir dans les montagnes si quelqu'un arrivait.

Jamie prit une grande inspiration et se passa une main dans les cheveux.

— Je dirais que, pour le moment, le principal est de faire disparaître le lieutenant. Où l'avez-vous mis ?

Duncan esquissa un semblant de sourire.

— Sous une bâche dans la fosse à barbecue, sur une pile de bûches de noyer, déguisé en carcasse de porc.

Jamie hocha la tête.

— Bien. Laisse-moi faire.

Je donnai des instructions pour qu'on serve à Duncan de l'eau avec du miel ainsi qu'une infusion d'eupatoire et d'écorce de cerisier, puis je suivis Jamie dehors pour réfléchir à un moyen de se débarrasser du corps.

— Le plus simple serait de l'enterrer, non ?

— Mmphm, fit Jamie, peu convaincu.

Il leva sa torche en pin, observant la bâche en toile dans la fosse. Je n'avais pas été une admiratrice du lieutenant de son vivant, mais, là, il était un peu pitoyable.

— Le problème, c'est que tous les esclaves sont au courant. Si on l'enterre, ils le sauront aussi. Ils ne parleront pas, mais il risque de revenir hanter les lieux.

Son ton détaché me fit froid dans le dos. Je resserrai mon châle autour de mon cou.

— « Hanter les lieux » ?

— Oui, bien sûr. Une victime d'un meurtre, assassinée ici, enterrée ici, sans avoir été vengée ?

— Tu parles sérieusement ou tu imagines seulement ce que les esclaves risquent de croire ?

Il haussa les épaules.

— Ça revient au même, non ? Ils éviteront comme la peste l'endroit où il aura été enterré, une femme apercevra son fantôme pendant la nuit, des rumeurs se répandront et, tôt ou tard, un esclave de Green River dira quelque chose, un membre de la famille de Farquard l'entendra, et on enverra un enquêteur pour poser des questions. De son côté, la marine ne tardera pas à lancer des recherches… Que dirais-tu plutôt de lui attacher une grosse pierre et de le jeter dans la rivière ? Après tout, il avait prévu de le faire à Duncan.

— Ce n'est pas une mauvaise idée, mais il tenait à ce qu'on retrouve le corps de Duncan. Beaucoup de monde circule sur la rivière et, par ici, elle n'est pas très profonde. Même en lestant bien le corps, il risque de remonter à la surface ou d'être crocheté par une perche. D'un autre côté, est-ce que ce serait si grave ? Il n'y aurait aucun lien apparent entre le cadavre et River Run.

Il hocha lentement la tête, écartant la torche dont les étincelles retombaient sur sa manche. Une douce brise s'était levée et chuchotait dans les ormes qui bordaient la fosse.

— C'est vrai. Mais s'ils le trouvent, il y aura une enquête. La marine voudra élucider l'affaire, et on viendra ici poser tout un tas de questions. Je ne sais pas si les esclaves tiendront le coup.

Le fait était. Vu l'état de leurs nerfs, une investigation en ferait paniquer plus d'un. Harcelés, ils finiraient par parler.

Jamie resta longtemps immobile, fixant la forme sous la toile d'un air méditatif. Une vague odeur de sang putréfié me remplit les narines.

— Et si... on le brûlait ? suggérai-je. Après tout, il est déjà dans la fosse.

Un coin de ses lèvres se souleva dans un petit sourire.

— C'est une bonne idée, *Sassenach*, mais je viens d'en avoir une meilleure.

Il se tourna vers la maison. Quelques fenêtres seulement étaient allumées, mais ils étaient tous à l'intérieur, se terrant. Puis, il se mit en marche d'un pas décidé.

— Viens, il me semble avoir aperçu une masse dans les écuries.

Le mausolée était entouré d'une grille ornementale en fer forgé, équipée d'une énorme serrure ornée de roses jacobites à seize pétales. J'avais toujours considéré cela comme un caprice décoratif de Jocasta, les pilleurs de tombes ne représentant pas une grande menace dans un coin aussi perdu. Lorsque Jamie l'ouvrit et la poussa, les gonds ne grincèrent même pas. Comme tout à River Run, les lieux étaient impeccablement entretenus.

— C'est mieux que de l'enterrer ou de le brûler, tu es sûr ? demandai-je.

Même si nous étions seuls, je ne pouvais m'empêcher de chuchoter.

— Oui. Ce vieux Hector veillera sur lui et à ce qu'il ne nuise plus à personne. En outre, c'est une terre consacrée, pour ainsi dire. Son âme n'ira pas se balader dans la nature à faire des bêtises.

J'acquiesçai, sceptique. Il avait sans doute raison. Pour ce qui était des croyances, il comprenait les esclaves bien mieux que moi. De fait, je le soupçonnais un peu d'être lui-même convaincu qu'Hector Cameron était capable de régler *ex post facto* cette menace sur sa femme et sa plantation.

Je levai haut la torche pour l'aider à voir ce qu'il faisait, me mordant les lèvres.

Pour ne pas écailler les blocs de marbre, il avait enveloppé la masse dans des chiffons. Les premiers, juste derrière la grille, cédèrent rapidement, s'enfonçant de plusieurs centimètres. Quelques coups plus tard, un trou noir apparut, dévoilant l'espace à l'intérieur du mausolée.

Jamie s'interrompit pour s'essuyer le front et marmonna quelque chose dans sa barbe.

— Qu'est-ce que tu as dit ?

— J'ai dit : ça pue !

— C'est étonnant, non ? Ton oncle est mort depuis combien de temps, quatre ans ?

— Oui, mais ce n'est pas...

— Qu'est-ce que vous faites ? !

La voix de Jocasta Cameron avait jailli derrière moi, me faisant sursauter et lâcher la torche.

La flamme crachota, mais ne s'éteignit pas. Je la ramassai, l'agitant pour qu'elle reprenne vie. Elle s'étira et se stabilisa, projetant une lueur rouge sur Jocasta qui se tenait dans l'allée derrière nous, spectrale dans sa chemise de nuit blanche. Phaedre était blottie derrière sa maîtresse, ses petits yeux apeurés allant de Jamie au trou dans le mur.

Celui-ci, aussi effrayé que moi par l'apparition de sa tante, parut assez agacé.

— Ce que je fais ? Je me débarrasse du corps du lieutenant, quoi d'autre ? Laissez-moi faire, ma tante. Ne vous inquiétez de rien.

— Tu ne peux... tu ne dois pas ouvrir la tombe d'Hector !

Son long nez se fronça, percevant sans doute l'odeur faible mais reconnaissable de décomposition.

— Ne vous inquiétez donc pas, ma tante. Remontez vous coucher. Je m'en occupe. Tout ira bien.

Elle avança dans l'allée, agitant les mains devant elle.

— Non, Jamie ! Tu ne dois pas ! Referme ça ! Referme-la, pour l'amour de Dieu !

Perplexe, Jamie fronça des sourcils devant son ton paniqué. Il regarda vers le trou, dans la façade du mausolée. Puis, soudain, son visage changea. Sans écouter les cris de protestations de sa tante, il reprit sa masse et fit tomber plusieurs autres blocs.

— Approche la torche, *Sassenach*.

Je m'exécutai avec un sentiment d'horreur croissant. Nous nous penchâmes côte à côte devant le trou. Il y avait deux cercueils en bois poli posés sur de hauts socles en marbre et, entre les deux...

Jamie se retourna vers sa tante et demanda d'une voix calme :

— Qui est-ce ?

Elle semblait pétrifiée. Le vent enroulait la mousseline de sa chemise de nuit autour de ses jambes, tirait des mèches blanches de sous son bonnet. Ses traits étaient figés, mais ses yeux aveugles allaient et venaient d'un côté et de l'autre, cherchant une issue.

— *Co a th'ann ?* grogna-t-il. Qui est-ce ? Qui ?

Elle remua les lèvres, essayant de former des mots. Enfin, elle articula péniblement.

— Il s'appelait... il s'appelait Rawlings.

Un poids en plomb me tomba sur la poitrine. Je dus tressaillir, car Jamie me prit la main et la serra, sans quitter Jocasta des yeux.

— Comment est-ce arrivé ?

Elle ferma les yeux et soupira, ses épaules s'affaissant brusquement.

— Hector l'a tué.

Jamie lança un regard cynique vers les cercueils à l'intérieur du mausolée, puis à la masse gisant sur le sol.

— Vraiment ? Je ne savais pas que c'était possible. Mon oncle était décidément très doué.

— C'était avant... Ce Rawlings était médecin. Il était venu un jour examiner mes yeux. Quand Hector est tombé malade, il l'a fait revenir. Je ne sais pas exactement ce qui s'est passé, mais il l'a surpris en train de mettre son nez là où il n'aurait pas dû et il lui a fracassé le crâne. Hector s'emportait facilement.

— Je veux bien le croire !

Il jeta encore un coup d'œil vers le corps du Dr Rawlings.

— Comment s'est-il retrouvé là-dedans ?

— Nous... il... a caché le cadavre, pensant l'enterrer plus tard dans les bois. Mais, ensuite... son état s'est brusquement aggravé et il n'a plus quitté son lit. Le lendemain, il était mort. Puis...

Elle leva une main vers le courant d'air humide qui s'échappait de la tombe ouverte.

— Les grands esprits se rencontrent, murmurai-je.

Jamie m'adressa un regard noir et lâcha ma main. Il se tourna vers le trou, l'air songeur.

— À qui est le second cercueil ? demanda-t-il.

— À moi.

Jocasta commençait à retrouver son aplomb. Elle se redressa, le menton haut.

Jamie fit claquer ses lèvres. Je n'avais aucun mal à croire sa tante capable de laisser pourrir un mort sur place plutôt que de le mettre dans son précieux cercueil... Pourtant, cela augmentait considérablement le risque qu'il soit découvert.

Personne n'aurait ouvert la bière de Jocasta avant sa mort. Jusque-là, le cadavre du docteur Rawlings aurait été à l'abri, personne n'aurait pu le découvrir en cas d'ouverture du mausolée pour une raison ou pour une autre. Jocasta Cameron était égoïste, mais certainement pas stupide.

— Tu n'as qu'à mettre Wolff à côté de l'autre, puisqu'il le faut, déclara-t-elle.

Jamie la dévisagea fixement.

— Pourquoi pas dans ton cercueil, ma tante ?

Elle avait commencé à se détourner, mais fit volte-face, rouge de colère.

— Non ! Ce n'était qu'une immondice, qu'il pourrisse à même le sol !

Jamie ne répondit rien. Il lui tourna le dos et fit tomber les autres blocs. Jocasta s'agita de nouveau.

— Qu'est-ce que tu fais ?

Jamie se glissa dans l'ouverture et entra.

— Éclaire-moi, *Sassenach*.

Sa voix résonnait dans la petite chambre mortuaire. Je le suivis, le souffle court. Dehors, Phaedre se mit à geindre dans la nuit. On aurait dit les cris d'une *bansidhe* annonçant l'approche de la mort, sauf que celle-ci était déjà passée.

Les cercueils portaient chacun une plaque en cuivre, légèrement vert-de-grisée par l'humidité mais nettement lisible. Sur l'une était écrit « Hector Alexander Robert Cameron » et sur l'autre, « Jocasta Isobeail MacKenzie Cameron ». Sans hésiter, Jamie agrippa le bord du couvercle du second et le souleva.

Il n'était pas cloué. Il était lourd, mais glissa facilement.

— Oh ! fit Jamie dans un souffle.

L'or ne se ternit jamais, même dans l'environnement le plus humide. Il peut rester des siècles au fond d'un océan pour émerger un jour dans le filet d'un pêcheur, éclatant comme au premier jour. Il étincelle dans sa matrice rocheuse, comme un chant de sirène attirant les hommes dans les profondeurs de la terre depuis des millénaires.

Les lingots étaient soigneusement rangés au fond du cercueil. Il y en avait assez pour remplir deux petits coffres, chacun lourd au point de devoir être porté par deux hommes… ou par un homme et une femme forte. Chacun était estampillé d'une fleur de lys. Un tiers de l'or du Français.

Aveuglée par le reflet, je détournai les yeux. Au sol, je distinguai la masse noire du docteur Rawlings qui avait mis « son nez là où il n'aurait pas dû ». Qu'avait vu Daniel Rawlings, pour qu'il dessine une fleur de lys en marge de son cahier, avec la mention discrète *Aurum* ?

Hector Cameron était encore vivant alors. Le mausolée n'avait pas encore été scellé. Peut-être que, lorsque Rawlings l'avait suivi cette nuit-là, il l'avait conduit ici sans le savoir, alors qu'il venait admirer son butin. Peut-être. Ni Cameron ni Rawlings ne pourraient jamais nous dire comment cela s'était passé.

Mon cœur se serra pour l'homme dont les ossements gisaient à mes pieds, l'ami et le collègue dont j'avais hérité les instruments, dont l'ombre se penchait parfois par-dessus mon épaule, me donnant du courage quand je posais les mains sur les malades pour essayer de les guérir.

— Quel gâchis, murmurai-je.

Jamie rabaissa doucement le couvercle, comme si l'occupant du cercueil pouvait être perturbé dans son sommeil.

Jocasta était toujours dehors, un bras autour des épaules de Phaedre qui avait cessé de sangloter. On avait du mal à comprendre qui soutenait qui. Sa tante nous avait certainement entendus ressortir, mais elle ne bougea pas, face à la rivière, le regard fixe.

— Que fait-on alors ? demandai-je à Jamie.

Il se tourna vers la tombe et haussa les épaules.

— On laisse le lieutenant avec Hector, comme prévu. Quant au docteur...

Son regard se posa sur les os minces, disposés en éventail, pâles et immobiles dans la lueur de la torche.

Cette main avait été, autrefois, celle d'un médecin et d'un chirurgien.

— ... je crois qu'on va l'emmener avec nous, à Fraser's Ridge. Il sera entre amis.

Il passa près des deux femmes en les frôlant, sans un mot d'excuses, et partit chercher le lieutenant Wolff.

67

Le rêve d'une grive

Fraser's Ridge, mai 1772.

L'air de la nuit était frais. C'était encore trop tôt dans
l'année pour les mouches et les moustiques. Seuls quelques papillons de nuit entraient parfois par la fenêtre
ouverte pour voleter autour des braises mourantes
comme des bouts de papiers calcinés, frôlant leurs
membres nus.

Elle gisait telle qu'elle était retombée, à moitié couchée sur lui, respirant profondément. De là où elle se
trouvait, elle voyait dehors la ligne déchiquetée des arbres, de l'autre côté de la cour, et, au-delà, une portion
du ciel rempli d'étoiles.

— Tu ne m'en veux pas ? chuchota-t-il.

— Non. Je ne t'ai jamais demandé de ne pas le lire.

Il effleura son épaule du bout des doigts, et elle recroquevilla ses orteils de plaisir. Était-elle gênée ? Non.
Malgré la mise à nu de ses pensées et de ses rêves intimes, elle lui faisait entièrement confiance. Il ne s'en servirait jamais contre elle.

En outre, une fois couchés sur le papier, ses rêves ne
faisaient plus vraiment partie d'elle-même. Un peu

comme ses dessins : c'était le reflet d'une facette de son esprit, de quelque chose qu'elle avait vu, pensé, ressenti à un moment donné, mais ni l'esprit ni le cœur ne les avaient conçus.

Elle posa son menton dans le creux de son épaule. Il sentait bon, dégageant une odeur amère et musquée de désir assouvi.

— Pour être quittes, à toi de me raconter un de tes rêves.

Il se mit à rire.

— Un seul ?

— Oui, mais il doit être important, pas un de ces rêves de rien du tout, ni un de ces cauchemars où tu es poursuivi par un monstre ou dans lequel tu te retrouves tout nu dans la cour de récréation. Pas un rêve comme tout le monde en a, un que toi seul peux faire.

Elle grattait doucement les petits poils frisés sur sa poitrine. Son autre main était sous l'oreiller. Si elle la bougeait un peu, elle pouvait attraper la figurine de pierre. Elle imagina son ventre gonfler, devenir rond et dur. Elle sentait encore des spasmes doux dans son bas-ventre, la continuation de leurs ébats. Serait-ce pour cette fois ?

Il tourna la tête sur l'oreiller, tout en réfléchissant, puis glissa les doigts le long de sa colonne vertébrale, faisant naître la chair de poule dans leur sillage.

— Je pourrais être romantique, chuchota-t-il. Dire que c'est là mon rêve, toi et moi, ici ensemble… nous deux avec nos enfants.

Il regarda vers le petit lit où Jemmy était endormi.

— Tu pourrais, en effet, dit-elle. Mais c'est un rêve éveillé, pas un vrai rêve. Tu sais ce que je veux dire.

— Oui, je sais.

Il resta silencieux une minute, sa main immobile, large et chaude dans le creux de ses reins.

— Parfois... reprit-il enfin, parfois, je rêve que je chante et, à mon réveil, la gorge me pique.

Il ne pouvait voir le visage de Brianna, ni ses yeux embués de larmes.

— Qu'est-ce que tu chantes ? murmura-t-elle.

— Pas une chanson que j'ai déjà entendue ou que je connais. En revanche, je sais que je la chante pour toi.

68

Le cahier du médecin

27 juillet 1772

Ai reçu Rosamund Lindsay en fin d'après-midi, grièvement blessée à la main gauche d'un coup de hache lors de l'étayage d'un arbre. Large lacération, ayant presque sectionné le pouce. L'entaille s'étendait de la base de l'index au processus styloïde du radius, qui n'était que superficiellement endommagé. La plaie, vieille d'environ trois jours, avait été enduite de graisse de porc et grossièrement bandée. Elle présentait une putréfaction avancée, avec suppuration, gonflement considérable de la main et de l'avant-bras. Pouce noirci, gangrène apparente. Odeur âcre caractéristique. Stries rouges sous-cutanées, indiquant une septicémie allant de la plaie à la région cubitale antérieure.

La patiente présentait une forte fièvre, des symptômes de déshydratation, une légère désorientation. Tachycardie patente.

Devant la gravité de son état, ai recommandé l'amputation immédiate du membre au niveau du coude. Refus catégorique de la patiente, qui préférait recourir à un « cataplasme au pigeon », à savoir l'application d'un demi-pigeon fraîchement tué (le mari de la patiente avait apporté le pigeon en question, il venait juste de lui tordre le cou). Ai coupé le pouce à la base du métacarpe, ligaturé les vestiges d'artère radiale (écrasée lors de l'accident), débridé et drainé l'entaille, appliqué localement environ 15 g de poudre de pénicilline brute (source : écorce de melon Casaba pourri, lot 23, préparation du 15/4/71), suivi d'ail cru réduit en bouilli (trois gousses), d'un onguent à la sauge... et, sur l'insistance du mari, d'un cataplasme au pigeon par-dessus le bandage. Ai administré par voie orale les liquides suivants : mixture fébrifuge à base de centaurée rouge, de sanguinaire du Canada et de houblon ; eau à volonté. Ai injecté solution de pénicilline liquide (lot 23), IV, dosage 1/14 cl en suspension dans l'eau stérilisée.

L'état de la patiente s'est rapidement détérioré, avec des symptômes croissants de confusion et de délire, forte fièvre. Urticaire extensive sur le torse et le bras. Ai tenté de faire baisser la fièvre par des applications répétées d'eau froide. Sans succès. La patiente étant incohérente, ai demandé à son mari l'autorisation d'amputer. Refusée sous prétexte que, la mort semblant imminente, la patiente « ne voudrait pas être enterrée en morceaux ».

Ai répété les injections de pénicilline. La patiente a sombré dans l'inconscience peu après et a expiré juste avant l'aube.

Je replongeai ma plume dans l'encrier puis hésitai. Que pouvais-je dire de plus ?

Mon esprit méticuleux de scientifique m'incitait à décrire ce qui s'était passé le plus précisément possible. Parallèlement, j'hésitais à écrire noir sur blanc ce qui revenait à un aveu d'homicide. Ce n'était pas un meurtre, m'assurai-je, même si mon sentiment de culpabilité ne faisait pas cette distinction.

Je ne pensais pas que Rosamund Lindsay était morte d'une septicémie, mais d'une réaction aiguë à la solution de pénicilline non purifiée. En d'autres termes, au remède que je lui avais administré. Toutefois, elle aurait certainement été emportée par la septicémie si elle n'avait pas été traitée.

En vérité, je ne pouvais savoir quels seraient les effets de la pénicilline... mais n'était-ce pas là le but de l'opération ? M'assurer que quelqu'un d'autre les trouverait ?

J'avais consigné avec soin toutes mes expériences : la culture des bouillons à l'aide de pain rance, de papaye mâchée et d'écorce de melon pourrie, les descriptions minutieuses des moisissures examinées au microscope, les effets – jusque-là très limités – de mes applications.

Oui, bien sûr, je devais inclure une description des effets. La question était... à qui destinais-je ces archives ?

Pour mon propre usage, je ne me serais pas donné autant de peine. J'aurais simplement enregistré les symptômes, la chronologie, les effets, sans expliciter la cause de la mort. Je ne risquais pas d'en oublier les circonstances. Mais si ce journal devait un jour être utile à quelqu'un... quelqu'un avec une notion des bienfaits et des dangers d'un antibiotique...

L'encre commençait à sécher au bout de ma plume.

Âge : 44, écrivis-je lentement. À cette époque, on achevait souvent la description d'un cas médical par un résumé pieux des derniers moments du défunt, empreints – soi-disant – d'une résignation dévote pour les purs, d'un repentir sincère pour les pécheurs. Cela n'avait pas vraiment été le cas de Rosamund Lindsay.

Je jetai un œil vers son cercueil, posé sur des tréteaux devant la fenêtre battue par la pluie.

Rosamund était une ancienne prostituée de Boston. Étant devenue trop grosse et trop vieille pour gagner confortablement sa vie, elle avait dérivé vers le sud, à la recherche d'un mari. Peu après son arrivée à Fraser's Ridge, elle m'avait confié :

— Je n'aurais pas pu supporter encore un de ces hivers, ni encore un de ces pêcheurs empestant le poisson.

Elle avait trouvé refuge auprès de Kenny Lindsay, qui cherchait justement une femme pour partager le travail à la ferme. N'étant pas un couple basé sur une attraction physique mutuelle – ils avaient peut-être six bonnes dents à eux deux – ni sur une compatibilité affective, ils n'en avaient pas moins su vivre tous les deux en bonne intelligence.

Sous le choc plutôt qu'effondré de chagrin, Kenny avait été pris en charge par Jamie qui le soignait au whisky, un traitement plus efficace que le mien. Du moins, je ne pensais pas que sa mixture soit mortelle.

Cause du décès... je marquai une nouvelle pause. Les derniers instants de Rosamund n'avaient sans doute pas été adoucis par la prière ni par la philosophie. Elle était morte le visage bleu, congestionnée, les yeux exorbités, incapable de parler ni de respirer à travers les muqueuses enflées de sa gorge. Certes, mourir étouffée était plus rapide que mourir d'une septicémie, mais ce n'était pas franchement plus agréable. Il existait aussi une autre possibilité : qu'elle ait succombé à une embolie pulmonaire, un caillot dans un poumon. Cela pouvait être une complication de la septicémie, les symptômes correspondaient.

Hélas, ce n'était sans doute qu'un vœu pieux. La voix de l'expérience autant que celle de la conscience m'ordonnèrent d'écrire « anaphylaxie », avant de pouvoir changer d'avis.

Connaissait-on déjà le terme « anaphylaxie » ? Je ne l'avais vu nulle part dans le cahier de Rawlings, mais je n'avais pas tout lu. Toutefois, si le choc mortel à une réaction allergique n'était pas inconnu à cette époque, il était peu courant. Il valait peut-être mieux que je le décrive en détail pour le lecteur de ce cahier.

Mais qui le lirait ?

Il existait encore peu de facultés de médecine, et celles-ci se trouvaient principalement en Europe. La plupart des médecins apprenaient leur métier en servant comme apprentis, puis sur le tas. Rawlings, par exemple, n'avait pas suivi d'école et bon nombre de ses techniques étaient d'autant plus choquantes. Je pinçai les lèvres rien qu'en songeant à certains de ses traitements consignés dans le cahier : infusions au mercure liquide contre la syphilis, application de ventouses et de vésicatoires en cas de crises d'épilepsie, saignées à tire-larigot pour toutes sortes de troubles, de l'indigestion à l'impuissance.

Pourtant Rawlings était un vrai médecin. En lisant ses rapports, je sentais son amour pour ses patients, sa curiosité pour les mystères du corps.

Mue par une impulsion, je revins à ses notes, ressentant le besoin d'une communication, aussi éloignée soit-elle, avec un autre médecin, quelqu'un comme moi.

« Quelqu'un comme moi ». Je fixai la page, avec son écriture appliquée, ses illustrations soignées, ne voyant pas les détails. Y avait-il quelqu'un d'autre comme moi ?

Personne. Jusqu'à présent, je n'y avais que vaguement réfléchi. Pour autant que je sache, dans toute la colonie de Caroline du Nord, il existait un seul « médecin » officiel, Fentiman. Peuh ! Je préférais encore Murray MacLeod et ses remèdes de bonne femme. Au moins, ils étaient inoffensifs.

Il me fallait regarder la vérité en face. Je ne vivrais pas éternellement. Je devais trouver une personne à qui transmettre au moins les rudiments. Brianna ?

Non, pas elle. Elle semblait pourtant le choix logique. Elle savait au moins ce qu'était la médecine moderne. Elle n'aurait pas à surmonter son ignorance et ses superstitions, n'avait pas besoin d'être convaincue des vertus des antiseptiques et des dangers des microbes. Cependant, elle n'avait pas la vocation, pas l'instinct pour soigner. Le sang ne lui faisait pas peur, elle m'avait souvent aidée pour des accouchements et des interventions chirurgicales mineures, mais il lui manquait ce mélange particulier d'empathie et de dureté indispensable à un médecin.

D'une certaine manière, elle était plus la fille de Jamie que la mienne. Elle avait son courage, sa grande tendresse, mais c'était un courage de guerrier, une tendresse brutale qui pouvait vous broyer si elle le décidait. Je n'étais pas parvenue à lui transmettre mon don, la connaissance du sang et des os, les chemins secrets menant aux ventricules du cœur.

69

Zugunruhe

Septembre 1772

Je m'étais réveillée trempée de sueur, ma chemise me
collant à la peau. Incapable de me rendormir, j'avais
écarté la moustiquaire en gaze de notre lit et m'étais levée
sans bruit, étourdie et désincarnée. Pour éviter de réveiller Jamie, j'étais sortie dans le couloir, puis m'étais
installée dans le débarras, en face de notre chambre.
C'était une petite pièce, mais sa grande fenêtre donnait
sur la montagne. Je me tenais là depuis un long moment,
laissant l'air frais de la nuit caresser mes jambes nues
quand je m'aperçus de la présence de Jamie derrière moi.

Il n'avait fait aucun bruit, mais sa présence, chaude,
comme un épaississement de l'air, était palpable.

— Tout va bien, *Sassenach* ? demanda-t-il doucement
depuis le pas de la porte.

— Oui. J'avais juste besoin d'un peu d'air frais. Je ne
voulais pas te réveiller.

Je chuchotai, car Lizzie et son père dormaient dans
la chambre d'à côté.

Il se rapprocha, tel un grand fantôme nu, sentant le
sommeil.

— Je me réveille toujours quand tu te réveilles, *Sassenach*. Je dors mal quand tu n'es pas à côté de moi.

Il toucha brièvement mon front.

— J'ai cru que tu avais un peu de fièvre. Ta place dans le lit était moite. Tu es sûre que tu te sens bien ?

— J'avais chaud. Je n'arrivais pas à dormir. Mais oui, ça va. Et toi ?

Il avança près de moi devant la fenêtre, regardant la nuit de cette fin d'été. La pleine lune énervait les oiseaux. Tout près de nous, j'entendais le gazouillis occasionnel d'un pinson, nichant en retard, et plus loin, le cri perçant d'une nyctale d'Acadie en train de chasser.

— Tu te souviens de Laurence Sterne ? demanda-t-il soudain.

Les bruits d'animaux l'avaient probablement fait penser au naturaliste.

— Je doute fort que quiconque puisse l'oublier après une première rencontre. Son sac d'araignées séchées m'a marquée à vie. Sans parler de son odeur.

Sterne était toujours entouré d'un parfum très personnel, un mélange d'exhalation naturelle du corps et d'eau de Cologne luxueuse qui n'arrivait pas à masquer l'acidité des différents conservateurs, tels que le camphre et l'alcool, ainsi que les effluves de décomposition des divers spécimens qu'il collectionnait.

Jamie émit un petit rire.

— C'est vrai qu'il empestait encore plus que toi.

— Je ne pue pas !

— Mmphm.

Il prit ma main et la renifla délicatement.

— Oignons… ail… quelque chose d'épicé… grains de poivre… Ah oui ! clous de girofle, sang d'écureuil, jus de viande…

Il darda une langue de serpent, touchant le dessus de mes doigts.

— Amidon ?... Pommes de terre... et quelque chose venu des bois... oui, amanite tue-mouche.

— Tu triches ! Tu sais très bien ce qu'on a mangé ce soir. Et puis ce n'étaient pas des amanites tue-mouche, mais des cèpes.

— Ah oui ?

Il retourna ma main et huma ma paume, puis mon poignet, puis mon bras.

— Vinaigre et ciboulette. Tu as préparé des pickles aux concombres ? Miam, tant mieux ! Mmmm... je sens du lait caillé, là, dans tes petits poils. Tu as baratté du beurre ou écrémé du lait ?

— Tu n'as qu'à le deviner, puisque tu es si fort.

— Beurre.

— Merde !

J'essayai de récupérer ma main, mais uniquement parce que les poils de sa barbe me chatouillaient la peau. Il poursuivit son enquête olfactive jusque dans le creux de mon épaule, me faisant rire tandis que ses cheveux me titillaient le cou. Il souleva légèrement mon bras, effleura le duvet moite sous mon aisselle, puis porta ses doigts à ses narines.

— *Eau de femme*[1], murmura-t-il avec un rire dans la voix.

— Et dire que je me suis baignée !

— Oui, avec du savon au tournesol.

Il reprit l'inspection de ma clavicule. Comme je poussais, un petit cri haut perché, il posa une main sur mes lèvres. Lui sentait la poudre, le foin et le fu-

---

1. En français dans le texte. *(N.d.T.)*

mier, mais, bâillonnée par sa paume, je ne pouvais le lui dire.

Il se redressa, se pencha sur moi, et je sentis la douceur de ses lèvres contre ma tempe, puis la caresse de sa langue sur ma peau.

— Et du sel. Tu as du sel sur le visage et tes cils sont mouillés, *Sassenach*. Tu as pleuré ?

J'eus soudain une envie irrationnelle de sangloter, mais répondis :

— Non, c'est la transpiration… j'avais chaud.

Ce n'était plus le cas, ma peau était fraîche. Froide comme la brise nocturne dans mon dos.

— Ah ! mais ici, en revanche… mmmm.

Il s'était agenouillé, un bras autour de ma taille pour me tenir, son nez enfoui entre mes seins.

D'ordinaire, je n'utilisais pas de parfum, mais j'avais une huile spéciale, envoyée des Antilles, fabriquée avec des fleurs d'oranger, du jasmin, des gousses de vanille et de la cannelle. Je n'en possédais qu'un petit flacon et ne m'en mettais qu'une goutte de temps en temps, pour des occasions que je présumais spéciales.

— Tu me voulais, dit-il tristement. Et je me suis endormi sans même te toucher ! Je suis désolé, *Sassenach*. Tu aurais dû me le dire.

— Tu étais fatigué.

Sa main avait quitté ma bouche. Je caressai ses cheveux, lissant les longues mèches derrière ses oreilles. Il se mit à rire, et je sentis son souffle chaud sur mon ventre.

— Tu aurais pu me sortir de ma tombe, *Sassenach*. Je n'aurais pas dit non.

Il se releva, face à moi. Même dans l'obscurité, je constatai que je n'aurais pas besoin d'en arriver à des mesures aussi draconiennes.

— Il fait chaud, dis-je. Je transpire.

— Et moi donc !

Ses mains enserrèrent ma taille, et il me souleva, me posant sur le rebord de la fenêtre. Le contact froid du bois me fit frissonner, tandis que je m'accrochai par réflexe aux montants de la fenêtre.

— Qu'est-ce que tu fabriques ?

Il ne répondit pas. De toute manière, ma question avait été purement rhétorique.

— *Eau de femme, Parfum d'amour*[1], murmura-t-il encore.

Ses cheveux caressèrent mes cuisses quand il s'agenouilla de nouveau. Les lattes du plancher craquèrent sous son poids. Il tenait fermement la courbe de mes hanches. Je ne risquais pas de chuter et pourtant je sentais le vide derrière moi, la nuit claire et infinie, avec son ciel parsemé d'astres brillants parmi lesquels je pouvais tomber et tomber encore, minuscule étincelle de vie, devenant de plus en plus brûlante dans la friction du néant, pour exploser enfin dans l'incandescence d'une étoile... filante.

— Chut, murmura Jamie dans le lointain.

Il s'était redressé, ses mains me tenant toujours. Le gémissement sourd avait pu être celui du vent... ou le mien. Ses doigts caressèrent mes lèvres. On aurait dit des allumettes s'embrasant au contact de ma peau. La chaleur dansait sur moi, sur mon ventre et sur mes seins. Brûlant devant, froid derrière, tel saint Laurent sur son gril.

Je l'enveloppai de mes cuisses, les talons enfoncés dans ses fessiers, la force solide de ses hanches entre mes jambes formant mon seul point d'ancrage.

---

1. En français dans le texte. *(N.d.T.)*

— Lâche-toi, chuchota-t-il dans mon oreille. Je te tiens.

Je partis en arrière, la tête dans le vide, ne craignant rien entre ses mains.

Beaucoup plus tard, je demandai d'une voix endormie :

— Tout à l'heure, tu avais commencé à me dire quelque chose au sujet de Laurence Sterne.

— C'est vrai.

Jamie s'étira et se cala confortablement, une main sous ma fesse. Mes doigts tripotaient les poils de ses cuisses. Il faisait trop chaud pour se coller l'un contre l'autre, mais nous ne voulions pas, non plus, être séparés.

— On parlait d'oiseaux, et comme c'en était un drôle… Un jour, je lui ai demandé pourquoi, à la fin de l'été, les oiseaux chantent la nuit. Les nuits sont plus courtes, et on pourrait croire qu'ils ont besoin de dormir. Mais non, on les entend sautiller, gazouiller et faire toutes sortes de choses dans les arbres et les haies.

— Vraiment ? Je n'avais jamais remarqué.

— Parce que tu n'as pas l'habitude de dormir la nuit dans la forêt, *Sassenach*, dit-il avec indulgence. Moi si, tout comme Sterne. Il a remarqué le même phénomène et s'est demandé pourquoi.

— Il a trouvé une réponse ?

— Pas vraiment une réponse, mais une théorie.

— Oh ! c'est encore mieux.

Il roula sur le côté et se gratta la poitrine.

— Il a capturé un certain nombre d'oiseaux et les a enfermés dans des cages tapissées de papier buvard.

Cette explication m'extirpa momentanément de ma torpeur.

— Quoi ? Mais pour quoi faire ?

— Enfin, pas tapissées entièrement, juste le plancher, expliqua-t-il. Il a posé dessus une assiette remplie d'encre avec, au milieu, une soucoupe avec des graines, si bien qu'ils ne pouvaient pas se nourrir sans se tacher les pattes.

— Mmmm... et qu'est-ce que cela a donné ? À part un papier buvard plein d'empreintes noires ?

Attirés par le musc de nos corps échauffés, les insectes commençaient à se montrer. Un *zzzz* près de mon oreille me fit claquer vainement les mains. Je rabattis la moustiquaire que Jamie avait laissée ouverte, en venant à ma recherche.

— En effet, il y avait beaucoup de petites empreintes, *Sassenach*, mais la plupart étaient d'un seul côté de la cage. Dans toutes les cages.

— Vraiment ? Quelle a été la déduction de Sterne ?

— Ayant eu la brillante idée de placer une boussole près des cages, il a découvert que, toute la nuit, les oiseaux se sont agités en direction du sud-est, soit celle vers laquelle ils migrent à l'automne.

Je tordis mes cheveux dans ma nuque et l'éventai.

— Très intéressant, mais la fin de l'été n'est pas la période des grandes migrations. En outre, ils ne volent pas la nuit, même quand ils migrent, non ?

— C'est vrai, mais ils ont agi comme s'ils sentaient l'approche du départ, son attraction, et cela a perturbé leur sommeil. Mais le plus étrange, c'est que la plupart des oiseaux étaient des jeunes, qui n'avaient encore jamais fait le voyage. Ils n'avaient même jamais vu l'endroit où ils devaient aller. On aurait dit comme un appel qui les extirpait de leur sommeil.

Je bougeai à peine et il souleva sa main de ma cuisse.

— *Zugunruhe*, dit-il doucement.

Du bout de son index, il retraça l'empreinte moite qu'il avait laissée sur ma peau.

— Qu'est-ce que c'est ?

— C'est le nom que Sterne a donné au phénomène, à cet état de veille des oiseaux sur le départ.

— Ça a un sens ?

— Oui, *ruhe*, c'est le calme, le repos. Et *zug*, c'est une sorte de voyage. Ça signifie donc une agitation… une excitation avant un long voyage.

Je roulai vers lui, poussant affectueusement son épaule avec mon front. J'inhalai profondément, mimant un amateur qui hume l'arôme délicat d'un cigare.

— Mmmm… comment dirais-je… *Eau d'homme*[1] ?

Il releva la tête, se renifla d'un air suspicieux, fronçant les narines.

— Je dirais plutôt *Eau de chèvre*[1] !

Les oiseaux chantèrent toute la nuit.

---

1. En français dans le texte. *(N.d.T.)*

70

Tulach Ard

Octobre 1772

En souriant, Jamie indiqua quelqu'un du menton.

— Je vois qu'on a du renfort aujourd'hui !

Roger se retourna et aperçut Jemmy qui trottait maladroitement derrière eux, le front plissé par la concentration, serrant des deux mains contre sa poitrine une pierre de la taille d'un poing. Roger réprima son envie de rire et s'accroupit en attendant qu'il les rejoigne.

— C'est pour le nouvel enclos des cochons,*'ghille ruadh* ?

Jemmy acquiesça solennellement, ses joues rougies par l'effort en dépit de la fraîcheur matinale. Roger tendit la main, gardant un air sérieux.

— Merci. Tu veux que je la prenne ?

Jemmy secoua vigoureusement la tête.

— Moi qui fais !

— C'est une longue route,*'ghille ruadh*, dit Jamie. Tu vas manquer à ta mère.

— Grand-père a raison, *a bhalaich*, maman a besoin de toi. Tiens, laisse-moi te...

— Nan !

Jemmy se recroquevilla d'un air protecteur sur sa pierre.

— Mais tu ne peux pas... commença Jamie.

— Moi viens !

— Non, j'ai dit que tu devais... poursuivit Roger.

— MOI VIENS !

— Écoute, mon garçon... dirent les deux hommes à l'unisson.

Ils s'interrompirent et éclatèrent de rire. Puis Roger tenta une nouvelle approche.

— Où est maman, dis ? Elle doit s'inquiéter de ne pas te voir, non ?

La petite tête rousse fit non.

Jamie s'accroupit à côté de Roger.

— Claire a dit que les femmes devaient confectionner de nouveaux édredons aujourd'hui. Marsali a apporté un patron. Elles ont dû commencer le matelassage.

Il regarda son petit-fils dans les yeux.

— Tu t'es échappé pendant que ta mère avait le dos tourné, n'est-ce pas ?

La petite bouche rose, jusque-là pincée dans une moue entêtée, s'entrouvrit pour laisser filtrer un gloussement de rire.

— C'est bien ce qui me semblait, soupira Roger. Allez, viens que je te ramène à la maison.

Il se releva et souleva le garçonnet et sa pierre.

— Non, non, NON ! Moi viens ! Moi viens !

Essayant de se faire entendre sans hurler par-dessus les braillements de son fils tout en l'empêchant de tomber à la renverse, Roger n'entendit pas tout de suite les cris en provenance de la maison. Toutefois, lorsqu'il se résolut enfin à plaquer une main sur la bouche grande ouverte du rejeton, les appels féminins étaient clairement audibles entre les arbres.

— Jeeeemmmyyyyyy !

— Tu vois, Mlle Lizzie te cherche ! annonça Jamie à son petit-fils.

D'autres voix de femmes résonnaient, sur un ton de plus en plus agacé.

— Il n'y a pas que Lizzie, dit Roger. Maman, grand-mère Claire, grand-mère Bug, tante Marsali... elles sont toutes à ta recherche et elles n'ont pas l'air très contentes.

— On ferait mieux de le ramener, suggéra Jamie.

Il regarda son petit-fils avec une pointe de compassion.

— À mon avis, tu vas avoir une fessée. En général, les femmes supportent mal qu'on les abandonne.

Devant cette perspective menaçante, Jemmy lâcha sa pierre et s'accrocha au cou de son père.

— Veux aller avec toi, papa !

— Mais maman...

— PAS MAMAN ! Veux papa !

Roger lui tapota le dos. Il était partagé. C'était la première fois que Jemmy exprimait aussi directement son envie d'être avec lui plutôt qu'avec Brianna, et il n'était pas peu flatté. Même si la partialité de son fils était surtout motivée par le désir d'échapper à une punition, il était tout de même venu vers lui spontanément.

Il se tourna vers Jamie, lui parlant par-dessus la tête du petit, à présent niché dans son épaule.

— On peut peut-être l'emmener ? Juste pour la matinée. Je le ramènerai à midi.

Jamie sourit à son petit-fils, ramassa la pierre et la lui rendit.

— Bien sûr. Construire un enclos pour les cochons est un vrai travail d'homme. Ça te changera de toutes ces minauderies et de ces jacasseries de bonne femme, pas vrai ?

Roger leva le menton en direction de la maison où les JEEEEEMMMYYYY ! se teintaient nettement d'irritation.

— En parlant de jacasseries, on ferait bien d'aller les prévenir qu'il est avec nous.

Jamie mit à terre son sac à dos et s'adressa au garçonnet.

— J'y vais, mais c'est à charge de revanche, mon petit gars. Quand les femmes sont énervées, elles s'en prennent au premier homme qui leur tombe sous la main, qu'il soit responsable ou pas. Si bien que c'est moi qui vais me faire botter les fesses à ta place.

Il leva les yeux au ciel, puis sourit à Jemmy avant de repartir vers la maison au pas de course.

Jemmy pouffa de rire.

— Grand-papa, pan ! pan !

— Chut, tu n'as pas honte ! dit Roger.

Il lui donna une petite tape sur les fesses et se rendit compte qu'il portait des culottes courtes sous sa robe, mais pas de lange en dessous. Il le reposa sur le sol.

— Tu as besoin d'aller au petit coin ?

Jemmy fit non de la tête tout en tirant sur son entre-jambe, un signe avant-coureur que Roger ne connaissait que trop. Il le prit par la main et l'entraîna fermement vers un buisson voisin.

— Viens. Faisons un essai en attendant le retour de grand-père.

Jamie mit un certain temps à réapparaître, alors que les appels des femmes s'étaient tus depuis longtemps. S'il s'était fait botter les fesses, cela n'avait pas dû lui déplaire. Quand il revint enfin, les pommettes rouges, il affichait un air plutôt satisfait de lui.

Tout devint clair lorsqu'il sortit une serviette de sa poche, l'ouvrit et en sortit une demi-douzaine de biscuits frais, encore chauds, dégoulinant de beurre fondu et de miel. Distribuant son butin, il expliqua :

— Je crois que Mme Bug les destinait au cercle des couseuses d'édredons, mais il en restait plein dans le bol et je suis sûr qu'elles ne s'en apercevront même pas.

— Si elles disent quelque chose, je vous dénoncerai, promit Roger.

Il rattrapa du bout de la langue une coulée de miel sur son poignet, puis se lécha les doigts, fermant les yeux, extatique.

— Quoi, tu me livrerais à l'Inquisition ? Après que j'ai partagé le fruit de ma rapine avec toi, quelle ingratitude !

— Votre réputation tiendra le choc. Depuis la semaine dernière et la mésaventure du cake aux épices, grand-mère Bug nous a déclarés *persona non grata*, Jemmy et moi. Mais Sa Seigneurie peut tout se permettre avec elle. Elle vous laisserait dévaliser son garde-manger sans battre un cil.

Jamie essuya le coin de ses lèvres avec le sourire complaisant d'un homme assuré de jouir des bonnes grâces de Mme Bug.

— C'est possible, mais si tu comptes vraiment me faire porter le chapeau, tu ferais bien d'effacer les preuves sur le petit avant de rentrer.

Jemmy s'était attaqué à son en-cas avec une grande concentration, si bien que son visage tout entier était barbouillé de beurre. Des traînées de miel coulaient en filets ambrés sur son tablier et des grumeaux de biscuits à moitié mâchés étaient collés dans ses cheveux.

— Comment as-tu pu te mettre dans un tel état aussi vite ? demanda Roger, sidéré. Regarde ce que tu as fait à ta chemise ! Ta mère va nous tuer !

Il prit la serviette pour faire une tentative de toilette, mais ne parvint qu'à étaler les dégâts.

— Ne t'inquiète pas, dit Jamie avec indulgence. Il sera tellement crotté des pieds à la tête avant la fin de la journée que sa mère ne remarquera pas quelques miettes de plus ou de moins. Eh, attention, mon bonhomme !

D'un geste rapide, il parvint à attraper au vol une moitié du biscuit que l'enfant essayait de fourrer entier dans sa bouche. Il mordit dedans d'un air songeur tout en poursuivant :

— Cela dit, on le trempera un peu dans le ruisseau en passant. Il vaut mieux pas que les porcs sentent le miel sur lui.

Roger ressentit un léger malaise, car Jamie ne plaisantait pas au sujet des cochons. Il n'était pas rare d'en voir ou d'en entendre dans le coin, retournant la terre au pied des chênes et des peupliers, ou grognant de béatitude devant une manne de châtaignes. En cette saison, la nourriture était abondante et ils ne constituaient pas une menace pour les hommes adultes. En revanche, un petit garçon à l'odeur sucrée… On imaginait toujours les cochons se nourrissant de racines et de glands, mais Roger avait encore en tête l'image de la grosse truie blanche, aperçue quelques jours plus tôt, la queue nue et sanglante d'un opossum tombant hors de sa gueule, tandis qu'elle mâchonnait d'un air placide.

Il avait l'impression d'avoir un morceau de biscuit coincé dans la gorge. Il saisit Jemmy tout poisseux et riant, et le cala fermement sous un bras, ses bras et ses jambes pendant mollement.

— En route vers le ruisseau ! lança-t-il, résigné. Maman sera très fâchée si tu te fais dévorer par un cochon.

Les poteaux étaient empilés près du pilier en pierre. Roger fouilla jusqu'à ce qu'il en ait trouvé un de suffisamment court, puis s'en servit pour faire levier et soulever un bloc de granit, juste assez pour glisser ses mains dessous. S'accroupissant, il parvint à le hisser sur ses cuisses, puis se leva très lentement, son dos se redressant une vertèbre après l'autre, ses doigts s'enfonçant dans les mottes de lichens. Malgré le chiffon noué autour de son front, la transpiration ruisselait sur son visage. Il secoua la tête pour chasser la sueur qui lui coulait dans les yeux.

— Papa ! Papa !

Roger sentit qu'on tirait sur ses culottes. Il écarta les jambes, plantant fermement les deux pieds dans le sol pour maintenir son équilibre et ne pas lâcher la pierre, puis baissa les yeux, agacé.

— Quoi, Jemmy ?

L'enfant serrait le tissu des deux mains, regardant vers la forêt.

— Cochon papa ! Gros cochon !

Roger suivit son regard et se figea.

Un énorme cochon sauvage noir se tenait là, à cinq mètres environ. Il devait faire près d'un mètre au garrot et peser plus de cent kilos, avec des défenses jaunes recourbées de la taille des avant-bras de Jemmy. La tête haute, son groin humide humant l'air, il flairait la nourriture ou le danger.

— Merde, lâcha Roger.

Jemmy, qui, en temps normal, aurait sauté sur l'occasion pour claironner le juron *ad libitum*, se contenta de s'accrocher à la jambe de son père. Les pensées se bousculèrent dans la tête de Roger, comme des autos tamponneuses. S'il bougeait, l'animal risquait-il d'attaquer ? Il le fallait pourtant, les muscles de ses bras se mettaient à trembler. Il avait aspergé Jemmy d'eau. Sentait-il encore le miel ou ressemblait-il à un aliment figurant au menu du cochon ?

— Jemmy, dit-il très calmement. Viens te mettre derrière moi. Maintenant.

Le cochon tourna la tête dans leur direction. Il les regardait, Roger le devinait à la manière dont ses petits yeux allaient de l'un à l'autre. Il avança de quelques pas. Ses petits sabots semblaient d'une délicatesse absurde comparée à la masse menaçante de son corps. Il avait l'air sur ses gardes, mais pas effrayé.

— Jemmy, tu vois grand-père ?

Des décharges de feu brûlaient ses biceps, et il avait l'impression que ses coudes étaient écrasés dans un étau.

— Non, chuchota Jemmy.

L'enfant se blottissait contre son père, se pressant contre ses jambes.

— Retourne-toi lentement. Il est allé au ruisseau. Il va revenir dans cette direction. Retourne-toi et regarde.

— Grand-père ! hurla soudain Jemmy.

Au bruit, les soies du cochon se hérissèrent en formant une crête drue. Il abaissa la tête, bandant ses muscles.

— Cours, Jemmy. Cours rejoindre grand-père !

Une décharge d'adrénaline fusa en lui et, soudain, la pierre ne pesa pas plus qu'une plume. Il la lança sur l'animal qui chargeait, l'atteignant à l'épaule. Le porc poussa un grognement de surprise, fit une embardée, puis rugit et fonça sur lui, ses défenses fendant l'air, tandis qu'il donnait des coups de tête. Il ne pouvait l'esquiver et le laisser passer, car Jemmy était encore trop près. De toutes ses forces, il envoya son pied dans la mâchoire de l'animal, puis se jeta sur lui, essayant de trouver une prise autour de son cou.

Ses doigts glissaient, ne pouvant se raccrocher à rien dans les soies raides, dérapant sur la masse dure des muscles. C'était comme de lutter avec un sac de béton ! Quelque chose de chaud et humide coula sous sa main, et il la retira précipitamment. Avait-il pris un coup de corne ? Il ne ressentait aucune douleur. Peut-être était-ce uniquement de la bave, ou le sang d'une plaie trop profonde pour qu'il la sente déjà. Il n'avait pas le temps de vérifier. Il continua à tâtonner, parvint à agripper une patte velue et tira.

En roulant sur le flanc, le cochon le désarçonna. Il atterrit sur les mains, et son genou heurta une pierre. Une douleur fulgurante le traversa de la cheville à l'aine, et il se recroquevilla par réflexe, momentanément paralysé par le choc.

Le porc s'était redressé et s'ébrouait, lui tournant le dos. Un nuage de poussière s'éleva de son pelage, et il distingua la queue en tire-bouchon. Encore une seconde, et la bête ferait volte-face, le pourfendrait de part en part, puis piétinerait les morceaux. Il chercha une pierre autour de lui, mais sa main ne rencontra que des mottes de terre sèches se désintégrant entre ses doigts.

Un bruit de course résonna sur sa gauche, puis il entendit un cri :

— *Tulach Ard ! Tulach Ard !*

Le porc se retourna. La gueule ouverte et les yeux rouges de rage, il se prépara à affronter son nouvel ennemi.

Son coutelas au poing, Jamie se baissa, fendit l'air devant lui, tailladant l'animal, puis bondissant de côté quand celui-ci chargea.

Combattre cette créature avec un couteau ? Il devait être tombé sur la tête.

— Non, pas du tout, répondit Jamie.

Roger ne s'était pas rendu compte qu'il avait pensé à voix haute.

Jamie s'accroupit en équilibre sur la pointe des pieds et tendit sa main libre vers Roger sans quitter le cochon des yeux. Celui-ci s'était arrêté, grattant le sol de ses sabots et grinçant des dents, balançant la tête vers un homme puis vers l'autre, évaluant les possibilités.

— *Bioran* ! dit Jamie. Le bâton, le pieu, donne-le-moi !

Le pieu... il voulait parler du poteau. La jambe de Roger refusait toujours de fonctionner, mais il pouvait bouger. Il se jeta sur le côté, attrapa le morceau de bois et parvint à s'asseoir. Il le plaça devant lui comme une lance, le bout pointu orienté vers l'ennemi.

— *Tulach Ard* ! tonna-t-il. Amène-toi, gros lard !

Distrait, le porc se tourna vers lui. Jamie en profita pour se ruer sur lui, visant, avec sa lame, un point entre les omoplates. Il y eut un cri perçant, et la bête pivota sur elle-même, une profonde entaille dans son épaule projetant une giclée de sang. Jamie bondit de côté, dérapa, s'étala de tout son long, roula sur lui-même, son coutelas tombant de sa main.

Plongeant en avant, Roger planta sa lance improvisée sous la queue du cochon. Celui-ci hurla et sembla s'élever dans les airs. Le pieu trembla dans ses mains, l'écorce lui arrachant la peau. Il parvint à tenir bon, tandis que la bête s'affalait sur le flanc en se débattant furieusement, rugissant, se trémoussant, lançant du sang et de la boue noire dans toutes les directions.

Jamie s'était relevé, couvert de terre et hurlant. Il s'empara d'un autre poteau et l'abattit sur la tête de l'animal qui se relevait. Le bois sur l'os émit un craquement sinistre. Sonné, le porc s'assit dans un grognement.

Un cri aigu provenant de l'autre côté fit se retourner Roger. Tenant le coutelas de son grand-père au-dessus de sa tête, Jemmy courait en titubant vers le cochon, son visage cramoisi de concentration.

— Jemmy ! Va-t'en de là !

Le porc grogna, et Jamie cria quelque chose. Roger s'élança vers son fils, mais un mouvement dans le bois derrière celui-ci lui fit relever les yeux. Un éclat gris fusa au ras du sol, si vite qu'il n'eut qu'une brève impression.

Cela lui suffit pour savoir ce que c'était.

— Des loups ! hurla-t-il à Jamie.

Tout en se disant que des loups plus des cochons sauvages, c'était vraiment trop injuste, il rejoignit Jemmy, lui arracha le coutelas et se jeta sur lui.

Il se pressa contre le sol, sentant l'enfant gesticuler frénétiquement sous lui, et attendit, soudain étrangement calme. Serait-ce un coup de défense ou de crocs ?

— Ce n'est rien, Jemmy. Calme-toi, tout va bien. Papa est là.

Son front était collé contre la terre, la tête de l'enfant coincée dans le creux de son épaule. D'un bras, il le protégeait. Dans l'autre main, il tenait le coutelas. Il voûta le dos. Sa nuque nue était vulnérable, mais il n'y pouvait rien.

Il entendait le loup, hurlant et appelant sa meute. Le cochon émettait un long cri continu, irréel. Jamie, lui, continuait à débiter toutes sortes d'imprécations plus ou moins cohérentes en gaélique.

Tout à coup, un étrange sifflement traversa l'air, suivi d'un bruit sourd et creux. Puis il y eut un silence instantané et total.

Surpris, Roger releva la tête de quelques centimètres. Le porc se trouvait à un mètre de lui, la mâchoire grande ouverte dans une expression de stupéfaction. Jamie se tenait derrière lui, couvert de sang et de boue des pieds à la tête, et l'air aussi interdit.

Puis, les pattes avant de la bête lâchèrent et, le regard vitreux, elle s'effondra sur le côté, la tige d'une flèche, apparemment fine et inoffensive, pointant dans sa gorge.

Roger se redressa lentement sans lâcher Jemmy qui gesticulait et pleurait. Il remarqua vaguement que ses mains tremblaient, mais il se sentait curieusement vide d'émotions. Il frotta le dos de l'enfant pour le réconforter, puis, se tournant vers la forêt, il aperçut l'Indien, son arc à la main.

Il chercha le loup des yeux. Il était là, tout à côté de lui, reniflant la carcasse du porc, à deux pas de Jamie qui ne semblait pas non plus lui prêter attention. Lui aussi fixait l'Indien. Puis, Roger vit une joie incrédule illuminer lentement ses traits sous les traînées de boue et de sang.

— Ian, murmura-t-il. Oh, mon Dieu ! C'est Ian.

71

La voix du temps

Lizzie n'ayant pas eu de mère pour l'aider à faire son trousseau, les femmes de Fraser's Ridge s'étaient réunies pour fournir des jupons, des chemises de nuit et des bas tricotés. Les plus douées les assemblaient en carrés de patchwork, qui serviraient, ensuite, à fabriquer un grand édredon. Une fois le nombre de pièces nécessaires réuni, tout le monde se retrouva dans la grande maison pour le piquage et le rembourrage laborieux du dessus, du dessous et du molleton, celui-ci étant constitué de tout ce qui nous tombait sous la main – couvertures élimées, chiffons ou déchets de laine.

Je n'avais ni talent ni patience pour la couture, mais j'avais la dextérité nécessaire pour faire les points les plus petits et minutieux. Surtout, j'avais une grande cuisine bien éclairée, et suffisamment de place pour tendre le tissu sur un cadre. Enfin, j'avais Mme Bug qui approvisionnait les couseuses en tasses de thé et en une suite ininterrompue de petits pains aux pommes.

Nous étions en train de piquer le nouveau carré de Mme Evan Lindsay, composé en tons crème et bleus, quand Jamie apparut sur le seuil du couloir. Absorbées dans une conversation sur les ronflements de leurs maris respectifs, la plupart des femmes ne le remarquèrent pas, mais, moi, je me trouvais face à la porte. Il n'entra pas, cherchant uniquement à attirer mon attention sans se faire remarquer. Lorsque je levai les yeux vers lui, il m'adressa un signe urgent de la tête et disparut.

Je jetai un œil vers Brianna. Elle l'avait vu aussi. Elle arqua un sourcil perplexe, puis haussa les épaules. Je terminai mon point en nouant le fil, plantai mon aiguille dans le tissu, puis me levai en marmonnant une excuse.

Mme Chisholm, qui était penchée vers sa voisine Mme Aberfeldy, lui conseilla :

— Donnez-lui donc de la bière avec son dîner. Beaucoup, et diluée dans de l'eau. Comme ça, il se lèvera toutes les demi-heures pour aller pisser et il n'aura pas le temps de faire trembler toute la maison avec ses grognements de goret.

— J'ai déjà essayé, objecta Mme Aberfeldy. Mais chaque fois qu'il revient se coucher, il a envie de… mmphm. Si bien que je dors encore moins que lorsqu'il ronfle.

Jamie attendait dans le couloir. Dès que j'apparus, il me prit le bras et m'entraîna vers la porte d'entrée.

— Mais qu'est-ce que…

Je m'interrompis en voyant le grand Indien assis sur le bord du perron.

— Qu'est-ce que… repris-je.

Puis, il se leva et se tourna vers moi avec un sourire.

— Ian !

Je me jetai dans ses bras. Il était mince et dur comme du cuir séché au soleil. Ses vêtements sentaient l'humidité des bois et la terre, avec de vagues effluves de fumée. Je reculai d'un pas en m'essuyant les yeux pour le regarder, et un museau froid poussa ma main, me faisant sursauter.

— Toi ! lançai-je à Rollo. Je ne pensais jamais te revoir !

Submergée par l'émotion, je lui frottai frénétiquement les oreilles. Il aboya et se coucha sur ses pattes avant, agitant une queue tout aussi frénétique.

— Chien ! Chien ! Chien !

Jemmy venait de faire irruption de sa propre cabane, courant aussi vite que ses petites jambes le lui permettaient, ses cheveux mouillés dressés sur sa tête et le visage rayonnant. Rollo bondit vers lui, le rejoignant à mi-chemin et le renversant dans un concert de cris aigus.

Ma première crainte fut que Rollo – après tout, il était à moitié loup – considère Jemmy comme une proie, mais il devint aussitôt évident qu'ils ne faisaient que jouer, avec autant d'enthousiasme l'un que l'autre. Le sonar maternel de Brianna ayant capté les cris de son petit, elle jaillit hors de la maison.

— Qu'est-ce que… commença-t-elle.

Ian avança vers elle, la prit dans ses bras et l'embrassa. Elle se mit à pousser des cris de joie, qui ne tardèrent pas à attirer tout le cercle des couseuses sous le porche dans un tourbillon d'exclamations, de questions et de petits cris accessoires, histoire de contribuer à l'excitation générale.

Au beau milieu de ce chaos, je remarquai soudain la matérialisation de Roger, issu de nulle part, avec une nouvelle écorchure sur le front, un œil au beurre noir et une chemise propre. Je me tournai vers Jamie, à côté de moi, qui observait le remue-ménage avec un sourire béat. Lui, en revanche, portait une chemise non seulement crasseuse, mais complètement déchirée sur le devant, avec un énorme accroc à la manche. Elle était maculée de boue et de sang séché. Je ne voyais pas de sang frais. Tout cela ajouté aux cheveux et à la chemise propres de Jemmy – qui ne l'étaient déjà plus – me parut hautement suspect.

— Qu'est-ce que vous avez encore fabriqué ? demandai-je à Jamie en grondant.

Il secoua la tête sans se départir de son sourire béat.

— Rien de bien méchant, *Sassenach*. Au fait, j'ai un cochon tout frais pour toi à dépecer… quand tu auras le temps.

J'écartai une mèche de devant ma figure avec un soupir amusé.

— Qu'est-ce que c'est que cette histoire ? On tue le veau gras pour célébrer le retour du fils prodigue ?

Sur le perron, Ian était à présent totalement submergé par une marée de femmes. Lizzie était accrochée à son bras, l'excitation faisant rayonner son visage pâle. J'eus un petit serrement de cœur en la voyant soudain si heureuse, puis repoussai cette considération pour plus tard.

— Ian a amené des amis ? Ou… sa famille, peut-être ?

Il nous avait dit que sa femme attendait un bébé, mais cela faisait près de deux ans. L'enfant – si tout s'était bien passé – devait déjà marcher.

Le sourire de Jamie se ternit légèrement.

— Non, il est venu seul. Avec le chien, naturellement.

Celui-ci était à présent couché sur le dos, les pattes en l'air, se tortillant joyeusement sous les assauts de Jemmy.

— Ah !

Je remis de l'ordre dans ma coiffure, renouai mon ruban, me demandant quoi faire des couseuses et du cochon. Nous devions fêter ce grand événement par un dîner à sa hauteur, mais, pour ça, je pouvais faire confiance à Mme Bug.

— T'a-t-il dit combien de temps il comptait rester avec nous ?

Jamie prit une grande inspiration et posa une main dans mon dos.

— Il ne repartira pas.

Sa voix remplie de joie contenait aussi une note de tristesse qui me fit lever des yeux surpris vers lui.

— Il est rentré à la maison.

Lorsque l'équarrissage de la bête, la confection de l'édredon et le dîner furent terminés et les invités repartis, il était très tard. L'air résonnait encore de bavardages, pourtant il restait encore beaucoup à dire. Ian s'était montré charmant avec tout le monde, mais s'était peu épanché sur son voyage depuis le nord... et pas du tout sur les raisons de son retour.

Trouvant Jamie seul dans son bureau juste avant le dîner, je lui avais demandé :

— Ian t'a dit quelque chose ?

— Trois fois rien. Uniquement qu'il revenait pour de bon.

— Tu penses qu'il est arrivé malheur à sa femme et au bébé ?

Mon cœur se serra en songeant à la jolie et menue squaw Wakyo'teyehsnonhsa, « travaille avec ses mains ». Ian l'avait appelée Emily. Mourir en couches n'avait rien d'exceptionnel, même chez les Indiennes.

Indécis, Jamie fit la moue :

— Je n'en sais rien, mais je crains que ce soit quelque chose de ce genre. Il n'a pas dit un mot à leur sujet… et son regard est nettement plus vieux que lui-même.

Au même moment, Lizzie avait passé la tête dans l'entrebâillement de la porte avec un message urgent de la part de Mme Bug concernant le dîner, et j'avais dû partir. En suivant la jeune fille dans le couloir, je n'avais pu m'empêcher de me demander ce que le retour de Ian signifiait pour elle… notamment si nos supputations concernant l'épouse mohawk de Ian étaient justes.

Lizzie avait été un peu amoureuse de Ian avant son départ. Lorsqu'il avait décidé de rester avec les Kahnyen'kehakas, elle avait mis plusieurs mois à s'en remettre, se laissant dépérir. Mais c'était deux ans auparavant, et deux ans dans la vie de jeunes gens pouvaient être très longs.

Je comprenais les paroles de Jamie au sujet du regard de Ian. Il ne faisait aucun doute que le gamin impulsif et joyeux que nous avions laissé avec les Mohawks n'existait plus. D'un autre côté, Lizzie n'était plus tout à fait la petite souris timide au regard adorateur qu'elle avait été.

Elle était surtout la fiancée de Manfred McGillivray. Je me réjouissais qu'Ute McGillivray ni aucune de ses filles n'aient fait partie du cercle de couseuses de l'après-midi. Avec de la chance, l'aura dorée du retour de Ian s'estomperait en peu de temps.

— Tu es sûr que ce sera confortable ici ?

Je contemplai Ian d'un air dubitatif. J'avais étalé plusieurs couvertures matelassées sur la table de mon infirmerie, après qu'il avait décliné l'offre de M. Wemyss de lui prêter son lit et celle de Mme Bug de lui préparer une couche confortable devant la cheminée de la cuisine.

— Oh oui ! ma tante. Vous n'imaginez pas les lieux où nous avons dormi, Rollo et moi !

Il s'étira en bâillant.

— Seigneur ! Ça doit faire plus d'un mois que je n'ai pas veillé après le coucher du soleil !

— Ni dormi plus tard que l'aube, je suppose. Tu seras tranquille ici. Personne ne te dérangera si tu veux faire la grasse matinée.

Il se mit à rire.

— Pour ça, j'ai intérêt à laisser la fenêtre ouverte pour que Rollo puisse entrer et sortir à sa guise. Quoiqu'il semble avoir déjà trouvé des proies à chasser à l'intérieur.

Assis au milieu de la pièce, Rollo fixait de ses yeux jaunes la porte supérieure de mon armoire. Un grondement sourd, comme de l'eau bouillonnant dans une casserole, vibrait à l'intérieur.

— Personnellement, je mise sur le chat, déclara Jamie.

Il était entré derrière moi.

— ... Ce petit Adso a une très haute opinion de lui-même. La semaine dernière, je l'ai vu pourchasser un renard.

— Le fait que tu te trouvais derrière lui avec un fusil n'avait rien à voir avec la fuite du renard, je présume ? objectai-je.

— Pas de l'avis de ton *cheetie* en tout cas.

— *Cheetie*, répéta doucement Ian. Ça fait du bien d'entendre de nouveau parler écossais, mon oncle.

Jamie lui effleura le bras.

— Je veux bien te croire, *a mhic a pheathar*. Tu as dû oublier ton gaélique, non ?

—'*S beag'tha fhios aig fear a bhaile mar'tha fear na mara bèo*, répondit Ian sans hésiter.

C'était un vieux dicton : « Le paysan ignore comment vit le marin. »

Jamie éclata de rire, surpris et ravi à la fois. Ian sourit en retour. Sur son visage halé, les pointillés de son tatouage mohawk formaient des croissants entre son nez et ses pommettes. Toutefois, l'espace d'un instant, je vis la lueur espiègle dans ses yeux et retrouvai l'adolescent que nous avions connu.

— Je me répétais des mots dans ma tête, expliqua-t-il. Je regardais quelque chose et disais son nom dans ma tête. « *Avbhar* », « *Coire* », « *Skirlie* ».

Il regarda timidement son oncle.

— Tu m'avais recommandé de ne pas oublier.

— C'est vrai, Ian, murmura Jamie. Je m'en félicite.

Il lui serra doucement l'épaule, puis tout à coup, ils tombèrent dans les bras l'un de l'autre, s'étreignant, se frottant mutuellement le dos.

Le temps que je me sois essuyé les yeux et mouché, ils s'étaient séparés et avaient retrouvé leur nonchalance habituelle, feignant de ne pas avoir remarqué mon accès de sentimentalisme féminin.

— J'ai conservé mon écossais et mon gaélique, mon oncle. En revanche, j'ai eu plus de mal avec mon latin.

— J'imagine que tu n'as pas eu souvent l'occasion de le pratiquer, à moins de croiser un jésuite par hasard.

Ian lui lança un regard surpris. Puis, il jeta un coup d'œil vers la porte de l'infirmerie comme pour s'assurer, avant de répondre, que personne n'arrivait.

— En fait, ça ne s'est pas vraiment passé ainsi.

Il vérifia encore que personne ne venait, puis il prit le petit sac en cuir, qu'il avait porté noué à la taille,

594

et qui contenait tous ses biens matériels, à l'exception de son couteau, de son carquois et de son arc. Il fouilla dedans et en extirpa un livre relié de cuir noir. Il le tendit à Jamie qui l'examina d'un air perplexe.

— Juste avant de quitter Snaketown, la vieille femme, Tewaktenyonh, m'a donné ce livre. Je l'avais déjà vu. Emily...

Il s'interrompit, s'éclaircit la gorge, puis reprit :

— Un jour, Emily en avait arraché une page pour moi, afin que je t'envoie un message pour te dire que j'allais bien. Vous l'avez reçu ?

— Oui, le rassurai-je. Jamie l'a envoyé ensuite à ta mère.

Son visage s'illumina.

— Ah oui ? Tant mieux. J'espère qu'elle sera contente d'apprendre mon retour.

— Je crois en effet qu'on peut compter là-dessus, dit Jamie.

Il lui montra le livre.

— Qu'est-ce que c'est, au juste ? On dirait un bréviaire.

Ian gratta une piqûre de moustique sur le bout de son nez.

— Oui, mais ce n'en est pas un. Regarde-le bien.

Je me rapprochai de Jamie et examinai le livre par-dessus son épaule. La tranche était déchirée, là où la page de garde avait été arrachée. Il n'y avait pas de page de titre non plus, ni de caractères d'imprimerie. Cela ressemblait plutôt à un journal. Les feuilles étaient couvertes d'une écriture à l'encre noire.

Deux mots se détachaient, seuls en haut de la première page, écrits en grandes lettres tremblotantes.

Ego sum. « Je suis. »

Plus bas, l'écriture reprenait, mais dans une calligraphie plus petite et plus contrôlée, même si la manière dont les lettres étaient formées me paraissait bizarre.

Prima cogitatio est...

— « C'est la première chose qui me vienne à l'esprit... », traduisit Jamie.

> *Je suis. J'existe toujours. Existais-je vraiment dans ce lieu entre deux ? Sans doute, puisque je m'en souviens. Je tenterai plus loin de le décrire. Pour le moment, je ne trouve pas les mots. Je me sens trop mal.*

Les lettres étaient petites et rondes, toutes séparées. Elles semblaient avoir été tracées avec minutie, pourtant elles titubaient sur la page, formant une ligne penchée. Effectivement, il n'avait pas dû être dans son assiette à ce moment-là.

Lorsque le texte reprenait sur la page suivante, les lignes avaient retrouvé leur aplomb, tout comme leur auteur.

> *Ibi denim locus...*
>
> *C'est le bon endroit. Forcément, je le savais. Mais c'est également la bonne époque, je le sens. Les arbres, les buissons sont différents. Il y avait une clairière à l'ouest. À présent, elle est complètement envahie par les lauriers. Je regardais un grand magnolia au moment d'entrer dans le cercle. Il n'est plus là, il y a un jeune chêne à sa place. Le bruit aussi est différent. On n'entend plus la grand-route et sa circulation au loin. Uniquement des oiseaux. Chantant très fort. Le vent.*
>
> *Je suis encore étourdi. Mes jambes sont molles. Je ne tiens pas encore debout. Je me suis réveillé sous le mur où le serpent se mord la queue, mais à quelque distance de la*

dépression où nous avions tracé notre cercle. J'ai dû ram-
per. Mes mains sont écorchées et mes vêtements pleins de
terre. Après mon réveil, je suis resté longtemps allongé sans
bouger, trop mal en point pour me lever. Je me sens mieux
à présent. Encore affaibli mais fou de joie. Ça a marché.
Nous avons réussi.

— « Nous » ?

Je levai des yeux interrogateurs vers Jamie. Il haussa
les épaules et tourna la page.

La pierre a disparu. Il n'en reste qu'une traînée de suie
au fond de ma poche. Raymond avait donc raison. C'était
un petit saphir brut. Il faut que je me souvienne de tout
noter dorénavant, pour ceux qui pourraient venir après
moi.

Un frisson glacé remonta le long de ma colonne vertébrale, picotant mon cuir chevelu et faisant se dresser
mes cheveux sur ma tête. « Ceux qui pourraient venir
après moi ». Sans le vouloir, je tendis la main pour toucher le livre. Une impulsion irrésistible. Il fallait que je
le touche, que je rentre en contact avec celui qui avait
écrit ces mots.

Jamie me regarda, surpris. Je retirai ma main, recroquevillant les doigts. Il hésita un instant, puis reposa
ses yeux sur la page qui semblait l'hypnotiser autant
que moi.

Je savais à présent ce qui m'avait chiffonné dans ces
petites lettres nettes. Elles n'avaient pas été tracées à la
plume. L'écriture à la plume, même la plus soignée, présentait des variations d'intensité à mesure qu'on re-
trempait la pointe dans l'encrier. Ici, une fine ligne
régulière d'encre noire, qui entaillait à peine les fibres
du papier, dessinait chaque mot. Les plumes ne faisaient jamais ça.

— Un feutre, murmurai-je. Il a écrit au feutre. Mon Dieu !

Jamie leva les yeux vers moi. Je devais être pâle, car il voulut refermer le livre. Je lui fis signe de continuer à lire. Gardant un œil sur moi, il se pencha vers le bureau. Puis, son attention fut entièrement absorbée par le journal. En lisant la page suivante, il fronça les sourcils.

— Regarde.

Il me montra une ligne en latin où étaient insérés des mots écrits dans une langue inconnue. Il se tourna vers Ian.

— Ce ne serait pas du mohawk ? On dirait une langue indienne. Sans doute algonquienne, non ?

— « Pleut Fort », lut Ian. C'est du kahnyen'kehaka, la langue mohawk. Il n'y a pas d'alphabet, mais il a retranscrit les noms phonétiquement. « Pleut fort », c'est le nom de quelqu'un. Les autres aussi : « Bon Marcheur , « Six Tortues » et « Parle avec les Esprits ». C'est du mohawk, j'en suis sûr.

Jamie le dévisagea un long moment, puis reprit sa traduction :

> J'avais l'un des saphirs, Pleut Fort avait l'autre. Parle avec les Esprits avait le rubis, Bon Marcheur, le diamant, et Six Tortues, l'émeraude. Nous n'étions pas sûrs du diagramme – s'il fallait quatre points, pour les points cardinaux, ou cinq, pour former un pentacle. Comme nous étions cinq à avoir prêté le serment du sang, nous avons dessiné un cercle avec cinq points.

Il y avait un petit espace entre cette dernière phrase et la suivante. Puis l'écriture changeait, devenant plus ferme et régulière, comme si l'auteur s'était arrêté et avait repris son récit à une date ultérieure.

Je suis retourné voir. Il n'y a aucune trace du cercle, mais, après tout, pourquoi y en aurait-il ? J'ai dû rester inconscient un long moment. Nous avions dessiné le cercle juste à l'entrée de la crevasse, mais je n'ai rien trouvé m'indiquant comment j'avais rampé ou roulé jusqu'à l'endroit où je me suis réveillé, pourtant il y avait des traces dans la terre, faites par la pluie. Mes vêtements étaient humides, mais je ne saurais dire si c'était à cause de la pluie, de la rosée du matin ou de ma transpiration, après être resté exposé en plein soleil. Je suis revenu à moi aux environs de midi. Le soleil était au zénith et il faisait une chaleur étouffante. Ai-je rampé depuis la crevasse avant de m'évanouir ? À moins que j'aie été projeté à une certaine distance par la puissance de la transition ?

Ces mots résonnaient en moi avec un étrange écho. Je ne les avais jamais entendus, mais ils m'étaient terriblement familiers. Relevant la tête, je croisai le regard de Ian qui, apparemment, me fixait depuis un certain temps, ses yeux doux chargés de spéculation.

— Oui, répondis-je simplement. Moi aussi. Tout comme Brianna et Roger.

Jamie releva les yeux à son tour et surprit le regard de son neveu. Sa main se posa automatiquement sur la mienne comme pour me protéger.

— Tu as déjà réussi à déchiffrer ce journal ? lui demanda-t-il.

— En grande partie, répondit Ian sans me quitter des yeux. Je n'ai pas tout saisi, bien sûr, certaines subtilités grammaticales m'ont sûrement échappé… mais, oui, je crois avoir compris l'essentiel.

Jamie et moi échangeâmes un regard hésitant, puis Ian me sourit, son visage s'illuminant, empreint de profonde satisfaction.

— Mmphm… ne faites donc pas cette tête, tante Claire. Je me suis toujours douté que vous n'étiez pas une fée !

Incapable de rester éveillé plus longtemps, Ian s'était couché, résistant juste le temps de retenir Rollo par la peau du cou, pendant que j'extirpais Adso de l'armoire, sifflant comme un serpent. Son poil hérissé l'avait fait doubler de volume. Le tenant à bout de bras pour éviter d'être éviscérée moi-même, je le transportai dans notre chambre où je le jetai sur notre lit. Puis, aussitôt, j'interrogeai Jamie.

— Alors, que s'est-il passé ensuite ?

Il allumait déjà une nouvelle bougie. Déboutonnant sa chemise d'une main, tenant le livre ouvert de l'autre, il se laissa tomber sur le bord du lit, absorbé par sa lecture.

— Il n'a retrouvé aucun de ses amis. Il a fouillé les environs pendant deux jours, en les appelant. Pas une trace. Il était désemparé, mais, en même temps, il ne pouvait pas rester indéfiniment sur place. Il n'avait rien à manger et juste un couteau et un peu de sel. Il devait chasser ou trouver des gens.

Ian avait raconté que Tewaktenyonh lui avait donné le livre. Celui-ci avait appartenu à un homme nommé Dent de Loutre. Un membre de ma famille, avait-elle spécifié.

C'était moi-même qui le lui avais décrit ainsi, ne sachant pas comment qualifier autrement ce lien entre les voyageurs dans le temps. Je n'avais jamais rencontré Dent de Loutre, du moins pas de son vivant, mais s'il était bien celui que je pensais, alors sa tête était enterrée dans notre petit cimetière, avec ses plombages.

Peut-être allais-je enfin apprendre qui il avait été... et comment il avait connu une fin aussi radicale.

— Ce n'était pas un grand chasseur, dit Jamie en arquant un sourcil critique. Il n'arrivait même pas à prendre un écureuil au collet, en plein milieu de l'été !

Heureusement pour Dent de Loutre, il connaissait quelques plantes comestibles et semblait particulièrement fier de pouvoir distinguer une papaye d'un kaki.

— Il n'y a vraiment pas de quoi ! m'exclamai-je. Les kakis ressemblent à des balles de base-ball orange !

— Oui, et ils ont un goût de résidu de pot de chambre, ajouta Jamie qui n'en était pas grand amateur. Toutefois, comme il avait très faim, il ne pouvait être trop difficile...

Il avait erré dans la nature un certain temps, même si « errer » n'était pas le mot exact. Il avait choisi une direction spécifique, se guidant grâce aux étoiles et au soleil. C'était étrange... que cherchait-il donc ?

Il avait fini par tomber sur un village, notant qu'il ne parlait pas la langue de ses habitants...

— Qu'est-ce qui lui fait croire qu'il aurait dû la comprendre ? s'étonna Jamie.

... et avait été extraordinairement bouleversé – d'après ce qu'il écrivait – de constater que les femmes cuisinaient dans des casseroles en fer.

— Oui, Tewaktenyonh m'en a parlé ! m'exclamai-je. Elle m'a parlé de cet homme qui n'arrêtait pas de faire toute une histoire au sujet de leurs marmites, de leurs couteaux et de leurs fusils. Il répétait que les Indiens... comment disait-elle déjà ?... Ah oui, qu'ils devaient « retrouver les us de leurs ancêtres », ou que l'homme blanc les dévorerait tout cru.

— Un excité, avec un certain penchant pour la rhétorique, marmonna Jamie.

Toujours rivé à son livre, il lut :

J'ai échoué. Je suis arrivé trop tard.

Il se redressa contre la tête du lit, me lança un regard, puis poursuivit :

Je ne sais pas exactement à quelle époque je suis et ne peux le déterminer. Les gens d'ici n'utilisent aucun système chronologique que je comprenne, et cela ne changerait rien si je connaissais suffisamment leur langue pour le leur demander. Mais je sais que je suis arrivé trop tard.

Si j'étais arrivé à l'époque escomptée, avant 1650, il n'y aurait pas eu de fer dans un village situé si loin dans les terres. Son usage courant dans la vie domestique prouve que j'ai au moins cinquante ans de retard... peut-être plus.

Cette découverte plongea Dent de Loutre dans un profond désespoir pendant plusieurs jours. Puis, il se ressaisit, décidant qu'il n'avait pas d'autre choix que de continuer. Il avait donc repris la route seul, avec quelques provisions offertes par les villageois, marchant vers le nord.

— J'ignore où il pensait aller, observa Jamie, mais il ne manquait pas de cran. Ses amis sont morts ou disparus. Il n'a rien avec lui, ne sait même pas où il est et, pourtant, il poursuit sa route.

— Que pouvait-il faire d'autre ?

Je me rappelai les premiers jours après mon propre passage à travers les pierres. Cependant, il y avait une différence : cet homme avait choisi de venir. Nous en ignorions encore le pourquoi et le comment.

Marchant dans la nature, avec son petit livre noir pour seule compagnie, Dent de Loutre avait décidé d'occuper son esprit à coucher par écrit le récit de son voyage, y compris ses motivations et ses objectifs.

> *Peut-être échouerai-je dans ma tentative... notre tentative. De fait, tout porte à croire que je finirai ici, seul au milieu de nulle part. Mais si tel est le cas, l'idée que perdure une trace de notre noble entreprise demeure ma seule consolation... C'est là le seul monument que je peux ériger à la mémoire de ceux qui ont été mes frères, mes compagnons dans cette aventure.*

Jamie s'interrompit et se frotta les yeux. La chandelle était presque consumée, et, à force de bâiller, mes propres yeux larmoyaient tellement que je distinguais à peine les pages dans la lumière vacillante.

— Arrêtons là, proposai-je. Je n'arrive plus à me concentrer. Et puis, Brianna et Roger devraient probablement entendre cette histoire, eux aussi.

Jamie s'ébroua, clignant des paupières.

— Tu as raison, *Sassenach*.

Il referma le livre et le déposa sur la table de chevet. Je ne pris même pas la peine de faire ma toilette. Je me débarrassai tant bien que mal de mes vêtements et me glissai en chemise dans le lit, délogeant Adso qui se retrancha à nos pieds, en rechignant. Quelques instants plus tard, il ronronnait, en rythme avec le doux ronflement régulier de Jamie.

Je trouvais leurs deux présences apaisantes. La plupart du temps, j'étais bien chez moi, ancrée dans le petit trou que je m'étais fait dans ce monde, heureuse d'être avec Jamie, quelles que soient les circonstances. Toutefois, de temps à autre, je me rendais compte de l'ampleur du gouffre que j'avais franchi, de la perte du monde dans lequel j'étais née... je me sentais alors complètement seule. Et effrayée.

Le fait d'entendre les mots de cet homme, sa panique, son désespoir, avait ravivé en moi le souvenir de mes traversées.

Je me blottis contre mon époux endormi, réchauffée et enracinée, et entendis les paroles de Dent de Loutre comme s'il les chuchotait dans mon oreille. Son cri de désolation se réverbérait et traversait les barrières du temps et du langage.

Au bas d'une page, l'écriture s'était faite de plus en plus hâtive, certaines lettres à peine comme des points d'encre, les terminaisons avalées dans une danse arachnéenne frénétique, le latin de l'auteur se dissolvant dans le désespoir.

Mon Dieu, mon Dieu...
Où sont-ils ?

Il fallut attendre le lendemain après-midi avant de parvenir à rassembler Brianna, Roger et Ian afin de se retirer discrètement dans le bureau de Jamie, sans attirer l'attention. La veille au soir, en raison du retour de Ian et de la fatigue, tout m'avait paru raisonnable. Mais, à mesure que je vaquais à mes tâches à la lueur du jour, j'avais de plus en plus de mal à me convaincre que le journal existait vraiment et que je ne l'avais pas tout simplement rêvé.

Pourtant, quand je les rejoignis dans le bureau, il était bien là, solide, sur la table. Jamie et Ian avaient passé la matinée à le traduire. À la manière dont les cheveux de Jamie étaient dressés sur sa tête, je devinais qu'il avait trouvé la lecture soit profondément captivante, soit très dérangeante, soit les deux.

— Je leur ai déjà expliqué, me déclara-t-il sans préambule avec un signe de tête vers Roger et Brianna.

Ils étaient assis côte à côte sur des tabourets, l'air solennel. Jemmy était sous la table, jouant avec un collier de perles en bois. Je pris place sur la dernière chaise disponible.

— Vous avez tout lu ? demandai-je.

Jamie hocha la tête en regardant Ian qui se tenait devant la fenêtre, trop énervé pour rester assis, presque aussi échevelé que son oncle.

— Nous n'allons pas vous lire tout le texte à voix haute, mais je voulais commencer par l'extrait où il raconte comment tout a débuté pour lui.

Il avait marqué l'endroit avec la bande en cuir qu'il utilisait habituellement comme signet.

Le nom qui m'a été donné à ma naissance est Robert Springer. Je le rejette, avec tout ce qu'il représente, car c'est le fruit amer de siècles de meurtres et d'injustice, le symbole du pillage, de l'esclavage et de l'oppression...

Jamie releva les yeux.

— Vous comprenez pourquoi je n'ai pas voulu tout vous lire, il y en a des tartines entières dans cette même veine.

Suivant sa ligne du bout de l'index, il reprit :

— « Dans l'année de notre Seigneur... leur Seigneur, ce Christ au nom duquel ils violent et pillent et... » patati et patata, je passe, mais, en bref, l'année en question est mille neuf cent soixante-huit. Vous devriez donc être au courant de ces meurtres et pillages dont il parle, non ?

Il haussa les sourcils vers Brianna et Roger.

Brianna se redressa brusquement, agrippant le bras de Roger.

— Je connais ce nom ! Robert Springer, je le connais !

— Tu le connaissais ? m'exclamai-je, stupéfaite.

— Non, pas lui personnellement, son nom. Je l'ai lu dans les journaux. Pas toi ?

Elle se tourna vers Roger qui fit non de la tête.

— C'est sans doute normal, habitant en Écosse, reprit-elle. Mais chez nous, à Boston, il a beaucoup fait parler de lui. Je crois me souvenir qu'il faisait partie des Cinq de Montauk.

— Des cinq quoi ? demanda Jamie.

— C'était juste un nom pour attirer l'attention. Ce n'est pas important. C'étaient des militants d'AIM, du moins ils ont commencé à l'AIM, mais ils étaient trop extrémistes, même pour le mouvement.

Voyant l'air perplexe de son père et de son cousin, elle leur dressa un bref et triste tableau des conditions de vie déprimantes des Indiens au XXᵉ siècle.

Jamie pianota sur le rebord de la table, l'air concentré.

— Si je comprends bien, ce Robert Springer était un Indien. Voilà qui correspond bien avec son récit. Lui et ses amis n'avaient pas grande estime pour le comportement de ceux qu'ils appelaient « les Blancs ». Je suppose qu'ils voulaient parler des Anglais. Ou des Européens ?

— Euh... oui, sauf qu'en mille neuf cent soixante-huit, ce n'étaient plus des Européens mais des Américains... Le problème, c'est que les premiers Américains étaient les Indiens, alors on les a appelés des Amérindiens et...

Roger lui tapota discrètement le genou.

— On pourra peut-être revenir sur la partie historique plus tard. Qu'as-tu lu au juste sur Robert Springer ?

Arrêtée dans son élan, elle fronça les sourcils, cherchant à se souvenir.

— Oh... euh... Ils ont disparu... Oui, c'est ça. Ils ont disparu, les Cinq de Montauk. Ils étaient recherchés par le gouvernement pour avoir fait sauter quelque chose... ou avoir menacé de le faire, je ne sais plus. Ils ont été arrêtés, puis libérés sous caution en attente de leur procès et... c'est là qu'ils ont disparu.

Ian lança un regard vers le journal.

— Maintenant, on sait où, murmura-t-il.

— Ça a fait la une de tous les journaux pendant une semaine. Les autres militants accusaient le gouvernement de s'être débarrassé d'eux, de peur qu'ils ne révèlent des informations compromettantes au cours de leur procès et, bien sûr, le gouvernement démentait. Il y a eu une grande enquête. Il me semble qu'ils ont fini par découvrir le corps de l'un d'eux... dans les bois, quelque part dans le New Hampshire ou le Vermont... mais sans jamais expliquer les circonstances de sa mort. On n'a jamais retrouvé trace des autres.

Mes poils se hérissèrent dans ma nuque.

— *Où sont-ils ?* citai-je dans un murmure. *Mon Dieu, où sont-ils ?*

Jamie hocha sobrement la tête.

— Oui, je crois bien que ce Springer est notre homme.

Il effleura la page devant lui avec une sorte de respect.

— Lui et ses compagnons ont rejeté tout lien avec le monde blanc, prenant de nouveaux noms dans leur vraie culture... c'est ce qu'il raconte.

— Ils ont fait ce qu'ils devaient faire, dit Ian.

Il avait répondu avec un calme nouveau, qui me rappela soudain qu'il avait été un Mohawk au cours de ces deux dernières années, purifié de son sang blanc, rebaptisé Frère du Loup, devenu l'un des Kahnyen'kehakas, les gardiens de la porte de l'ouest.

Jamie tourna lentement les pages du journal tout en nous résumant leur contenu.

Robert Springer – ou Ta'wineonawira – « Dent de Loutre », comme il choisit lui-même de se nommer, entretenait de nombreux liens avec le monde clandestin de l'extrémisme politique et avec l'univers encore plus souterrain de ce qu'il appelait le chamanisme amérindien. J'ignorais si ce qu'il faisait se rapprochait vraiment des croyances originales des Iroquois, mais Dent de Loutre pensait descendre des Mohawks et avait fait siens les vestiges de traditions qu'il avait pu glaner… ou inventer.

> C'est au cours d'une cérémonie de baptême que j'ai rencontré Raymond.

Je me redressai brusquement. Il avait déjà mentionné ce Raymond au début, mais je n'y avais pas fait attention.

— Décrit-il ce Raymond ? demandai-je.

— Pas physiquement, répondit Jamie. Il dit uniquement que c'était un grand chaman capable de se métamorphoser en oiseau ou en mammifère… et qui pouvait marcher à travers le temps.

Il me lança un regard interrogateur.

— Je ne sais pas, dis-je. J'y ai songé un moment, mais à présent… je ne sais pas.

Perplexes, les yeux de Brianna allaient de Jamie à moi.

— Quoi ? s'impatienta-t-elle.

— Rien. J'ai connu un Raymond à Paris et j'ai pensé que... mais que fabriquerait-il aux États-Unis en mille neuf cent soixante-huit ?

— Tu y étais bien, toi, observa Jamie. Mais, laissons ça de côté pour l'instant...

Il reprit sa traduction du texte. Intrigué par le fameux Raymond, Dent de Loutre l'avait rencontré à plusieurs reprises et lui avait présenté certains de ses proches amis. Peu à peu s'était dessiné leur projet – *un plan audacieux, magnifique, d'une conception époustouflante !*

— Modeste avec ça ! marmonna Roger.

Il y avait une épreuve. Nombreux sont ceux qui échouèrent mais pas moi. Nous étions cinq à l'avoir passée avec succès, à avoir entendu la voix du temps ; cinq à prêter serment, sur notre sang et avec notre sang, d'entreprendre cette grande aventure, de sauver notre peuple de la catastrophe. Cinq à nous engager à réécrire son histoire et à redresser ses torts, à...

Roger gémit.

— On croit rêver ! Que comptaient-ils faire, assassiner Christophe Colomb ?

— Pas tout à fait, intervins-je. Il voulait arriver avant 1600. Que s'est-il passé autour de cette date ?

Jamie se gratta le sommet du crâne.

— Je ne sais pas, mais je devine ce qu'il avait projeté de faire : aller trouver la Ligue iroquoise et l'inciter à se soulever contre les colons blancs. Ces derniers étant encore peu nombreux, les Indiens les auraient facilement éliminés, à condition que les Iroquois ouvrent la voie.

— Il a peut-être raison, dit Ian. J'ai entendu des anciens raconter des histoires. Lorsque les premiers O'seronni sont arrivés, ils ont été bien accueillis et ont apporté des produits à échanger. Il y a cent ans, les O'seronni n'étaient pas nombreux... les Kahnyen'kehakas étaient alors les maîtres, les meneurs des Nations. Oui, à l'époque, ils auraient réussi, s'ils l'avaient voulu.

— Oui, mais il n'aurait jamais pu arrêter l'afflux des Européens, objecta Brianna. Il y en avait bien trop. Il ne comptait pas convaincre les Mohawks d'envahir l'Europe tout de même ?

À cette idée, un large sourire s'afficha sur le visage de Jamie.

— J'aurais bien voulu voir ça. Les Mohawks auraient sûrement donné une belle raclée aux *Sassenachs*. Mais non, hélas, notre ami Robert Springer n'était pas ambitieux à ce point.

Cela dit, le projet de Dent de Loutre et de ses compagnons ne manquait pas d'envergure et aurait peut-être – juste peut-être – pu marcher. Ils n'étaient pas fous au point de vouloir empêcher toute colonisation des Blancs, conscients que cette idée était utopique. Ils voulaient simplement mettre les Indiens en garde contre les envahisseurs, afin qu'ils négocient avec eux selon leurs propres règles, qu'ils définissent les termes du commerce en assumant d'emblée une position de supériorité.

Au lieu de les laisser s'implanter en grand nombre, ils les auraient cantonnés dans de petites villes. Au lieu de les laisser construire des fortifications, ils auraient pu exiger des armes. L'idée était de toujours rester plus nombreux, plus armés que les Blancs et d'obliger les Européens à transmettre leur maîtrise et leur connaissance des métaux.

— *Prometheus redux*, dis-je.

Roger hocha la tête d'un air admiratif.

— C'est un peu tiré par les cheveux, mais il faut quand même saluer leur culot. Ça aurait effectivement pu marcher... S'ils parvenaient à convaincre les Iroquois. Si ces derniers agissaient au bon moment, avant que la balance des pouvoirs ne bascule du côté des Européens. Mais tout est allé de travers, n'est-ce pas ? D'abord, il débarque à la mauvaise époque – beaucoup trop tard –, puis il se rend compte qu'aucun de ses copains n'a réussi la traversée.

Je vis soudain la chair de poule sur les bras de Brianna, tandis qu'elle imaginait ce que signifiait d'arriver ailleurs, pas dans son époque... seul. Nos regards se croisèrent, le sien chargé de compassion et de compréhension.

— En effet, reprit Jamie. Il dit lui-même avoir failli devenir fou de désespoir quand il a compris l'échec de leur plan. Il a envisagé de rebrousser chemin, mais il n'avait plus de gemme. Or, d'après le dénommé Raymond, il lui en fallait absolument une, pour sa protection.

— Il a fini par en trouver une, dis-je.

Je me levai et allai chercher la grosse opale brute sur la plus haute étagère du bureau.

Tewaktenyonh, une vieille mohawk, chef du Conseil des mères, me l'avait donnée, lorsque je m'étais rendue dans le village de Snaketown pour y délivrer Roger retenu captif. Elle m'avait également raconté l'histoire de Dent de Loutre.

La grosse pierre lisse était chaude dans ma main. Je passai doucement mon pouce sur la spirale incisée. « Le serpent qui se mord la queue », avait-il dit.

— Il n'en parle pas dans son journal, dit Jamie. Celui-ci s'arrête alors que, comprenant qu'il n'y a rien à faire, il décide de suivre le plan prévu, quelle que soit l'année, qu'il soit seul ou pas.

Tout le monde resta silencieux un moment, réfléchissant à l'énormité – et à la futilité – d'un tel projet.

— Il ne pensait pas sérieusement y arriver, dit Roger.

Jamie toucha doucement la page ouverte devant lui.

— Non, il le dit en conclusion... les siens sont morts par milliers pour leur liberté et des milliers d'autres mourront dans les années à venir. Il préfère marcher sur leurs pas, pour l'honneur de son sang. Un guerrier mohawk ne peut rêver mieux que de mourir en combattant.

J'entendis Ian soupirer derrière moi. Brianna pencha la tête, si bien que ses cheveux cachaient son visage. Roger était tourné vers elle, le profil grave. Mais aucun d'eux ne voyait ce que, moi, je voyais : un homme au visage peint du masque de la mort, marchant dans une forêt ruisselante de pluie, brandissant une torche brûlant d'un feu terne.

Roger se redressa brusquement et, montrant le livre, demanda :

— Ce qui m'étonne, c'est pourquoi il a tenu son journal en latin ?

— Il l'explique, répondit Jamie. Il avait appris le latin à l'école, peut-être déteste-t-il les Européens pour ça...

Il fit un clin d'œil à Ian, qui grimaça.

— ... Il a pensé que s'il écrivait en latin, ceux qui tomberaient dessus par hasard penseraient avoir trouvé un bréviaire de prêtre et n'y prêteraient pas attention.

— Les Kahnyen'kehakas pensaient exactement cela, déclara Ian. Cependant, la vieille Tewaktenyonh le conservait. Quand je suis parti, elle me l'a confié en me disant que je devais l'emporter et vous le donner, tante Claire.

— À moi ?

J'osais à peine le toucher, mais je tendis quand même la main et caressai les pages ouvertes. Vers la fin, l'encre avait commencé à sécher, certaines lettres n'étant plus que de petits traits sur le papier. Avait-il jeté le feutre une fois vide ? Ou l'avait-il gardé comme un souvenir de son futur évanoui ?

Le visage de Ian était impassible, mais une lueur troublait le fond de ses yeux noisette.

— Tu crois qu'elle en connaissait le contenu ? lui demandai-je.

— Je ne sais pas. Elle était au courant de quelque chose, mais j'ignore quoi. Elle ne m'a rien dit, sinon que je devais vous l'apporter.

Il hésita, son regard passant de moi à Brianna et à Roger.

— C'est vrai ce que tu as raconté, cousine ? Au sujet de ce qui va arriver aux Indiens ?

Elle releva les yeux et acquiesça.

— Malheureusement, oui. Je suis désolée, Ian.

Il se frotta l'arête du nez d'un doigt songeur. Il n'avait pas oublié les siens, mais, désormais, les Kahnyen'kehakas faisaient aussi partie de lui. Indépendamment de ce qui l'avait poussé à partir.

J'allais enfin me résoudre à lui demander ce qui était arrivé à sa femme, quand Jemmy attira mon attention. Pendant que nous parlions, il avait pris l'opale et l'avait emportée sous la table. Il était engagé dans une conversation animée – et inintelligible – avec elle depuis plusieurs minutes, lorsque son ton changea.

— Chaud, déclara-t-il. Maman, c'est CHAUD !

Brianna avait déjà bondi de son tabouret, l'air inquiet, quand j'entendis le bruit, comme le chant d'un verre en cristal. Alarmé, Roger se leva.

Brianna se pencha, extirpa Jemmy de sous la table et se redressa avec lui. Il y eut alors un « pop ! » soudain, comme un coup de feu. Le chant lancinant cessa aussitôt.

— Mon Dieu ! souffla Jamie.

Des éclats de feu rebondirent contre les étagères, les livres, les murs, les plis profonds de la jupe de Brianna. L'un d'eux passa en sifflant près de la tête de Roger, éraflant son oreille. Une petite goutte de sang perla, mais il ne parut pas s'en rendre compte.

Une traînée de minuscules étoiles brillait sur la table, là où une pluie d'échardes projetées du sol avait traversé le bois. Ian poussa une exclamation et se pencha pour ôter un éclat pris dans le gras de son mollet. Jemmy se mit à pleurer. Dehors, Rollo aboyait furieusement.

L'opale avait explosé.

Il faisait encore jour. La flamme de la bougie était presque invisible dans la lumière de fin d'après-midi qui filtrait par la fenêtre. Jamie souffla sur la mèche dont il s'était servi pour l'allumer, puis il se rassit derrière son bureau.

— Tu n'as rien senti d'inhabituel quand tu as touché la pierre tout à l'heure, *Sassenach* ?

J'étais encore sous le choc de l'explosion, l'écho de ce bruit étrange résonnant dans mes oreilles.

— Non, elle était chaude, mais comme tout dans la pièce. Et elle n'émettait pas ce bruit...

— Quel bruit ? Tu veux dire la détonation ?

— Non, avant. Tu ne l'as pas entendu ?

Il fit non de la tête. Je regardai les autres. Brianna et Roger, tous deux livides, firent signe que oui. Ian paraissait intrigué mais perplexe.

— Je n'ai rien entendu. À quoi ça ressemblait ?

Brianna ouvrit la bouche pour répondre, mais Jamie l'arrêta d'un geste.

— Un instant, *a nighean*. Jemmy, *a ruradh*, tu as entendu un bruit avant le grand « bang » ?

L'enfant s'était remis de sa frayeur, mais était encore blotti dans les bras de sa mère, suçant son pouce. Il dévisagea son grand-père de ses yeux bleus, de plus en plus en forme d'amande, et hocha lentement la tête.

— Et la pierre de grand-mère, elle était chaude ?

Il me jeta un regard accusateur et acquiesça de nouveau. Je frémis en songeant à ce qui aurait pu lui arriver si Brianna ne l'avait pas soulevé à temps.

Nous avions ramassé presque tous les éclats fichés dans le bois. Ils formaient à présent un tas sur le bureau. L'un d'eux m'avait éraflé un doigt. Je le portai à ma bouche, goûtant mon sang.

— Mince, ces petits éclats sont aussi tranchants que du verre.

— Mais c'est du verre ! répliqua Brianna.

— Du verre ? s'étonna Roger. Ce n'était pas une vraie opale ?

— Si, bien sûr, mais les opales sont du verre. Du verre volcanique très dur. Les gemmes sont jolies parce qu'elles ont une structure cristalline. Celle de l'opale est particulièrement friable. Je savais qu'on pouvait en briser une en la frappant avec un marteau, mais je n'avais jamais entendu dire qu'elles pouvaient éclater toutes seules comme ça !

Jamie saisit un gros éclat sur la table et me le tendit.

— Garde-le dans la main, *Sassenach*. Est-ce qu'il te paraît chaud ?

Je le pris délicatement. Il ne pesait presque rien. Il était translucide, avec des reflets vifs, bleus et orange.

— Oui. Il n'est pas brûlant, mais… je dirais… à la température de ma peau.

— Pour moi, il était frais, dit Jamie. Donne-le à Ian.

Celui-ci le prit à son tour dans le creux de sa main, le touchant avec précaution du bout d'un doigt, comme s'il s'agissait d'un petit animal qu'il valait mieux ne pas contrarier.

— Il est frais. Comme un morceau de verre.

La suite du tour de table révéla que la pierre semblait chaude, mais pas exagérément, à Brianna, à Roger et à moi, mais pas à Ian et à Jamie. Entre-temps, la bougie avait assez fondu pour que Jamie puisse récupérer les pierres qui y étaient cachées. Il essuya la cire chaude avec un mouchoir, puis aligna les gemmes sur le bord du bureau pour les faire refroidir.

Jemmy observait avec un grand intérêt, sa mésaventure apparemment oubliée.

— Elles te plaisent, *an ghille ruaidh* ? lui demanda Jamie.

L'enfant hocha vigoureusement la tête.

Jamie saisit l'émeraude, une pierre grossièrement taillée de la grosseur de son pouce.

— Tends la main, *a bailach*.

Brianna parut réticente, mais elle se mordit la lèvre et encouragea son fils à obéir à son grand-père. L'enfant prit la pierre d'un air suspicieux, puis sourit.

— C'est chaud ? demanda Brianna.

— Oui, chaud, répondit-il en la serrant contre son ventre.

— Laisse maman voir.

Elle parvint non sans mal à la toucher, sans pour autant réussir à la lui faire lâcher.

— Oui, elle est chaude, confirma-t-elle. Comme le fragment d'opale.

616

Elle se pencha vers Jemmy.

— Si ça devient trop chaud, tu jettes le caillou, promis ?

Roger avait suivi la scène, fasciné.

— Vous aviez dit moitié-moitié ou trois chances sur quatre, n'est-ce pas ? me chuchota-t-il.

Jamie se tourna vers lui, puis vers moi, arquant un sourcil interrogateur.

— Pardon ?

— Je crois qu'il peut... voyager, dis-je le ventre noué. Tu te souviens, Dent de Loutre a dit qu'ils avaient dû subir une épreuve pour vérifier s'ils pouvaient entendre « la voix du temps ». Nous savons que tout le monde ne peut pas... faire ça.

Je me sentais étrangement gênée d'en parler devant Ian.

— D'après lui, repris-je, ils avaient un moyen de savoir à l'avance qui pouvait ou non, sans avoir à franchir le pas.

Jemmy ne prêtait plus attention à la conversation des adultes. Il se balançait d'avant en arrière, fredonnant un air à la pierre qu'il gardait contre lui.

Roger se pencha et lui prit le bras.

— Jemmy, tu peux entendre la pierre ? Est-ce qu'elle te chante quelque chose ?

Surpris, Jemmy releva les yeux.

— Non, dit-il sur un ton incertain.

Puis :

— Oui.

Il pressa l'émeraude contre son oreille, fronçant les sourcils, puis la tendit vers Roger.

— Papa chante !

Celui-ci la prit et la porta à son tour à son oreille. Il écouta attentivement, plissant le front, puis haussa les épaules.

— Ce n'est pas… je ne peux pas… je ne peux pas dire que j'entends quelque chose, mais il y a comme un… Tiens, essaie pour voir.

Il tendit la pierre à Brianna, puis elle me la donna. Aucun de nous trois n'avait entendu de son particulier, et pourtant il m'avait semblé percevoir un son. Pas vraiment un bruit. Plutôt une vibration très, très lointaine.

Ian avait suivi l'expérience, captivé.

— Qu'est-ce que c'est ? Aucun de vous trois n'est *sìdheanach*. Alors, comment se fait-il que vous puissiez… faire ce que vous faites, mais pas oncle Jamie ni moi ?

Pris d'un doute soudain, il se tourna vers son oncle.

— Tu ne peux pas, toi non plus, n'est-ce pas ?

— Non, Dieu soit loué !

— C'est génétique, non ? demanda Brianna. Je ne vois pas d'autre explication.

Ce terme barbare intrigua Jamie et Ian.

— Génétique ?

— Pourquoi pas ? répondis-je à Brianna. Tout le reste l'est. Le groupe sanguin, la couleur des yeux…

— Mais tout le monde a des yeux et du sang, *Sassenach*, objecta Jamie. Mais ça…

Il montra les gemmes sur le bureau.

Je poussai un soupir d'impatience.

— Oui, mais beaucoup d'autres choses sont génétiques. À vrai dire, tout ! Regarde…

Je lui tirai la langue. Il écarquilla les yeux. Brianna pouffa de rire en voyant sa tête.

Je rentrai la langue, puis la ressortis, cette fois ses bords enroulés en forme de cylindre.

— Alors ? dis-je. Tu sais faire ça ?

Jamie parut amusé.

— Bien sûr que je le peux !

Il tira à son tour une langue enroulée, l'agita, puis la rentra.

— Tout le monde peut le faire. N'est-ce pas, Ian ?

Ian nous en fit aussitôt la démonstration.

— Rien de plus facile ! Tout le monde sait faire ça !

— Pas moi, dit Brianna.

Jamie la regarda, interloqué.

— Comment ça ?

— Blaaah !

Elle sortit une langue désespérément plate et l'agita de droite à gauche.

— Mais si, tu peux ! déclara Jamie. Attends, je vais te montrer…

Il sortit de nouveau la langue, l'enroulant et la déroulant comme un fourmilier paternel anxieux encourageant sa progéniture à savourer une appétissante masse d'insectes. Puis, il jeta un œil vers Roger. Celui-ci haussa des épaules navrées.

— Eh non ! Moi non plus. Blaaah !

Une langue plate.

— Tu vois ? m'exclamai-je, triomphante. Il y en a qui peuvent enrouler leur langue et d'autres pas. Ça ne s'apprend pas. Tu nais avec ou sans.

Jamie lança un regard soupçonneux en direction de Brianna et de Roger, puis se tourna vers moi.

— Admettons un instant que tu aies raison… Pourquoi notre fille ne peut pas, alors que toi et moi, nous le pouvons ? Tu m'as bien assuré que c'était ma fille, non ?

— Oui, c'est bien ta fille. Avec des yeux pareils, n'importe qui pourra te le confirmer.

— Soit, je veux bien te croire sur parole, *Sassenach*. Mais cette histoire de langue, alors ?

— Eh bien… tu sais d'où viennent les bébés, commençai-je. L'ovule et…

— Oui, je sais, me coupa-t-il.

— Eh bien, l'enfant prend une part de sa mère et une part de son père. Parfois, l'influence du père est plus visible que celle de la mère et inversement, mais les deux sont là, présentes. On les appelle des gènes... les bébés héritent de ceux de leurs deux parents et ils affectent leur apparence et leurs facultés.

Jamie observa Jemmy qui s'était remis à fredonner en tentant d'empiler les gemmes, le soleil brillant dans ses cheveux cuivrés. Il surprit le regard de Roger sur lui et revint rapidement vers moi.

— Oui, et alors ?

— Les gènes n'affectent pas uniquement la couleur des cheveux ou des yeux, repris-je, emportée dans mon élan professoral. Chaque personne possède deux gènes pour chaque trait, un de son père et un de sa mère. Lorsque les... euh... gamètes se forment dans les ovaires et les testicules...

— Tu pourrais peut-être m'expliquer tout ça plus tard, *Sassenach*, m'interrompit-il.

Il jeta un regard en biais à Brianna, estimant visiblement que des mots tels que testicules n'étaient pas faits pour les oreilles de sa fille. Les siennes étaient en feu.

— C'est bon, papa, dit-elle en souriant. Figure-toi que je sais comment on fait les bébés.

J'en profitai pour reprendre les rênes de la conversation.

— Je disais donc, on a une paire de gènes par trait, un de son père et un de sa mère, mais, lorsqu'on fait un enfant, on ne lui transmet qu'un des membres de sa paire, l'enfant obtenant l'autre de son autre parent, tu me suis ?

Fascinés, Jamie et Roger acquiescèrent dans un même mouvement.

— ... certains gènes sont dits dominants et d'autres récessifs. Quand une personne a un gène dominant, c'est celui qui s'exprime, à savoir, qui se voit. Elle peut avoir un autre gène, récessif qu'on ne verra pas, mais qui peut quand même être transmis à son enfant.

— On ne t'a pas enseigné ça à l'école, Roger ? demanda Brianna, amusée.

— Si, mais je ne devais pas écouter. Après tout, à l'époque, je ne pensais pas en avoir besoin un jour !

— Donc... poursuivis-je, toi et moi, Jamie, nous avons tous les deux le gène dominant qui permet de rouler sa langue. Mais... !

Je brandis un doigt.

— ... Nous avons sûrement aussi un gène récessif qui nous empêche de rouler la langue. Apparemment, nous l'avons tous les deux légué à Brianna. Même chose pour Roger. Il doit avoir deux gènes récessifs qui ne lui permettent pas de rouler sa langue, car, s'il n'avait qu'un seul des gènes dominants, il pourrait la rouler. C.Q.F.D.

— C'est quoi « tessicule » ? demanda une petite voix.

Jemmy avait abandonné ses pierres et m'observait avec un profond intérêt.

— Euh...

Je lançai un regard à la ronde, appelant à l'aide.

— C'est un mot savant pour tes roupettes, mon bonhomme, dit Roger avec un sourire.

— Roupettes ? J'ai des roupettes ? Où ça ?

— Euh... fit à son tour Roger.

Il regarda Jamie qui se mit à fixer le plafond.

— Après tout, tu es le seul en kilt ici, mon oncle, lança Ian, hilare.

Jamie lui lança un regard noir, mais, avant qu'il n'ait pu lui répondre, Roger se pencha et mit une main en coupe sous l'entrejambe de son fils.

— Ici, *a bhalaich*.

Jemmy se tripota un instant, puis releva les yeux vers lui.

— C'est pas une roupette, ça ! C'est un zizi !

Jamie poussa un profond soupir et se leva. Il fit un petit signe de tête à Roger, puis se pencha et prit Jemmy par la main.

— Allez, viens avec moi dehors, mon grand. Ton papa et moi, on va te montrer.

Brianna était aussi rouge que ses cheveux et avait de plus en plus de mal à contenir son envie de rire. Sur le pas de la porte, cédant à une impulsion, Jamie regarda son petit-fils et lui tira une langue en cylindre.

— Tu peux faire ça, *a ruadh* ?

Brianna émit un bruit de canard qu'on étrangle. Roger se figea, fixant Jemmy comme s'il était un explosif, prêt à éclater comme l'opale.

Une seconde trop tard, Jamie comprit son erreur et pâlit.

— Foutre ! lâcha-t-il entre ses dents.

Jemmy roula des yeux réprobateurs.

— Vilain, grand-père ! Vilain mot ! Hein, maman ?

— Tu as raison, dit Brianna en fusillant son père du regard. On lavera la bouche de grand-père avec du savon.

Il avait déjà l'air d'en avoir avalé un pain entier, et au suif par-dessus le marché.

— Oui, c'était très mal de ma part, Jeremiah. Je demande pardon à ces dames.

Il s'inclina formellement devant moi, puis devant Brianna, déclarant dans son meilleur français :

— *Je suis navré, mesdames*[1].

Puis, il ajouta à l'intention de Roger :

— *Toutes mes excuses, monsieur*[1].

Aussitôt, comme chaque fois qu'on prononçait un mot en français devant lui, le visage de Jemmy revêtit cet air de ravissement béat et, visiblement, selon le souhait de Jamie, proposa immédiatement sa propre contribution à la langue de l'art courtois et de la chevalerie, en entonnant :

— *Frère Jacques, Frère Jacques*[1]...

Roger regarda Brianna, et un fluide sembla circuler dans l'air entre eux. Il se pencha pour prendre l'autre main de Jemmy, interrompant sa chanson.

— *A bhalach*, regarde grand-père, tu sais tirer la langue comme lui ?

Il fit signe à Jamie qui prit une grande inspiration et sortit de nouveau sa langue en cylindre.

Jemmy éclata de rire.

— Blaaah !

Une langue plate.

Un soupir de soulagement collectif traversa la pièce. Soutenu à chaque main, Jemmy leva les pieds et se balança entre les deux hommes. Puis, il se souvint de la question initiale.

— Grand-papa a des roupettes ?

— Oui, mon garçon, j'en ai. Mais celles de ton père sont plus grosses. Allez, viens.

Les deux hommes sortirent dans le couloir, le soutenant entre eux comme un gibbon suspendu, les genoux relevés sous le menton.

---

1. En français dans le texte. (*N.d.T.*)

72

L'homme de sang

J'effritai des feuilles de sauge sèches entre mes paumes au-dessus des braises, libérant une pluie de miettes gris-vert. Le soleil bas rejoignait la crête des châtaigniers et le petit cimetière était déjà plongé dans l'ombre. *Comme nous étions cinq, nous avons dessiné un cercle avec cinq points.* Nous avions convenu que la cérémonie n'était pas uniquement pour l'homme aux plombages dentaires, mais également pour ses quatre compagnons, ainsi que pour Daniel Rawlings dont la nouvelle et dernière demeure se trouvait non loin, sous un grand sorbier.

La fumée s'éleva de la petite marmite, pâle et odorante. J'avais apporté d'autres herbes, mais je savais que, pour les Tuscaroras, les Cherokees et les Mohawks, la sauge était sacrée et sa fumée purificatrice.

Je jetai des aiguilles de genièvre dans les flammes, suivies de rue, qu'ils appelaient l'herbe de grâce, et de romarin, symbole de mémoire.

La brise fit bruisser doucement les feuilles des arbres voisins et le crépuscule illumina la volute de fumée. Celle-ci devenait dorée à mesure qu'elle s'élevait vers les cieux où l'attendaient les premières étoiles pâles.

Jamie leva la tête et se tourna vers l'ouest, vers le lieu où s'envolent les âmes des défunts. Il parla doucement, en gaélique, mais nous en savions tous assez pour le comprendre.

> *Tu pars ce soir rejoindre ta demeure hivernale,*
> *Ta demeure automnale, printanière et estivale ;*
> *Tu retrouveras ce soir ta maison perpétuelle,*
> *Ton lit infini, ton sommeil éternel.*
>
> *Que le repos des sept lumières soit à toi, Ô frère,*
> *Que le repos des sept joies soit à toi, Ô frère,*
> *Que le repos des sept sommeils soit à toi, Ô frère,*
> *Dans les bras du Jésus des bénédictions, du Christ de*
> la grâce.
>
> *L'ombre de la mort recouvre ton visage, mon bien-aimé,*
> *Mais le Jésus de la grâce t'étreint ;*
> *Près de la Trinité, dis adieu à tes peines,*
> *Le Christ se tient devant toi et son esprit n'est que paix.*

Ian se tenait à ses côtés. Les derniers feux du jour effleuraient son visage, faisant rougeoyer ses cicatrices. Il parla d'abord en mohawk, puis en anglais pour nous.

> *Que la chasse soit fructueuse,*
> *Que tes ennemis soient détruits sous tes yeux,*
> *Que ton cœur soit toujours rempli de joie sous le toit*
> de tes frères.

— On est censé le répéter encore et encore, ajouta-t-il d'un air contrit. Avec les tambours et tout. Mais j'ai pensé qu'une fois suffirait pour le moment, non ?

— Oui, je pense que ça ira comme ça, l'assura Jamie.

Il se tourna vers Roger qui toussota, s'éclaircit la gorge, puis récita d'une voix aussi transparente et pénétrante que la fumée :

Seigneur, dis-moi quelle sera ma fin,
Donne-moi le compte de mes jours,
Que je sache combien je suis frêle.

Hélas, je ne suis qu'un feu de paille,
Mes années ne sont rien devant toi.
Entends ma prière, Ô Seigneur, écoute ma supplique,
Ne retiens pas ta grâce devant mes larmes,
Car je ne suis qu'un étranger pour toi,
Un être de passage, comme mes pères avant moi.

Nous nous tînmes un moment en silence, tandis que la nuit s'étalait doucement autour de nous. Lorsque la lumière eut disparu et que les feuilles eurent perdu de leur brillance, Brianna saisit la cruche et versa l'eau sur les braises. La fumée et la vapeur s'élevèrent en un nuage spectral, et le parfum du souvenir se répandit à travers les arbres.

Il faisait pratiquement nuit quand nous redescendîmes l'étroit sentier qui menait à la maison. Je devinais à peine Brianna qui ouvrait la voie devant moi. Les hommes étaient juste derrière. Une multitude de lucioles voletaient entre les arbres, éclairant les herbes à nos pieds. L'une d'elles se posa un bref instant et clignota sur les cheveux de Brianna.

À la tombée de la nuit, la forêt imposait le silence, même aux battements du cœur, incitant à marcher sur la pointe des pieds.

— Alors, tu as réfléchi, *a cliamhuinn* ?

La voix de Jamie derrière moi était basse, son ton amical… mais il était clair que sa question n'avait rien d'anodin.

— À quoi ? demanda Roger.

— À ce que tu vas faire... avec ta famille. Maintenant que tu sais que le petit et toi vous pouvez voyager à travers les pierres... et ce qui peut arriver, si vous restez.

Ce qui pouvait nous arriver à tous. Je retins mon souffle, mal à l'aise. La guerre. Les combats. L'incertitude... hormis pour la certitude du danger. Le risque de maladies ou d'accidents pour Brianna et Jemmy. Le risque de mourir en couches si Brianna tombait de nouveau enceinte. Pour Roger, celui de perdre son corps et son âme. Sa tête était guérie, mais je voyais encore cette lueur sombre au fond de ses yeux, chaque fois qu'il pensait à Randall Lillywhite.

— Oh oui ! j'ai réfléchi, dit-il. J'ai réfléchi et je continue de réfléchir... *m'athair-cèile*.

Je souris en l'entendant appeler Jamie « beau-père », mais le ton de sa voix était grave.

— Voulez-vous savoir ce que je pense ? Ensuite, vous me donnerez votre opinion.

— Oui, mais tu as encore le temps, tu sais.

— Ces derniers temps, je songe souvent à Hermon Husband.

— Le quaker ?

Jamie était surpris. Husband avait quitté la colonie avec sa famille après la bataille d'Alamance. Il me semblait avoir entendu dire qu'ils s'étaient établis dans le Maryland.

— Oui, lui. À votre avis, que se serait-il passé s'il n'avait pas été quaker ? Il aurait poursuivi le combat et conduit les Régulateurs à la guerre ?

Jamie poussa un grognement méditatif.

— Je n'en sais rien, répondit-il finalement sur un ton intrigué. Tu veux dire qu'ils auraient peut-être réussi s'ils avaient eu un bon meneur ?

— Oui, ou peut-être pas. Ils n'avaient pas d'armes, après tout. Mais ils s'en seraient certainement mieux sortis. Et, dans ce cas...

Nous arrivions en vue de la maison. Il y avait de la lumière aux fenêtres, le feu était attisé dans les cheminées pour la soirée, les chandelles allumées pour le dîner.

— Si la Régulation avait été mieux dirigée, ce qui va se passer d'ici trois ans dans le Massachusetts aurait déjà commencé, ici et maintenant.

— Et ?

— Je sais très bien ce qui se passe en Angleterre en ce moment. Ils ne sont pas prêts, ils n'ont aucune idée de ce qui les attend ici. Si la guerre éclatait maintenant, sans prévenir – si elle avait éclaté à Alamance – elle se propagerait comme une traînée de poudre. Elle serait sans doute terminée avant que les Anglais aient compris quoi que ce soit. Cela aurait pu éviter des années de combat et épargner des milliers de vies.

— Ou pas, rétorqua Jamie.

Roger se mit à rire.

— Ou pas, convint-il. Mais il n'empêche. Je crois qu'il y a un temps pour les hommes de paix... et un temps pour les hommes de sang.

Brianna était arrivée à la maison. Elle se retourna sur le perron et nous attendit. Elle aussi, elle avait suivi la conversation.

Roger s'arrêta près d'elle et leva les yeux. Des étincelles s'envolèrent du conduit de cheminée en une gerbe scintillante et retombèrent en pluie sur lui.

— Vous m'avez appelé lors du *gathering*, poursuivit-il sans baisser les yeux.

— *Seas vi mo lâmh, Roger an t'oranaiche, mac Jeremiah mac Choinnich*, récita doucement Jamie. Oui, c'est vrai. « Tiens-toi à mes côtés, Roger le chanteur, fils de Jeremiah. »

— *Seas vi mo lâmh, a mhic mo thaighe*, répondit Roger. « Tiens-toi à mes côtés, fils de ma maison. » Vous étiez sincère ?

— Tu sais bien que oui.

— Alors, moi aussi.

Il posa une main sur l'épaule de Jamie. Je vis les articulations de ses doigts blêmir tandis qu'il la serrait.

— Je me tiendrai à vos côtés. Nous resterons.

Près de moi, Brianna libéra son souffle, son soupir se confondant avec celui du vent.

73

Nonobstant, nous allons à sa rencontre

La grosse bougie s'était encore consumée, mais il restait de nombreux anneaux noirs indiquant les heures. Jamie laissa retomber les pierres dans la flaque de cire qui bordait la mèche, un, deux, trois, puis la moucha. La quatrième pierre, une grosse topaze, était enchâssée dans une petite boîte en bois, enveloppée dans une toile huilée et cousue. Elle partirait pour Édimbourg, adressée au mari de la cousine de Mme Bug, qui, grâce à ses relations dans les milieux bancaires, se chargerait de vendre la gemme, et, après avoir déduit sa commission, transmettrait les fonds ainsi recueillis à Ned Gowan.

La lettre qui l'accompagnait, cachetée et glissée dans la boîte, chargeait l'avocat de déterminer si une certaine Laoghaire MacKenzie habitait avec un homme dans des conditions matrimoniales. Le cas échéant, il devait déclarer caduc le contrat unissant Laoghaire MacKenzie et James Fraser et déposer les fonds dans une banque, réservant ceux-ci à la dot de Mlle Joan MacKenzie Fraser, à lui remettre le jour de son mariage.

— Tu es sûr de ne pas vouloir savoir qui est l'homme en question ?

Il secoua vigoureusement la tête.

— S'il décide de me le dire, tant mieux. S'il préfère ne rien dévoiler, tant mieux aussi.

Il releva les yeux vers moi avec un sourire narquois. De toute évidence, la curiosité frustrée serait sa pénitence.

Dans le couloir, j'entendis Brianna discuter avec Mme Bug tout en admonestant Jemmy. Puis la voix de Roger l'interrompit, suivie des cris du garçonnet quand il le souleva dans les airs.

— Tu penses que Roger a fait le bon choix ? demandai-je.

Sa décision me comblait de joie, et il en allait de même pour Jamie. Mais, en dépit de la perspective particulière que Brianna, Roger et moi avions sur les événements futurs, je savais que Jamie avait une bien meilleure idée que nous de l'avenir. Si le passage à travers les pierres avait ses dangers, la guerre également.

Il réfléchit, puis saisit sur une des étagères un volume très usé avec une reliure bon marché en tissu. C'était une édition de l'*Histoire de la guerre du Péloponnèse* de Thucydide. Il l'avait achetée dans l'espoir assez fou que Germain et Jemmy apprendraient un jour suffisamment de grec pour pouvoir le lire.

Il l'ouvrit délicatement pour ne pas faire tomber les pages. Les lettres en grec n'évoquaient en moi rien d'autre que les errements d'un ver qui aurait pris un bain d'encre, mais il trouva sans peine le passage qu'il cherchait.

— « Les plus braves sont certainement ceux qui ont la vision la plus claire de ce qui s'étend devant eux, gloire ou danger, et, nonobstant, vont à sa rencontre pour l'affronter. »

Les mots étaient étalés sur la page, mais je n'avais pas l'impression qu'il les lisait. Il récitait de mémoire, dans le livre ouvert de son cœur.

Une porte claqua, et j'entendis Roger crier au-dehors, appelant Jemmy. Son rire chaud retentit, à demi étranglé, tandis que Brianna lui parlait. Sa voix était trop lointaine pour que je distingue les paroles.

Puis ils s'éloignèrent, et le silence retomba.

— « Les plus braves sont ceux qui ont la vision la plus claire. » Tu en sais quelque chose, non ?

Je posai une main sur son épaule, juste là où naissait son cou, et caressai du pouce les ligaments puissants de sa nuque, regardant les gesticulations du ver sur la page. Oui, il savait, tout comme moi, car sa vision était celle que je lui avais montrée.

Il inclina la tête sur le côté, si bien que ses cheveux épais retombèrent sur mon poignet, doux et chauds.

— Non, pas moi, murmura-t-il. On ne peut être brave que quand on a le choix, pas vrai ?

Je me mis à rire et essuyai mes yeux de ma main libre.

— Pourquoi, tu crois que tu n'as pas le choix ?

Il ne répondit pas tout de suite, mais ferma le livre, le serrant entre ses paumes.

— Non, dit-il enfin sur un ton étrange. Je ne l'ai plus.

Il se tourna vers la fenêtre. On ne voyait rien que le gros épicéa rouge de l'autre côté de la clairière et l'ombre profonde de la chênaie qui s'étendait derrière dans un enchevêtrement de mûriers. L'endroit noirci où s'était dressée la croix de feu avait de nouveau été envahi par la végétation, enfoui sous l'orge sauvage.

Il y eut un courant d'air, et je me rendis compte que le monde autour de nous n'était pas si silencieux. Les bruits de la montagne étaient partout, dans les chants des oiseaux, dans le gargouillis d'un cours d'eau… Il y avait des voix aussi, le murmure constant des activités humaines, un mot près de l'enclos aux cochons, un appel près des latrines. Par-dessus et par-dessous tout, les bruits d'enfants, les cris et les rires portés par le vent.

— Tu as sans doute raison, dis-je à mon tour.

Il n'y avait plus à choisir. Je trouvais soudain cette constatation apaisante. Ce qui devait arriver arriverait. Nous l'affronterions de notre mieux et espérions y survivre. Quoi d'autre ? Si nous ne survivions pas, peut-être eux survivraient-ils. J'enroulai une mèche de ses cheveux autour de mon index et m'y accrochai comme à une ancre.

— Mais tes autres choix ? Tous ceux qui t'ont conduit jusqu'ici ? Ils étaient bien réels… et, si tu veux mon avis, sacrément courageux !

Il pivota sur sa chaise pour me faire face, souriant faiblement. Sa main trouva la mienne et ses doigts se mêlèrent aux miens.

— Oui, on en sait quelque chose, pas vrai, *Sassenach* ?

Je m'assis près de lui, ma main sur sa cuisse, la sienne sur la mienne. Nous restâmes ainsi un moment, observant les nuages chargés de pluie s'amonceler au loin au-dessus de la rivière, telle la menace d'une guerre lointaine. Je compris alors que, choix ou pas, cela reviendrait probablement au même.

La main de Jamie se resserra sur la mienne, et je levai les yeux vers lui. Il avait le regard fixé quelque part, au-delà de la cour, au-delà des montagnes et de l'orage lointain. La pression s'accentua encore, et je sentis les bords de mon alliance s'enfoncer dans ma chair.

Puis, il se tourna vers moi et me dit doucement :

— Quand le jour viendra où nous devrons nous séparer, si mes dernières paroles ne sont pas « je t'aime »… ce sera parce que je n'aurai pas eu le temps de les prononcer.

Remerciements

L'auteur adresse ses profonds remerciements à...

... mon éditrice, Jackie Cantor, comme toujours la plus ardente avocate de mon livre.

... mon agent, Russ Galen, toujours à mes côtés avec son bouclier et sa lance.

... Stacey Sakal, Tom Leddy et tous les autres merveilleux membres de la production, qui ont sacrifié leur temps, leur talent et leur santé mentale pour la réalisation de ce livre.

... Kathy Lord, créature rare et exquise, excellente correctrice de surcroît.

... Virginia Norey (alias la Déesse du livre), graphiste, qui, comme par magie, est parvenue à faire tenir le tout entre deux morceaux de carton et, en plus, lui a donné très belle allure.

... Irwyn Applebaum et Nita Taublib, éditeur et éditrice adjointe, qui sont venus à la fête et y ont apporté leur contribution.

... Rob Hunter et Rosemary Tolman, pour leurs informations inédites sur la guerre de la Régulation et leurs ancêtres très pittoresques et intéressants, James

Hunter et Hermon Husband (non je n'invente pas tous ces personnages, quelques-uns seulement).

... Beth et Matthew Shope, ainsi que Liz Gaspar, pour leurs informations sur l'histoire et les croyances des quakers en Caroline du Nord (on notera par pur souci historique que, techniquement, Hermon Husband n'était pas un quaker à strictement parler au moment du récit, ayant été expulsé de son mouvement pour son discours jugé trop enflammé).

... Bev LaFlamme, Carol Krenz et leurs maris (respectivement) français et canadien (francophone) (qui se demandent sans doute quel genre d'amie fréquentent leurs femmes), pour leur avis d'expertes sur le transit intestinal des Français et leur aide pour des expressions françaises très colorées.

... Julie Giroux, pour la musique de Roger et la merveilleuse *Symphonie de Culloden*.

... Roger H.P. Coleman, R.W. Odlin, Ron Parker, Ann Chapman, Dick Lodge, Olan Watkins et de nombreux membres du Compuserve Masonic Forum pour leurs informations sur la franc-maçonnerie et les Loges irrégulières, vers 1755 (soit bien avant l'établissement du Rite écossais, alors inutile de m'écrire à ce sujet, compris ?).

... Karen Watson et Ron Parker, pour leurs conseils sur les stations de métro londoniennes pendant la Seconde Guerre mondiale... au sujet desquelles je me suis permis quelques libertés techniques.

... Steven Lopata, Hall Elliott, Arnold Wagner, R.G. Schmidt et Mike Jones, tous d'honorables guerriers, pour leurs discussions utiles sur la manière dont les hommes pensent et se comportent avant, pendant et après la bataille.

... R.G. Schmidt et plusieurs autres charmantes personnes dont j'ai malheureusement oublié de noter le nom, qui m'ont transmis beaucoup d'informations utiles sur les croyances, la langue et les coutumes cherokees. (L'incantation pour la chasse à l'ours s'achevant sur « Yoho ! » est historique. Il y a beaucoup de choses que, même avec l'imagination la plus folle, je n'aurais pas pu inventer toute seule).

... la famille Chemodurow, pour m'avoir généreusement permis de prendre des libertés avec leurs personnalités, les dépeignant comme des porchers russes. (Au XVIIIe siècle, des sangliers russes ont réellement été importés en Caroline du Nord pour la chasse. Cela a peut-être un rapport avec la popularité du barbecue dans le Sud.)

... Laura Bailey, pour ses conseils et commentaires précieux sur les costumes et les coutumes du XVIIIe siècle, dont j'ai en grande partie tenu compte.

... Susan Martin, Beth Shope et Margaret Campbell, pour leurs opinions d'expertes sur la faune, la flore, la géographie, le climat et l'ambiance psychologique de la Caroline du Nord (et qui tiennent toutes à préciser que seul un barbare mettrait des tomates dans la sauce barbecue). Toute aberration dans ces aspects de l'histoire résulte de l'inadvertance, de la licence poétique ou de l'entêtement de l'auteur.

... Janet McConnaughey, Varda Amir-Orrell, Kim Laird, Elise Skidmore, Bill Williams, Arlene MacRae, Lynne Sears Williams, Babs Whelton, Joyce McGowan et les dizaines d'autres bonnes âmes du Compuserve Writers Forum, toujours prêtes à répondre à une question idiote en un tour de main, notamment si elle a trait à la mutilation, au meurtre, à la maladie, au point piqué ou au sexe.

... Le docteur Ellen Mandell, pour ses conseils techniques sur la manière de pendre un homme puis de l'égorger sans le tuer. Toute erreur dans l'exécution de cet avis est de mon fait.

... Piper Fahrney, pour ses excellentes descriptions de ce que l'on ressent lors de l'apprentissage du combat à l'épée.

... David Cheifetz, tueur de dragons.

... Iain MacKinnon Taylor, pour son aide très précieuse dans les traductions du gaélique et ses charmantes suggestions pour le discours de Jamie lors du *gathering*.

... Karl Hagen, pour ses conseils en grammaire latine, et Barbara Schnell, pour ses conseils en latin et allemand, sans parler de ses magnifiques traductions de mes romans en allemand.

... Julie Weathers, mon regretté beau-père, Max Watkins et Lucas, pour leur aide au sujet des chevaux.

... Les dames de Lallybroch, pour leur soutien moral enthousiaste et continu, y compris leur approvisionnement attentionné en papier hygiénique international.

... Les centaines de personnes qui ont eu la gentillesse de m'offrir spontanément des informations tous azimuts, du développement et des usages de la pénicilline aux *bodhrans*, à la distribution de l'épinette rouge et au goût de la viande d'opossum (il paraît que c'est gras, pour ceux que ça intéresse).

... et mon mari, Doug Watkins, pour tout.